D1209606

Les Grandes Heures
de l'Histoire de France

LA TRAGÉDIE DES TEMPLIERS

GEORGES BORDONOVE

Les Grandes Heures
de l'Histoire de France

LA TRAGÉDIE DES TEMPLIERS

ÉDITIONS FRANCE LOISIRS

Édition du Club France Loisirs,
avec l'autorisation des Éditions Pygmalion

Éditions France Loisirs,
123, boulevard de Grenelle, Paris.
www.franceloisirs.com

ISBN : 978-2-298-01702-1

Le bon sens a fait juger que dix hommes qui meurent,
pouvant ne pas mourir en avouant les crimes
dont on les accuse, sont plus croyables que cent
qui les avouent et qui, par cet aveu,
rachètent leur vie.

Le Grand Arnaud

L'HISTOIRE TOURNAIT UNE PAGE

La chute retentissante des Templiers stupéfia les contemporains, ceux du moins qui, dans le délaissement de valeurs séculaires, avaient su préserver leur hauteur d'âme, et se refusaient à aboyer avec les chiens. L'Ordre du Temple avait défendu le fragile royaume de Jérusalem pendant deux siècles. Il avait été, avec les Hospitaliers et les Teutoniques, la fleur de toute chevalerie et la Milice du Christ. Son naufrage rapide et total, les crimes abominables qu'on lui imputait, semèrent le doute et l'amertume dans les esprits. Ils obscurcissent inaltérablement le règne de Philippe le Bel par ailleurs si grand.

La veille de l'arrestation des Templiers, l'Ordre semblait indestructible. Il était encore respecté, voire redouté, bien que les princes, pour se donner bonne conscience, le rendissent responsable de la perte de Jérusalem. Certes, des rumeurs confuses circulaient sur son compte ; on ne les répandait qu'à mi-voix ; ce n'étaient que murmures isolés, à peine distincts. On reprochait aux Templiers leur orgueil – qui n'était qu'une juste fierté, fondée sur d'immenses sacrifices ; leur cupidité – mais il leur fallait financer la guerre contre les musulmans ; le mystère dont ils s'entouraient – mais étaient-ils les seuls à tenir leurs chapitres à huis clos ? Le clergé séculier les détestait en raison des privilèges que le Saint-Siège leur avait octroyés et surtout des dîmes qu'ils prélevaient, amputant le temporel des évêques. La noblesse, appauvrie, jetait un regard envieux sur leurs richesses, regrettant les donations innombrables consenties jadis par ses aïeux. Le peuple ne comprenait pas leurs manières hautaines depuis la perte de Saint-Jean-d'Acre, ultime place de l'ancien royaume de Jérusalem tenue par les chrétiens. Le roi de France, bien qu'il couvrît le Temple de louanges, n'appréciait guère la présence dans son royaume en pleine gestation de cette force inemployée, ne relevant de surcroît que de l'autorité du pape. C'était un État dans l'État, bénéficiant d'une autonomie presque entière, éventuellement dangereuse. De plus, les Templiers passaient pour plus riches qu'ils ne l'étaient. On leur attribuait la possession d'un trésor considérable, désormais inutile, injustifié.

Philippe le Bel avait de gros besoins d'argent pour réaliser ses projets. Il fut aisé de répandre des calomnies sur ces moines-soldats qui n'étaient plus que d'anciens combattants, vivant en vase clos, se repaissant, faute de mieux, de leurs souvenirs. Désormais insolites, anachroniques, ils étaient coupés de la société, ne comprenant pas l'évolution des idées. Ils s'obstinaient, dans leur naïveté, à voir dans Philippe le Bel l'exact continuateur de saint Louis, c'est-à-dire un roi féodal, alors qu'il était déjà un chef d'État moderne et modifiait les structures de son royaume en conséquence. Eux, restaient identiques à eux-mêmes, soumis à une Règle dont les principes essentiels n'avaient pas varié depuis 1128. Après Saint-Jean-d'Acre, ils manquèrent leur reconversion, que réussirent les Hospitaliers et les Teutoniques. S'estimant au-dessus de tout soupçon, ils voulurent ignorer les reproches que l'on formulait à leur endroit, les rumeurs que l'on répandait contre eux. Ils pensaient que leur gloire serait éternelle, que les services rendus à la chrétienté leur serviraient de bouclier. Ils crurent qu'on n'oserait pas ! En vérité, qui pouvait percer les pensées secrètes de Philippe le Bel, hormis ses légistes ? Cependant, il avait osé s'en prendre au pape Boniface VIII, qui en était mort. On aperçoit maintenant que l'Affaire de Boniface VIII et l'Affaire des Templiers étaient étroitement liées, l'une étant la suite logique de l'autre. Les légistes de Philippe le Bel utilisèrent les mêmes moyens pour atteindre le même but ; on déshonorait ce qu'on voulait détruire ! En jetant à bas l'Ordre militaire le plus prestigieux de la chrétienté, on rabaissait l'autorité du Saint-Siège. Désormais aucun pontife ne pourrait plus prétendre à jouer le rôle d'arbitre entre les États, ni à déposer les rois à la manière d'Innocent III. La chute du Temple marque la fin d'une époque : les nationalismes allaient maintenant se substituer au vieil idéal chrétien. Le vendredi 13 octobre 1307, l'Histoire tournait une page ; l'événement, pour dramatique qu'il fût, dépassait, et de loin, la personne des Templiers ; c'était le temporel qui triomphait définitivement du spirituel. Cela par la volonté d'un prince dont les motivations font toujours l'objet de supputations plus ou moins hasardeuses, mais dont l'inflexible acharnement ne laisse pas d'étonner. Jamais par la suite l'absolutisme royal – qui n'avait pas encore de nom – n'atteignit ce degré dans l'arbitraire et dans la cruauté. Car était-il nécessaire d'ajouter le déshonneur au châtiment d'hommes que l'on savait innocents dans leur immense majorité ? La procédure appliquée par de pseudo-juges aggravait encore les rigueurs de l'Inquisition. Il s'agissait d'un procès politique : on le colora de religion pour lui donner quelque consistance. Les techniques employées rappellent à s'y méprendre celles des procès staliniens ou nazis : fausses promesses, tortures physiques et morales, lavage de cerveau, autocritiques alourdies de crimes imaginaires, procès-verbaux truqués, etc. Nombre de Templiers furent torturés plusieurs fois. Certains moururent dans les supplices. Les mauvais traitements, les mauvaises nourritures eurent raison des résistances. Les aveux arrachés aux dignitaires de l'Ordre jetèrent le désarroi parmi les prisonniers. Il s'en trouva pourtant pour oser clamer leur innocence et la pureté de l'Ordre, pour défier leurs bourreaux en dépit du risque d'être brûlés comme relaps. L'ultime protestation de Jacques de Molay en face de ses juges a franchi les siècles. Elle continue de nous émouvoir. Sept ans de procédure, avec ses moments pathétiques, son suspense comme nous disons aujourd'hui, son alternance d'espoir et de désespoir, de colère et d'acceptation ! Après la mort de Jacques de Molay, les commissions diocésaines poursuivirent leur besogne, jusqu'à la dispersion totale des Templiers absous et à l'extermination des obstinés. Le procès se dénoua dans le silence des prisons perpétuelles, où périrent les relaps épargnés par le bûcher.

« Cet événement n'est qu'un épisode de la guerre éternelle que soutiennent l'un contre l'autre l'esprit et la lettre, la poésie et la prose », écrit Michelet qui ajoute : « Le symbolisme occulte et suspect du Temple n'avait rien à espérer au moment où le symbolisme pontifical, jusque-là révéré du monde entier, était lui-même sans pouvoir. La poésie mystique de l'Unam sanctam, qui eût fait tressaillir tout le XIIe siècle, ne disait plus rien aux contemporains de Pierre Flote et de Nogaret. Ni la colombe, ni l'arche, ni la tunique sans couture, aucun de ces innocents symboles ne pouvait plus défendre la papauté. Le glaive spirituel était émoussé. Un âge prosaïque et froid commençait, qui n'en sentait plus le tranchant. Ce qu'il y a de tragique ici, c'est que l'Église est tuée par l'Église. Boniface est moins frappé par le gantelet de Colonna que par les adhésions des Gallicans à l'appel de Philippe le Bel. Le Temple est poursuivi par les inquisiteurs, aboli par le pape ; les dépositions les plus graves contre les Templiers sont celles des prêtres… »

On ne saurait contredire Michelet. L'Affaire des Templiers venant après l'attentat d'Anagni contre Boniface VIII sanctionnait la pre-

mière victoire de la laïcité contre la religion. Le Moyen Âge prenait fin. Il est évident que le machiavélisme de juges aveuglément soumis à la volonté royale confondit à dessein d'éventuels coupables à la multitude des innocents. Ceux qui choisirent de mourir furent à leur manière des martyrs de la foi, aussi glorieux que leurs frères décapités sur ordre de Saladin ou tués dans les batailles de Terre sainte.

PREMIÈRE PARTIE

LES TEMPLIERS

(1118-1300)

« Le soldat a la gloire, le moine le repos. Le Templier abjurait l'un et l'autre. Il réunissait ce que les deux vies ont de plus dur : les périls et les abstinences. La grande affaire du Moyen Âge fut longtemps la guerre sainte, la Croisade ; l'idéal de la Croisade semblait réalisé dans l'Ordre du Temple. C'était la Croisade devenue fixe et permanente. »

Michelet.

Les textes cités ont été traduits du latin ou adaptés du vieux français.

I

NAISSANCE DE L'ORDRE

Il convient, pour la bonne compréhension du procès des Templiers, de rappeler brièvement comment leur Ordre prit naissance, quelle fut son histoire. Les premières pages de la Règle donnent une définition quasi parfaite de ce qu'ils étaient.

« Nous parlons premièrement à tous ceux qui renoncent à suivre leurs propres volontés et désirent avec un pur courage servir de chevalerie au souverain Roi, et avec un soin studieux désirent endosser et endossent perpétuellement la très noble armure de l'obéissance. Et donc nous vous admonestons – vous qui avez mené jusqu'ici la chevalerie du siècle en laquelle Jésus-Christ n'en fut mie cause, mais que vous embrassâtes seulement par faveur humaine – de suivre ceux que Dieu a élus de la masse de perdition et a ordonnés par son agréable pitié à la défense de Sainte Église, et que vous vous hâtiez à vous ajouter à eux perpétuellement. Avant toute chose quiconque voudra être chevalier du Christ, choisissant cette très sainte compagnie, doit ajouter à sa profession pure diligence et ferme persévérance, qui est si digne, si sainte et réputée pour être si haute que, si tu la gardes purement et durablement, tu serviras dans la compagnie des martyrs qui pour Jésus-Christ donnèrent leurs âmes. En cette religion est fleuri et ressuscité l'Ordre de chevalerie. Lequel Ordre méprisait l'amour de la justice, ce qui était pourtant son office, et ne faisait pas ce qu'il devait : et qui est de défendre pauvres, veuves, orphelins et églises. Mais s'efforçait de nuire, dépouiller et tuer. Bien a œuvré Damedieu (*Dominus Deus*, Seigneur Dieu) avec nous, et Notre Seigneur Jésus-Christ ; lequel a mandé ses amis de la sainte Cité de Jérusalem en la marche de France et de Bourgogne, lesquels pour notre salut et pour l'accroissement de la vraie foi ne cessent d'offrir leurs âmes à Dieu, plaisant sacrifice... »

Ces quelques lignes mettent bien en relief la double vocation des Templiers, à la fois moines et soldats, ainsi que leur certitude d'incarner la vraie chevalerie, celle que l'Église s'était efforcée de promouvoir pour la défense des faibles et qui était une sorte de sacerdoce armé. Les « amis de la sainte Cité de Jérusalem » dont il est question étaient Hugues de Payns et ses compagnons envoyés en Occident pour obtenir l'approbation de la Règle templière. La ville située « en la marche de France (Ile-de-France) et Bourgogne » était Troyes.

Les débuts du Temple sont trop connus pour qu'on y insiste. Ils restent cependant à demi légendaires. On sait peu de chose sur le fondateur de l'Ordre, Hugues de Payns, seigneur champenois. Comme tant de ses semblables, il avait pris la Croix pour combattre en Terre sainte. Rien ne permet d'affirmer qu'il ait participé à la première croisade et au siège de Jérusalem (en 1099). La Ville sainte étant aux mains des chrétiens, les pèlerins affluèrent de tous les pays d'Europe, avec ou sans armes. Presque tous repartaient, leurs dévotions accomplies. Hugues de Payns fut de ceux qui restèrent, résolus à défendre les Lieux saints. Godefroy de Bouillon était mort. Son frère et successeur Baudouin Ier s'efforçait d'élargir les frontières du royaume de Jérusalem. On était encore à l'heure des conquêtes. Les victoires succédaient aux victoires. Les musulmans ne comprenaient pas qu'il s'agissait d'une guerre sainte. Leurs princes s'entre-déchiraient. Cependant la situation restait précaire et l'insécurité, permanente. Il arrivait fréquemment que des pèlerins isolés ou même groupés fussent attaqués par des voleurs, détroussés, assassinés sur les routes conduisant à Jérusalem. En raison de l'insuffisance des effectifs, le roi de Jérusalem, comme ses principaux vassaux, le prince d'Antioche, les comtes d'Édesse et de Tripoli, ne pouvaient mettre ces bandes incontrôlées hors d'état de nuire. Ce fut précisément la mission que le premier Maître du Temple et ses compagnons choisirent d'assumer. Ils se consacrèrent à Dieu et à la défense des pèlerins. Le patriarche de Jérusalem, tout en confirmant leur mission, leur imposa le triple vœu monastique (pauvreté, chasteté, obéissance) et leur octroya une Règle inspirée de saint Augustin. On dit qu'à l'époque de leur fondation, vers 1118, ils n'étaient que neuf. Leur nombre dut s'accroître plus rapidement que les chroniqueurs ne le laissent supposer. Pourtant rien ne faisait prévoir la prodigieuse expansion de cette pieuse gendarmerie de la route. Les premiers Templiers s'intitulaient « Pauvres Chevaliers du Christ » ; ils n'avaient pas de tenue distinctive ; ils ne possédaient rien, hormis leurs armes et leurs chevaux, vivaient de charité. Les services incessants qu'ils rendaient, l'exemplarité de leurs mœurs, la discipline qu'ils observaient, leur humilité même appelèrent l'attention sur eux. Les dons, les adhésions se multiplièrent. Ces rudes soldats, qui avaient tout abandonné pour servir le Christ, qui priaient comme des moines, mais savaient manier la lance et l'épée, représentèrent bientôt, quasi à leur insu, l'idéal de toute chevalerie. On s'émut de compassion pour eux. On les admira. En 1120, un puissant seigneur, Hugues, comte de Champagne, abandonna ses titres et ses biens pour se joindre à eux : prestigieuse recrue ! Baudouin II, qui fut l'un des plus grands rois de Jérusalem, sans doute le plus grand, leur abandonna une aile de son palais qui était alors la mosquée Al-Aqsa et ses bâtiments annexes. Il s'installa ensuite dans la Tour de David, puissante forteresse plus facile à défendre en cas de besoin. On croyait alors qu'Al-Aqsa était l'ancien Temple de Salomon. C'est ainsi que les Pauvres Chevaliers du Christ prirent désormais le nom de Templiers. Ils restaient à certains égards des marginaux, également suspects aux yeux du clergé local et des soldats de profession. Ce ne pouvaient être de vrais moines, puisqu'ils versaient le sang, ni de vrais chevaliers, puisqu'ils devaient remplir leurs obligations religieuses ! Leur cas était à la vérité unique, voire inquiétant. Baudouin II était un réaliste. Il comprit admirablement le parti qu'il pourrait tirer de la sainte milice, à condition qu'elle cessât d'être critiquée par les uns et par les autres et reçût l'approbation des plus hautes instances religieuses. Il lui paraissait de même indispensable que l'Occident s'intéressât au nouvel Ordre.

Institutionnalisés, étoffés par des contingents levés en Europe, les Templiers formeraient un corps d'élite, une petite armée permanente prête à intervenir à tout moment. En clair, il entendait les subordonner à son autorité et à celle de ses successeurs. En 1127, il envoya Hugues de Payns et cinq de ses chevaliers en Occident, avec une lettre d'introduction.

Il faut croire qu'Hugues de Payns n'était pas seulement un brave et pieux chevalier mais qu'il était doué de finesse et d'éloquence. Il sut convaincre le pape Honorius II de l'utilité et de la pureté de la Milice du Christ. Comparaissant devant le concile de Troyes, présidé par le cardinal-légat d'Albano, en 1128, il sut défendre la Règle, en expliquer les divers aspects. Ce n'était pas une mince affaire pour un chevalier sans doute honorablement connu mais peu lettré, que d'affronter les Pères conciliaires, évêques et abbés. Mais il avait le soutien inconditionnel du grand saint Bernard de Clairvaux, tête pensante de la chrétienté. Saint Bernard était l'ami du ci-devant comte Hugues de Champagne devenu Templier. En outre, il était apparenté à Hugues de Payns. On a longtemps soutenu qu'il avait rédigé la Règle du Temple, ce qui est inexact, puisque, dans ses dispositions essentielles, elle était antérieure au concile de Troyes. En revanche, il amenda certainement de nombreux articles où l'on retrouve l'esprit cistercien.

La Règle ayant été approuvée par le concile, le Temple ayant désormais une existence « légale », Hugues de Payns pouvait entamer la seconde partie de sa mission : recruter de nouveaux adeptes, obtenir le maximum de dons, jeter les premiers linéaments d'une organisation templière en Occident. Immense besogne qu'il partagea avec ses compagnons. Lui-même se rendit en Anjou : le roi Baudouin II l'avait en outre chargé d'offrir la main de sa fille aînée Mélisende à Foulques, comte d'Anjou et du Maine. Foulques accepta et récompensa généreusement le Maître du Temple. Ce dernier se rendit ensuite en Poitou, en Normandie, puis en Angleterre, en Écosse, en Flandre, avant de revenir en Champagne. Partout il rencontrait le même succès, recevait des dons en terres et en argent, faisait de nouvelles recrues. Il avait envoyé Godefroi de Saint-Omer en Flandre, Payen de Montdidier en Picardie, Joffroi Bisot en Provence, Hugues Rigaud en Languedoc et en Espagne. La moitié de la péninsule Ibérique était encore aux mains des Maures. Les rois de Castille, d'Aragon et du Portugal, à l'instar du roi de Jérusalem, eussent bien voulu s'assurer les services exclusifs des Templiers. La reine Téresa de Portugal leur donna la forteresse et le fief de Soure. Raymond-Roger de Barcelone se fit Templier et céda le château de Granera. Le roi Alphonse d'Aragon, n'ayant pas de fils, légua son royaume par tiers aux Templiers, aux Hospitaliers et aux chanoines du Saint-Sépulcre : donation qui n'eut d'ailleurs pas de suite. Le comte d'Urgel donna le château de Barbera. En Languedoc, les donations furent innombrables. Lorsque Hugues de Payns s'embarqua pour la Terre sainte, il emmenait un fort contingent de nouveaux chevaliers. Il laissait Payen de Montdidier comme Maître en France et, probablement, Hugues Rigaud comme Maître en Espagne-Provence-Languedoc. Dès lors, la Milice du Christ disposait de nombreuses commanderies en Occident et de ressources importantes.

Il devenait nécessaire d'organiser sa hiérarchie et son fonctionnement.

La légalisation du Temple, le véritable triomphe qui avait couronné la mission d'Hugues de Payns et de ses compagnons, l'adhésion chaleureuse des princes et de nombreux évêques, le patronage de saint Bernard ne suffirent pas à apaiser les critiques, ni sans doute les scrupules de certains Templiers. Un moine avait-il le droit de verser le sang, fût-ce pour défendre la Terre sainte ? Telle était la question ! Le pape Urbain II y avait en partie répondu quand il avait prêché la première croisade, affirmant que la guerre contre les musulmans était juste et sainte, en raison de la pression que l'islam, menaçant alors Constantinople, faisait peser sur l'Occident. Mais c'étaient des laïcs, des chevaliers et leurs soldats qu'il invitait à prendre la Croix. Les Templiers appartenaient substantiellement à l'Église. Le concile de Troyes avait approuvé leur Règle, sans que les Pères conciliaires aient soulevé ce problème de fond, tant il paraissait urgent de préserver les Lieux saints et le petit royaume de Jérusalem. Il fallait donc obtenir une caution supplémentaire, l'approbation sans réserve d'un éminent théologien. Hugues de Payns la demanda à saint Bernard de Clairvaux. Demande qui jeta ce dernier dans un cruel embarras et qu'il fallut renouveler deux fois. Soudain – c'était dans sa manière ! – ce dernier s'enflamma pour la cause des Templiers et, d'un trait de plume, écrivit sa célèbre homélie : *De laude novæ militiæ* (Louange de la nouvelle chevalerie). Il y exposait que la Terre sainte appartenant à Jésus-Christ n'était pas un royaume ordinaire ; qu'il était par conséquent intolérable de l'abandonner aux mains des musulmans ; qu'il était juste de verser le sang pour conserver le berceau de la chrétienté. Or, qui pouvait assurer la défense des Lieux saints : les chevaliers laïcs, vains et cupides pour la plupart, ou les chevaliers du Christ, croyants sincères et désintéressés ? Poursuivant son raisonnement, et peu à peu gagné par son propre enthousiasme, il tournait en dérision la chevalerie du siècle :

« Vous affublez vos chevaux de soieries, et vous couvrez vos cottes de mailles de je ne sais quels chiffons. Vous peignez vos lances, vos écus et vos selles, vous incrustez vos mors et vos étriers d'or, d'argent et de pierres précieuses. Vous vous parez somptueusement pour la mort et vous courez à votre perte avec une furie sans vergogne et une insolence effrontée. Les oripeaux sont-ils le harnais d'un chevalier ou les atours d'une femme ? Ou croyez-vous que les armes de vos ennemis se détourneront de l'or, épargneront les gemmes, ne traverseront pas la soie ?... Et, ainsi accoutrés, vous vous battez pour les choses les plus vaines, telles que le courroux injustifié, l'appétit de gloire ou la convoitise de biens temporels... »

Pour lui, cette chevalerie orgueilleuse et frivole n'a pas sa place dans une juste guerre. Elle tue pour sauver sa vie, craignant de perdre à la fois son âme et son corps. Tandis que « le chevalier est vraiment sans peur et sans reproche, qui protège son âme par l'armure de la Foi, comme il couvre son corps d'une cotte de mailles. Doublement armé, il ne craint ni les démons ni les hommes ». Et, sur sa lancée, il propose ses chers Templiers comme modèles et trace d'eux ce portrait :

« Ils vont et viennent sur un signe de leur commandeur ; ils portent les vêtements qu'il leur donne, ne recherchant ni d'autres habits ni d'autres nourritures. Ils se méfient de tout excès en vivres et en vêtements, ne désirant que le nécessaire. Ils vivent tous ensemble sans femme ni enfants. Et pour que rien ne leur manque de la perfection angélique, ils demeurent tous sous un même toit, sans rien qui leur soit propre, unis par leur Règle dans le respect de Dieu.

On ne trouve dans leur compagnie ni paresseux ni flâneurs ; quand ils ne sont pas de service – ce qui est rare – ou en train de manger leur pain en rendant grâce au Ciel, ils s'emploient à réparer leurs habits et leurs harnais déchirés ou déchiquetés ; ou bien ils font ce que le Maître leur commande, ou ce que les besoins de leur maison prescrivent. Nul n'est inférieur parmi eux ; ils honorent le meilleur, non le plus noble ; ils se font des courtoisies les uns aux autres, et pratiquent la loi du Christ en s'entraidant.

Les paroles insolentes, les actes inutiles, les rires immodérés, les plaintes et les murmures, s'ils sont remarqués, ne restent pas impunis. Ils détestent les échecs et les dés ; ils ont la chasse en horreur ; ils ne trouvent pas dans la poursuite ridicule des oiseaux le plaisir accoutumé. Ils évitent et abominent les mimes, les magiciens et les jongleurs, les chansons lestes et les soties...

On ne les voit jamais peignés, rarement lavés, la barbe hirsute, puants de poussière, maculés par la chaleur et le haubert... »

Cette brillante homélie eut, en dépit de ses outrances, un grand retentissement. Néanmoins le Temple restait, dans une large mesure, subordonné aux évêques, en tout premier lieu au patriarche de Jérusalem auquel le concile de Troyes avait reconnu le pouvoir de modifier la Règle. Cette subordination était génératrice de conflits, par surcroît de nature à modifier l'orientation de l'Ordre, voire à paralyser son essor. Elle restreignait en tout cas les initiatives du Maître. C'est ce que comprit immédiatement Robert de Craon, qui succéda à Hugues de Payns en 1136. Pour couper court aux contestations et aux jalousies, il manœuvra pour placer le Temple sous l'autorité directe du Saint-Siège. Son ambassadeur, André de Montbar, obtint d'Innocent II la bulle *Omne Datum optimum*, datée du 29 mars 1139. Cette bulle, qui fit la gloire des Templiers, fut aussi le lointain instrument de leur perte. Non seulement elle autorisait le Temple à recruter ses propres chapelains pour assurer le service religieux et liturgique, mais elle le plaçait sous l'autorité exclusive du Saint-Siège. Elle le soustrayait à l'autorité des évêques et du patriarche de Jérusalem. Qui plus est, elle attribuait au Maître le pouvoir de modifier la Règle avec l'assentiment du chapitre, pouvoir qu'elle retirait *ipso facto* au patriarche. On comprend dès lors l'acrimonie du chroniqueur Guillaume de Tyr : « Ils commencèrent dans la bonne voie, mais ensuite ils rejetèrent par orgueil l'autorité des évêques et du patriarche. » En outre, la bulle autorisait les Templiers à percevoir des dîmes sur leurs domaines, d'où l'irritation des prélats.

La bulle *Militia Dei*, promulguée par Eugène III le 7 avril 1145, permit aux Templiers de bâtir leurs propres chapelles, afin qu'ils ne fussent pas mêlés, pendant les offices, « à la tourbe des pécheurs et fréquentateurs de femmes ». Il est à penser que ces privilèges attisèrent les jalousies et suscitèrent des conflits aigus, car les Templiers furent par avance exemptés des interdits et excommunications prononcés par les évêques, lesquels avaient, comme on le sait, l'excommunication facile quand leur temporel était en jeu.

Hugues de Payns appartenait, malgré son apparentement (on le disait issu de la Maison de Champagne), à la noblesse de second rang. Robert de Craon était un grand seigneur, descendant des Capétiens par ses grands-parents. On racontait qu'il était entré au Temple par désespoir d'amour. Il fut en tout cas un admirable Maître qui sut assurer à l'Ordre son indépendance, lui imprimer son élégance, sa façon d'être en guerre comme en paix, à l'intérieur comme à l'extérieur des commanderies, parfaire une organisation de plus en plus complexe.

Les textes sont hélas quasi muets sur les activités militaires des Templiers pendant cette période. Un seul fait est signalé par Guillaume de Tyr, dont on a déjà noté l'hostilité à l'égard de l'Ordre. En 1138, alors que le roi Foulques Ier assiégeait une forteresse avec le gros de ses forces, Robert de Craon apprit qu'un parti de bédouins pillait la région d'Hébron. Il résolut de les châtier et sortit de Jérusalem avec un contingent de Templiers et de chevaliers de la cité. Il mit aisément les pillards en fuite, mais, voyant que les chrétiens s'attardaient à ramasser le butin, ils revinrent en force et les étrillèrent. Robert de Craon ramena sa petite troupe fort entamée. Il avait perdu l'un de ses meilleurs chevaliers, Eudes de Montfaucon. Ce n'était que fortune de guerre, à la vérité sans conséquence. Guillaume de Tyr en profite pour décocher quelques traits à Robert de Craon. Cette petite défaite de Tequa masque un peu trop la participation des Templiers aux campagnes royales. Ils ne se contentaient plus de convoyer les pèlerins vers Jérusalem ; ils fournissaient l'avant-garde ou l'arrière-garde de l'armée : c'est dire qu'ils occupaient le poste le plus dangereux. On en verra sous peu l'illustration.

II

LES TEMPLIERS EN ORIENT

Désormais leur histoire, un peu mieux connue, se confond avec celle des croisades et du royaume de Jérusalem [1]. La part qu'ils prendront aux événements leur assurera peu à peu un rôle prépondérant. Rôle qu'ils partageront, parfois de mauvais gré, avec les Hospitaliers [2]. Le roi Foulques avait su maintenir son royaume dans son intégralité. Sa mort, survenue en 1143, laissa le champ libre au redoutable Zenghi, atabeg de Mossoul. L'incapable reine Mélisende assura la régence pendant la minorité de son fils Baudouin III. Zenghi en profita pour s'emparer d'Édesse, capitale du comté du même nom. Le royaume perdait sa couverture au nord-est et la principauté d'Antioche se trouvait directement menacée. La perte d'Édesse émut l'opinion occidentale et suscita la deuxième croisade : voulue par le roi Louis VII, décidée par le pape Eugène III et prêchée par saint Bernard à Vézelay. Saint Bernard convainquit même l'empereur

1. Voir *Les Croisades et le royaume de Jérusalem*, du même auteur, chez le même éditeur.

2. L'Ordre des Chevaliers de l'Hôpital ou Hospitaliers avait été fondé en 1113 en vue d'héberger les pèlerins les plus démunis et de soigner les malades. Il s'était militarisé par la suite à l'exemple des Templiers, tout en conservant ses activités charitables.

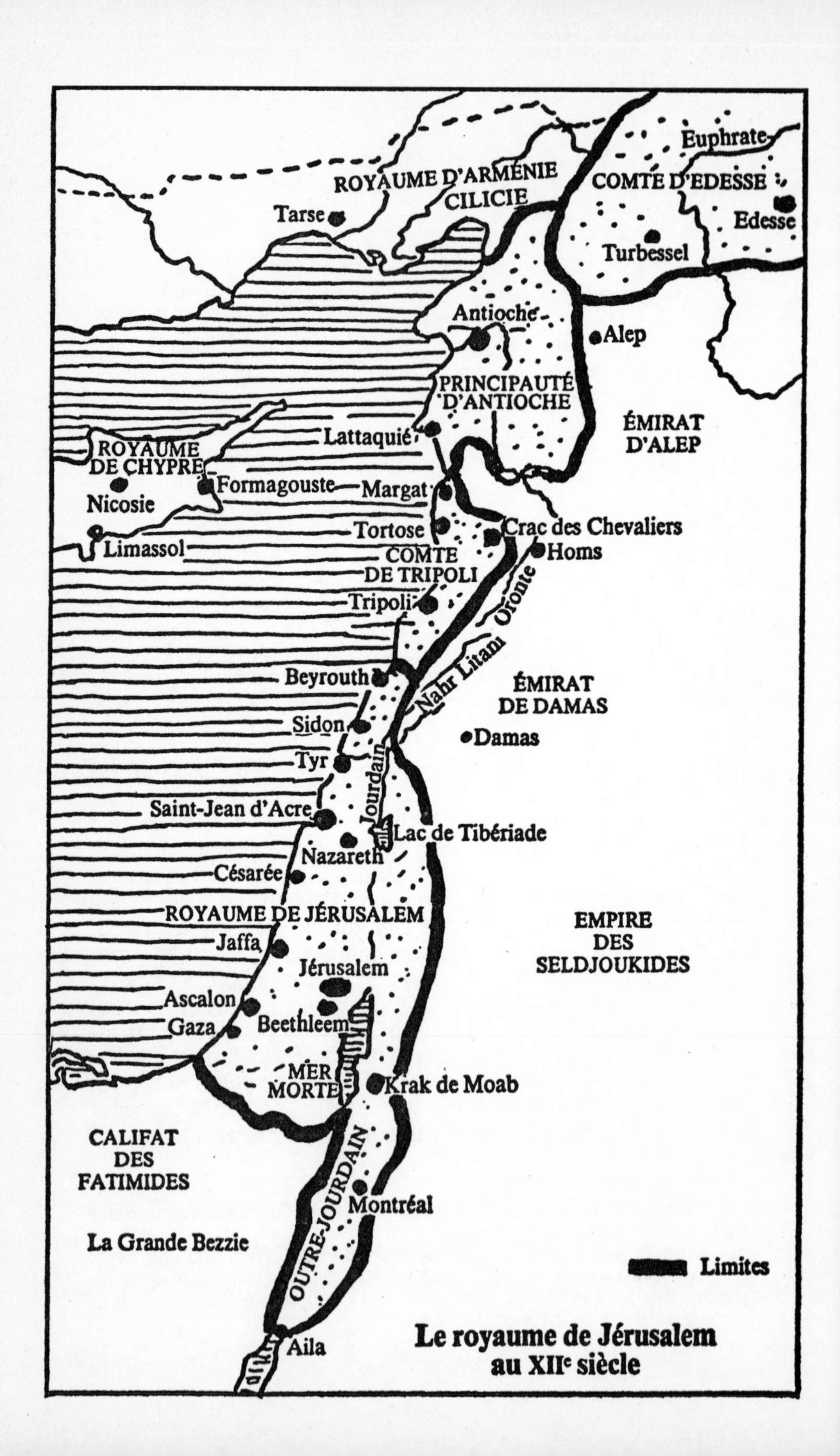

Le royaume de Jérusalem au XIIe siècle

d'Allemagne Conrad III de prendre la Croix. Eugène III se rendit à Paris en 1147. Il assista au Chapitre tenu par Évrard des Barres, Maître en France. Le spectacle de cent trente Templiers en manteau blanc, leur tenue impeccable, leur piété l'émurent aux larmes. Il leur octroya sur-le-champ le privilège de porter une croix vermeille sur l'épaule gauche, afin que « ce signe triomphant leur serve de bouclier et qu'ils ne tournent jamais bride en face d'aucun infidèle ». Cette croix rouge symbolisait aussi le martyre qu'ils avaient par avance accepté en entrant au Temple.

Le roi de France et l'empereur ne purent se mettre d'accord sur un itinéraire commun. Le résultat ne se fit pas attendre, car la belle armée allemande se laissa surprendre et tailler en pièces à Iconium. Les Français commencèrent par remporter un mince avantage à Laodicée, puis s'engagèrent dans les défilés du mont Cadmus propices à toutes les embuscades. Leur avant-garde était commandée par Geoffroi de Rancogne. Il avait reçu l'ordre d'attendre le gros de l'armée et passa outre. Ce fut le moment que les Turcs choisirent pour attaquer. On perdit beaucoup de monde. Heureusement la nuit tomba. Louis VII, jugeant la situation désespérée, appela Evrard des Barres. Le vieux Maître avait l'expérience des montagnes ; il connaissait la tactique des Turcs et les moyens de la pallier. Louis VII lui confia le salut de l'armée. Évrard des Barres exigea de tous le serment d'obéir strictement à ses ordres. Il divisa l'armée en compagnies de cinquante hommes dont chacune fut placée sous les ordres d'un Templier. Il disposa les piétons munis de longs boucliers de part et d'autre des cavaliers. Ce fut ainsi que l'on put franchir sans grandes pertes « la montagne exécrable ».

Lorsqu'il arriva à Antioche, Louis VII n'avait plus d'argent. Il demanda au Temple de lui consentir un prêt. Évrard des Barres se rendit aussitôt à Saint-Jean-d'Acre pour réunir les fonds nécessaires. Louis VII, pénétré de reconnaissance et d'admiration, écrivit à Suger, abbé de Saint-Denis et régent du royaume durant l'absence du roi :

« Nous ne voyons pas, nous ne pouvons pas imaginer comment nous aurions pu subsister un instant dans ces pays sans leur aide et assistance. Cette aide ne nous fit jamais défaut, depuis le premier jour de notre arrivée jusqu'au moment où ces lettres nous quittent, et ils se rendent toujours plus serviables. Donc nous vous prions de redoubler de sympathie à leur égard, afin qu'ils puissent sentir que nous avons intercédé pour eux. En plus, nous vous notifions qu'ils nous prêtèrent, et empruntèrent en leur propre nom, une somme considérable... Donc nous vous supplions de leur rembourser sans tarder la somme de deux mille marcs d'argent. »

Le fait d'armes du mont Cadmus, l'admiration de Louis VII achevèrent d'asseoir la réputation des Templiers. Ceux-ci ne purent cependant empêcher la deuxième croisade d'échouer misérablement. Louis VII voulait reconquérir le comté d'Édesse, comme il était logique. Le prince d'Antioche réclamait la prise d'Alep. On se décida pour Damas qui était plutôt favorable aux croisés. Le siège de Damas tourna court et chacun se rembarqua, sans avoir rien fait. Robert de Craon mourut pendant cette période. Les Templiers élurent Évrard des Barres qui accompagna Louis VII pendant son voyage de retour : sans doute voulait-il lever de nouveaux contingents. Le nouveau Maître présida le chapitre de Paris en 1150. Son lieutenant, André de Montbar, sénéchal du Temple de Jérusalem, lui écrivit une lettre quasi désespérée. Le prince d'Antioche avait été tué. La principauté d'Antioche était en partie aux mains de Nur ed-Din. Montbar réclamait instamment des secours, de l'argent, la présence d'Évrard des Barres. Mais celui-ci résilia brusquement sa charge et entra au monastère de Clairvaux. Saint Bernard lui-même se laissait gagner par le chagrin et regrettait d'avoir prêché cette croisade si bien commencée, si mal finie, en tous points stérile et dommageable. Elle fut en effet la cause indirecte du divorce désastreux de Louis VII et d'Aliénor d'Aquitaine, puis du remariage de la reine avec Henri II Plantagenêt, futur roi d'Angleterre. Elle enhardit Nur ed-Din, déjà Maître d'Alep, de Mossoul et de Damas. Par bonheur, le jeune Baudouin III était parvenu à évincer la reine Mélisende du pouvoir. Conscient du péril que Nur ed-Din faisait courir au royaume de Jérusalem, il se tourna vers l'Égypte. Il fortifia Gaza dont il confia la défense aux Templiers ; ils possédaient déjà la forteresse de Safet. Le Maître était alors Bernard de Trémelay. Les Templiers de Gaza repoussèrent vigoureusement l'attaque d'une division égyptienne venue relever la place d'Ascalon. Ils détruisirent avec la même âpreté un rezzou dans les environs de Jérusalem, en l'absence du roi. Ce dernier décida d'assiéger Ascalon, place forte appartenant aux Fâtimides d'Égypte. Les balistes furent mises en batterie. On construisit une tour roulante. Les Ascalonites tentèrent de l'incendier. Le vent rabattit les flammes vers une muraille qui s'écroula. Les assiégeants se ruèrent par la brèche, Templiers en tête. Les Ascalonites contre-attaquèrent, refoulèrent les assaillants et colmatèrent la brèche. Ils suspendirent les cadavres de Bernard de Trémelay et de quarante chevaliers aux créneaux. Le bombardement reprit et la ville, n'ayant pas de secours à attendre de l'Égypte, capitula (1153).

Des rumeurs calomnieuses, reprises en compte par les chroniqueurs et par de nombreux historiens, avaient imputé la responsabilité de l'échec de Damas aux Templiers et aux Hospitaliers.

Lors du siège d'Ascalon, on insinua que Bernard de Trémelay s'était élancé le premier sur la brèche par cupidité, pour assurer au Temple l'exclusivité du butin. Il tombe sous le sens que Trémelay ne pouvait s'emparer de la ville avec quarante hommes, mais que, se trouvant au plus près de la brèche, il prit la tête des assaillants. La prise d'Ascalon consolidait le sud du royaume. Cependant Nur ed-Din ne lâchait pas prise. Il avait résolu d'expulser totalement les Francs de Terre sainte et dans ce but il recourait au *djihad* (la guerre sainte). Pendant les années suivantes, Baudouin III, roi-soldat, lutta pied à pied pour défendre ses frontières, tantôt vainqueur et tantôt vaincu, toutefois sans jamais remporter ou perdre de bataille décisive. Ses effectifs s'amenuisaient, alors que ceux de Nur ed-Din étaient inépuisables. Les Templiers et les Hospitaliers participaient à toutes les actions, ou presque, formaient alternativement l'avant-garde et l'arrière-garde de l'armée. Pour sauver son royaume, Baudouin III épousa une princesse byzantine. L'alliance avec Manuel Comnène freina les entreprises de Nur ed-Din. Par malheur, Baudouin mourut du typhus en 1162. Son frère Amaury Ier lui succéda. Le Maître du Temple était alors Bertrand de Blanquefort, élu en 1156, après la mort d'André de Montbar qui avait remplacé Bernard de Trémelay.

Amaury Ier poursuivit la politique égyptienne de Baudouin III, dont la prise d'Ascalon avait été le premier jalon, et il épousa lui aussi une princesse byzantine pour consolider l'alliance avec Manuel Comnène. La dynastie fâtimide qui régnait au Caire était en pleine décomposition. La conquête de l'Égypte éviterait l'encerclement du royaume de Jérusalem par Nur ed-Din. On assista dans cette période à une véritable « course à l'Égypte » entre Chirkouh (lieutenant de Nur ed-Din) et Amaury. Il fallait une hardiesse folle pour se lancer dans ces expéditions en laissant le royaume à découvert. Geoffroi Foucher, trésorier du Temple, écrivait alors à Louis VII : « Si peu nombreux en Jérusalem, nous sommes menacés d'invasion et de siège. Voyez donc notre nécessité : si vous dissimulez ou hésitez à vous laisser convaincre selon vos habitudes, si vous ne vous décidez pas à nous aider avant que les derniers vestiges de la chrétienté ne soient consumés, jugez combien il est à craindre qu'il ne soit trop tard lorsque vous viendrez nous secourir. Que tous ceux qui sont de Dieu et qu'on nomme Chrétiens prennent les armes et viennent libérer le royaume de leurs aïeux et la terre de notre libération, de peur que les fils ne perdent honteusement ce que les pères ont conquis en hommes… »

En 1167, le même Geoffroi Foucher fut envoyé avec le comte de Césarée pour négocier un pacte d'alliance avec le sultan du

Caire. L'Égypte acceptait le protectorat des Francs contre Nur ed-Din. L'année suivante, Amaury Ier, violant ce traité, entreprit la conquête de l'Égypte sans même attendre ses alliés byzantins. Les Templiers refusèrent de participer à cette campagne ; ils s'estimaient garants du traité passé avec le sultan. Amaury ne put s'emparer du Caire. Le triste résultat de cette expédition fut de livrer l'Égypte à Chirkouh et à son neveu Saladin. On rendit bien entendu les Templiers responsables de cet échec. Amaury, dit-on, aurait songé à dissoudre l'Ordre. C'était en tout cas la première fois que le Temple refusait de servir le roi de Jérusalem, adoptait une politique personnelle, se comportait en État indépendant : le fait mérite d'être souligné.

Bertrand de Blanquefort mourut en 1169 et fut remplacé par Philippe de Milly, seigneur de Naplouse. Ce dernier avait été marié. Il était l'un des familiers d'Amaury Ier. Apparemment, il n'entra au Temple que pour se faire élire Maître. Le roi croyait sans doute contrôler le Temple par le biais de cette élection. Mais la maîtrise de Philippe de Naplouse fut brève. Il se démit de ses fonctions en 1171. Les Templiers élurent alors Odon, ou Eudes, de Saint-Amant, dont Guillaume de Tyr écrit qu'il avait « le souffle de la fureur en ses narines, ni craignant Dieu, ni respectant les hommes ». Le chef des Ismaéliens (les Assassins ou Hachichiyyin) offrait son alliance à Amaury Ier. Il versait précédemment tribut aux Templiers. Odon de Saint-Amant fit assassiner ses émissaires. Fureur du roi qui exigea que le coupable (Gauthier du Mesnil) lui fût livré. Refus du Maître, prétendant que Gauthier du Mesnil serait jugé par ses pairs, selon la Règle templière. La mort quasi subite d'Amaury en 1174 mit fin à cette épreuve de force.

Son successeur fut le jeune Baudouin IV, cet admirable roi lépreux qui servit peut-être de modèle aux auteurs de la *Queste du saint Grâl*, surtout à Wolfram d'Eschenbach. Malgré le mal horrible qui le rongeait, malgré les intrigues de la famille royale et des grands seigneurs inconscients du danger, il parvint à préserver son royaume. Il remporta même sur Saladin l'étonnante victoire de Montgisard (1177). Les Templiers l'aidèrent de tout leur pouvoir et l'on ne sache pas qu'en aucune circonstance leur dévouement eût été pris en défaut. Au cours de la bataille de Beaufort (1179), Odon de Saint-Amant fut capturé. Saladin lui laissa la vie sauve, bien qu'il eût fait exécuter tous les Templiers que l'on avait faits prisonniers. Odon de Saint-Amant refusa d'abjurer et même d'être racheté. Il répondit à Saladin :

– « Un Templier ne peut offrir comme rançon que sa ceinture et son couteau d'armes. »

L'année suivante, Saladin s'empara de la forteresse templière du Gué-de-Jacob, en Galilée ; il fit décapiter tous les défenseurs, dont quatre-vingts chevaliers. Odon de Saint-Amant mourut dans les geôles musulmanes et fut remplacé par Arnauld de La Torroge (ou de Torroja), ancien Maître du Temple en Espagne. Celui-ci dirigea l'Ordre jusqu'en 1184. Les Templiers élurent ensuite Gérard de Ridefort. C'était un redoutable choix, car Ridefort n'avait guère la vocation templière, c'est le moins que l'on puisse dire ! C'était un chevalier sans terre venu chercher fortune en Terre sainte, et non point faire ses dévotions ou servir le Christ. Il était entré au service du comte de Tripoli dans l'espoir de contracter un beau mariage et d'être investi d'un fief. Déçu par son protecteur, il se fit Templier et manœuvra de telle sorte qu'il accéda promptement à la maîtrise. On se demande par quelle aberration les Templiers le préférèrent aux autres candidats. Les délibérations du collège électoral étant secrètes, on ne saurait émettre, à ce sujet, un avis quelconque. Ridefort n'était qu'un intrigant d'assez basse espèce et un ambitieux sans principes, de surcroît sans expérience. Après la mort de l'héroïque roi lépreux (1185), il se vengea du comte de Tripoli en l'évinçant du trône et en imposant comme roi l'incapable Guy de Lusignan. Un autre aventurier, Renaud de Châtillon, provoqua la rupture de la trêve avec Saladin. Gérard de Ridefort attaqua, de sa propre initiative, une colonne musulmane à La-Fontaine-de-Cresson, près de Séphorie, et cela malgré l'avis de Jacques de Mailly, maréchal du Temple. Ce fut une défaite totale. Cent cinquante Templiers périrent. Jacques de Mailly était parmi les morts, mais Ridefort avait pris la fuite. Ce revers ne lui servit pas de leçon. Il provoqua peu après la catastrophe des Cornes de Hattin (4 juillet 1187). Il incita Guy de Lusignan à engager le combat dans les pires conditions. Le soir de ce désastre sans précédent, le royaume n'avait plus d'armée. Saladin épargna Guy de Lusignan et Ridefort, mais fit supplicier dans des conditions atroces les Templiers et les Hospitaliers captifs, « ces Ordres immondes », déclara-t-il. Il s'empara ensuite, aisément, de Saint-Jean-d'Acre, Jaffa, Beyrouth, Ascalon et, en septembre, de Jérusalem. Il ne restait dans la templerie de la sainte cité qu'une dizaine de frères, les autres ayant été tués à La-Fontaine-de-Cresson et à Hattin !

Tout semblait perdu, et d'autant que Saladin exploitait la lâcheté de Guy de Lusignan et de Ridefort pour s'emparer des places fortes sans coup férir. Cependant, il ne put obtenir la capitulation de Tyr, où la résistance s'organisa. La chute de Jérusalem provoqua la troisième croisade. Philippe Auguste et Richard Cœur de Lion parvinrent à reprendre Saint-Jean-d'Acre. Après le départ de Philippe Auguste, Richard Cœur de Lion poursuivit la reconquête, avec des fortunes diverses. Plus d'une fois les Templiers le tirèrent d'un mauvais pas et tempérèrent judicieusement son impétuosité. Ridefort, libéré par Saladin, avait été tué au siège de Saint-Jean-d'Acre, rachetant ainsi son honneur. La maîtrise demeura vacante pendant deux ans. Ce fut un ami de Richard Cœur de Lion et comme lui un poète, Robert de Sablé, qui succéda à Ridefort. Peut-être était-il déjà confrère (laïc servant à temps) du Temple. On notera au passage l'extraordinaire vitalité de l'Ordre. Presque anéanti après Hattin, il avait reconstitué ses cadres ; il était à nouveau capable d'aligner ses escadrons en manteau blanc : les Maîtres en Occident avaient expédié des renforts en toute hâte. Saladin s'essoufflait. Le *djihad* ne soulevait plus le même enthousiasme. Pourtant, Richard Cœur de Lion renonça à assiéger Jérusalem. Robert de Sablé eut en effet la sagesse de l'en dissuader. Bien que Jérusalem fût le siège de la Maison chêvetaine de l'Ordre, il convainquit Richard de s'abstenir, sachant que la cité ne pouvait être conservée si l'on ne prenait aussi les places fortes environnantes : Ascalon, Darum, Gaza. Richard Cœur de Lion dut rentrer en Angleterre pour mettre fin aux intrigues de son frère Jean sans Terre. Il s'embarqua clandestinement sur une nef templière, en habit de Templier. Saladin avait accepté de traiter, ne pouvant d'ailleurs faire autrement. Il n'y avait ni vainqueur ni vaincu. Néanmoins, la bande littorale d'Antioche à Jaffa restait aux mains des chrétiens. Contre toute attente, le royaume de Jérusalem ou ce qui en restait, subsisterait encore cent ans !

Saladin mourut en 1193 sans avoir réalisé ses projets et, quelques mois après, le Maître Robert de Sablé. Les Templiers élurent Gilbert Erail qui était Maître en Espagne. Évincé du trône de Jérusalem, Guy de Lusignan était devenu roi de Chypre grâce à Richard Cœur de Lion. Le nouveau roi de Jérusalem, Conrad de Montferrat, fut assassiné avant son couronnement. Henri de Champagne lui succéda. L'histoire du royaume entrait dans une nouvelle phase. La guerre cédait le pas aux impératifs économiques. Les ports qui restaient aux mains des chrétiens étaient devenus d'importants marchés et des entrepôts prospères. Tout le commerce entre l'Orient et l'Occident transitait par Saint-Jean-d'Acre, Tyr et autres places. Les Templiers, comme les Hospitaliers et les Teutoniques, étaient désormais seuls à incarner l'esprit de croisade, mais l'inertie de ceux qu'on appelait « les Poulains » [1] les réduisait à la défensive. Les marchands venus de Pise, de Gênes, de Venise, de Marseille ou de Narbonne dictaient en réalité la politique aux pseudo-rois de

1. Poulains : Francs nés en Terre sainte, parfois de mariage mixte.

Jérusalem. Les Templiers ne « gardaient » plus les Lieux saints. Pourtant, ils ne trahissaient pas leur vocation première, qui était de protéger les chrétiens, et d'autant que Jérusalem avait été rouverte aux pèlerinages. Leur rôle purement militaire se limitait à pourchasser les pillards, à tenir solidement leurs châteaux, tous situés sur des points névralgiques.

Ils étaient pour l'impérieux Innocent III ses « fils de dilection ». Il ne leur ménagea pas son soutien et renouvela leurs privilèges. Il lança la quatrième croisade qui fut détournée de son but par les Vénitiens et aboutit, non pas à la reconquête de Jérusalem, mais à la chute de Constantinople et de l'Empire byzantin (1204). Son successeur, Honorius III, poursuivit dans la même voie et lança une nouvelle croisade dont l'objectif était de s'emparer de l'Égypte avant de reprendre Jérusalem. Le roi était alors Jean de Brienne. Il mit le siège devant Damiette (1218). La ville n'eût pas été prise sans le sacrifice des Templiers qui sabordèrent une de leurs nefs et périrent avec la multitude des assaillants. Le légat du pape, Pélasge, rejeta les offres de paix du sultan et sema la zizanie dans l'armée. La crue du Nil faillit provoquer une catastrophe. Il fallut abandonner l'Égypte dans des conditions humiliantes. Le Maître du Temple était alors Pierre de Montaigut ; il avait succédé à Philippe de Plaissiez, mort du scorbut devant Damiette. La carrière des Maîtres était de courte durée !

On comptait sur la venue de l'empereur Frédéric de Hohenstaufen. Il avait épousé la princesse Isabelle, fille de Jean de Brienne, et pris sans vergogne le titre de roi de Jérusalem. Il attendit d'être excommunié pour s'embarquer à destination de la Terre sainte, en 1228. Les Templiers et les Hospitaliers ne pouvaient que lui refuser leur appui. Seuls, les Teutoniques, qui étaient allemands, acceptèrent de l'aider. Étant libre-penseur, il se moquait du « berceau de la chrétienté ». De plus, arrivant à Saint-Jean-d'Acre sans armée et sans argent, il n'avait aucune envie de se battre. C'était un négociateur, et non un paladin à la manière de Richard Cœur de Lion. Il obtint de son vieil ami le sultan d'Égypte l'illusoire traité de Jaffa (1229) par lequel Jérusalem et quelques places étaient rétrocédées aux chrétiens, cependant que Jérusalem restait ville ouverte, donc exposée à tous les coups de main. Fureur des Templiers ! Mais Frédéric les haïssait au point qu'il s'était emparé par surprise de leur forteresse de Château-Pèlerin (qu'ils reprirent immédiatement). Quand il eut regagné l'Europe, il répandit sur eux de noires calomnies (hérésie, sodomie, etc.), en lesquelles on peut voir la source des accusations de 1307. En réalité, c'étaient ses propres déviations en matière de foi et de mœurs qu'il leur reprochait.

Le royaume de Jérusalem n'avait plus de roi. Jean d'Ibelin, seigneur de Beyrouth, en tenait lieu. Il présidait le conseil des barons, avec l'appui des Templiers. Ce fut sous leur manteau blanc qu'il voulut trépasser et être enseveli, rendant ainsi un ultime hommage à leurs vertus. Le royaume survivait, quand un nouveau péril le menaça. Les terribles Mongols déferlaient à la fois sur l'Orient et sur l'Occident.

La mort du Grand Khan stoppa brusquement l'invasion. Une tribu tartare, les Karismeniens, fuyant les Mongols, entra au service du sultan d'Égypte. Les Templiers, dont le Maître était alors Armand de Périgord, les Hospitaliers, les barons du royaume s'allièrent aux sultans de Homs et de Damas et s'avancèrent jusqu'à Gaza. L'émir Baybars les attendait avec ses mercenaires. La bataille s'engagea le 17 octobre 1244 et dura deux jours. Les troupes des sultans de Homs et de Damas lâchèrent pied, abandonnant leurs alliés chrétiens. Trois cents Templiers périrent avec Armand de Périgord, et deux cents Hospitaliers. Trente-six Templiers et vingt-six Hospitaliers échappèrent au désastre. Le Maître de l'Hôpital était prisonnier. Cependant, le royaume de Jérusalem résista, et les deux Ordres reconstituèrent rapidement leurs effectifs. Baybars avait annexé Damas, mais l'annonce d'une nouvelle croisade l'incita à la prudence. Il se devait de mettre l'Égypte en état de défense pour parer à toute éventualité. Saint Louis avait en effet décidé de prendre la Croix. Les préparatifs furent plus longs qu'on ne l'avait imaginé. Il ne débarqua en Égypte qu'en 1249. Bien entendu, les Templiers avaient fourni un fort contingent amené de France par Renaud de Vichiers. Le Maître de l'Ordre, Guillaume de Sonnac, avait rejoint le roi à Chypre avec une partie des frères de Terre sainte. Après la trop facile prise de Damiette, les croisés progressèrent vers Le Caire. Ils se heurtèrent aux Mamelouks de Baybars à Mansourah. Attaqué par des cavaliers ennemis, Renaud de Vichiers les extermina, enfreignant la défense du roi d'engager le combat. À Mansourah, il fut décidé que les Templiers formeraient l'avant-garde avec le comte d'Artois et ses chevaliers. Saint Louis leur interdit de livrer bataille avant l'arrivée du principal corps d'armée. Robert d'Artois ne tint aucun compte de cet ordre et entraîna les Templiers à la suite de sa division. Ce fut un massacre abominable. Robert d'Artois et deux cent quatre-vingts Templiers périrent dans cette action. L'affaiblissement de l'armée, les attaques massives et incessantes de Baybars, la disette et le scorbut déterminèrent la retraite vers Damiette. Retraite qui se changea bientôt en débâcle. Baybars captura le roi, fit des milliers de prisonniers, imposa le versement d'une énorme rançon. Saint Louis demanda aux Templiers de lui prêter 30 000 livres et se heurta au refus du trésorier qui, en l'absence du Maître, n'avait pas le droit de consentir ce prêt. Guillaume de Sonnac était mort pendant la retraite. Renaud de Vichiers le remplaçait à titre provisoire. Il trouva la solution. Il imagina une petite comédie au cours de laquelle le sire de Joinville, envoyé par le roi, menacerait de fracturer les coffres avec une hache. Le trésorier du Temple feindrait de céder à la force et la Règle serait sauve ! Joinville a raconté délicieusement la scène dans ses *Mémoires*. Les historiens en mal de copie en ont tiré toutes sortes de déductions. À les en croire, les Templiers auraient attiré la suspicion du roi en cette circonstance ; Philippe le Bel y aurait vu un précédent, et autres fadaises ! Saint Louis tint si peu rigueur à Renaud de Vichiers (qui venait d'être élu Maître du Temple) qu'il lui demanda d'être le parrain [1] de son fils, né dans la forteresse templière de Château-Pèlerin. Beaucoup plus grave que l'incident du prêt fut l'humiliation solennelle qu'il infligea au couvent tout entier. On sait qu'il passa deux ans en Terre sainte, où il releva nombre de forteresses, s'efforça de rétablir l'autorité et négocia avec le sultan du Caire le rachat des prisonniers non encore libérés. Or les Damasquins, profitant des difficultés de l'Égypte, avaient recouvré leur indépendance. Les Templiers en profitèrent pour renouer des relations diplomatiques avec eux : l'alliance avec Damas était la pierre angulaire de leur politique ; elle leur paraissait indispensable à la survie du royaume. Ils agirent non seulement sans l'autorisation de saint Louis, mais en secret, misant sur le fait que, tôt ou tard, il rentrerait en France ! La colère du roi fut extrême. Il obligea tous ceux du couvent à se présenter devant lui pieds nus et à implorer son pardon. Renaud de Vichiers dut s'agenouiller et faire amende honorable. Le maréchal du Temple, Hugues de Jouy, fut chassé de Terre sainte et se retira en Espagne. Pour autant, les relations entre le Saint roi et les Templiers n'en furent pas altérées. Ceux-ci continuèrent à gérer les finances royales dans leur templerie de Paris. Louis IX comptait parmi ses amis les plus chers frère Amaury de La Roche. Il intervint auprès du pape pour qu'il fût nommé Maître en France, et le pape appuya sa démarche.

Après son départ de Terre sainte en 1254, l'anarchie recommença. Les vieilles querelles, les rivalités commerciales se rallumèrent. Tout ce que Frédéric de Hohenstaufen avait légué à la Terre sainte, c'étaient la haine des gibelins à l'encontre des guelfes et la plus fausse des sécurités. Cependant, les Templiers

1. Le parrainage était en principe interdit par la Règle.

et les Hospitaliers continuaient leur garde vigilante. Ils représentaient la seule force cohérente et la réalité du pouvoir, quand bien même ils adoptaient parfois des positions différentes. Ils ne pouvaient éviter en effet d'être mêlés, directement ou non, aux luttes intestines ; toutefois, le cas échéant, ils combattaient au coude à coude. Une horde mongole envahit l'Asie Mineure, puis la Syrie. Les Mongols n'étaient nullement antichrétiens. Les « Poulains » ne surent pas jouer cette carte. Ils s'allièrent follement à l'émir Baybars et à ses Mamelouks. Ni les Templiers ni les Hospitaliers ne purent les empêcher de commettre cette erreur fatale. Baybars écrasa les Mongols à Aïn Djalout en 1260 et eut dès lors les mains libres. Ce fut en vain que les Maîtres des deux Ordres appelèrent l'Occident au secours et s'efforcèrent d'apaiser les conflits internes. Baybars était devenu sultan du Caire. En 1265, il prit Césarée et Arsuf ; l'année suivante, la templerie de Safet tomba, et tous ses défenseurs furent exécutés ; en 1268, ce fut le tour de Jaffa, Beaufort, Banyus. À Gastein, les sergents refusèrent de combattre et les chevaliers se résignèrent à évacuer la place. Ils n'en avaient pas reçu l'ordre et comparurent devant le Chapitre qui les priva de l'habit pendant un an et un jour : comme on le constate, la discipline templière ne se relâchait pas en dépit des revers ! Cependant le pape, loin de répondre aux appels du Temple, interdisait les départs pour la Terre sainte ; il envoyait même des légats pour recruter des volontaires. Il était à cette époque en lutte contre l'Empire... Ce fut probablement alors que le troubadour Olivier le Templier écrivit son poème *Ira et dolor* (Colère et douleur) : « ... Le pape fait grande largesse de pardons aux Français et Provençaux qui l'aideront contre les Allemands. Il fait preuve de grande convoitise à notre égard, car notre Croix ne vaut pas une croix tournoise, et qui veut, laisse la croisade pour la guerre de Lombardie. Nos légats, je vous le dis pour vérité, vendent Dieu et son pardon pour de l'argent... » Ce poème est à rapprocher de la mésaventure d'Étienne de Sissey, maréchal du Temple, qui fut convoqué à Rome, cassé et excommunié. Le motif est mal connu, mais il est à penser que frère Étienne s'était opposé un peu trop ouvertement aux méfaits des légats pontificaux. Il n'empêche qu'un chroniqueur [1] l'accuse manifestement de crime passionnel !

La croisade de Tunis refroidit momentanément le zèle de Baybars. Ce n'était que partie remise pour lui. Le Maître du Temple qui était alors Thomas Bérard mourut en 1273 et fut

1. Gérard de Montréal, coauteur de la *Geste des Chryprois*.

remplacé par Guillaume de Beaujeu. Le royaume de Jérusalem approchait de sa fin. Le poids de sa défense incombait désormais presque exclusivement aux Ordres militaires, spécialement au Temple. Ce fut son heure de gloire ! Il y trouva la pleine justification de son existence...

III

STRUCTURES ET PUISSANCE DU TEMPLE

Le Maître du Temple, appelé parfois Souverain Maître et, tardivement, Grand Maître pour le distinguer des Maîtres en France, en Espagne, en Angleterre et ailleurs, siégeait nécessairement dans la Maison chêvetaine de l'Ordre : elle avait été d'abord à Jérusalem, puis elle fut transférée à Tortose après la défaite de Hattin. Le Maître régnait sur l'ensemble des templeries d'Orient et d'Occident, mais à la manière du doge de Venise. Je veux dire qu'il semblait détenir un pouvoir absolu, alors qu'il ne pouvait prendre de décisions importantes sans l'assentiment du « couvent », qui était le collège des prud'hommes de la Maison. Toutefois, les décisions prises, on lui devait une obéissance totale. Son élection, définie par la Règle, faisait l'objet de précautions extraordinaires. Il était assisté d'un état-major comprenant :

– le sénéchal, qui était son lieutenant ;

– le maréchal, qui était le chef militaire, responsable des effectifs, des armements, du parc de cavalerie ;

– le commandeur de Jérusalem, qui était en réalité le trésorier suprême de l'Ordre, encaissait les revenus provenant des commanderies d'Occident et payait les dépenses. Il avait sous sa responsabilité le drapier et ses tailleurs (parementiers).

Le maréchal avait sous ses ordres directs le turcoplier qui commandait les frères sergents et les turcoples ou turcopoles (troupes auxiliaires indigènes) ; le sous-maréchal qui commandait aux frères de métier (ouvriers) et était responsable de la sellerie et de l'armurerie ; le gonfanonier, responsable de la garde du gonfanon de l'Ordre (baucent) et qui commandait aux écuyers servant à terme, soit contre une solde, soit « par charité ».

Les commandeurs de Tripoli et d'Antioche étaient responsables des forteresses templières situées dans ces régions.

Ces dignitaires étaient chevaliers, à l'exception du sous-maréchal et du gonfanonier qui étaient sergents. Les Templiers qui n'étaient pas nobles pouvaient donc accéder à de hautes charges. On verra de même, lors du procès, de très nombreux sergents responsables de templeries françaises, avec le grade de commandeur. Les Templiers avaient la conviction de former une élite ; cependant, on le constate, le Temple, avec son Maître élu, ses dignitaires choisis par leurs pairs en raison de leurs capacités plus que de leur naissance, était une sorte de république. Mais une république fortement hiérarchisée, fondée sur une obéissance absolue, sur un dévouement illimité. Les chevaliers, les sergents, les turcopoles, les écuyers, les frères de métier et autres auxiliaires étaient soumis à une discipline de fer, passibles de sanctions parfois très graves sans aller toutefois jusqu'à la peine de mort.

Avant Hattin, l'Ordre avait possédé une vingtaine de grandes forteresses, sans compter les châteaux de moindre importance et les casals plus ou moins fortifiés. Il fallait entretenir ces châteaux, les pourvoir de munitions, de provisions, de défenseurs, nourrir ceux-ci, solder les mercenaires et les frères de métier, remonter la cavalerie, renouveler les armures et les armes. Cela représentait annuellement des sommes énormes. Il incombait aux Maîtres d'Occident de les collecter et de les faire parvenir en Terre sainte. Il leur incombait aussi, et ce n'était pas la moindre de leurs obligations, d'envoyer les renforts fréquemment réclamés par le Souverain Maître, et, par voie de conséquence, de recruter et de former de nouveaux chevaliers et sergents. J'ai donné, dans le chapitre précédent, un aperçu des pertes subies par les Templiers en divers combats. Encore n'ai-je évoqué que les points forts. On ne sortait pas toujours indemne des simples chevauchées de surveillance. L'Histoire n'a retenu que les batailles et les expéditions importantes. Elle passe sous silence les embuscades, le pourchas des rezzous. Les périodes de trêve étaient courtes et toujours aléatoires. Il fallait remplacer les morts et les grands blessés, compléter les effectifs. À mesure que le rôle du Temple s'accroissait, on avait besoin de plus en plus d'hommes et d'argent. En outre, conformément à sa vocation, le Temple se battait sur deux fronts : dans le royaume de Jérusalem et dans la péninsule Ibérique. Les templeries espagnoles et portugaises étaient d'abord combattantes ; elles s'échelonnaient le long de frontières incertaines, et ne produisaient pas de revenus ou peu, et certes ne pouvaient se suffire à elles-mêmes. Les templeries productives se trouvaient dans les autres pays d'Europe, spécialement en France où l'on en a dénombré un millier, d'inégale importance.

Je ne puis évidemment entrer dans le détail de cette organisation, puisque le sujet de ce livre est le Procès du Temple. Le lecteur pourra se reporter éventuellement à mes précédents ouvrages [1] ou à l'organigramme (très simplifié) qu'il trouvera à la fin de ce volume.

Les commanderies de base, qu'elles fussent rurales ou urbaines, étaient groupées en baillies ou baylies. Plusieurs baillies formaient une province sous la responsabilité d'un précepteur. L'ensemble était placé sous l'autorité d'un Maître, lui-même subordonné au Souverain Maître et à son représentant qui portait le titre de Visiteur et était une sorte d'inspecteur général.

L'Ordre possédait des commanderies en France, en Angleterre, en Allemagne, en Italie, en Hongrie, en Croatie, en Espagne et au Portugal. Il va sans dire qu'au fil des temps les provinces et baylies subirent des modifications considérables, des scissions et des regroupements.

La fortune du Temple était essentiellement immobilière. D'où provenait-elle ? De donations, parfois considérables, mais aussi d'achats et d'échanges. Les Templiers étaient d'excellents administrateurs ; ils pratiquaient le remembrement avant que n'existât le mot ! La plupart des commanderies étaient agricoles. Ce n'étaient point de simples fermes, mais de véritables entreprises pratiquant sur une grande échelle et selon la qualité du sol la polyculture, la culture de la vigne et de l'olivier, ou l'élevage. Elles avaient leurs annexes (les granges), leur cheptel, leur outillage, leur personnel spécialisé (laboureurs, bergers, vignerons, bûcherons), parfois leurs ateliers où travaillaient les frères de métier (charpentiers, forgerons, peaussiers, maréchaux-ferrants...). Elles englobaient souvent plusieurs centaines d'hectares, parfois plusieurs milliers. Elles disposaient d'étangs, de moulins, de bois plus ou moins étendus. Tout ce qui n'était pas consommé sur place était vendu. On ne retenait sur les bénéfices que les sommes nécessaires à l'achat du matériel et à l'entretien des bâtiments. Le reste était destiné à la Terre sainte. On y ajoutait le produit des locations et des droits divers. En

1. Voir Bibliographie.

règle générale, le commandeur de ces templeries était un simple frère sergent, parfois ancien combattant d'Espagne ou de Terre sainte. C'était dans les commanderies les plus importantes que servaient les chevaliers, sauf exception.

Les commanderies urbaines possédaient des immeubles, parfois des rues entières, des ateliers, des boutiques. Elles tiraient leurs ressources des locations, des droits qui leur avaient été concédés, de l'intérêt des prêts qu'elles consentaient. Tel était le cas de la grosse commanderie de Provins. Les Templiers y prélevaient le tonlieu sur les foires internationales qui se tenaient deux fois l'an. Ils vendaient en outre les articles en cuir fabriqués dans leurs ateliers. Ils prélevaient le droit de minage sur les grains. Les bouchers leur versaient de même une taxe sur la viande. Ils vendaient les fruits et les légumes provenant des commanderies voisines. Ils vendaient aussi leur vin. Ils pratiquaient le prêt – certes à faible intérêt – mais assorti de garanties rigoureuses. Emportés par leur zèle, ils se montraient souvent durs en affaires. Leur richesse constamment accrue portait ombrage à la bourgeoisie citadine. Ils étaient parfois, à l'égard des marchands et des artisans, des concurrents déloyaux.

La templerie de Paris mérite une mention particulière. Elle était non seulement la Maison chêvetaine de France, mais encore une puissante forteresse et surtout une banque, ceci expliquant cela. Le trésor royal y était déposé, ainsi que les revenus de toutes les provinces templières. En outre, imitant le roi, les grands seigneurs, les riches négociants avaient pris l'habitude d'y déposer aussi leurs fonds, voire leurs objets précieux. Les Templiers de Paris étaient d'exacts comptables. Ils avaient des guichets ouverts au public. Ils consentaient des prêts, géraient les dépôts de la clientèle, établissaient trois fois l'an des relevés, effectuaient des virements de compte à compte, délivraient ce que nous appelons aujourd'hui des « chèques-voyage ». Le Temple de Paris formait une cité dans la ville, de surcroît close de murailles crénelées et dominée par un donjon plus élevé que celui du roi ! Les fonds destinés à la Terre sainte étaient transportés à bord de nefs templières, d'où l'importance de commanderies comme celles de Marseille et de La Rochelle. Les frères de métier construisaient des navires présentant le maximum de sécurité. Les voyages entre Saint-Jean-d'Acre et ces ports étaient fréquents. C'étaient des Templiers qui commandaient ces bâtiments, transportant également des pèlerins pour un prix modeste, les renforts en hommes et en chevaux requis par le Maître. La commanderie de Londres avait le même emploi ; il va sans dire que les Templiers anglais possédaient également leur flotte.

Loin d'être sclérosés par la tradition, les Templiers étaient des novateurs. Don Quichottes de la foi, soldats professionnels, ils manifestaient de réelles qualités d'adaptation. Ils utilisaient au mieux des intérêts de l'Ordre à la fois les circonstances et la diversité de leur patrimoine. On a vu quelles étaient les activités commerciales et bancaires de ces moines armés convertis en agents de change ou en hommes d'affaires. Quand ils étaient agriculteurs, ils ne se contentaient pas de percevoir des revenus, mais « faisaient valoir », au plein sens du terme, défrichant les terres abandonnées, assainissant les zones de marécage, abattant les bois et les taillis pour augmenter la surface des terres labourables, remembrant, améliorant sans cesse. Ils créaient des villages entiers dont les habitants avaient de quoi vivre décemment et la certitude d'être protégés. Il tombe sous le sens que des activités si diverses et si fructueuses donnaient lieu à des abus. Des donations étaient parfois extorquées ; des échanges et des ventes, parfois imposés avec un peu trop de conviction de la part de certains commandeurs. Il faut cependant se méfier des gens d'Église qui, gémissant sur les dîmes perdues, reprochent aux Templiers leur âpreté extrême. En tout cas, personne ne les accusait de malversations. La clientèle bancaire n'avait qu'à se louer de leurs capacités et de leur honnêteté en affaires. Quant aux gens des campagnes, on peut croire qu'ils n'avaient pas trop à se plaindre du voisinage des commanderies, puisque nombre d'entre eux « se donnaient » au Temple précisément pour échapper aux exactions et à la justice des seigneurs et des évêques.

En Occident comme en Orient, mis à part les chapelains, il y avait deux classes de Templiers : les chevaliers et les sergents. Les premiers étaient nobles, fils de chevaliers ; les seconds, et les plus nombreux, étaient roturiers. Tous cependant obéissaient à la même Règle, restaient soumis à la même stricte discipline. Si, de temps à autre, apparaissent les noms de grands seigneurs (tels que Craon ou Beaujeu), le Temple recrutait principalement ses chevaliers dans la noblesse moyenne, de second rang, chevaleresque mais non titrée, voire même dans la petite noblesse. Les sergents provenaient de la bourgeoisie citadine et surtout rurale.

La Règle templière a suscité d'amples commentaires et des plus étranges ! Il suffit pourtant de la lire attentivement pour se persuader qu'elle ne recèle aucun mystère et ne dit que ce qu'elle avait à dire. Elle a d'ailleurs été publiée. On peut en prendre connaissance dans n'importe quelle bibliothèque fournie en ouvrages historiques. Elle comprend quatre parties chronologiquement distinctes : la *Règle primitive* (approuvée par le concile de Troyes en 1128) et sa traduction française rédigée vers 1140 ; les *Retraits* (vers 1165) formant un recueil des usages et coutumes de l'Ordre ; les *Statuts hiérarchiques* qui traitent principalement des cérémonies (entre 1230 et 1240) et les *Égards* (rédigés entre 1257 et 1267 sous la maîtrise de Thomas Bérard) consacrés à la discipline (fautes, peines, exemples jurisprudentiels). Les *Retraits*, les *Statuts hiérarchiques* et les *Égards* forment un véritable code, développant et précisant les 72 articles de la *Règle primitive*. Ils n'en dénaturent pas l'esprit, mais répondent à l'extension de l'Ordre et aux besoins qui en découlaient. Ils prennent en compte les précédents, l'expérience vécue. C'est le pragmatisme qui les inspire, non la démesure ou l'abstraction. Ils s'appliquent à des moines-soldats, non pas à des contemplatifs ou à des spéculatifs. Le mysticisme n'égare jamais ses rédacteurs, bien que la vocation des Templiers soit finalement le martyre. Il faut souligner toutefois que la traduction française s'écarte sur deux points de la *Règle primitive* rédigée en latin. La *Règle primitive* prescrivait un temps de probation avant l'entrée définitive dans l'Ordre ; elle laissait la durée de ce noviciat à la discrétion du chapitre. La traduction française omet ce temps de probation : la prise d'habit succède immédiatement à l'approbation du chapitre. De même permet-elle le recrutement de chevaliers excommuniés (à condition qu'ils soient « réconciliés » avec l'Église), alors que la Règle latine les exclut sans ambiguïté.

Il n'est pas inutile de rappeler, fût-ce très sommairement, ce qu'était la réception d'un chevalier du Temple, et d'autant que ce cérémonial sera sans cesse mis en cause lors du Procès. Le texte intégral de la Règle à ce sujet figure à la fin de cet ouvrage, afin que le lecteur puisse se former une opinion personnelle.

L'admission d'un chevalier, ou d'un sergent, devait être précédée d'une enquête discrète. Elle était prononcée par le chapitre d'une commanderie généralement assez importante, souvent en présence d'un dignitaire, et cela à la suite d'un interrogatoire serré. Les questions essentielles étaient posées trois fois. Elles portaient sur les cas d'empêchement : mariage, dette, appartenance à un autre Ordre, maladie grave. L'engagement d'obéissance était si rigoureux, outre son caractère irréversible, qu'il donnait lieu lui aussi à trois réponses successives. D'ailleurs, l'exhortation qui était adressée à l'impétrant ne laissait planer aucun doute sur ce qui l'attendait :

– « Beau frère, vous requérez bien grande chose, car de notre Ordre vous ne voyez que l'écorce qui est au-dehors. Car l'écorce, c'est que vous nous voyez avoir beaux chevaux et beaux harnais, et bien boire et bien manger, et avoir de belles robes [1],

1. Tuniques.

et il vous semble ainsi que vous y seriez bien aise. Mais vous ne savez pas les rudes commandements qui sont par-dedans : car c'est rude chose que vous, qui êtes sire de vous-même, deveniez serf d'autrui. Car à grand-peine ferez-vous jamais ce que vous voudrez. Car, si vous voulez être en la terre deçà la mer, l'on vous mandera de-là ; ou, si vous voulez être à Acre, l'on vous enverra en la terre de Tripoli ou d'Antioche ou d'Arménie, ou l'on vous mandera en Pouille ou en Sicile, ou en Lombardie, ou en France, ou en Bourgogne, ou en Angleterre, ou en plusieurs autres terres où nous avons des maisons et des possessions. Et, si vous voulez dormir, on vous fera veiller ; et si vous voulez quelquefois veiller, on vous commandera d'aller vous reposer en votre lit. Quand vous serez à table et que vous voudrez manger, l'un vous commandera d'aller où l'on voudra et vous ne saurez jamais où. Les bien grondeuses paroles que vous entendrez maintes fois, il vous faudra souffrir. Or regardez, beau frère, si vous pourrez bien souffrir toutes ces duretés. »

L'impétrant devait répondre :

– « Oïl (oui), je les souffrirai toutes, s'il plaît à Dieu. »

On lui disait encore :

– « Beau frère, vous ne devez requérir la compagnie de la maison ni pour posséder des richesses, ni pour avoir aise de votre corps, ni pour recueillir les honneurs. Mais vous la devez requérir pour trois choses : l'une pour abandonner le péché de ce monde ; l'autre pour servir Notre-Seigneur ; la troisième pour être pauvre et pour faire pénitence en ce siècle, afin de sauver votre âme ; et telle est l'intention pour laquelle vous la devez demander... »

Alors seulement le chapitre décidait s'il y avait lieu, ou non, de l'agréer comme frère. Toutefois devait-il encore renouveler par trois fois, solennellement, ses engagements et ses promesses. Puis le commandeur prononçait la formule d'admission :

– « Nous, de par Dieu et de par Notre-Dame sainte Marie, et par monseigneur saint Pierre de Rome, et de par notre père le pape et par tous les frères du Temple, nous vous admettons à tous les bienfaits de la maison, qui lui ont été faits depuis son commencement et qui lui seront faits jusqu'à sa fin, et vous, et votre père, et votre mère, et tous ceux de votre lignage que vous voudrez accueillir. Et vous aussi, admettez-nous à tous les bienfaits que vous avez faits et que vous ferez. Et ainsi nous vous promettons du pain et de l'eau et la pauvre robe de la maison, et beaucoup de peine et de travail. »

Le commandeur posait alors la cape blanche timbrée de la croix vermeille sur les épaules du nouveau chevalier, en nouait les cordons. Il l'embrassait sur la bouche : ce qui était le baiser féodal de l'hommage lige. Le chapelain et les frères entonnaient le psaume *Ecce qua bonum et quam jucundum habitare fratres* (Voici qu'il est bon, qu'il est agréable d'habiter tous ensemble en frères).

Le nouveau Templier était ensuite initié au règlement de l'Ordre. On lui expliquait qu'il n'avait le droit ni de se baigner, ni de se soigner, ni de faire un galop à cheval par manière de divertissement, ni de s'éloigner de la commanderie, ni de chasser (sauf le lion), sans l'autorisation de son commandeur. Qu'il avait l'obligation de parler « bellement, suavement » à ses égaux et à ses inférieurs et de remplir ponctuellement ses devoirs religieux. Comme dans un couvent ordinaire, la cloche sonnait matines, prime, tierce, none et complies. Les prières à Notre-Dame, patronne du Temple, commençaient et finissaient la journée. Quand un Templier se trouvait dans l'impossibilité d'entendre la messe, il devait réciter soixante Pater (trente pour les morts et trente pour les vivants). Il devait aussi jeûner quand la Règle le prescrivait.

On instruisait le nouveau frère de ses obligations en campagne de guerre, pendant les chevauchées, les bivouacs, les combats : veiller à son cheval, à ses bagages, ne pas quitter la colonne, garder le silence, ne jamais abandonner le gonfanon Baucent, ne pas se retirer de la bataille, ne pas refuser le combat à un contre trois, en cas de capture ne pas promettre de rançon et surtout ne pas renier la foi du Christ pour sauver sa vie.

Une fois par semaine, les Templiers devaient s'accuser de leurs fautes devant le chapitre. Non les fautes dont ils se confessaient aux chapelains, mais celles qui contrevenaient à la Règle. Les peines se proportionnaient à la gravité du délit, mais, comme le montrent les *Égards*, on tenait compte de l'ancienneté et des mérites des coupables. Elles allaient d'une pénitence légère à la perte de la maison, c'est-à-dire l'exclusion définitive de l'Ordre, en passant par le retrait temporaire de l'habit. La perte de la maison sanctionnait la simonie, la violation du secret des chapitres (il est aisé de comprendre pourquoi !), le meurtre d'un chrétien, la sodomie (« péché horrible, ort et puant »), la mutinerie, la lâcheté, l'hérésie, la trahison et le larcin. Ce terme de larcin recouvre des délits très variés : le vol, les sorties nocturnes clandestines, le fait de dissimuler de l'argent ou des provisions à un Visiteur. Il est curieux de constater que les accusations portées contre le Temple en 1307 reprennent très exactement les cas d'exclusion de la maison...

La réception des frères-sergents et des chapelains n'était pas moins solennelle. On ajoutait simplement à l'exhortation adressée aux sergents l'éventualité de travaux domestiques (pansage des chevaux ou des chameaux, entretien des écuries, porcheries, etc.). Les uns et les autres portaient un manteau noir ou brun pour les distinguer des chevaliers. Quant aux écuyers, aux frères de métier et au personnel subalterne des commanderies, on ne leur demandait qu'un serment d'obéissance.

Qui pouvait alors supposer que ce noble édifice et cette puissance tentaculaire s'effondreraient en un jour ?

IV

LE VINGT-TROISIÈME MAÎTRE

Lorsque Guillaume de Beaujeu devint Maître du Temple en 1273, le royaume de Jérusalem – il serait plus exact de dire le royaume d'Acre – se réduisait aux villes de Saint-Jean-d'Acre, Tripoli, Tortose et Beyrouth, aux forteresses templières d'Athlit, de Sayète et de Sidon, à celles de Margat, qui était aux Hospitaliers, et de Montfort, appartenant aux Teutoniques. L'Europe en proie à ses propres conflits se désintéressait de la Terre sainte. La situation paraissait désespérée, lorsque Baybars mourut en 1277. Les Poulains ne surent pas mettre à profit le répit qui leur était offert pour s'unir. Le seul vrai pouvoir émanait alors des Ordres militaires, et surtout des Templiers. Eux seuls tenaient les musulmans en respect. Guillaume de Beaujeu était une sorte de roi sans couronne, comme l'avait été naguère le vieux sire de Beyrouth, Jean d'Ibelin. Il s'obstinait à défendre un royaume quasi fantomatique, dont le roi théorique et fictif résidait à Chypre. Mais il ne pouvait mettre fin à l'anarchie ambiante, aux querelles stériles, aux complots, aux trahisons. Ses avertissements, ses exhortations n'étaient pas entendus. Lorsqu'il prévint les Tripolitains de l'attaque prochaine du sultan Qelaoun, successeur de Baybars, il fut taxé de pusillanimité. Qelaoun s'empara promptement de Tripoli, massacra une grande partie de la population et rasa les murailles (1289). Il mourut l'année suivante et Al-Ashraf

Khalil lui succéda. En 1291, des croisés italiens débarquèrent à Saint-Jean-d'Acre. Ce n'étaient pas des soldats professionnels ; ils ressemblaient plutôt aux compagnons de Pierre l'Ermite. Ils se ruèrent sur les musulmans, ou supposés tels, et les massacrèrent sauvagement. Ce fut la dernière illustration de l'antinomie classique entre les Poulains pratiquant une indispensable tolérance et les nouveaux arrivants persuadés que le premier devoir d'un chrétien était de pourfendre les infidèles. Dans la conjoncture, ce massacre était catastrophique. Le sultan du Caire avait accordé une trêve aux chrétiens. Il ne pouvait tolérer cette provocation. Il exigea le châtiment immédiat des coupables. Le conseil de Saint-Jean-d'Acre atermoya comme à son habitude. Al-Ashraf écrivit à Guillaume de Beaujeu :

« Le sultan des sultans, le roi des rois, le seigneur des seigneurs, Malik al-Ashraf ; le puissant, le redouté, le châtieur des rebelles, le chasseur des Francs, des Tartares et des Arméniens, l'arracheur des châteaux aux mains des mécréants... à vous, le Maître, noble Maître du Temple, le véritable et le sage, salut et notre bonne volonté. Parce que vous avez été un homme véritable, nous vous mandons lettres de notre volonté, et nous vous faisons assavoir que nous venons en vos parties pour amender les torts faits, pour quoi nous ne voulons point que la communauté d'Acre nous mande lettres ni présents, car nous ne les recevrons point. »

C'était une déclaration de guerre en bonne et due forme. La communauté d'Acre ne l'entendit pas ainsi. Elle envoya des ambassadeurs au Caire. Le sultan les fit jeter en prison. Il arriva sous les murs de Saint-Jean-d'Acre avec une armée de soixante mille cavaliers et de cent soixante mille fantassins, et un important matériel de siège. La ville comptait environ quarante mille habitants. Elle pouvait aligner sept cents chevaliers, mille trois cents sergents montés et quatorze mille fantassins dont la plupart étaient des soldats improvisés. Elle était défendue par une double enceinte, renforcée de tours dont les principales étaient la Tour maudite et la Tour du Roi. Le sultan disposa ses machines avec soin. Ce fut en vain que Guillaume de Beaujeu tenta de les détruire au cours d'une sortie nocturne. En vain que le roi de Chypre, Henri II, amena des renforts et tenta de négocier avec Al-Ashraf. Le sultan exigeait la reddition inconditionnelle et immédiate de la ville. Le 15 mai, après l'ouverture d'une large brèche, il fit donner l'assaut. Guillaume de Beaujeu et Jean de Villaret, Maître des Hospitaliers, tentèrent d'endiguer le flot des assaillants. Ils combattirent au premier rang, au coude à coude, dans le secteur le plus menacé. Un moment, Guillaume de Beaujeu leva le bras gauche. Une flèche le blessa sous l'aisselle car il s'était armé à la hâte. Il se retira du combat en chancelant. On lui cria :

– « Ah ! pour Dieu, sire, ne vous partez pas, car la ville sera bientôt perdue ! »

Il répondit :

– « Seigneurs, je n'en puis plus, car je suis mort, voyez le coup... »

Et il montra la flèche plantée dans la blessure. On le coucha sur un grand bouclier et on le transporta dans la commanderie templière, qui était sur le front de mer, au sud de la ville. Il mourut au bout de quelques heures, sans proférer une plainte. Jean de Villaret, grièvement blessé, fut évacué à bord d'un navire hospitalier qui rallia Chypre. Les Mamelouks forçaient les dernières défenses, se ruaient dans les rues, se livraient à une innommable boucherie. Il n'y avait pas assez de bateaux pour transporter la population qui se pressait sur les quais en hurlant. Dix mille de ces malheureux trouvèrent refuge dans la commanderie du Temple, que l'on appelait La Voûte d'Acre. Le maréchal du Temple, Pierre de Sevry, s'y était retiré. Il fit embarquer la plupart des fugitifs, cependant que les Mamelouks assiégeaient La Voûte. Elle résista pendant dix jours au bombardement des machines et aux assauts, ultime bastion du royaume de Jérusalem ! Déchaînés, les Mamelouks continuaient à piller et à égorger. Les maisons, les places, les rues étaient jonchées de cadavres mutilés. Al-Ashraf offrit aux Templiers une reddition avec les honneurs de la guerre et la liberté de se rendre à Chypre. Pierre de Sevry crut à sa loyauté. Les Mamelouks entrèrent enfin dans la commanderie, aperçurent les fugitives qui n'avaient pu s'embarquer, se jetèrent sur elles. Les Templiers les massacrèrent et le siège continua. Le sultan voulait en finir. Il reprit les pourparlers, offrit les mêmes conditions honorables. Pierre de Sevry et ses chevaliers furent conduits devant Al-Ashraf, lequel, au mépris de la parole donnée, les fit tous décapiter. Apprenant cette exécution, les Templiers qui restaient dans La Voûte, plus ou moins malades ou blessés, fermèrent les portes. Les Mamelouks minèrent la tour principale qui s'effondra soudain, ensevelissant les assiégés et les assaillants. Deux mille Mamelouks furent écrasés.

Telles furent les grandioses funérailles du Temple, car la prise de Saint-Jean-d'Acre signait son arrêt de mort ! Elle marquait aussi la fin du royaume de Jérusalem. Une ultime fois la vieille âme des croisades avait retrouvé son éclat, mais c'était pour s'éteindre à jamais, comme le soleil jette une dernière lueur avant de disparaître.

La chute de Saint-Jean-d'Acre (28 mai 1291) entraîna la reddition des dernières places tenues par les Francs. Le bailli de Tyr renonça à défendre cette place qui passait pour l'une des mieux fortifiées de Terre sainte ; il se réfugia à Chypre avec la garnison. Les Templiers essayèrent de défendre Sidon, dont ils occupèrent la citadelle après l'évacuation de la population. Ils avaient élu pour Maître Thibaut Gaudin qui n'a pas laissé grande trace dans l'histoire du Temple ! Il partit aussitôt pour Chypre sous le prétexte d'amener des renforts et ne revint jamais. Sidon succomba le 14 juillet. Les habitants de Beyrouth, se fiant à la trêve qu'ils avaient passée avec les Mamelouks, ouvrirent leurs portes et furent réduits en esclavage. Les Templiers qui tenaient la commanderie furent pendus (21 juillet). Tortose et Château-Pèlerin furent évacués sans combat, les 3 et 4 août. Leurs occupants purent se réfugier à Chypre. Il n'y avait plus de Terre sainte !

La grande île regorgeait de fugitifs, bourgeois, seigneurs dépossédés, pauvres et riches. Les Ordres militaires y avaient établi leurs quartiers. Quel allait être l'avenir, quelle était même la raison d'être de ces sans-emploi ? Les Teutoniques avaient transféré la majeure partie de leurs effectifs en Prusse bien avant la chute de Saint-Jean-d'Acre. Les Hospitaliers possédaient à Chypre de vastes domaines. L'île leur servirait bientôt de base logistique. Les Templiers étaient les plus à plaindre, car, dans leur obstination à défendre la Terre sainte, ils ne s'étaient pas précautionnés : leurs biens se réduisaient à peu de chose ; leurs templeries ne pouvaient tous les abriter.

En 1292, le pape Nicolas IV, caressant le chimérique espoir de reconquérir la Terre sainte, préconisa la fusion des Ordres militaires. Plusieurs conciles régionaux opinèrent dans ce sens. L'idée se faisait jour de réunir en tout cas les Templiers et les Hospitaliers et de les placer sous un commandement unique. Commandement qui aurait pu être assuré par un haut personnage, dont l'autorité ne risquait pas d'être contestée : par exemple, un prince royal ou même un roi veuf ! Ces rêveries demeurèrent lettre morte. Elles furent reprises quelques années plus tard par Philippe le Bel et par Clément V.

Le Maître du Temple, Thibaut Gaudin, mourut en 1293 et fut remplacé par Jacques de Molay. Le vingt-troisième et dernier Maître de l'Ordre était originaire de Franche-Comté. Il avait environ cinquante ans, ayant été reçu Templier en 1265 dans la commanderie de Beaune par le frère Humbert de Pairaud et en présence d'Amaury de La Roche, Maître en France et ami de saint Louis. Il avait servi en France et en Angleterre, puis on l'avait affecté en Orient (en 1275). On ignore tout des charges qui lui furent confiées. Cependant, il faut croire qu'il avait rendu assez de services pour que ses pairs aient songé à lui. Il est vrai qu'en raison des pertes qu'ils avaient subies à Saint-Jean-d'Acre et ailleurs, ils n'avaient pas le choix ! Ce n'était pas un grand seigneur, mais, comme tant d'autres chevaliers de l'Ordre, un noble de second rang. Il ne pouvait se recommander d'aucune parenté illustre, alors que le défunt Guillaume de Beaujeu pouvait se dire cousin du roi de France ! Selon la déposition du frère-sergent du Faur, lors du Procès, il se serait trouvé en compétition avec Hugues de Pairaud [1] :

– « La discorde, déclara-t-il aux commissaires qui l'interrogeaient, s'éleva dans le chapitre qui se tint outre-mer pour la nomination du Maître, parce que les provinces de Limousin et d'Auvergne, qui formaient la majorité du chapitre, voulaient élire Hugues de Pairaud, tandis que la minorité tenait pour Jacques de Molay. Ce dernier affirma, en présence du Maître des Hospitaliers, du chevalier Eudes de Granson et de plusieurs autres, qu'il ne voulait pas être Maître du Temple et se désistait en faveur du frère Hugues. Mais, comme la majorité avait consenti à le nommer grand précepteur (sénéchal ?), dès que le frère Hugues aurait été nommé grand Maître – habituellement c'est le grand précepteur qui obtient la maîtrise de l'Ordre, quand cette dignité vient à être vacante –, Jacques de Molay leur manda que, du moment où ils le faisaient "cape", ils pouvaient bien le faire "capuchon", en d'autres termes que, s'ils le faisaient grand précepteur, ils pouvaient bien le faire grand Maître et que, bon gré mal gré, il le serait. Et c'est par cette pression qu'il fut nommé. »

Cette déposition est sujette à caution. Il était procédé à l'élection du Maître par un collège restreint, composé de treize membres : huit chevaliers, quatre sergents et un chapelain qui représentait Jésus-Christ. Il n'était pas établi de procès-verbal. Les débats comme le vote devaient rester rigoureusement secrets. Le sergent du Faur avait peut-être été désigné comme électeur. En révélant la manœuvre de Jacques de Molay, il contrevenait gravement à la Règle. Il est vrai qu'à l'époque du Procès il ne risquait plus de perdre la maison ! D'autre part, il était limousin et, comme tel, partisan d'Hugues de Pairaud. Son hostilité à l'égard de Jacques de Molay est évidente. Il cherchait à lui nuire en le « chargeant », peut-être à l'instigation d'Hugues de Pairaud. Quoi qu'il en soit, ce qui paraît véritable et ce qu'il faut retenir, c'est la compétition entre Jacques de Molay et Hugues de Pairaud. Elle explique, peut-être, l'attitude peu honorable du Visiteur de France s'acharnant contre l'Ordre au lieu de le défendre.

---

1. Visiteur pour la France lors du Procès.

Jacques de Molay fit ce que Guillaume de Beaujeu avait fait après son élection. Il s'embarqua pour l'Europe dans le dessein d'intéresser les princes à la Terre sainte. Il ne renonçait à rien et croyait possible d'organiser une croisade générale pour reconquérir les villes perdues et peut-être la sainte cité de Jérusalem. Certes, il prenait ses désirs pour des réalités. Mais il faut essayer de le comprendre. C'était un vieux chevalier blanchi sous le harnais. Il avait vécu pendant une trentaine d'années au milieu des Templiers ses frères, loin des intrigues politiques. Il n'était ni plus ni moins intelligent que les autres et, comme eux, il portait dans le cœur le mot de Jérusalem et nourrissait pour la Terre sainte, en dépit des revers et des trahisons, un amour sans limites. Le « berceau de la chrétienté » restait sa raison de vivre. Parvenu au sommet de l'Ordre, il voulait tenter l'impossible. C'était un soldat sans complications, ou plutôt, sans qu'il s'en rendît bien compte, une sentinelle perdue, oubliée par une armée en retraite !

Il se rendit en Italie du Sud, où le roi Charles II d'Anjou lui permit d'exporter à l'intention des Templiers de Chypre deux mille charges de froment, trois mille charges d'orge provenant des propriétés de l'Ordre en Apulie. On a la lettre de Charles II adressée au « vénérable et religieux frère Jacques de Molay, Maître général de l'Ordre, et son ami de dilection », touchant témoignage ! Molay séjourna à Venise, dans la commanderie des Furlani, puis il passa en France, et, de là, en Angleterre. Cette tournée de propagande fut peu fructueuse. Cependant Jacques de Molay ne perdait pas espoir. Il s'obstinait à préparer la revanche, comme s'il en avait eu les moyens. Il était en butte à l'hostilité du roi de Chypre et de Jérusalem, Henri II, mais trouvait meilleur accueil auprès du frère de celui-ci, Amaury de Lusignan, connétable du petit royaume.

En 1300, il mit sur pied un corps expéditionnaire regroupant des Templiers, des Hospitaliers et des Chypriotes. L'objectif était Tortose. Cette tentative fut un échec. Toutefois, les Templiers purent s'emparer de l'îlot de Road et s'y fortifier. Molay regagna Chypre, en laissant à Bartholomé, maréchal du Temple, le soin de défendre Road. Bartholomé n'avait qu'un millier de soldats, dont cent vingt chevaliers, et point de bateaux pour surveiller la côte. Les Mamelouks débarquèrent dans l'îlot. Succombant sous le nombre, les défenseurs capitulèrent. Les uns furent décapités, les autres emmenés en captivité au Caire. Depuis lors, les Ordres militaires se trouvaient condamnés à l'inactivité, en attendant une hypothétique croisade générale.

Guillaume de Villaret n'y croyait plus. Il décida d'établir la Maison chêvetaine des Hospitaliers en France. Mais il se heurta à l'opposition du Chapitre et préféra se démettre de sa charge. Les Hospitaliers élurent alors son neveu, Foulques de Villaret. Méditant sur le destin des Teutoniques qui, dans la lointaine Prusse, bénéficiaient d'une autonomie totale et se préparaient à fonder un État, il se mit en tête de les imiter. Il eut une idée de génie qui était de fonder lui aussi une principauté indépendante, appartenant exclusivement aux Hospitaliers. Il résolut en outre de transformer son Ordre en puissance navale et de combattre la piraterie musulmane en Méditerranée. Il jeta son dévolu sur Rhodes. En quatre ans (1306-1310), l'île fut entièrement conquise et les Hospitaliers s'y installèrent.

Désormais, quelles perspectives s'offraient à Jacques de Molay et à ses Templiers ? Se tailler eux aussi quelque principauté ? Il apparaît certain que Molay n'y songea pas. Cependant, dans quel but aida-t-il Amaury de Lusignan à renverser son frère Henri II de Chypre ? Quel intérêt avait-il à se mêler des dissensions de la famille royale ? Quelles fallacieuses promesses avait-il reçues d'Amaury ? Il lui prêta même 50 000 besants pour recruter des partisans. Le 26 avril 1306, Henri II fut déposé. Amaury s'empara du trône et envoya son frère prisonnier en Arménie. On ne sait pas s'il manifesta de gratitude particulière à l'égard de Jacques de Molay. En revanche, ce dernier avait attiré la suspicion sur l'Ordre des Templiers.

En Europe, les événements marchaient à grands pas. La politique internationale prenait une direction imprévue. Le roi de France venait de terrasser un pape, au terme d'un conflit tragique.

DEUXIÈME PARTIE

L'ATTENTAT D'ANAGNI

(1294-1304)

I

PHILIPPE LE BEL

Le grave conflit qui opposa Boniface VIII à Philippe le Bel, et dont le procès des Templiers fut la conséquence, avait sa source dans les prétentions du Saint-Siège à faire de l'Europe une théocratie.

« De même, déclarait Grégoire VII (à la fin du XIe siècle), que la Lune reçoit sa lumière du Soleil, de même la dignité royale n'est qu'un reflet de la dignité pontificale. » Selon cette théorie, le souverain pontife, en tant que Vicaire du Christ et Juge suprême des péchés, détenait le pouvoir de déposer les rois en raison de leurs fautes. Au début du XIIIe siècle, Innocent III reprit vigoureusement ce concept d'*Imperium mundi* et chercha à faire prévaloir sa suzeraineté sur les princes. Il intervint en Angleterre, en Arménie, à Chypre, en Bulgarie, en Allemagne et dans l'infortuné comté de Toulouse (croisade contre les Albigeois). En France – détail symptomatique – il se heurta à Philippe Auguste et dut lâcher prise.

Au milieu du XIIIe siècle, la doctrine de l'*Imperium mundi* gardait toute sa force. Le pape ayant une autorité absolue en matière de religion, les princes temporels avaient l'obligation de se conformer aux règles définies par l'Église, sous peine de sanctions dont l'excommunication qui n'était pas la plus grave. Grandiose rêverie à une époque où les nationalismes commençaient à s'éveiller, notamment en France. De plus, pour que cette théocratie fût effective, il fallait assurer l'indépendance et la sécurité de l'État pontifical, en Italie centrale ; d'où la lutte acharnée contre l'empereur d'Allemagne, Frédéric II de Hohenstaufen. Il s'agissait d'éviter l'encerclement et la submersion des possessions du Saint-Siège. L'empereur étant Maître de l'Italie, le pape, en cas d'échec, n'aurait plus été que son lieutenant spirituel, comme au temps de Charlemagne. Les héritiers de Frédéric II s'efforcèrent de conserver à la fois l'Allemagne et l'Italie du Sud. Le pape Urbain IV, un Champenois, conclut un accord avec Charles Ier d'Anjou, frère de saint Louis, au terme duquel ce prince s'engageait à conquérir le royaume de Sicile – en réalité l'Italie méridionale – et à le tenir en fief du Saint-Siège. Charles Ier d'Anjou, vainqueur à Bénévent (1266) et à Tagliacozzo (1268), devint roi de Sicile. Mais, animé par une ambition insatiable, il imposa son autorité dans l'État pontifical, à Rome même, et en Italie du Nord. Gardien du conclave, il dictait le choix des suffragants avec un cynisme déconcertant. Les souverains pontifes n'étaient guère plus que ses auxiliaires. Il va sans dire que Charles Ier d'Anjou bénéficiait de l'appui, sinon de la complicité des Capétiens. Cet extravagant songeait à conquérir l'Empire byzantin, quand les « Vêpres siciliennes » (1282) mirent brutalement fin à ses projets. Pierre III d'Aragon vint au secours des rebelles siciliens qui lui offrirent la couronne. La Sicile était perdue pour Charles Ier d'Anjou. Mais le pape Martin IV était l'une de ses créatures. Il excommunia Pierre III et lança une « croisade » contre l'Aragon. Cette croisade d'un nouveau genre, non motivée par un prétexte religieux, mais purement politique, ne pouvait intéresser que les Capétiens. Philippe III le Hardi, fils et successeur de saint Louis, s'y jeta à corps perdu. Pour assurer ses arrières, il rétrocéda sans contrepartie l'Agenais au roi d'Angleterre. Il croyait d'ailleurs ne faire qu'une bouchée du royaume d'Aragon. Il franchit les Pyrénées avec une superbe armée et ne parvint qu'à prendre Gérone mais pour la reperdre aussitôt. Le scorbut décima son armée. Il fallut ordonner la retraite. Philippe III le Hardi s'arrêta pour mourir à Perpignan (1285).

Philippe le Bel monta sur le trône. Il avait dix-sept ans, mais infiniment plus de sagacité et de réalisme que son père. L'année précédente, on l'avait marié à Jeanne de Navarre, héritière du comté de Champagne et du royaume de Navarre. Il avait accompagné Philippe III en Aragon, tout en désapprouvant une entreprise qui lui paraissait coûteuse et finalement sans objet. D'ailleurs, la situation avait évolué : Charles Ier d'Anjou et Martin IV venaient de mourir. Charles II d'Anjou était captif.

Pierre III d'Aragon mourut en 1286 et son fils aîné, Alphonse, lui succéda. Philippe le Bel laissa « pourrir » le conflit et le roi d'Angleterre se poser en arbitre. Il semblait se désintéresser de la question, mais ne perdait pas ses intérêts de vue et tirait secrètement les ficelles, compliquant au maximum la tâche d'Édouard Ier. La paix ne fut signée qu'en 1291 à Tarascon : Charles II d'Anjou dut renoncer à la Sicile ; il n'était plus que roi de Naples. Un prince d'Aragon, Frédéric, devenait roi de Sicile. Charles de Valois, frère de Philippe, avait reçu naguère de Martin IV le titre fictif, mais juridiquement valable, de « roi d'Aragon ». Il le résilia contre la cession par Charles II d'Anjou des comtés du Maine et de l'Anjou, ses possessions patronymiques. Ainsi, le jeune roi de France s'était-il sorti élégamment du guêpier aragonais. Qui plus est avec avantages, puisque le Maine et l'Anjou revenaient à la Couronne !

Philippe le Bel avait eu pour précepteur Egidio Colonna, communément appelé Gilles de Rome, personnage en tout point remarquable. Il appartenait à l'illustre Maison des Colonna : ce détail a son importance. Il avait été l'élève de saint Thomas d'Aquin. Docteur en théologie, il enseignait à l'Université de Paris, où sa réputation était telle qu'on le surnommait Prince des théologiens. Il écrivit pour son royal élève un traité intitulé *De regimine principum*. Il y démontrait les avantages du pouvoir absolu, justifié selon lui par la volonté divine. Philippe le Bel ne retiendra que trop la leçon ! Devenu roi, il récompensa Colonna en le faisant nommer général des Augustins (1292) et archevêque de Bourges (1295). Il faut souligner que ce théologien était un novateur, car, à cette époque, la notion d'absolutisme n'existait pas.

Que Philippe le Bel ait médité sur son métier de roi en observant le comportement de son père et en constatant les fautes de celui-ci, qu'il ait dans son for intérieur résolu d'être un grand roi, cela paraît évident. Dès son avènement, il était prêt à régner ! Point de prurit de jeunesse chez lui, nulle présomption, mais un pragmatisme d'homme mûr, une volonté ferme, une conception claire et précise, une faculté de prospective peu commune, servie par une intelligence pénétrante. L'Empire germanique était aux mains incertaines de Rodolphe de Habsbourg. Le moment paraissait propice pour que le roi de France tînt le premier rôle : celui d'arbitre de l'Europe. Encore fallait-il qu'il se donnât les moyens de cette politique. Le royaume dont héritait Philippe le Bel était un État féodal. Le roi de France n'était qu'un suzerain, c'est-à-dire le premier des seigneurs féodaux, encore que le sacre de Reims lui assumât une mission particulière : celle de lieutenant de Dieu dans son royaume. Ce pouvoir, certes grandissant mais toujours aléatoire, ne suffisait pas à Philippe le Bel. En outre, il était inadapté à l'évolution sociale, à la montée du tiers état, au transfert d'une partie de la fortune nationale entre les mains de la bourgeoisie négociante. Les structures de l'administration et de la justice s'étaient lentement sclérosées. Philippe le Bel n'entendait pas, quoi qu'on ait dit à ce sujet, abolir la féodalité, mais subordonner les féodaux. Non pas bouleverser les instances judiciaires, mais, à travers leur réforme, les rendre plus efficaces et accroître le rayonnement de la monarchie, plus précisément son droit de justicier suprême. Semblablement, il s'intéressait aux agglomérations urbaines, définissant par ordonnance (1287) les conditions d'entrée dans la bourgeoisie. La même année, il enjoignait à tout détenteur d'un droit de justice (ducs, comtes et barons notamment) d'exclure des tribunaux les juges appartenant au clergé. Il interdit aux plaignants de recourir à des avocats ecclésiastiques. Pourquoi cette exclusion systématique et soudaine, si peu conforme à la tradition capétienne ? Parce que les membres du clergé échappaient à la puissance séculière. On ne pouvait les réprimander et encore moins les sanctionner sans encourir les foudres de l'Église. L'année suivante, les fonctions de prévôt et d'échevin leur furent interdites. Par voie de conséquence, les prélats qui siégeaient au Parlement furent écartés. Sans doute y eut-il des exceptions et des accommodements. Le roi n'avait rien à gagner en se brouillant avec les évêques, mais le principe fut maintenu. Par ailleurs, estimant à juste raison que l'Église gallicane participait insuffisamment aux dépenses de l'État, alors qu'elle bénéficiait de sa protection et continuait imperturbablement de s'enrichir, il sextupla les droits d'amortissement sur les biens légués ou vendus aux établissements religieux. L'ordonnance prévoyait une rétroactivité trentenaire ! Il est bien certain que les évêques et les abbés mitrés, étant usufruitiers de biens qui restaient la propriété de l'Église, le Trésor perdait des sommes considérables. Puissance tentaculaire, l'Église finissait par détenir une fortune immense et qui paraissait anormale. Cette laïcisation de la justice, cette contribution forcée du clergé ne traduisent nullement un manque de foi de la part du roi. Comme tous les Capétiens, il était pieux. Il n'oubliait pas qu'il était le petit-fils de saint Louis. Mais l'infiltration des clercs dans les rouages de l'État le gênait. Il respectait l'Église en tant que puissance spirituelle, mais ne tolérait pas qu'en raison de ses privilèges elle formât un État dans l'État. De même, le traité de Tarascon avait porté un coup sensible à l'autorité du Saint-Siège en annulant son arbitrage. Il y avait là un changement d'orientation des plus nets.

En 1291, Philippe le Bel secoua la poussière du Parlement. Il en modifia l'organisation et le fonctionnement. Afin de pallier les retards des procès, il astreignit trois conseillers à siéger chaque jour afin de recevoir les requêtes des plaignants. Il spécialisa les juges par catégories d'affaires.

L'esprit de croisade était mort. Nul ne se souciait alors du sort de Saint-Jean-d'Acre et Philippe le Bel moins que quiconque. La chute du dernier bastion chrétien, le massacre de ses défenseurs, la capture et la mise en esclavage de milliers de malheureux ne l'émurent point et laissèrent l'opinion quasi indifférente. L'Occident renonçait définitivement à la garde du Saint-Sépulcre. Les princes acceptaient toutefois d'empocher les décimes accordés par le pape pour un départ qui n'aurait jamais lieu.

Philippe le Bel s'intéressait davantage au roi d'Angleterre. La « bonne amour » voulue par saint Louis, et obtenue au prix de quelles rétrocessions ! s'aigrissait. Le roi d'Angleterre était aussi duc de Guyenne, avec comme capitale Bordeaux. Pour ses possessions françaises, il rendait hommage au roi de France. Comme tout vassal, il lui devait, entre autres, le service militaire. Il n'en restait pas moins roi d'Angleterre : les intérêts, la politique extérieure des deux nations ne coïncidaient pas nécessairement ! Cette ambiguïté paraissait insupportable à Philippe le Bel. Il se fixa pour objectif de recouvrer le duché de Guyenne. On a vu dans quelles conditions Philippe III le Hardi avait, tout au contraire, rétrocédé l'Agenais à Henri III d'Angleterre. Lors de sa prestation d'hommage (l'évêque de Bath parlait en son nom), Édouard Ier revendiqua le Quercy. Philippe le Bel se tira fort habilement de ce mauvais pas en offrant une rente annuelle à Édouard, dont il connaissait les besoins d'argent. Puis, comme il était à prévoir, la situation se dégrada. Édouard temporisait, parce que les Écossais lui donnaient de la tablature. Les événements lui forcèrent la main. Les marins anglais et français se détestaient ; ils en venaient fréquemment aux mains. Les uns et les autres commirent de véritables actes de piraterie. Édouard Ier fut obligé de réunir une flotte de guerre. Une bataille navale eut lieu à la pointe Saint-Mathieu et fut désastreuse pour les Français. Philippe le Bel saisit l'occasion pour citer le duc de Guyenne à comparaître. Édouard Ier, pour échapper à la confiscation de son duché, dut consentir à l'occupation temporaire, par les Français, de Bordeaux, de Bayonne et d'Agen. Il dut également livrer les principaux châteaux de Guyenne. Philippe le Bel ne se contenta pas d'envoyer une petite troupe d'occupation, il dépêcha une véritable armée ! Il entendait changer le séquestre en occupation.

Le duel franco-anglais commençait. À vrai dire, le moment était admirablement choisi. Édouard Ier était empêtré dans l'affaire écossaise ; il n'avait pas les moyens matériels de reconquérir le duché de Guyenne. À l'imitation de Jean sans Terre avant Bouvines, il s'efforça de nouer une vaste coalition contre la France. Le duc de Brabant, les comtes de Bar, de Flandre et de Gueldre, l'empereur Albert de Nassau (qui avait succédé à Rodolphe de Habsbourg) donnèrent leur adhésion. Ils tablaient tous sur les secours en hommes et en argent de l'Angleterre. Édouard Ier ne pouvait rien fournir, ou très peu. Philippe le Bel attira le comte de Flandre dans un guet-apens et le fit emprisonner. Cette arrestation démantela la ligue. L'empereur Albert se laissa tout bonnement acheter. Pour faire bonne mesure, Philippe le Bel conclut un traité d'alliance offensif et défensif avec le roi d'Écosse, Bailleul, en révolte contre Édouard Ier, et avec le roi de Norvège qui promit de fournir une flotte de guerre. Édouard Ier riposta en attaquant l'Écosse (1296). Il vainquit Bailleul à Dunbar et l'envoya à la Tour de Londres. Le pape Boniface VIII essaya d'imposer son arbitrage. Philippe le Bel n'en tint aucun compte et s'efforça de ruiner le commerce anglais par un « blocus continental » avant la lettre. En 1297, le comte de Flandre, Gui de Dampierre, qui avait été libéré par Philippe le Bel, rompit son hommage à l'instigation d'Édouard Ier. L'armée française (soixante mille hommes) envahit la Flandre. Le roi s'empara de Lille, Courtrai et Bruges. Le comte d'Artois écrasa les Flamands à Furnes. Édouard était arrivé à Gand avec un millier d'hommes. Boniface VIII tenta à nouveau son arbitrage. Plus heureux que la première fois, il parvint à imposer une trêve jusqu'à la signature de la paix, se réservant de partager lui-même la Guyenne entre les deux rois. Le traité fut signé en 1299. Il restituait la Guyenne à l'Angleterre, à l'exception de Bordeaux, mais laissait le champ libre à Philippe le Bel en ce qui concernait la Flandre. Ce dernier promettait de ne plus aider les rebelles écossais. Quant à Édouard Ier, il abandonnait froidement Gui de Dampierre qu'il avait poussé à la guerre. Les Français occupèrent les principales cités flamandes. Le gouvernement du comté fut confié à Jacques de Saint-Pol, cousin de la reine. Désespéré, Gui de Dampierre abdiqua en faveur de son fils Robert de Béthune et se retira dans son château de Ruppelmonde. Pour autant, l'affaire de Flandre n'était pas terminée ; elle réservait même une étrange surprise au roi de France !

Le Trésor était à sec. Malgré l'ingéniosité quelque peu diabolique des conseillers royaux, les recettes ne couvraient pas les dépenses et de loin ! À la vérité, le système fiscal était anachronique et désordonné. Il ne permettait certes pas à Philippe le Bel de réaliser ses ambitions. Faute de mieux, il imaginait des expédients, car il lui fallait de l'argent coûte que coûte. Il prit les juifs sous sa protection et leur accorda un statut moyennant finances. En 1292, il les frappa d'une taille particulière. Trois ans après, il les fit jeter en prison, pour les libérer contre une substantielle rançon. Il finit par les bannir du royaume, en confisquant leurs biens. En 1291, il avait infligé un traitement identique aux usuriers lombards. Une première dévaluation de la monnaie procura peu de ressources au Trésor. Il fallut pour combler le déficit instituer la maltôte, qui était une sorte de TVA frappant les produits de consommation. Philippe, toujours en difficulté, faisait appel à « la générosité » des particuliers. Puis il recourut aux emprunts forcés (qui furent rarement remboursés). Ensuite, il leva un impôt général du centième sur les revenus. Impôt qui s'alourdit du cinquantième. Ce n'était pas encore suffisant. Il leva un subside exceptionnel sur les barons et les prélats. Puis il obligea les roturiers à contribuer aux dépenses de guerre. Il essaya enfin de convertir les décimes ecclésiastiques en impôt permanent. Un décime (dixième du revenu annuel) représentait environ 250 000 livres. C'est assez dire la richesse de l'Église gallicane ! Il se heurta pourtant à la résistance du clergé.

Telle est, sommairement brossée, la toile de fond du conflit avec Boniface VIII.

II

BONIFACE VIII

Après la mort de Nicolas IV en 1292, les Colonna et les Orsini se disputaient la tiare, cependant que les affaires restaient en suspens et que l'anarchie s'installait à Rome. Ce fut alors que Charles II d'Anjou suggéra au conclave de faire appel à Pietro del Morrone, un pieux ermite des Abruzzes. Ce dernier fut élu à la quasi-unanimité. Pietro del Morrone commença par refuser, puis se laissa fléchir et prit le nom de Célestin V. C'était un mystique, tout à fait incapable de gouverner l'Église, de surcroît naïf et crédule. Le roi de Naples se faisait fort de le diriger à sa guise. Les cardinaux ne pensaient pas autrement. Dès son avènement, Célestin V songea à se démettre. Les obligations de sa dignité lui paraissaient intolérables ; elles ne pouvaient s'accommoder des jeûnes et macérations dont il était coutumier. Benoît Caetani n'eut aucun mal à le convaincre d'abdiquer. Le 13 décembre 1294, Célestin V déposa la tiare, tout heureux de recouvrer sa sainte liberté. La veille de Noël, Benoît Caetani fut élu à sa place et adopta le nom de Boniface VIII. Les cardinaux s'étaient donné un Maître ! Étrange coïncidence, Boniface VII avait été élu irrégulièrement et même accusé d'avoir assassiné son prédécesseur ! Mais Benoît Caetani se moquait des coïncidences. C'était un juriste. Il avait été avocat à la cour pontificale, avant d'être nommé chancelier par Martin IV, puis cardinal.

Il avait effectué des missions diplomatiques en France, en Angleterre et en Espagne. Il connaissait Philippe le Bel et son entourage de légistes. Pourtant, il semble que ces voyages ne lui donnèrent pas une meilleure connaissance des hommes. Il avait même une fâcheuse tendance à les sous-estimer. Son défaut essentiel était l'orgueil, qui égarait son jugement, et un caractère par trop impétueux, à l'occasion irascible. Il s'empressa d'annuler les quelques mesures édictées par Célestin V et de disgracier ses fidèles, dont évidemment les Colonna. De surcroît, il refusa à Célestin V l'autorisation de se retirer dans son ermitage. Le pauvret parvint à s'enfuir mais fut rattrapé. Boniface VIII l'envoya en résidence surveillée au château de Fumone. Célestin V y mourut le 4 mai 1296. Boniface VIII lui fit des funérailles grandioses. On l'accusa d'avoir hâté sa mort : Célestin V devint une victime et un martyr. Un parti se forma, répandant qu'il occupait indûment le trône de saint Pierre ; que son élection était entachée de nullité, parce que Célestin V n'avait pas le droit d'abdiquer. Boniface dédaigna ces accusations. Il dominait le Sacré Collège et se voulait au moins l'égal de saint Grégoire le Grand et d'Innocent III. D'entrée de jeu, il reprit à son compte le concept de l'*Imperium mundi* et résolut d'être le souverain effectif des princes, d'arbitrer leurs conflits et même de contrôler leurs agissements en matière de politique intérieure. Il tablait sur le fait que, délivré de l'étreinte germanique, le Saint-Siège se trouvait à même d'exercer la plénitude de ses droits. Il ne prévoyait certainement pas que le roi de France, prenant la relève des empereurs d'Allemagne, allait contrecarrer ses vues.

Les décimes prélevés sur les revenus du clergé étaient, dans leur principe, destinés à financer les croisades. Philippe le Bel avait continué à percevoir ceux qui avaient été octroyés à son père pour la croisade contre Pierre III d'Aragon. Après la mort de Nicolas IV, profitant de la vacance du siège apostolique, il s'était fait donner de nouveaux décimes par des synodes provinciaux. Par la suite, et pour financer la guerre franco-anglaise, il avait obtenu d'une assemblée de complaisance l'impôt du cinquantième. Le clergé gallican se lassa. Il n'osait résister ouvertement au roi, mais il adressa au pape un manifeste-supplique. Ses auteurs, se référant aux immunités ecclésiastiques, se plaignaient d'être spoliés par les princes et reprochaient aux clercs de mal les conseiller par crainte de perdre leurs faveurs. Boniface VIII avait un caractère entier. Il ne sut pas faire la part des choses, discerner que ce manifeste ne représentait nullement l'opinion de tout le clergé gallican, mais émanait d'une minorité. Il prit feu dans l'instant. Le 24 février 1296, il publia une bulle intitulée *Clericis laïcos*. Dans ce texte, il ne réagissait pas en souverain spirituel, mais en juriste. Au lieu de mettre l'accent sur le caractère sacré des possessions ecclésiastiques, il soulignait l'hostilité séculaire des laïcs à l'encontre des clercs et, comble de maladresse, il en administrait pour preuves les impositions du cinquantième, du vingtième et du dixième, destinées selon lui à réduire le clergé en servitude ! En foi de quoi il interdisait au clergé de payer toute contribution, quelle qu'en soit la forme, sans la permission du Saint-Siège. Par voie de conséquence, il menaçait les contrevenants d'excommunication.

Certes, il ne désignait aucun des princes nommément, mais c'était le roi de France qui était visé. Quand il eut connaissance de cette bulle, Philippe le Bel ne broncha pas. Il ne disait jamais que ce qu'il convenait de dire. Au contraire de Boniface VIII qui ne maîtrisait guère ses paroles. Devant le silence de Philippe, il crut la partie gagnée. Or le roi préparait sa riposte sans se hâter. Quatre archevêques et la plupart des évêques se réunirent à son instigation. Cette assemblée envoya une délégation à Rome afin de plaider la cause du roi. Soudain, par un édit du 17 août 1296, Philippe interdit la sortie de l'or et de l'argent. Il privait ainsi le Saint-Siège de ressources considérables. Pour envelopper la pilule d'un peu de sucre, il interdisait également l'exportation des destriers, des armes et des équipements de guerre.

La réaction du pape fut à la mesure de sa colère. Il chargea l'évêque de Viviers de remettre au roi la bulle *Ineffabilis amoris* (Ineffable amour). Dans le préambule inspiré du *Cantique des cantiques,* il rappelait l'union du Christ avec l'Église, attribuant à celle-ci la souveraineté universelle en dot :

« Toute attaque contre sa liberté, poursuivait-il, est une injure à Dieu même, au Seigneur Tout-puissant, dont le marteau réduit en poudre ses adversaires. Le récent édit du Roi, dans l'intention de ceux qui l'ont inspiré [1], sinon de celui qui l'a promulgué, attente à cette liberté et semble la violer dans un royaume où elle a toujours été à l'honneur en ce qui touche les biens des églises et des personnes ecclésiastiques, sans parler du Pape et des cardinaux. »

Il en venait ensuite à la menace :

« Les sujets du Roi ne peuvent que souffrir de ses rigueurs, et ces sujets sont écrasés du poids de charges si diverses que leur obéissance et leur dévouement ordinaires se refroidissent et se refroidiront à mesure qu'ils seront plus accablés. Ce n'est pas une médiocre perte que celle du cœur de ses sujets. Cet édit n'est pas de ceux qu'une coutume abusive autorise les princes à

1. On a signalé plus haut qu'il connaissait les chevaliers ès lois ; il essayait par cette insinuation de les dissocier du roi.

porter pour empêcher leurs ennemis de tirer des ressources de leur territoire et leurs sujets de passer sur les terres des adversaires et de leur porter leurs biens. Par sa généralité, il vise non seulement les nationaux, mais les étrangers de tous les pays. Si l'intention de son auteur a été d'atteindre le Pape, ses frères les cardinaux, les prélats des églises elles-mêmes, les biens du Pape et des prélats habitant ou non le royaume, il a été non seulement imprudent, mais insensé de porter des mains téméraires sur ceux qui ne relèvent ni du Roi de France, ni d'aucune puissance séculière. Une telle violation de la franchise ecclésiastique tomberait sous l'excommunication portée par les canons... »

Boniface VIII n'ignorait pas la menace de coalition qui pesait alors sur la France :

« Tu ne devrais pas, ajoutait-il de façon fielleuse, oublier qu'il nous suffirait de te retirer nos faveurs, nous et l'Église, pour que toi et les tiens en soyez affaiblis au point de ne pouvoir résister aux attaques, sans parler des autres inconvénients qui en résulteraient pour toi. Du jour où tu nous compterais, nous et l'Église, comme adversaires principaux, le poids de cette inimitié, et de celle de tes voisins, serait tel que tes épaules ne pourraient le supporter. »

Il exhortait donc le roi à revenir sur une décision, dont il voulait croire qu'elle lui avait été extorquée. Puis, il adoucissait le ton :

« Si, en effet, ce dont Dieu nous préserve, ce royaume se trouvait dans un cas de nécessité grave, non seulement le Saint-Siège autoriserait et encouragerait les prélats et les dignitaires ecclésiastiques du royaume à fournir des subsides, mais encore, si cela était nécessaire, Il mettrait la main sur ses calices, sur ses croix, sur ses vases sacrés, avant d'exposer ce grand royaume, celui qui lui est le plus cher et le plus anciennement dévoué, en ne lui donnant pas le secours d'une protection efficace... »

Mais, après la carotte, le bâton :

« Mais aujourd'hui, très cher fils, cherche quel est le roi, quel est le prince qui attaqua ton royaume sans avoir été attaqué ou offensé par toi. Le Roi des Romains [1] ne se plaint-il pas de ce que toi ou tes prédécesseurs avez occupé des cités, pays et territoires appartenant à l'Empire, en particulier le comté de Bourgogne qui est notoirement un fief d'empire et qui doit être tenu de lui ? Notre cher fils d'Angleterre ne porte-t-il pas les mêmes plaintes au sujet de certaines terres de Gascogne ? Refusent-ils d'ester en justice sur les différends ? Récusent-ils le jugement et la décision du Saint-Siège qui a autorité sur tous les chrétiens ?

1. L'empereur d'Allemagne.

Au moment qu'ils t'accusent de t'être rendu coupable de péchés envers eux à cette occasion, il est certain que le jugement appartient audit juge. »

Ainsi, dans le conflit qui opposait la France et ses adversaires, Boniface VIII ne se posait pas en médiateur, mais en juge suprême. Il affirmait son droit de contrôler les rois et de disposer des royaumes, et cela parce que sa vocation était d'absoudre ou de punir les pécheurs. Cette prétention était hors de saison.

Philippe le Bel ne rapporta pas son édit. Il s'abstint même de répondre officiellement aux menaces du pape, mais recourut à ses méthodes habituelles. Des copies de la bulle furent livrées en pâture à l'opinion, où elles suscitèrent de vives réactions. Un pamphlet circula, sous forme de dialogue entre un clerc qui gémissait sur les « malheurs » de l'Église et un chevalier qui défendait la position de Philippe le Bel. On pouvait y lire :

« Le pouvoir législatif est attaché à la souveraineté territoriale ; le Roi de France ne peut statuer sur l'Empire, ni l'Empereur sur le Royaume de France. De plus, si les princes temporels ne peuvent légiférer dans les matières spirituelles sur lesquelles ils n'ont pas de pouvoir, par une juste réciprocité les représentants de l'Église doivent s'abstenir de régler ce qui concerne le domaine temporel sur lequel Dieu ne leur a pas donné autorité... Les pontifes peuvent s'occuper de soins temporels, mais il est évident qu'ils ne peuvent s'absorber dans le gouvernement temporel de royaumes terrestres et de souverainetés qui réclament tout l'homme. Le Christ n'a exercé aucun pouvoir temporel ; il l'a repoussé loin de lui ; il a institué Pierre son vicaire pour les choses qui ont rapport à notre salut et non pour les autres ; il ne l'a pas armé chevalier ni couronné roi, mais sacré prêtre et évêque... »

Une réponse fut rédigée par les conseillers royaux à l'intention du pape. Elle ne lui fut pas notifiée, mais on la diffusa officieusement dans son entourage. Le roi pouvait donc la désavouer éventuellement. Cette réponse posait un principe et explicitait la position du roi :

« Avant qu'il y eût des clercs, le Roi de France avait la garde de son royaume des entreprises insidieuses de ses ennemis, et le pouvoir de leur enlever toutes les ressources dont ils pouvaient se servir pour rendre leurs attaques plus redoutables. En conséquence, le Roi a défendu d'exporter hors du royaume des chevaux, des armes, de l'argent, mais il s'est réservé le droit de délivrer des licences d'exportation avec la ferme intention d'en accorder quand il serait constaté que les objets exportés appartenaient à des clercs et que leur sortie du royaume ne servirait pas aux ennemis. Le Roi d'Angleterre, « le fils très cher du Pape », arrête non seulement les biens des clercs mais leurs personnes, et pourtant le Seigneur Pape ne le déclare pas excommunié. La Sainte Mère l'Église, épouse du Christ, ne se compose pas seulement des clercs, mais des laïcs ; de même qu'il n'y a qu'une foi, qu'un baptême, il n'y a qu'une Église qui comprend tous les fidèles... »

L'auteur rappelait ensuite que les immunités ecclésiastiques accordées naguère par les souverains pontifes, du consentement des princes, ne privaient en rien ceux-ci du droit de gouverner et de légiférer. Et il s'étonnait que le pape actuel interdît aux clercs de contribuer pécuniairement à la défense du royaume, alors qu'il ne les empêchait pas de dissiper les revenus de l'Église dans le luxe et de donner par là le mauvais exemple. Réfutant point par point les accusations de Boniface VIII, il écrivait :

« Nous rendons à Dieu un culte de foi et d'adoration, nous honorons son Église et ses ministres, mais nous ne craignons pas les menaces des hommes déraisonnables et injustes, car en face de Dieu, grâce à son aide, on trouvera toujours en nous la justice. Le Roi d'Angleterre, jadis notre homme lige, n'a pas répondu à notre citation ; ses terres sont justement confisquées ; quant au Roi d'Allemagne, que peut-il demander de plus raisonnable que l'offre qui lui a été faite d'une délimitation par quatre arbitres, dont deux choisis par lui ? S'il se plaint au sujet du comté de Bourgogne, c'est sans aucune raison ; nous l'avons acquis après une déclaration de guerre officielle, où il nous faisait les plus graves menaces. N'avons-nous pas accordé à l'Église, nous et nos prédécesseurs, ces faveurs et bénéfices immenses qui assurent à ses ministres une situation plus large et plus glorieuse que dans les autres royaumes ? Qu'elle craigne d'encourir le reproche d'ingratitude... »

Exactement informé des difficultés de Boniface VIII, Philippe le Bel lui envoya l'abbé de Chézy pour le mettre hypocritement en garde contre les fâcheuses rumeurs qui couraient sur son compte. Boniface insulta l'abbé :

– « Ribaud, mauvais moine, va et quitte ma cour ! Dieu me confonde si je ne confonds pas l'orgueil des Français ! Je te vois, au nom de ton Roi, en relation d'amitié avec les Colonna. Après leur ruine, je perdrai ton Roi et j'en mettrai un autre sur le trône de France !... »

Mais il se ravisa promptement. Il n'était que trop vrai que les Colonna, dépouillés de leurs dignités et menacés de ruine, avaient formé un redoutable parti d'opposition. Ils accusaient Boniface d'hérésie et de mauvaises mœurs. Ils en appelaient au roi de France pour défendre « l'honneur de Dieu », en clair pour évincer du trône de saint Pierre ce pontife irrégulièrement élu, cet usurpateur. L'abbé de Chézy était en réalité l'agent secret de Philippe le Bel ; il le tenait ponctuellement informé de la situation à Rome. Déjà, les conseillers royaux « montaient » le dossier de Boniface VIII. Ce dernier fit machine arrière. Il lui fallait à tout prix désarmer l'hostilité du roi de France, afin de réduire à néant le projet des Colonna. Il dépêcha Charles II d'Anjou à Paris, avec une missive et une nouvelle bulle. Il écrivait à Philippe le Bel que la bulle *Clericis laïcos* ne visait nullement le seul royaume de France, et n'était que le rappel d'un principe de droit. Il en donnait une interprétation singulièrement adoucie, prétendant qu'elle ne constituait qu'une « admonestation miséricordieuse ».

« À moins, concluait-il, que tu ne montres une hostilité excessive, cette même Église mère, t'ouvrant les bras comme à son fils bien-aimé, te donnera volontiers les secours dont tu pourras avoir besoin et te prouvera son affection par l'abondance de ses grâces. »

Bien plus, il s'engageait, s'il obtenait satisfaction, à « inscrire enfin Louis IX, son aïeul, au calendrier des saints ». Philippe le Bel entra dans le jeu ; il autorisa la sortie de l'argent destiné au Saint-Siège. Le 31 janvier 1297, les prélats gallicans, endoctrinés par les conseillers royaux, écrivirent au pape pour lui expliquer que le comte de Flandre, ayant trahi son hommage lige, s'alliait aux ennemis de la France. La guerre étant inévitable, ils avaient consenti à participer aux dépenses de guerre et sollicitaient l'autorisation du Saint-Siège. Boniface VIII répondit par la bulle *Coram illo fatemur* (28 février 1297), qui était une véritable déclaration d'amour pour la fille aînée de l'Église. Il accordait tout ce qu'on voulait, « pour cette fois ». Il se crut dès lors assuré de l'appui du roi de France, dégrada les deux cardinaux Colonna, détruisit les palais et les châteaux de leur famille. Les Colonna furent obligés de fuir ; ils trouvèrent refuge en France. Boniface VIII promulgua encore deux autres bulles ; elles élargissaient les possibilités précédemment offertes au roi. Le 11 août 1297, il promulgua le décret de canonisation de saint Louis.

III

L'ÉPREUVE DE FORCE

Cette bonne entente ne pouvait durer, les compétiteurs étant d'une égale mauvaise foi. Boniface VIII avait plié sous la nécessité, mais ne renonçait pas à l'*Imperium mundi.* Philippe le Bel affirmait plus que jamais l'indépendance du temporel par rapport au Saint-Siège. Il accepta pourtant l'arbitrage de Boniface dans le conflit franco-anglais : non pas d'ailleurs l'arbitrage du pontife, mais celui de l'homme, Benoît Caetani. La nuance était considérable, bien qu'elle eût l'apparence d'une flatterie ! En réalité, Philippe le Bel voulait avoir les mains libres pour annexer la Flandre. La paix avec Édouard Ier lui était donc nécessaire. Le 30 juin 1298, Boniface VIII rendit sa sentence, qui n'était qu'une cote mal taillée. Il abandonnait sans vergogne la Flandre à son destin. Le problème concernant la Guyenne semblait résolu, alors que la solution préconisée restait précaire. Boniface VIII ne prétendait-il pas partager ce duché entre les deux rois, de sa seule autorité !

L'année suivante, le beau temps commença à se gâter. Boniface prit feu en apprenant que Philippe le Bel et l'empereur Albert de Habsbourg avaient contracté alliance et s'étaient même rencontrés à Vaucouleurs (8 décembre 1299). Il y avait un double motif à cette colère. Albert, pour accéder à l'Empire, avait éliminé son concurrent, Adolphe de Nassau, et Boniface venait de l'excommunier. D'autre part, l'alliance entre l'Allemagne et la France constituait une menace pour le Saint-Siège. Le pape avala pourtant cette couleuvre, mais sentit le besoin de redorer le blason de la papauté. Il faut reconnaître que, contesté au sein même de l'Église, humilié à l'extérieur, il se trouvait dans une position difficile. Certes, le Saint-Siège ne courait pas grand risque avec l'empereur Albert. Mais Philippe le Bel pouvait être, l'occasion s'offrant, un nouveau Frédéric II de Hohenstaufen ! Pour célébrer l'ouverture du XIVe siècle, Boniface institua un grand jubilé. C'était un moyen de raffermir son autorité. Or, le succès dépassa les espérances ! Plus de deux cent mille pèlerins affluèrent à Rome. Les adversaires de Boniface prétendirent qu'il avait osé paraître revêtu des insignes impériaux, qu'il avait déclaré : « Je suis César », ce qui était évidemment faux. En revanche, il était exact que, devant cette foule prosternée à ses pieds, il perdit un peu la tête et se crut revenu au temps de saint Grégoire. L'un de ses fidèles prononça un sermon dans lequel il affirmait que le pape était un souverain spirituel et temporel ; qu'il détenait les deux glaives et que son devoir était de combattre ceux qui contestaient sa double autorité. Tout cela ne fut que feu de paille et poudre aux yeux. Le jubilé n'avait pas désarmé les ennemis de Boniface, tout au contraire ! L'opposition se durcissait. Florence en prenait la tête, où le poète Dante Alighieri, dans un essai fameux, refusait au Saint-Siège le droit à la souveraineté universelle et même à toute possession temporelle. Boniface VIII, sur la lancée du jubilé, passa outre : on ne peut lui refuser le courage et la ténacité. Ce fut le moment qu'il choisit pour inviter Philippe le Bel à restituer les droits de l'évêque de Maguelonne sur le comté de Melgueil et ceux de l'archevêque de Narbonne sur la vicomté de cette cité. La démarche demeura sans effet. D'ailleurs, Philippe le Bel savait que Boniface avait besoin de lui. De fait, ce dernier réclama l'aide de Charles de Valois pour mettre les Florentins à la raison. Le roi autorisa son frère à se rendre en Italie. Charles de Valois entra à Florence le 1er novembre 1301.

Ce fut alors qu'éclata l'affaire Bernard Saisset. C'était une vieille connaissance pour Boniface VIII. Fils d'un chevalier languedocien, comme tel hostile aux Français, Saisset était devenu abbé de Saint-Sornin à trente-cinq ans. Il avait eu des démêlés avec le comte de Foix. Boniface, alors cardinal Caetani, avait arbitré le conflit. Il eut ainsi l'occasion d'apprécier la fougue de cet abbé, en lequel il retrouvait d'ailleurs ses qualités et ses travers. Devenu pape, il créa pour lui l'évêché de Pamiers, prétexte pris des trop grandes dimensions du diocèse de Toulouse. Bien entendu, Saisset ne put se tenir tranquille ; il chercha pouilles à l'archevêque de Toulouse relativement aux limites de l'évêché de Pamiers. De même que Boniface, il se laissait aller à des propos inconsidérés. Il haïssait le roi de France et ne se gênait pas pour dire :

– « Ce Philippe le Bel n'est ni homme ni bête, c'est une image et rien de plus... Les oiseaux, dit la fable, se donnèrent pour roi le duc [1], grand et bel oiseau il est vrai, mais le plus vil de tous. La pie vint un jour se plaindre de l'épervier, et le roi ne répondit rien. Voilà votre roi de France ; c'est le plus bel homme qu'on puisse voir, mais il ne sait que regarder les gens. »

Il disait aussi que Philippe le Bel fabriquait de la fausse monnaie ; qu'il ne descendait pas de Charlemagne et que, par sa mère, il était même bâtard, etc. Ces propos, proférés peut-être après boire, furent répétés à qui de droit. Mais il y eut plus grave ! Cet outrecuidant se mit à conspirer. Il prétendait détacher l'ancien comté toulousain de la couronne, l'ériger en royaume indépendant. Il proposa ce trône au comte de Foix, lui suggérant d'épouser une princesse d'Aragon, s'offrant même à négocier le mariage. Il se flatta d'agréger le comte de Comminges à la combinaison. Le comte de Foix demanda un temps de réflexion et informa Philippe le Bel. Quelle magnifique occasion pour le roi et pour ses légistes de monter un retentissant procès contre cet évêque conspirateur et d'humilier le pape dont il était la créature ! Il dépêcha en Languedoc deux de ses conseillers, qualifiés de « réformateurs ». Ils procédèrent à une enquête approfondie, recueillirent les témoignages utiles, puis donnèrent l'ordre au sénéchal de Toulouse de séquestrer le temporel de l'évêque et d'arrêter ses collaborateurs immédiats. Ceux-ci furent torturés et avouèrent tout ce qu'on voulut. L'un d'eux ne dit rien et mourut dans les supplices. Saisset ne songea pas à s'enfuir. Il protesta véhémentement auprès de son métropolitain, l'archevêque de Narbonne. Grande fut sa surprise quand Jean de Burlas, Maître des arbalétriers, vint l'arrêter. Le prisonnier fut conduit au donjon de Dourdan. Ce fut en vain que l'archevêque de Narbonne avertit le roi des sanctions canoniques qu'il encourait du fait de l'arrestation et de la détention d'un évêque. Le roi lui répondit hypocritement qu'il ne refusait pas à Saisset de présenter sa défense et souhaitait de grand cœur qu'on le reconnût innocent. Saisset fut transféré à Senlis. Il y comparut, le 24 octobre 1301, devant une cour composée de conseillers royaux, de barons et de clercs. On lui lut l'acte d'accusation. Le roi, le légat du pape et le chancelier de France – qui n'était autre que l'archevêque de Narbonne, Gilles

1. Le grand duc.

Aycelin ! – étaient présents. Devant les réticences des prélats, Philippe le Bel feignit d'accepter que le coupable fût remis au jugement du pape. Des ambassadeurs partirent aussitôt pour Rome, avec une lettre où on pouvait lire :

« Des personnes graves et dignes de foi nous ont fait savoir que cet évêque était simoniaque manifeste ; il a répandu plusieurs paroles erronées et hérétiques contre la foi catholique, spécialement contre le sacrement de Pénitence, soutenu que la fornication même commise par les personnes revêtues des saints ordres n'est pas un péché, et beaucoup d'autres erreurs. Il a même dit, plusieurs fois, en blasphémant Dieu et les hommes, que notre Saint-Père, le seigneur Boniface, Souverain pontife, était le diable incarné et que, contre Dieu, la vérité et la justice, il avait canonisé saint Louis qui était en enfer, et il a répandu beaucoup d'erreurs contre la foi, en outrage à Dieu, au Saint-Père et à toute l'Église. Ces outrages sont plus sensibles au Roi que ceux mêmes que cet évêque a commis contre Sa Majesté royale, car il est plus grave de blesser la Majesté éternelle que temporelle... »

Que réclamait Philippe le Bel ? La dégradation de l'évêque, afin de le juger comme personne privée sous l'inculpation de haute trahison et de lèse-majesté. Le ton sentencieux de cette lettre, les accusations de simonie et d'hérésie sont à retenir, car nous les retrouverons sous peu, reproduits presque à l'identique. Mais Boniface VIII, ayant triomphé des Florentins, se sentait brusquement las de céder. L'arrestation de Saisset était une violation indiscutable du droit canon, de surcroît un défi à l'autorité du Saint-Siège. La culpabilité de l'évêque n'entrait pas en ligne de compte. Boniface VIII tenait enfin le prétexte qui lui manquait ! Les 5 et 6 décembre 1301, il promulgua plusieurs décrétales, dont la principale est connue sous le nom d'*Ausculta, fili.* Il y réaffirmait la prééminence du Saint-Siège avec une vigueur et une précision qui ne laissaient place à aucune interprétation.

« L'Église, descendue du ciel, destinée par Dieu à son divin époux, ne peut avoir plusieurs chefs. Le seul qu'il soit possible de reconnaître pour ce corps mystique, qui comprend tous les fidèles, est le pontife romain, élevé comme jadis Jérémie sous le joug de la servitude apostolique, au-dessus des rois et des royaumes, pour arracher, détruire, perdre, dissiper, édifier et planter en son nom et dans sa doctrine... Que personne ne te persuade, fils très cher, que tu n'as pas de supérieur et que tu n'es pas soumis au chef suprême de la hiérarchie ecclésiastique... »

Il énumérait ensuite les griefs qu'il avait à reprocher au roi, mais lui offrait la possibilité de se rédimer, notamment en congédiant ses mauvais conseillers :

« Ce sont de faux prophètes, qui donnent des conseils néfastes et insensés parce qu'ils n'ont pas reçu leur mission de Dieu ; ils dévorent les habitants du royaume ; c'est pour eux, non pour leur maître, que ces abeilles font leur miel ; ce sont les cachettes secrètes par lesquelles les prêtres de Baal faisaient disparaître les sacrifices apportés pour le roi. Ce sont eux qui, sous l'ombre de la main royale, dévastent les biens du Roi et des autres, qui sous le couvert de sa justice oppriment ses sujets, accablent les églises et pillent le revenu d'autrui ; qui, au lieu de veiller sur la veuve et l'orphelin, s'engraissent des larmes du pauvre, qui suscitent et enveniment les désordres, attisent la guerre et ne craignent pas de chasser la paix du royaume... »

Boniface VIII se surpassait ! Jamais Innocent III lui-même, et dans ses pires moments, n'avait manifesté autant de virulence ! Mais il y avait beaucoup plus grave. Boniface prétendait réunir un concile à Rome, afin d'arrêter et de régler, pour l'honneur de Dieu et du Saint-Siège, « la réforme du royaume, la correction des fautes passées du Roi et le bon gouvernement de ce même royaume ». Cette fois, Philippe le Bel ne prit pas les choses à la légère. L'intention du pape était claire : en convoquant les Pères conciliaires à Rome, il montrait son intention de les soustraire à l'influence royale. Philippe le Bel accepta l'épreuve de force. Il était lui aussi décidé à aller jusqu'au bout. Il commença fort habilement par libérer Saisset et, puisque le pape le réclamait, lui permit de se rendre à Rome. Par là même le corps du délit se trouvait juridiquement annulé. Puis il convoqua les états généraux. On a voulu voir dans cette assemblée les prémices d'une démocratisation de la monarchie. En réalité, le roi voulait associer les trois ordres à sa politique personnelle, demander en quelque sorte un blanc-seing à la nation tout entière. C'était pourtant, il faut en convenir, une grande nouveauté que d'appeler les membres du tiers état à délibérer avec les prélats et les barons. Inutile d'ajouter que les chevaliers ès lois préparèrent diligemment cette réunion. Pierre Flote et ses acolytes réduisirent à quelques propositions la décrétale *Ausculta, fili.* Ce fut au nom du roi, dans l'église Notre-Dame de Paris, le 10 avril 1302, qu'il ouvrit la séance par cette déclaration :

« Boniface VIII a fait signifier au Roi par son représentant qu'il lui était soumis au temporel pour le royaume de France, qu'il ne tenait pas sa couronne de Dieu seul comme lui et ses ancêtres l'avaient toujours cru, et qu'il devait désormais se considérer comme son vassal. Ce n'était pas là une revendication de pure forme. La convocation appelant à Rome tous les prélats et docteurs du royaume pour en réformer les abus ne faisait que mettre à exécution cette prétention inouïe. D'ailleurs, cet ordre exorbitant qui prétendait attirer à Rome les collaborateurs les plus précieux du Roi et les auxiliaires les plus utiles de la vie nationale n'était qu'un prétexte habile pour dépouiller le royaume de ses meilleures ressources et pour le livrer, appauvri et désolé, à toutes les aventures... »

Puis Flote énuméra les griefs du roi contre le pape : collation arbitraire d'archevêchés et d'évêchés, attribution de bénéfices à des étrangers, ponction toujours croissante sur le revenu des églises gallicanes, etc. Sa conclusion fut un vrai morceau d'éloquence et toucha tous les cœurs :

« Le Roi n'a pas de supérieur au temporel, le monde entier le sait, et les autorités les plus graves sont unanimes sur ce point. Il veut sauvegarder la franchise traditionnelle, l'intégrité et l'honneur du royaume et de ses habitants, réparer les griefs qu'on vient d'énumérer, réformer le royaume et l'Église de France à la gloire de Dieu et à l'honneur de l'Église universelle. Il prendra dans ce but des mesures efficaces, comme celles qu'il avait déjà préparées avant l'arrivée de l'archidiacre [1] pour réparer les torts qui ont pu être causés par ses officiers ou d'autres aux églises et aux ecclésiastiques du royaume, mais dont il a dû suspendre l'exécution pour ne pas avoir l'air de céder à la peur ou à des ordres venus de Rome. Il est prêt à sacrifier à cette noble cause non seulement tous ses biens, mais sa vie et celle de ses enfants... »

L'artifice était admirable : Flote accusait Boniface VIII d'empêcher le roi d'accomplir les réformes qu'il avait préparées et de réparer ses torts envers les ecclésiastiques ! Rarement discours fut plus démagogique, mais il atteignit son plein effet. La noblesse et le tiers état s'engagèrent avec enthousiasme à défendre le roi et le royaume contre les entreprises du pape. Les représentants du clergé furent plus réticents, comme on pouvait le prévoir, s'agissant du chef de l'Église. On leur signifia que ceux d'entre eux qui ne seraient pas pour le roi seraient contre lui. Ils consentirent à participer pécuniairement à la défense du royaume, mais sollicitèrent l'autorisation de se rendre au concile. L'autorisation fut refusée. Pris entre l'enclume et le marteau, ils écrivirent à Boniface pour lui suggérer de repousser la date de la convocation. On leur permit d'envoyer une délégation en Italie. Le pape reçut leurs députés en audience solennelle à Anagni. Après les avoir écoutés, il éclata en imprécations contre Pierre Flote. Il le compara à Architophel, à un démon, le qualifia d'hérétique, et voua « ses satellites », le comte d'Artois et le comte de Saint-Pol, à la damnation. Puis il osa dire :

1. L'envoyé du pape.

– « Si le Roi ne vient pas à résipiscence, ne veut pas s'arrêter et ne laisse pas venir les prélats, nous ne les croirons pas quand nous punirons. Nos prédécesseurs ont déposé trois Rois de France [1] ; ils peuvent le lire dans leurs chroniques comme nous le lisons dans les nôtres, et comme on peut le voir de l'un d'eux dans le Décret ; et bien que nous ne valions pas le poids de nos prédécesseurs, comme le Roi a commis tous les abus que ceux-là avaient commis et de plus graves encore, nous déposerions le Roi comme un varlet ! »

Survint sur ces entrefaites une catastrophe imprévisible. Les « matines de Bruges » (massacre des Français qui occupaient Bruges), analogues aux « vêpres siciliennes », et causées par les maladresses du comte de Saint-Pol, entraînèrent une rébellion générale des Flamands. Philippe le Bel envoya aussitôt une armée en Flandre. Elle se fit écraser à Courtrai, le 11 juillet 1302. Robert d'Artois, qui la commandait, et le chancelier Pierre Flote, qui avait endossé le harnois du chevalier pour la circonstance, comptaient parmi les morts. Cette défaite, connue sous le nom des Éperons d'or, bouleversait l'échiquier international. Elle rendait toutes ses chances au comte de Flandre, enhardissait Édouard Ier d'Angleterre et surtout Boniface VIII. La mort du comte d'Artois et du chancelier le comblait d'aise et il ne s'en cachait pas. Il avait à nouveau la partie belle, du moins s'en flattait-il.

Philippe le Bel ne put empêcher la moitié des évêques gallicans de se rendre à Rome, en dépit de son interdiction. Pour autant, les Pères conciliaires déçurent fortement le pontife. Ils se montrèrent circonspects, conseillèrent la modération. Finalement, ne sortit du concile qu'une bulle aussi obscure qu'emphatique (*Unam sanctam*), dans laquelle était réaffirmée l'indivisibilité de l'Église. Au cours des débats, l'archevêque de Bordeaux, Bertrand de Got, s'était fait remarquer par ses talents de conciliateur.

Une fois de plus, Boniface VIII passa outre. Il envoya à Paris le cardinal Le Moine, membre du Sacré Collège, avec un véritable ultimatum et cette instruction sans ambiguïté : « Qu'il révoque incontinent et qu'il répare ce qu'il a fait ; sinon annoncez-lui et publiez qu'il est privé de sacrements. » Philippe le Bel feignit de se soumettre. Il ne pouvait courir le risque d'être excommunié, surtout après la défaite de Courtrai. Mais il préparait secrètement sa vengeance. L'épreuve de force était devenue un duel à mort.

1. Ce qui était inexact.

IV

L'ATTENTAT

Jamais, au temps de sa toute-puissance, l'empereur Frédéric II de Hohenstaufen n'eût conçu le projet que Philippe le Bel avait mûri. Puisque Boniface VIII s'arrogeait le droit de déposer les rois indociles, ce serait sa propre déposition qui serait prononcée par un concile. Le pape avait ajouté à son élection douteuse de nombreuses et lourdes fautes. Ses ennemis ne se comptaient plus, à commencer par les Colonna et leurs partisans toujours actifs et dangereux. Le roi chargea Nogaret de préparer un argumentaire, pour être plus précis une « requête au Roi ». Nogaret – que l'on se reporte aux notices biographiques – appartenait à cette petite cohorte de chevaliers ès lois qui servaient le roi non seulement avec loyalisme mais avec une véritable passion. Il accepta sans hésiter la mission, ô combien hasardeuse ! qui lui était confiée. Le 12 mars 1303, il fut introduit dans une salle où siégeaient les plus hauts dignitaires. Et là, comme il en était convenu, il supplia le roi de mettre Boniface VIII hors d'état de nuire. Il accusait le pape, « nouveau Balaam », d'être un usurpateur, un hérétique, un simoniaque et un criminel nuisible à la réputation de l'Église. Les jours précédents, le roi lui avait délivré des lettres patentes, par lesquelles il déclarait l'envoyer à l'étranger, avec le banquier Mouche, Maître Thierry d'Hierson et le clerc Jacques de Jassenis, lui donnant pleins pouvoirs pour traiter en son nom et payer les sommes qu'il jugerait convenables.

Nogaret partit en grand secret, avec ses trois compagnons, à destination de l'Italie. Éprouvait-il quelque scrupule au moment de passer à l'action ? Il écrivit à Étienne de Suisi : « Monseigneur, priez pour que, si ma voie plaît à Dieu, Il m'y dirige et sinon qu'Il m'en détourne par la mort ou autrement... » Étrange missive venant d'un caractère aussi déterminé, et qui a donné lieu à des commentaires contradictoires : les uns y voyant l'effet d'une crainte, les autres d'une résolution passionnée.

Le 13 juin, une assemblée de prélats, de docteurs de l'Université, de barons et de dignitaires se réunit au Louvre. Les comtes de Dreux, d'Évreux et de Saint-Pol, Guillaume de Plaisians, conseiller royal et suppôt de Nogaret, présentèrent une supplique au roi. Ce fut Guillaume de Plaisians qui porta la parole. Il reprit les accusations mises en avant par Nogaret, en les assaisonnant de plusieurs détails assez ridicules et demanda au roi de convoquer un concile afin de juger Boniface VIII. Le roi consentit à faire droit à cette requête. Le 21 juin, il obtint l'adhésion massive de l'Université. Quelques jours après, l'acte d'accusation fut lu par un clerc dans le jardin du palais.

– « Sachez, s'écria-t-il, que ce que le Roi fait, il le fait pour le salut de vos âmes. Et puisque le Pape a dit qu'il veut détruire le Roi et le royaume, nous devons tous prier les prélats, comtes et barons, et tous ceux du royaume de France, qu'ils veuillent maintenir l'état du Roi et de son royaume. »

Le peuple de Paris donna son approbation. Cette mise en scène n'était bien entendu qu'un leurre, mais enfin le roi avait obtenu la caution de tout ce qui comptait dans le royaume. Cependant, la machine était en marche et personne désormais ne pouvait l'arrêter. Boniface VIII, apprenant ces événements, promulgua quatre bulles, dont la fameuse *Super patri solio* par laquelle il excommuniait Philippe le Bel et la famille royale. Ce dernier mit tout en œuvre pour les intercepter et empêcher par là leur publication dans le royaume.

Nogaret se trouvait à Florence, où il préparait son guet-apens. Il attendait que le pape quittât Rome pour Anagni. Un des Colonna, surnommé Sciarra, recruta trois cents cavaliers et cinq cents piétons, aux frais du roi. Les Bussa, les Ceccano, les Sgurgola et autres nobles plus ou moins victimes de Boniface VIII, ou appâtés par l'or, s'agrégèrent à la petite troupe. Bientôt Nogaret disposa de deux milliers de volontaires, dont beaucoup étaient des gens de sac et de corde. Il acheta la complicité d'un familier du pape, Adinolfo di Matteo, et de plusieurs cardinaux. Sa mission consistait à s'assurer de la personne de

Boniface, en attendant son jugement par un concile. Elle ne coïncidait pas exactement avec les projets de son complice Sciarra qui voulait arracher au pape à la fois l'annulation des sentences qui avaient frappé les Colonna et la restitution de leurs biens, outre son abdication. Nogaret était un juriste ; Sciarra un condottiere. L'un tenait à respecter les formes légales ou supposées telles ; l'autre était prêt à toutes les violences pour parvenir à ses fins.

Dans la nuit du 7 septembre 1303, les conjurés se présentèrent aux portes d'Anagni. Elles leur furent aussitôt ouvertes grâce à Matteo. Ils investirent la ville aux cris de « Vive le Roi de France ! Vivent les Colonna ! ». Nogaret fit assembler la commune, déclara qu'il agissait au nom du roi de France, mais dans l'intérêt de l'Église. Le gonfanon pontifical flottait près de l'étendard fleurdelisé. Matteo fut proclamé podestat. Sciarra s'impatientait : ces formalités lui semblaient inutiles. Les conjurés occupèrent la maison des Caetani, puis cernèrent le palais pontifical. Boniface, se voyant assiégé, demanda une trêve. Il savait que le palais ne pouvait être défendu contre tant d'hommes d'armes. La trêve fut accordée. Il en profita pour risquer une négociation. Quand il connut les exigences de Sciarra, il gronda :

– « Oh ! que ces paroles sont dures à entendre ! »

Mais il ne céda sur aucun des points. La trêve expirée, Sciarra ordonna l'assaut. La porte du palais fut incendiée. Les serviteurs du pape criaient : « Vive le Roi de France ! Vivent les Colonna ! Mort à Boniface ! », espérant sauver leur vie par cette lâcheté. Bizarrement, Nogaret s'abstenait : il n'était pas là pour perpétrer des violences, mais pour notifier au pape son arrestation. Boniface VIII conservait son calme. Non qu'il fût inconscient du danger, mais il retrouvait soudain une sorte de noblesse d'âme. Il dit à ses derniers fidèles :

– « Ouvrez les portes de ma chambre ; je veux souffrir le martyre pour l'Église de Dieu. »

Il se fit apporter une relique de la vraie croix, qu'il serra contre sa poitrine. Lorsque Sciarra et sa bande entrèrent dans la chambre, ils le virent étendu sur son lit, offrant son cou aux épées, et ils entendirent :

– « Avancez, coupez-moi la tête. Je veux souffrir le martyre. Je veux mourir pour la foi du Christ... »

Les conjurés entouraient son lit, vociféraient.

– « Voici mon cou, voici ma tête », répétait-il.

On a dit que Sciarra souffleta le vieillard de son gantelet de fer, ce qui est inexact. En revanche, il est vrai que Nogaret empêcha Sciarra de l'égorger. Il n'était pas mandaté pour cela !

Il n'avait point participé à l'assaut du palais, mais laissé faire Sciarra qui le mettait en somme devant le fait accompli : c'était, on le voit, le comble de l'hypocrisie. Bien plus, il venait de sauver la vie de Boniface, en dépit de la haine qui l'animait contre lui. Pendant que les soudards rompaient les coffres et pillaient, il notifia calmement la citation à comparaître devant le futur concile, absolument comme un huissier lisant une assignation quelconque. À la suite de quoi les principaux conjurés délibérèrent. Sciarra et ses lieutenants voulaient que Boniface fût mis à mort sans tarder. D'autres, qu'on le transférât en France pour le remettre au roi. Nogaret souhaitait qu'on le retînt prisonnier à Anagni. Seul dans sa chambre, Boniface attendait le verdict. Son esprit ingénieux cherchait un moyen de salut. Les conjurés ne purent se mettre d'accord et renvoyèrent la délibération au lendemain. N'étaient-ils pas maîtres de la situation ? Boniface VIII s'était attiré tant d'inimitiés que personne, croyait-on, ne songerait à lui porter secours. L'arrestation avait été aisée, mais le transfert du prisonnier à Lyon ou à Paris posait de sérieux problèmes. Nogaret n'était pas un homme de guerre, il n'avait pas envisagé toutes les éventualités. La nuit s'écoula dans l'incertitude. Y eut-il des tractations secrètes ? En tout cas, les habitants d'Anagni furent alertés. Parmi les fidèles de Boniface, il y avait quelques chevaliers du Temple et de l'Hôpital. Quel fut leur comportement en ces circonstances dramatiques ? Quelles initiatives prirent-ils ? Ces questions restent sans réponses, faute de témoignages irrécusables ou de documents précis.

Le lendemain, la situation se retourna. Une population en armes et criant « Vive le Pape ! À mort les étrangers ! » envahit le palais. La bannière aux fleurs de lys fut arrachée, foulée aux pieds. Submergés, les conjurés ne purent résister et s'enfuirent avec Matteo et les cardinaux félons. Boniface remercia ses sauveurs, pardonna à ses ennemis et promit de restituer leurs biens et dignités aux Colonna. Toutefois, le roi de France et Nogaret étaient exceptés du pardon.

Le pape voulait regagner Rome au plus vite, mais connaissant la versatilité italienne et se défiant des Colonna, il attendit des renforts pour se mettre en route et bien lui en prit ! Ayant quitté Anagni le 21 septembre, il fut attaqué presque aussitôt par la bande de Sciarra, qui fut repoussée. Parvenu à Rome, il s'installa au Vatican, plus facile à défendre. Sa situation restait extrêmement précaire. Pourtant, ce fut en vain que le Sacré Collège l'invita à tenir les promesses qu'il avait faites à Anagni. Il ne voulut pas rétablir les Colonna dans leurs dignités, ni rendre les biens confisqués. Ce fut son ultime sursaut d'énergie. Les outrages qui lui avaient été infligés à Anagni (sa ville natale), les menaces proférées par Sciarra et ses sicaires, l'humiliation qu'il avait reçue de Nogaret, avaient eu raison de sa résistance et de son orgueil. Le ressort était brisé. Il s'alita pour ne plus se relever. Son agonie morale et physique dura une dizaine de jours. Nul ne sait quels furent ses méditations, ses amertumes ou ses regrets ; s'il retrouva enfin la résignation chrétienne ou s'il s'enferma dans le silence hautain des anciens Romains. On l'inhuma dans le mausolée qu'il avait fait construire dans la basilique Saint-Pierre.

L'Histoire n'a pas à juger les hommes, mais à constater des faits et des comportements. Elle ne peut cependant refuser de gratifier Boniface VIII d'une sorte de grandeur, en dépit de ses travers et de ses outrances. Il avait essayé, pour la dernière fois dans l'histoire de l'Église, de faire prévaloir la thèse de l'*Imperium mundi,* d'imposer la suprématie du Saint-Siège. Mais les rois de la fin du XIIIe siècle n'acceptaient plus d'être vassalisés par Rome. Il s'était trompé d'époque. Son anachronisme fondamental expliquait son échec. Il mourait pape, mais vaincu. C'était le grand rêve de l'Église que l'on ensevelissait avec lui.

Sa mort ne désarma pas ses ennemis. Ils répandirent qu'il avait souffleté deux frères mineurs qui lui apportaient le viatique. Qu'il écumait de rage impuissante et que la folie égarait sa raison. Que Célestin V avait naguère prophétisé cette terrible fin : « Tu as monté comme un renard ; tu régneras comme un lion ; tu mourras comme un chien. » Un libelle infâme, fabriqué de toutes pièces par les gens du roi – peut-être par Nogaret –, circula à Paris sous le titre « Vie, État et condition du pape Maleface ». En voici un extrait

« Le 9 novembre [1], le Pharaon, sachant que son heure approchait, confessa qu'il avait eu des démons familiers, qui lui avaient fait faire tous ses crimes. Le jour et la nuit qui suivirent, on entendait tant de tonnerres, tant d'horribles tempêtes, on vit une telle multitude d'oiseaux noirs aux effroyables cris, que tout le peuple consterné criait : "Seigneur Jésus, ayez pitié, ayez pitié, ayez pitié de nous !" Tous affirmaient que c'étaient bien les démons d'enfer qui venaient chercher l'âme de ce Pharaon. Le 10, comme ses amis lui contaient ce qui s'était passé, l'avertissaient de songer à son âme... lui, enveloppé du démon, furieux et grinçant des dents, se jeta sur le prêtre comme pour le dévorer. Le prêtre s'enfuit à toutes jambes jusqu'à l'église.

Comme on le portait à sa chaise, on le vit jeter les yeux sur la pierre de son anneau et s'écrier : "Ô vous, malins esprits enfermés dans cette pierre, vous qui m'avez séduit... pourquoi

1. En réalité octobre.

m'abandonnez-vous maintenant ?" Et il jeta au loin son anneau. Son mal et sa rage croissant, endurci dans son iniquité, il confirma tous ses actes contre le Roi de France et ses serviteurs, et les publia de nouveau... Finalement, ledit Pharaon, ceint de tortures par la vengeance divine, mourut le 2 sans confession, sans marque de foi. Et ce jour, il y eut tant de tonnerres, de tempêtes, de dragons dans l'air, vomissant la flamme, tant d'éclairs et de prodiges, que le peuple romain croyait que la ville entière allait descendre dans l'abîme... »

La mort de Boniface VIII après l'attentat d'Anagni causait un énorme scandale. Jusqu'ici la « fille aînée de l'Église » avait toujours défendu les pontifes ; elle venait de provoquer la perte de l'un d'eux ! Pour se donner bonne conscience et se rédimer, Philippe le Bel salissait sa mémoire. Il avait même résolu de le faire juger à titre posthume.

Le 22 octobre 1303, le conclave élut Niccolo Boccasini, cardinal d'Ostie et ancien général des dominicains, connu pour son intégrité morale et pour la pureté de sa foi. Il prit le nom de Benoît XI. C'était un pondérateur. Il convenait de sortir au plus vite l'Église de l'impasse où le défunt pape l'avait jetée par ses excès et sa présomption. Benoît XI fit une analyse objective de la situation, pesa le pour et le contre et prit un temps de réflexion. Philippe le Bel s'empressa de lui envoyer Nogaret ; il aurait pu mieux choisir son ambassadeur ! Benoît XI ne pouvait pardonner à l'auteur de l'attentat d'Anagni, fût-il un simple exécutant, les cruelles humiliations infligées à son prédécesseur ! De surcroît Nogaret réclamait, au nom de son maître, la réunion d'un concile pour juger Boniface VIII à titre posthume, et le condamner. Se méfiant de cet intrigant, le pape demanda au roi de le rappeler. Toutefois, dans un esprit de conciliation, il annula presque toutes les mesures prises par Boniface. Il releva Philippe le Bel de l'excommunication et, connaissant les difficultés du royaume, il lui accorda un décime pour deux ans. Nogaret et ses complices furent exceptés de l'amnistie. Bien plus, ils furent cités à comparaître. Nogaret s'abstint, par prudence ou par ordre. Sa condamnation par défaut allait être prononcée, quand Benoît XI mourut subitement, le 7 juillet 1304. Cette mort était trop opportune pour que Nogaret n'en fût pas crédité ! Les malveillants racontaient qu'une jeune personne voilée, se disant converse de Sainte-Pétronille à Pérouse, vint offrir une corbeille de figues-fleurs à Benoît XI. Il eût goûté à ces fruits, se fût trouvé mal aussitôt et serait mort au bout de quelques jours. On disait aussi que les cardinaux, effrayés par ce crime et craignant pour leur vie, s'étaient abstenus d'ordonner une enquête, pour n'en pas découvrir l'instigateur. Les accusations de cette nature étaient alors monnaie courante !

Quelques semaines après la disparition de Benoît XI, Philippe le Bel remporta la victoire de Mons-en-Pévèle sur les Flamands (18 août 1304). Il avait vengé les morts de Courtrai, mais il était à peu près ruiné et ne put exploiter sa victoire.

V

LE CONCLAVE DE PÉROUSE

Sous le règne de saint Louis, le rayonnement spirituel, intellectuel et artistique de la France avait culminé. Sous celui de Philippe le Bel, l'arbre capétien étendait son ombre sur quasi toute l'Europe ; le roi de France n'était pas aimé, il était craint. Cependant, la puissance de Philippe le Bel se trouvait amoindrie par son duel contre Boniface VIII, suivi de l'attentat d'Anagni et de la mort du pape. Il ne suffisait pas au roi d'avoir été amnistié par Benoît XI. C'était une réhabilitation complète et entière qu'il voulait dorénavant obtenir. Il fallait pour cela que Boniface fût condamné et, surtout, reconnu pour un usurpateur du trône de saint Pierre. Dès lors, on pourrait publier que ses bulles et décrétales étaient substantiellement nulles et non avenues, et les effacer des registres pontificaux. On aperçoit l'extrême importance que revêtait, pour Philippe, le procès posthume. Toutefois, pour atteindre cet objectif, un pape francophile était nécessaire, un pape sur la complaisance duquel on pourrait faire fond. On imagine bien qu'il ne ménagea ni sa peine ni son argent malgré ses problèmes financiers.

Le conclave se réunit à Pérouse et ne dura pas moins de onze mois. Il comprenait dix-neuf cardinaux : quinze Italiens, deux Français, un Espagnol et un Anglais. Au moment du vote, ils n'étaient plus que quinze. Le parti français, dominé par

Napoléon Orsini, comptait six membres. Le parti qualifié de bonifacien défendait la politique de Boniface VIII et se montrait farouchement hostile à la réunion d'un concile. En effet, dans l'hypothèse où l'illégalité de l'élection de ce pape serait établie, les nominations de plusieurs cardinaux deviendraient caduques. Aucun compromis ne s'avérait possible. Philippe le Bel avait acheté les ingénieux services de Napoléon Orsini, mais l'intransigeance des Bonifaciens était inentamable. On recourut aux bons offices de Charles II de Naples ; ils n'aboutirent à rien. Orsini proposa astucieusement que chacune des factions choisît un candidat dans le parti opposé. Après quoi, l'on voterait sur ces deux noms. Cette proposition fut rejetée. Des cardinaux tombèrent malades et ne reparurent plus. Parmi ceux-ci, le principal adversaire de Napoléon Orsini. On ne parvint pas pour autant à se mettre d'accord. Les tractations secrètes, les dialogues feutrés remplaçaient les joutes oratoires. Cependant, les semaines passaient sans profit. Ce fut en vain que le subtil Orsini réconcilia spectaculairement les Colonna et les Caetani. Ces ennemis « irréconciliables » ne perdaient pas leurs intérêts de vue ! Chacun des cardinaux avait plus ou moins envie d'être pape, bien que la situation de l'Église fût peu brillante. De guerre lasse, Orsini proposa de choisir le nouveau pontife hors du Sacré Collège, ce qui mettrait fin aux rivalités. Cette solution rencontra l'adhésion générale. Cependant, les huit premiers noms avancés par Orsini furent successivement rejetés. Il laissa passer un peu de temps, tablant sur l'irritation de la population de Pérouse qui menaçait d'affamer les cardinaux s'ils ne prenaient pas enfin une décision. Puis il revint à la charge et proposa trois noms, dont deux furent immédiatement rejetés. Le troisième était Bertrand de Got, archevêque de Bordeaux, français de vieille souche mais sujet d'Édouard Ier d'Angleterre, duc de Guyenne. Cette élection eut lieu le 5 juin 1305. Napoléon Orsini avait rempli son contrat ; il pouvait écrire à Philippe le Bel : « J'ai abandonné ma Maison pour avoir un Pape français, car je désirais l'avantage du Roi et du royaume... »

Le chroniqueur Jean Villani affirme, dans son *Histoire de Florence,* que Bertrand de Got dut son élection à Philippe le Bel. Il raconte, avec un grand luxe de détails, leur entrevue clandestine dans une forêt voisine de Saint-Jean-d'Angély : « Ils entendirent ensemble la messe et se jurèrent le secret. » Alors le Roi commença à parlementer en bonnes paroles, pour le réconcilier avec Charles de Valois [1]. Ensuite il lui dit : « Vois, archevêque,

1. L'archevêque avait eu maille à partir avec Charles de Valois qui occupait Bordeaux au nom de son frère.

j'ai en mon pouvoir de te faire Pape, si je veux ; c'est pour cela que je suis venu vers toi ; car, si tu me promets de me faire six grâces que je te demanderai, je t'assurerai cette dignité, et voici qui te prouvera que j'en ai le pouvoir. » Alors il lui montra les lettres et délégations de l'un et l'autre membres du Sacré Collège. Le Gascon, plein de convoitise, voyant ainsi tout à coup qu'il dépendait entièrement du roi de le faire pape, se jeta, comme éperdu de joie, aux pieds de Philippe le Bel et dit : « Monseigneur, c'est à présent que je vois que tu m'aimes plus qu'homme qui vive, et que tu veux me rendre le bien pour le mal. Tu dois commander, moi obéir, et toujours j'y serai disposé. » Le roi le releva, le baisa à la bouche, et lui dit : « Les six grâces spéciales que je te demande sont les suivantes : la première, que tu me réconcilies parfaitement avec l'Église, et me fasses pardonner le méfait que j'ai commis en arrêtant le Pape Boniface ; la seconde, que tu me rendes la communion, à moi et à tous les miens ; la troisième, que tu m'accordes les décimes du clergé dans mon royaume pour cinq ans, afin d'aider aux dépenses faites en la guerre de Flandre ; la quatrième, que tu détruises et annules la mémoire du Pape Boniface ; la cinquième, que tu rendes la dignité de cardinal à messer Jacobo et messer Piero de La Colonne (Colonna), que tu les remettes en leur état, et que tu fasses cardinaux certains miens amis. Pour la sixième grâce et promesse, je me réserve d'en parler en temps et lieu, car c'est chose grande et secrète. » L'archevêque promit tout sur le *Corpus Domini*, et de plus, il donna pour otages son frère et deux de ses neveux. Le roi de son côté promit et jura qu'il le ferait élire pape.

Malheureusement pour Villani, Philippe le Bel ne se trouvait pas à Saint-Jean-d'Angély dans cette période, non plus que Bertrand de Got. Cette passionnante rencontre n'eut donc pas lieu. Cependant, rien n'interdit de penser que des contacts furent pris avec celui-ci par l'intermédiaire des gens du roi. L'archevêque de Bordeaux devait être *a priori* suspect à Philippe le Bel. On se souvient qu'il avait obtempéré à la convocation de Boniface VIII. Il est donc très probable qu'il donna toutes les assurances requises aux envoyés du roi, et peut-être un peu plus. Car ce ne fut pas par hasard que Napoléon Orsini prononça son nom. Pour Michelet, qui ajoute foi au récit de Villani, la « sixième grâce » demandée par Philippe le Bel concernait les Templiers : c'est aller un peu vite en besogne !

De fait, Bertrand de Got ne pouvait réellement déplaire au roi et à ses légistes. C'était un arriviste forcené, masquant son ambition sous des apparences de modestie, voire d'humilité. Né vers 1264 à Villandraut, il était le troisième fils de Béraut de

Got, seigneur de Villandraut, Grayan, Lieran et Uzeste. Cadet de Gascogne – si l'on peut dire ! – il n'avait d'autre perspective que d'embrasser la carrière ecclésiastique ou celle des armes. Il fit ses premières études dans une maison de Grammont, puis étudia le droit canon et le droit civil à Orléans et à Cologne. Pourquoi le droit et non pas la théologie ? Parce qu'il assurait un meilleur avenir. Son oncle était évêque d'Agen et l'un de ses frères, archevêque de Lyon. Il obtint un canonicat à Agen, puis à Tours. Il entra ensuite au service d'Édouard Ier d'Angleterre qui avait apprécié ses talents de juriste et l'accrédita auprès du Parlement de Paris. Bertrand de Got manœuvra avec tant de finesse que, sans décevoir son maître, il se fit donner un bénéfice par Philippe le Bel. Son destin prit ensuite un virage décisif. Son frère, l'archevêque de Lyon, le prit comme vicaire général. Quand Célestin V promut ce dernier cardinal-évêque d'Albano, il choisit Bertrand comme chapelain. Les deux frères s'accommodèrent fort bien de Boniface VIII. Il les envoya en France pour négocier la paix entre Édouard Ier et Philippe le Bel. Bertrand de Got reçut l'évêché de Comminges en récompense et, quatre ans plus tard, l'archevêché de Bordeaux (1299). Il revendiqua alors le primatiat d'Aquitaine détenu jusqu'ici par l'archevêque de Bourges, Gilles Colonna, ancien précepteur de Philippe le Bel. Le seigneur Colonna excommunia son collègue, ce qui ne tirait guère à conséquence. Bertrand de Got assista au concile réuni par Boniface VIII. C'était braver l'interdiction royale, bien que la Guyenne fût anglaise. Mais il s'arrangea pour que le concile, sans récuser formellement les thèses de Boniface, adoptât une position si mitigée qu'elle était inopérante. Ainsi, l'adroit archevêque, diplomate-né, avait-il bonifié la cause de Philippe le Bel tout en lui désobéissant. C'était à la vérité un maître dans l'art de louvoyer et de laisser au temps le soin d'apaiser les conflits. Il détestait aller au fond des choses et prendre les problèmes de face. Il lui serait extrêmement difficile de tenir tête à Philippe le Bel, à Nogaret et à ses chevaliers ès lois, retors, incisifs et précis. Et d'autant plus qu'il avait le désavantage, dans l'éventualité d'un conflit, d'être un pape français. Son défaut majeur était l'envers de ses qualités : le manque de caractère. Il ne montrait de fermeté que pour assouvir son ambition. Parvenu au sommet de la hiérarchie, que pouvait-il espérer de plus, sinon, pour se maintenir, de ne pas irriter Philippe le Bel ? Il avait fait son profit de la tragique expérience de Boniface VIII et ne savait que trop à quels cruels déboires les outrances pouvaient conduire un pape. Le sens de la grandeur véritable – non la vanité du décorum – lui manquait totalement. Il avait la prudence paperassière d'un juriste chevronné.

L'ATTENTAT D'ANAGNI

Ce fut au cours de cette même année 1305 que filtrèrent les premières rumeurs touchant aux Templiers. Un certain Esquieu de Floyran, natif de Béziers, obtint une audience de Jacques II d'Aragon. Il lui fit des révélations sensationnelles sur les déviations de l'Ordre. Le roi se débarrassa de ce délateur en lui promettant ironiquement un don de 3 000 livres et une rente de 1 000 livres, si les accusations étaient prouvées. (Après l'arrestation des Templiers, Esquieu de Floyran réclama son dû au roi d'Aragon, car le saint homme ne faisait pas vraiment œuvre pie ; il entendait monnayer ses dénonciations.) Incrédule, le roi Jacques II ne prescrivit pas d'enquête. Déçu, Esquieu de Floyran se tourna vers le roi de France. Philippe le Bel l'écouta en silence, selon sa méthode bien connue. Il ne le crut certainement pas, mais, à la réflexion, il aperçut le parti qu'il pourrait tirer, le cas échéant, de ces accusations. Elles lui paraissaient cependant trop monstrueuses et burlesques pour être acceptées sans examen. Il passa l'affaire à Nogaret pour complément d'information. Nogaret prit les choses au sérieux. Il avait l'esprit d'un policier. Peut-être ce « patarin [1], petit-fils de patarin », ne portait-il pas les Templiers dans son cœur. Il enquêta avec soin. Ses méthodes n'étaient pas très éloignées de celles d'un commissaire politique. Il recueillit les témoignages de ceux qui avaient eu, peu ou prou, maille à partir avec les Templiers, la plupart pour des questions d'intérêt. Il fit rechercher par ses limiers, et trouva, des frères du Temple exclus de l'Ordre pour fautes graves : hérésie, sodomie, lâcheté, vols importants, rixes, adultères, violation des secrets du chapitre, désertion. Il les fit emprisonner à Corbeil, sous la garde de frère Imbert, dominicain et confesseur du roi. Leurs dépositions furent enregistrées méticuleusement. Nogaret collecta les médisances, les ragots de bas étage. Ce fut avec ces éléments douteux qu'il nourrit son dossier. Pour le parfaire, car le roi restait sceptique, il introduisit des « taupes » dans les commanderies : de cela nous avons bien entendu une preuve irréfutable. Où voulait-il en venir ? Apparemment, rien n'explique cet acharnement, cette mauvaise foi, sinon la passion de servir. On ne saurait parler d'anticléricalisme, car on sait que l'excommunication lui pesait. Alors, quelle raison personnelle avait-il de haïr les Templiers ? Mais il avait monté le dossier de Boniface VIII avec la même patience et le même manque d'objectivité. Il est tout de même troublant que les premières rumeurs contre les Templiers partissent du Languedoc. Or, Floyran était de Béziers et Nogaret, de Saint-Félix de Caraman.

1. Ce surnom fut donné aux Cathares, parce qu'ils n'admettaient comme prière que le *Pater*.

TROISIÈME PARTIE

CLÉMENT V

(1305-1307)

I

UN FÂCHEUX PRÉSAGE

Bertrand de Got, étant en tournée pastorale, séjournait à Lusignan, lorsqu'il fut informé de son élection (le 20 juin 1305). Cette nouvelle le jeta dans l'inquiétude, plus qu'elle ne le réjouit. Il comptait finir paisiblement sa carrière dans la région qu'il aimait. Il n'ignorait rien des problèmes en suspens, notamment des exigences de Philippe le Bel au sujet de Boniface VIII. Par ailleurs, sa santé était précaire : il subissait les premières atteintes du cancer qui devait l'emporter, souffrait de troubles digestifs et de maux d'entrailles. Le premier moment d'euphorie passé, il dut sans aucun doute faire le bilan du lourd héritage qui lui était attribué. Les perspectives qui s'offraient à lui ne compensaient certes pas le passif qu'il lui fallait bien assumer. Pourtant, il ne semble pas qu'il ait envisagé un instant de refuser l'honneur de coiffer la tiare. Sans doute faisait-il fond sur l'inspiration divine, mais de toute manière, la convoitise l'emportait en lui sur la crainte. Il comptait aussi sur son habileté diplomatique. Il se mit donc en route et, sans se hâter, traversa le Poitou et la riante Saintonge. Aux frontières de la Guyenne, il eut la bonne surprise de recevoir les compliments du sénéchal du duché. Celui-ci venait le saluer de la part de son maître, Édouard Ier d'Angleterre. Le 23 juillet, Bertrand fit son entrée dans sa bonne ville de Bordeaux. La population l'acclama. Ces vivats lui mirent du baume au cœur. Une lettre des cardinaux romains l'attendait. Tout en confirmant l'élection, ils dépeignaient en termes alarmants l'anarchie qui régnait dans l'État pontifical et dans sa capitale.

Quelques jours après son arrivée à Bordeaux, se présentèrent les ambassadeurs de Philippe le Bel. C'étaient le comte d'Évreux, frère du roi, Gilles Aycelin, archevêque de Narbonne et garde des sceaux, le duc de Bourgogne et le comte de Dreux. Une grande cérémonie se déroula ensuite dans la cathédrale Saint-André, au cours de laquelle Bertrand déclara, avec toute la solennité d'usage, qu'il acceptait, malgré son indignité, le trône de saint Pierre et prenait le nom de Clément V. Était-ce pour honorer la mémoire de Clément IV, pape français, méridional comme lui et grand ami des Capétiens ? Clément IV avait en effet couronné roi de Sicile, en 1266, Charles d'Anjou, frère de Saint Louis. Bertrand annonça aussi que son couronnement aurait lieu, non pas à Rome, mais à Vienne. Pourquoi ce choix ? Parce que Vienne se trouvait sur la route d'Italie et en terrain neutre, puisqu'elle appartenait encore à l'Empire. Il espérait surtout que les rois de France et d'Angleterre assisteraient à son couronnement et croyait pouvoir, en cette circonstance, les réconcilier. D'entrée de jeu, il plaçait son pontificat sous le signe de la paix et de la clémence, ce dont on ne pouvait que le louer.

Les préparatifs du couronnement étaient déjà fort avancés, quand, le 22 août, parut une seconde ambassade de Philippe le Bel, conduite par Charles de Valois. Clément V ne fut pas dupe de cette sollicitude. Sous prétexte de l'honorer, le roi tentait de l'inféoder. Charles de Valois lui démontra que Vienne n'était pas un bon choix. Il lui suggéra de se faire couronner dans une ville française. Clément V ne pouvait accepter, sous peine de se placer ostensiblement dans la dépendance du roi. Il ne récusait pas le patronage d'un si grand prince, loin de là ! Mais il se devait de ménager les susceptibilités. On disputa longuement, courtoisement. Les propos feutrés cachaient les appétits et les appréhensions réciproques. On a déjà dit que Clément V était un maître en ce genre de dialogue. On se mit d'accord sur la ville de Lyon. Elle avait des « possibilités d'accueil » supérieures à celles de Vienne. Elle se trouvait aussi en terre d'Empire, mais était à demi française, car le roi possédait le château et le faubourg Saint-Just. Clément V sauvait les apparences, tout en cédant aux exigences de Philippe le Bel.

Il ne tarda pas à regretter ce compromis. Édouard Ier lui fit savoir qu'il ne pourrait assister au couronnement. Le projet de réconciliation entre la France et l'Angleterre tombait à l'eau. Le 4 septembre, Clément quitta Bordeaux avec sa petite cour.

Il visita Bazas et Agen, villes chères à son cœur et se dirigea vers Castelsarrasin. Le Languedoc était encore agité de turbulences. Les abus perpétrés par les inquisiteurs, pourchassant d'honnêtes chrétiens pour confisquer leurs biens, avaient suscité la révolte des habitants d'Albi et de Carcassonne. Révolte cautionnée, sinon même organisée, par Bernard Délicieux, moine franciscain. À l'instigation probable de Nogaret, Philippe le Bel avait pris le parti des habitants mais, s'il pouvait écarter les inquisiteurs fautifs, il ne pouvait supprimer l'Inquisition. Déçus dans leurs espérances, les Carcassonnais demandèrent l'appui de l'infant d'Aragon, don Fernand. Cette démarche équivalait à une trahison. La riposte de Philippe le Bel fut immédiate. Les coupables furent arrêtés. Seize d'entre eux venaient d'être pendus à Carcassonne, le 28 août. Quarante autres attendaient leur exécution dans les geôles de Limoux. Le roi avait déféré Bernard Délicieux à la justice de Clément V. Le nouveau pape prétendait calmer les esprits. Cependant il s'arrêta au monastère de Prouilhe, fondé par saint Dominique au cours de la tragédie cathare. Ainsi voulait-il montrer que les dominicains et, indirectement, les inquisiteurs conservaient sa confiance. Il montrait aussi son indépendance à l'égard du roi. Car telle était sa nature qu'il se reprenait toujours après avoir cédé.

Il se rendit ensuite à Montpellier dont le seigneur était le roi Jacques II d'Aragon. Ce dernier vint l'y saluer. Clément n'arriva à Lyon que le 1er novembre, le couronnement étant fixé au 15 du même mois. On s'est interrogé sur la lenteur de ce voyage. Certains ont estimé que, dès cette époque, Clément V n'avait pas l'intention de se fixer à Rome. Qu'il s'était même engagé auprès de Philippe le Bel à s'installer en France et que telle était la véritable raison de l'ambassade de Charles de Valois. Ce ne sont là que supputations. En réalité, Clément V n'avait pas encore pris sa décision. Les nouvelles qui lui parvenaient de Rome étaient assez mauvaises pour qu'il hésitât. Il voulait sans aucun doute consulter les cardinaux qui viendraient d'Italie pour assister à son couronnement.

Le sacre d'un pape en terre française était un événement inhabituel. Il attira des visiteurs venus de partout. Lyon devint pour quelques jours une ville cosmopolite. La cérémonie fut grandiose. Elle se déroula, non pas dans la cathédrale, qui relevait de l'Empire, mais, détail significatif, dans l'abbatiale du monastère de Saint-Just, relevant du roi de France. Ce fut le cardinal Napoléon Orsini qui posa la tiare sur le front de Clément V, honneur qui lui revenait de droit puisqu'il était l'auteur de son élection. On remarquait dans l'assistance Philippe le Bel et ses deux frères, Valois et Évreux, le duc de Bretagne, le comte

Henri de Luxembourg, le comte de Foix (dont les aïeux avaient combattu farouchement Simon de Montfort et ses acolytes), une cohorte de prélats, de dignitaires et de conseillers à la cour de France.

Après la cérémonie, Clément voulut prendre un « bain de foule », moins irrévérencieusement : se conformer à l'usage qui était de se montrer aux fidèles. Un cortège resplendissant descendit vers la Saône par le Gourguillon. Les badauds étaient innombrables. Ils s'étaient hissés sur les toits, sur les murs, pour ne rien perdre du spectacle. Le pape montait un superbe cheval blanc que tenaient par la bride Charles de Valois et le duc de Bretagne. Philippe le Bel suivait à pied, en signe d'humilité. Soudain, une haute muraille s'écroula sous le poids des curieux. Clément et sa monture furent renversés. La tiare roula dans le ruisseau ; elle perdit un gros rubis qui ne fut jamais retrouvé ! On releva douze morts. Charles de Valois et le duc de Bretagne étaient grièvement blessés. Le duc de Bretagne trépassa d'ailleurs quelques jours après l'accident. Les esprits crédules et les malveillants ne manquèrent pas de voir un fâcheux présage dans l'écroulement de ce mur, ni de répandre de sombres pronostics sur le pontificat de Clément.

Les événements parurent leur donner raison. Le 23 novembre, une rixe sanglante éclata entre la suite des cardinaux italiens et celle du pape. Gaillard de Got, un de ses frères, fut tué. Il perdit un de ses neveux dans une autre rixe, cette fois avec des Lyonnais. Les Gascons de son entourage se croyaient tout permis ; ils ajoutaient l'insolence à l'inconduite. Clément V eut le tort de prendre leur parti. Ce fut Philippe le Bel qui rétablit l'ordre. Là comme ailleurs, il faisait sentir son autorité.

Bien entendu, il avait eu des entretiens privés avec Clément V. C'était le renard affrontant le lion ! On fit d'abord assaut de politesses et de protestations d'amitié. Philippe le Bel nomma vicomte de Lomagne et d'Auvillar le frère aîné de Clément, Arnaud-Garsie de Got. Il n'ignorait pas l'attachement de Clément pour sa famille. Celui-ci ne fut pas en reste. Il autorisa le transfert de la tête et d'une côte de saint Louis à la Sainte-Chapelle. Il accorda au roi, sachant ses besoins d'argent, un décime pendant trois ans. Il octroya des bénéfices aux chapelains de la famille royale. Chacun escomptait par là tirer le maximum de l'autre. Toutefois Philippe le Bel était en position de force. Sa personne, sa majesté, le poids même de ses silences impressionnaient le faible Clément. Sorti de moyenne noblesse provinciale, il avait devant lui le chef des Capétiens, le premier prince de la chrétienté et le tourmenteur de Boniface VIII. Sa récente promotion au pontificat atténuait à peine son complexe d'infériorité. Son esprit était plein de ressources, mais l'implacable volonté de Philippe le Bel le désarmait. Il pressentait que ni l'indécision érigée en système ni l'attentisme ne lui serviraient devant un tel homme ! La courtoisie même de Philippe le troublait.

On parla de la situation de l'Église, du Sacré Collège, où les Italiens détenaient la majorité. Le roi suggéra d'en modifier la composition, avança quelques noms, laissa carte blanche à son interlocuteur pour le choix des autres. Clément V discuta quelques points de détail. La proposition de Philippe comblait en réalité ses vœux. On tomba vite d'accord sur la liste des bénéficiaires. Notons au passage que le pape cédait pour la seconde fois aux pressions du roi ; ce n'était là qu'un début ! Il tint d'ailleurs ponctuellement ses engagements car, le 15 décembre 1305, il promut quinze nouveaux cardinaux : neuf Français, un Anglais et cinq Italiens. Quatre d'entre eux appartenaient à la famille de Clément : Raymond de Got, Arnaud de Pellegrue, Arnaud de Canteloup et Guilhem Ruffiat. La prépondérance italienne au Sacré-Collège était annulée par cette promotion ; elle le restera pendant soixante-dix ans, autant que les papes siégeront à Avignon, dans la sujétion française. Philippe le Bel préparait l'avenir ! Clément V ne voyait pas si loin ; il ne croyait pas engager l'Église dans l'aventure avignonnaise. L'éventualité d'avancer sa famille annulait son esprit critique. On le verra par la suite pratiquer un népotisme éhonté, sans opposition du roi, ce qui était une appréciable compensation.

On en vint ensuite au sujet qui tenait le plus à cœur à Philippe le Bel : l'effacement de Boniface VIII dans les annales de l'Église. La position de Clément était difficile. Il ne voulait pas plus que son prédécesseur Benoît XI, et pour les mêmes raisons, faire juger la mémoire de Boniface VIII. Il ne pouvait davantage donner tort au roi. Il reconnut donc volontiers les excès commis par Boniface et le bien-fondé de la demande du roi. Il consentit à rapporter les bulles attentatoires à l'honneur de Philippe le Bel, mais il ne consentit pas à ouvrir le procès contre Boniface. Un supplément d'enquête lui paraissait nécessaire. Il fit comprendre au roi qu'il ne pouvait commencer son pontificat en réunissant un concile afin de prononcer la déchéance de son prédécesseur. Philippe le Bel n'insista pas. D'ailleurs, Clément s'empressa de tenir ses promesses. Il annula la bulle *Unam sanctam* :

« Nous ne voulons pas, affirmait-il, que la constitution du Pape Boniface VIII, notre prédécesseur, de bonne mémoire (*sic* !), puisse porter préjudice au Roi et au royaume. Nous n'entendons pas que le Roi, le royaume et les régnicoles soient soumis à l'Église plus qu'ils ne l'étaient avant cette constitution ; tout restera en l'état comme avant. »

C'était là la condamnation de fait de la politique de Boniface VIII, l'antithèse de l'*Imperium mundi.* Clément V renonçait par avance à arbitrer les conflits internationaux, à contrôler les agissements des rois, à combattre leurs abus et leurs empiétements. Il fit biffer sur les registres pontificaux les phrases attentatoires aux droits, à l'honneur du roi et du royaume, pour tout ce qui concernait le domaine temporel. Un peu plus tard, il rapporta la bulle *Clericis laïcos*, qui avait été la cause « de grands dangers, de grands scandales qu'il fallait faire cesser au plus tôt, pour en éviter les redoutables conséquences ».

À la fin de ces entretiens, Philippe le Bel lui fit part de ses inquiétudes au sujet des Templiers, des rumeurs étranges qui circulaient sur leur compte, des accusations graves qu'on leur imputait. Non, il ne s'agissait pas seulement de leur orgueil bien connu, de leur cupidité fréquemment mise en avant, surtout depuis la chute de Saint-Jean-d'Acre et la perte de la Terre sainte, du mystère dont ils s'entouraient, ou de l'arrogance dont ils paraient leur échec ! Certaines « personnes dignes de foi » les accusaient d'hérésie, de sodomie, de mauvaises mœurs. Le roi ne pouvait ajouter foi à de telles calomnies. Cependant, des témoignages accablants avaient été recueillis. Personnellement, il restait persuadé que l'Ordre du Temple était innocent. Toutefois, il se faisait scrupule de ne pas informer le pape de ces calomnies. Clément V répondit qu'il était au courant des rumeurs concernant le Temple et qu'il n'en croyait rien. Il estimait possible que quelques brebis galeuses se fussent infiltrées dans le troupeau et qu'on pouvait au surplus en dire autant des Hospitaliers. Le roi rétorqua que ces derniers n'avaient pas en effet meilleure réputation. Une fusion entre les deux Ordres lui paraissait hautement souhaitable pour la reconquête des Lieux saints. Tel était aussi l'avis de Clément. On en resta là.

Philippe le Bel quitta Lyon après les fêtes de Noël. Le pape ne partit que le 20 janvier 1306. Il avait annoncé son intention de se rendre à Bordeaux, et non pas à Rome. Il invoqua le prétexte de sa mauvaise santé, mais passa par Cluny, Mâcon, Dijon, Nevers, Bourges et Limoges, aux frais des églises et des abbayes ! Sa suite était nombreuse et exigeante. De plus, il avait plusieurs comptes à régler, car le pardon ne figurait pas parmi ses vertus ! Il s'arrangea pour ruiner l'archevêque de Bourges, Gilles Colonna, qui lui avait naguère disputé le primatiat d'Aquitaine. Il destitua l'évêque de Poitiers. Le bruit de ces exactions parvint aux oreilles du roi. Clément répondit cyniquement : « Nous sommes hommes ; nous vivons parmi les hommes ; nous ne pouvons tout prévoir. Nous n'avons pas le privilège de la divination » (lettre du 27 avril 1306). Il n'arriva à Bordeaux que le 14 mai. Il comptait sur l'air de son cher pays pour se rétablir. Les crises de vomissements ne s'atténuant pas, il se retira quelque temps dans le château de sa famille à Villandraut.

II

L'IMPOSSIBLE FUSION

La retraite à Villandraut porta ses fruits. Clément V eut tout le loisir de réfléchir aux insinuations de Philippe le Bel sur les Templiers. Dans la solitude, il retrouvait son acuité intellectuelle. Il savait que le roi ne prononçait pas de paroles inutiles, hormis les formules de bienséance. Ces rumeurs qui salissaient l'Ordre du Temple, pour confuses et sujettes à caution qu'elles fussent, ces témoignages collectés par les agents du roi, émanant de personnes supposées « dignes de foi », l'inquiétaient. De telles méthodes n'étaient pas sans rappeler celles dont on avait usé, abusé, à l'encontre de Boniface VIII. Il n'ignorait point que l'Ordre templier s'était passablement assoupi depuis son échec de Tortose et, de ce fait, n'était pas exempt de critiques. Mais il en allait de même pour les Hospitaliers (qui n'avaient pas encore conquis l'île de Rhodes). Les uns et les autres relevaient de l'autorité du Saint-Siège, et de sa justice. Il se dit qu'il lui appartenait de les réformer, si la nécessité s'en faisait sentir. Lui seul, et non pas le roi de France ! Il estima que la fusion des deux Ordres serait le moyen le plus sûr et le mieux accepté d'en modifier les structures et les règlements. Cette fusion était vivement souhaitée par le roi luimême : Clément V se demandait d'ailleurs si ce souhait était innocent.

En soi, ce projet de fusion ne constituait pas une nouveauté, bien au contraire ! Il avait été débattu et adopté par plusieurs synodes sous le pontificat de Grégoire X en 1274, mais il n'avait pas reçu de suite. Nicolas IV, puis Boniface VIII l'avaient repris sans le faire aboutir. Il était pourtant la condition *sine qua non* d'une éventuelle reconquête de la Terre sainte. En tant que pape, Clément ne pouvait se désintéresser du « berceau de la chrétienté », ne pas vouloir une grande croisade pour la délivrance du Saint-Sépulcre. Ses préoccupations immédiates étaient généralement plus terre à terre, mais il y a de tout dans la créature, y compris le désir de se faire un nom dans l'Histoire ! Fidèle à sa manière, il crut bon de consulter le Maître du Temple et celui de l'Hôpital sur le projet de fusion des deux Ordres et l'organisation d'une croisade générale.

La réponse de Jacques de Molay fut celle-ci :

« Très Saint-Père, à la question que vous me posez relativement à l'union des Ordres du Temple et de l'Hôpital, moi, Maître du Temple, je réponds comme suit :

Assurément, je me rappelle que, lorsque le Pape était au concile de Lyon avec saint Louis [1] et beaucoup d'autres personnes ecclésiastiques et séculières, il s'y trouva aussi frère Guillaume de Beaujeu, alors Maître du Temple, et avec lui beaucoup d'autres frères de notre Ordre, des anciens ; frère Guillaume de Courcelles, de l'Ordre de l'Hôpital de Saint-Jean, y fut également avec plusieurs autres frères et discrètes personnes de cet Ordre. Et ledit Pape et saint Louis voulurent avoir un avis relativement à l'union susdite, et leur intention était de ne faire qu'un Ordre de tous les Ordres militaires religieux. Mais on répondit que les Rois d'Espagne n'y consentiraient pas du tout, à cause des trois Ordres militaires religieux [2] qui sont établis chez eux. C'est pourquoi il fut décidé qu'il valait mieux que chaque Ordre restât dans son état. De même, au temps du Pape Nicolas IV, par suite de la perte de la Terre sainte qui eut lieu alors, parce que les Romains et d'autres peuples lui reprochaient avec force de ne pas avoir envoyé de secours suffisants pour la défense de ladite Terre, le Pape, pour s'excuser en quelque façon et pour montrer qu'il voulait remédier à la situation de la Terre sainte, renouvela ou reprit le projet susdit d'union [3] ; mais finalement il ne fit rien. Ensuite, le Pape Boniface en parla à plusieurs reprises ; cependant, tout considéré, il

1. Saint Louis était mort en 1270, alors que le concile fut tenu en 1274.
2. Les Ordres de Calatrava, d'Alcantara et de Saint-Jacques-de-l'Épée.
3. Il mourut en 1292, avant l'arrivée des envoyés du concile.

préféra abandonner entièrement l'affaire, comme vous pourrez l'apprendre de quelques-uns des cardinaux qui vivaient en son temps.

Item, Saint-Père, relativement à l'union des Ordres, il faut considérer les commodités et les inconvénients, l'honneur et les scandales qui peuvent en résulter.

Il me semble, en premier lieu, qu'il ne serait pas honorable d'unir maintenant des Ordres si anciens et qui, soit en Terre sainte, soit ailleurs, ont fait tant de bien, parce qu'il est à craindre que le contraire de ce qu'ils ont fait jusqu'à présent n'arrive, car on n'innove jamais, ou du moins rarement, sans provoquer de grands périls.

Item, par-dessus tout, il faut redouter le péril des âmes. Et je dis cela parce que c'est agir d'une manière très hostile et très dure que de forcer un homme qui, spontanément, s'est voué à l'habit et à la profession d'un Ordre, à changer sa vie et ses usages, ou à choisir un autre Ordre s'il ne le veut pas.

Item, si l'on réunissait les Ordres, il y aurait un autre grave péril, à cause des divisions qui séparent les hommes, et l'on pourrait craindre qu'à l'instigation du diable les membres des deux Ordres se querellassent entre eux, disant : Nous, nous valions mieux qu'eux et nous faisions plus de bien. Et beaucoup de périls pourraient provenir de cette dispute, parce que les Templiers et les Hospitaliers ont des armes. Et si la rumeur s'en répandait parmi eux, elle pourrait facilement susciter un grave scandale.

Item, si l'on réunissait les Ordres, il importerait fort que les Templiers donnassent beaucoup, ou bien que les Hospitaliers fussent soumis à des restrictions ; de là pourrait provenir un grand péril pour les âmes... »

Il me faut abréger cette citation qui serait fort longue. D'ailleurs, l'extrait ci-dessus rend assez bien compte de l'esprit quelque peu étroit de Jacques de Molay, celui d'un bon gestionnaire défendant son entreprise et son personnel, mais inapte, semble-t-il, à s'élever au-dessus des intérêts immédiats. Je résume donc la suite de sa réponse à Clément V. Il souligne que les aumônes des deux Ordres diminueraient considérablement en cas de fusion. Il en profite pour signaler que, nonobstant sa vocation militaire, le Temple fait de grandes largesses aux pauvres et il spécifie lesquelles. Que, par la force des choses, dans les endroits où se trouvent une commanderie hospitalière et une commanderie templière, l'une des deux disparaîtrait. Et il en serait de même des commandeurs, d'où conflit ! Il insiste sur le fait que les deux Ordres ont des dignitaires aux fonctions identiques. Qu'adviendrait-il d'eux ? Ce serait la source de graves discordes. Il objecte que la fusion n'éteindrait nullement la rivalité des deux Ordres, mais profiterait aux seuls Sarrasins. « Quand les Hospitaliers, écrit-il, faisaient une expédition armée contre les Sarrasins, les Templiers n'avaient de repos qu'ils n'en eussent fait autant ou plus, et réciproquement. *Item*, quand les Templiers faisaient outre-mer un grand transport de frères, de chevaux et autres bêtes, les Hospitaliers n'avaient de repos qu'ils n'en eussent fait autant ou plus. Et cette rivalité, qui a toujours existé et qui existe encore, fut de tout temps et est encore non moins honorable et profitable aux Chrétiens que dommageable aux Sarrasins. » Il ajoute que, si les Templiers accomplissaient un fait d'armes, les Hospitaliers n'avaient de cesse de les dépasser. Selon lui, cette émulation entretient la pugnacité des uns et des autres. Il invoque, à l'appui de sa thèse, la concurrence qui oppose les Frères prêcheurs et les Frères mineurs, les obligeant à se dépasser, pour le plus grand bien de la chrétienté.

Il rappelle que, lors des grandes croisades, les deux Ordres assuraient alternativement l'avant-garde et l'arrière-garde de l'armée et demande, naïvement, à qui incomberait ce périlleux service si les deux Ordres étaient réunis ! Il rappelle aussi que les pèlerins trouvaient un égal réconfort auprès des Templiers et des Hospitaliers à leur arrivée en Terre sainte. Qu'auraient-ils à gagner de leur fusion ? À coup sûr, ils y perdraient.

Il s'efforce pourtant d'être objectif.

« Il est notoire, poursuit-il, que toutes les nations aient autrefois accoutumé d'avoir une grande dévotion à l'égard des religieux ; ce qui paraît complètement changé, parce qu'on trouve plus de gens disposés à prendre qu'à donner aux religieux et que presque tout le monde reçoit d'eux des dons plus qu'il ne leur en fait ; de nombreux dommages leur sont causés, d'une manière continue, tant par des prélats que par d'autres hommes puissants ou non, clercs ou laïcs. Or, si l'union est faite, l'Ordre sera si fort et si puissant qu'il défendra et pourra défendre ses droits contre n'importe qui. »

Paroles prophétiques ! Mais Jacques de Molay ne croyait pas si bien dire...

Il admet enfin, pauvrement, que la fusion restreindrait les dépenses. Il suggère à Clément V de les entendre, lui et le Couvent du Temple. Dans une sorte de *post-scriptum*, il revient à ses préoccupations majeures et conseille au pape, dans le cas où il aurait l'intention d'attribuer « des revenus fixes, annuels et perpétuels », non pas de les attribuer globalement aux deux Ordres, mais de verser à chacun sa part, pour éviter les compétitions.

Cette réponse n'était, on le voit, qu'un plaidoyer *pro domo*. Tout en rendant hommage aux Hospitaliers, Jacques de Molay ne manque pas une occasion de mettre en relief les mérites des Templiers. Mais il manque d'inspiration et son style est prosaïque. Il aurait pu célébrer en termes éloquents les hauts faits des Templiers, invoquer les milliers de chevaliers et de sergents tombés en Terre sainte au service du Christ, et cela pendant deux siècles ! Affirmer sans crainte qu'ils étaient prêts à continuer leurs efforts et leurs sacrifices. Il reste circonspect, parle de l'avant-garde et de l'arrière-garde des armées en marche, des secours aux pèlerins, bref d'événements révolus. On sent qu'il appartient au passé et qu'il s'y enferme. Il n'a point de projets d'avenir, sinon une improbable croisade. Il constate que les temps ont changé et que l'on conteste l'existence des Ordres militaires, au lieu de les aider, mais il ne semble pas comprendre le motif de ce changement. Il n'est même pas émouvant, bien que l'on sente en lui le poids des souvenirs, la nostalgie de la terre perdue. Il donne l'impression de ne se soucier que de problèmes matériels, de craindre surtout de perdre sa dignité de Maître et de voir les dignitaires de son Ordre condamnés à disparaître ou à partager les charges. Son raisonnement est mal articulé, dénué d'impact. Il ne signale même pas que les Templiers continuent à combattre sur le front d'Espagne, argument qui pouvait être décisif dans une conjecture aussi délicate.

Certes, il est facile de lui jeter la pierre. Ce n'était qu'un brave soldat parvenu au grade suprême en fin de carrière ! Il ignorait la dialectique comme les arguties des juristes. Son métier avait été de prier et de faire la guerre. Quatre décennies d'obéissance avaient quelque peu flétri sa pensée. L'opinion qu'il donna par ailleurs à Clément V sur une future croisade montre bien que c'était d'abord un militaire. Il préconisait non pas un débarquement restreint en Petite Arménie, mais une croisade générale, ajoutant aux deux Ordres les contingents de plusieurs royaumes, fixant le point de ralliement à Chypre, prévoyant la nolisation de gros navires de commerce, de préférence aux galères, suggérant même le nom de l'amiral. En ce domaine, il parlait en chef expérimenté qui a mûri son plan. On peut le taxer d'irréalisme, compte tenu de la situation en Europe et de la désaffection à l'égard de la Terre sainte, mais un Templier ne pouvait adopter une autre position. De plus, l'opinion de Villaret, Maître de l'Hôpital, ne différait guère de celle de Molay.

Clément V les convoqua l'un et l'autre en juin 1306. Il voulait les entendre, peut-être essayer de les convaincre et étudier avec eux les conditions d'une fusion qui lui paraissait de plus en plus souhaitable, sinon même urgente. Jacques de Molay arriva en France à la fin de 1306, ou au début de 1307. Villaret ne vint que plus tard : la conquête de l'île de Rhodes commençait, assurant l'avenir des Hospitaliers. Molay était accompagné d'un des dignitaires de son Ordre, Raimbaud de Caron, commandeur de Chypre. On raconte qu'il amena avec lui une « retenue » de soixante chevaliers escortant d'inestimables trésors ! Qu'il faisait étalage d'un luxe déplacé et que son intention manifeste était de fixer la Maison chêvetaine à Paris. C'est notamment Michelet qui entonne cette mélopée, que ne justifie aucun document, alors qu'en raison de ses fonctions il disposait des archives templières [1]. Mais comment résister à la tentation d'écrire une belle page, quand par ailleurs, on est un grand artiste !

« Les chevaliers revenaient inutiles, formidables, odieux, affirme-t-il. Ils rapportaient au milieu de ce royaume épuisé, et sous les yeux d'un roi famélique, un monstrueux trésor de cent cinquante mille florins d'or, et en argent la charge de dix mulets. Qu'allaient-ils faire en pleine paix de tant de forces et de richesses ? Ne seraient-ils pas tentés de se créer une souveraineté dans l'Occident, comme les chevaliers Teutoniques l'ont fait en Prusse, les Hospitaliers dans les îles de la Méditerranée, et les jésuites au Paraguay... Ils n'étaient guère en tout, il est vrai, plus de quinze mille chevaliers ; mais c'étaient des hommes aguerris, au milieu d'un peuple qui ne l'était plus depuis la cessation des guerres des seigneurs... On les voyait partout orgueilleusement chevaucher sur leurs admirables chevaux arabes, suivis chacun d'un écuyer, d'un servant d'armes, sans compter les esclaves noirs. Ils ne pouvaient varier leurs vêtements, mais ils avaient de précieuses armes orientales, d'un acier de fine trempe et damasquinées richement. »

N'oublions pas l'école des peintres orientalistes dont Eugène Delacroix était le modèle ! N'oublions pas non plus que la Règle interdisait toute superfluité : les chevaliers du Temple n'avaient pas d'armes de parade. Jacques de Molay n'avait nullement l'intention de transformer la Templerie de Paris en Maison chêvetaine. Le trésor de l'Ordre était resté à Chypre, si l'on peut appeler trésor les sommes nécessaires à l'entretien des chevaliers et des sergents qui s'étaient repliés dans cette île dans l'attente de jours meilleurs. Molay ne traînait pas non plus dans sa suite « des esclaves noirs ». Qu'en eût-il fait ? Ce n'était pas un prince des Mille et Une Nuits venant en Occident pour s'y divertir. Il est exact qu'il tint un chapitre à la Commanderie de Paris au début de 1307. Pour autant, il n'avait pas le projet de s'installer en France avec son état-major, non plus qu'en Espagne. Il restait obsédé par la Terre sainte, par son rêve de reconquête.

---

1. Il était conservateur aux Archives nationales.

Rien n'a transpiré de ses entretiens avec Clément V. On peut cependant déduire des événements postérieurs qu'il s'entêta dans son refus. Il n'est pas douteux que le pape l'informa des accusations portées contre le Temple, des révélations faites par Philippe le Bel. Molay n'aperçut pas le danger, ou le dédaigna. Il ne comprit pas davantage que la réunion des deux Ordres sauverait le Temple. Clément ne manqua certainement pas de lui dire que, dans l'hypothèse où la fusion se réaliserait, Philippe le Bel imposerait l'un de ses fils comme Grand Maître de l'Ordre nouveau et que sa haute protection serait bénéfique à tous les chevaliers. Molay ne voulait pas être dans la dépendance du roi ; il tenait à son autonomie. Il rappela que le Temple relevait exclusivement de l'autorité du pape. Ayant la conscience tranquille, il se portait garant de la pureté de l'Ordre et protestait avec véhémence contre les insinuations de Philippe le Bel. Il récusait même toute idée de réforme. Cette intransigeance le perdit. Elle ne permettait même pas à Clément V de gagner du temps, d'amuser les envoyés du roi avec de belles paroles et des commencements de promesses. Force lui fut, pour montrer sa bonne volonté, de communiquer à Philippe le Bel la réponse de Jacques de Molay relative au projet de fusion. Je n'avance pas ce fait à la légère : un exemplaire de la réponse a été retrouvé dans les papiers de Plaisians. Molay fournissait à ses adversaires un argument de poids : « Or, si l'union est faite, avait-il eu l'imprudence d'écrire, l'Ordre sera si fort et si puissant qu'il défendra et pourra défendre ses droits contre n'importe qui. » Cela pour mettre fin aux dommages causés « tant par des prélats que par d'autres hommes puissants ou non, clercs ou laïcs ». L'allusion était claire. Pour Nogaret, Plaisians et les autres légistes royaux, l'interprétation n'était pas douteuse : Molay s'opposerait, au besoin par la force, aux tentatives de vassalisation du Temple.

Or, Philippe le Bel avait d'ores et déjà l'intention de mettre la main sur le Temple, mais il cherchait encore les moyens de réaliser ce projet à la vérité difficile. Il comptait probablement se servir des Templiers comme les anciens rois de Jérusalem l'avaient fait. Pour cela, il lui fallait les contrôler de façon ou d'autre. Il tombe sous le sens que, si Jacques de Molay avait eu l'échine plus souple et une intelligence plus ouverte à l'intrigue, les accusations contre l'Ordre auraient cessé ; Nogaret se fût occupé d'autre chose et le procès n'aurait pas eu lieu. On a dit, et répété, que Philippe le Bel voulait détruire le Temple pour s'emparer de ses richesses. C'est une explication facile, mais partielle. Qu'il ait convoité la fortune templière, on ne peut le nier. Son impécuniosité était telle qu'il faisait feu de tout bois. De plus, il croyait, comme tout un chacun, les Templiers beaucoup plus argentés qu'ils ne l'étaient en réalité. Mais il avait une autre raison de souhaiter leur suppression. Depuis qu'ils avaient perdu la Terre sainte, ils ne servaient plus à rien. Or, ils possédaient dans le royaume de France un millier de commanderies avec leurs dépendances, des rues entières, des ateliers et des boutiques. Ils détenaient des droits innombrables, pratiquaient parfois une concurrence déloyale. Leurs revenus étaient énormes. Ils disposaient d'une petite armée, toujours disponible, bien encadrée et bien entraînée. Sans doute ne pouvait-on contester leur loyalisme ; cependant ils relevaient de la seule autorité du pape. Avec leur hiérarchie et leurs privilèges accrus au fil des âges, ils formaient véritablement un État dans l'État. Cela, Philippe le Bel ne pouvait le tolérer. La puissance de cet Ordre lui portait ombrage. Ou bien les Templiers français rentreraient dans le rang et se rendraient utiles au royaume, ou bien ils seraient détruits. Les rois d'Angleterre, de Castille et d'Aragon pensaient à peu près la même chose, mais ils n'avaient ni l'audace ni les possibilités de Philippe le Bel. Ils ne tenaient pas non plus le pape à leur merci.

III

L'ÉMEUTE DE 1306

Le Temple n'avait pas bonne réputation, mais l'Hôpital n'était pas moins discrédité : j'insiste sur ce point. L'Europe n'avait pas ménagé ses dons aux Ordres militaires dans l'espérance qu'ils sauraient garder la Terre sainte. Or, ils l'avaient perdue, en dépit de lourds sacrifices et d'un constant courage. On les rendait responsables des revers. La mort héroïque de Guillaume de Beaujeu ne compensait pas la reddition de Saint-Jean-d'Acre. On racontait volontiers que le même Guillaume de Beaujeu pactisait avec le soudan (le sultan). Que ses prédécesseurs s'étaient pareillement compromis. Ces insinuations résultaient du témoignage plus que suspect d'anciens croisés, de pèlerins mal informés et englobant dans le même mépris les Poulains, les Templiers et les Hospitaliers. On faisait état des querelles qui avaient naguère opposé les deux Ordres, en oubliant qu'en chaque circonstance un peu sérieuse, ils combattaient ensemble. Cette décadence supposée s'accommodait mal avec leur superbe. Ce n'étaient plus que des vaincus dont la fierté devenait insupportable. On reprochait spécialement aux Templiers leurs mauvaises mœurs. L'expression « boire comme un Templier » remonte à cette époque. Et les Allemands n'étaient pas en reste, qui nommaient ironiquement une maison mal famée *Tempelhaus* (maison du Temple). On leur reprochait aussi le mystère dont ils enveloppaient la réception des chevaliers, sergents et chapelains de l'Ordre, le huis clos des chapitres, sans connaître les prescriptions de la Règle. On colportait des ragots sur de prétendus livres secrets. Certains frères s'étaient permis des boutades qui étaient dénaturées et démesurément grossies. Ces murmures ne tiraient certes pas à conséquence, mais ils ajoutaient à la jalousie. La noblesse comme le clergé enviaient les privilèges des Templiers et, depuis qu'ils étaient devenus inutiles, s'étonnaient que les exemptions dont ils bénéficiaient, désormais indûment, fussent maintenues. Les évêques ne leur avaient jamais pardonné la soustraction de dîmes. Les nobles, dont les familles s'étaient jadis appauvries pour les doter, se demandaient à quoi ils emploieraient leurs revenus, l'argent qu'ils entassaient dans les coffres de la commanderie de Paris. La médisance faisait son chemin, reprise, amplifiée par les gens du peuple. Les nobles comme les princes n'avaient plus la moindre envie de prendre la Croix. La Terre sainte avait coûté trop cher ! On se donnait bonne conscience en critiquant les Templiers et les Hospitaliers. Quant au clergé, avait-il jamais admis ces moines armés, ces soldats orants, malgré les bulles pontificales ? On taxait de cupidité la rigueur – parfois excessive, il est vrai – avec laquelle les Templiers défendaient les intérêts de l'Ordre. Orgueil, cupidité, usages suspects, mœurs douteuses, voilà le fond sur lequel travaillèrent Nogaret, Plaisians et leurs comparses.

Le publiciste Dubois, stipendié par les gens du roi et fortement manipulé, écrivit alors une sorte de pamphlet. Sans tenir compte des accusations répandues contre les Templiers et les Hospitaliers, il leur reprochait leurs richesses et proposait cette solution radicale :

« Rien de plus simple à corriger, écrivait-il, il faut les forcer à vivre en Orient des biens qu'ils y possèdent : plus de Templiers ni d'Hospitaliers en Europe ! Pour leurs terres situées en deçà de la Méditerranée, elles seront livrées à ferme noble. On aura ainsi plus de 800 000 livres tournois par an, qui serviront à acheter des navires, des vivres et des équipements, de façon que les plus pauvres pourront aller outre-mer. Les prieurés et commanderies d'Europe seront utilisés : on y installera des écoles pour les garçons et les filles adoptés par l'œuvre des croisades, où les arts mécaniques, la médecine, l'astronomie et les langues orientales seront simultanément enseignés. »

Ce petit avocat besogneux, toujours prêt à aiguiser sa plume pour le service du roi, était singulièrement en avance sur son temps ! Il proposait la confiscation et la laïcisation des établissements religieux au profit de l'État. Nogaret sut tirer parti de ce plan. Depuis la dénonciation d'Esquieu de Floyran et l'entrevue de Lyon, il ne cessait d'améliorer le dossier contre les Templiers. Pour autant, il n'était pas parvenu à convaincre entièrement le roi de leur culpabilité et moins encore de l'hypothétique danger qu'ils représentaient pour la Couronne.

C'est qu'en réalité Philippe le Bel n'avait pas à se plaindre d'eux. Ils ne lui avaient jamais ménagé leur soutien. Leur loyalisme n'avait jamais été pris en défaut, même dans les circonstances les plus délicates. Depuis le milieu du XIIe siècle, ils avaient géré le Trésor français, sans encourir de reproches. En 1295, le Trésor avait été transféré au Louvre, car Philippe le Bel en confia la gestion à deux banquiers italiens (qu'on appelait Biche et Mouche). L'expérience n'ayant pas été concluante, le Trésor avait été confié à nouveau aux Templiers de Paris. Le roi leur avait demandé des prêts, à plusieurs reprises. Ils étaient les premiers à verser les décimes accordés par le Saint-Siège pour soutenir la guerre contre les Anglais et les Flamands. En compensation, le roi les couvrait d'éloges et de faveurs. En 1304, il leur délivra des lettres d'amortissement général pour toutes leurs possessions : « Les œuvres de piété et de miséricorde, la généreuse libéralité pratiquée dans le monde entier et dans tous les temps par le saint Ordre des Templiers, fondé depuis de longues années par l'autorité divine, le courage de ses membres qu'il importe d'inciter à un zèle actif et infatigable pour la défense périlleuse de la Terre sainte, nous conduisent à répandre notre munificence royale sur l'Ordre et les Chevaliers, en quelque lieu de notre royaume qu'ils se trouvent, et à distinguer par une faveur spéciale ce corps que nous chérissons sincèrement... »

En 1302, les Templiers lui avaient accordé leur soutien contre Boniface VIII. Certes, il y avait eu quelques résistances, car le pape étant leur chef suprême, ils lui devaient fidélité. Mais le Visiteur de France, Hugues de Pairaud, avait usé de son autorité. Le roi regrettait que celui-ci n'eût pas été élu Maître du Temple à la place de Molay. Avec lui, il aurait été possible de s'entendre !...

Les Templiers venaient de rendre un autre service à Philippe le Bel. En 1306, il avait décidé de rétablir une monnaie forte. Cette mesure provoqua des troubles très graves. Sous le régime de la monnaie faible, les prix des loyers avaient enchéri. On exigea leur paiement en monnaie forte. À Paris, un parti d'émeutiers envahit la maison d'Étienne Barbette, la mit au pillage et cerna la commanderie du Temple où le roi se trouvait avec quelques-uns de ses barons. Les Templiers le protégèrent, mais ne firent rien pour disperser les émeutiers. Les valets qui apportaient « la viande du Roi » furent houspillés et les plats, jetés dans la boue. Il fallut attendre que le prévôt de Paris rétablît l'ordre. Le lendemain, vingt-huit meneurs furent pendus à des gibets dressés aux quatre portes de la ville. Certains des barons estimèrent que la conduite des Templiers appelait la suspicion. D'autres insinuaient qu'ils n'étaient peut-être pas étrangers à l'émeute. Certes, la Règle leur interdisait, sous peine d'exclusion, de tirer l'épée contre un chrétien. Cependant, il s'agissait du roi de France, dont la vie paraissait menacée ! Hôte forcé du Temple, Philippe le Bel se sentait d'autant plus humilié. Y eut-il des paroles désobligeantes à son endroit ? Les Templiers furent-ils assez maladroits pour faire un peu trop sentir leur puissance ? Toujours est-il qu'il ne leur pardonna pas de lui avoir donné asile. Telle est du moins l'opinion de quelques historiens, estimant même que ce fut en cette circonstance que Philippe le Bel arrêta sa décision. Personnellement, je ne partage pas cet avis. Ce n'était tout de même pas la première fois que le roi visitait le Temple, puisqu'il y avait une partie de son trésor ! De plus, comme je l'ai déjà dit, le roi voulait étendre la main sur le Temple, tout en respectant la légalité. La fusion s'avérant impossible, il lui fallait envisager une procédure plus expéditive tout en respectant les formes.

Ce qui nous ramène à la question de fond. En quoi le Temple était-il gênant pour lui ? Pourquoi cet acharnement à son égard ? Croyait-il aux accusations dont on le chargeait, ou n'était-ce qu'un prétexte ? Les Hospitaliers encouraient, je le répète, les mêmes reproches ; ils étaient pareillement disqualifiés. Structurellement, ils ne différaient en rien des Templiers et formaient eux aussi un Ordre international. Leurs possessions en France étaient aussi nombreuses que celles des Templiers ; peut-être même étaient-ils plus riches. Toutefois, ils ne disposaient pas à Paris d'une commanderie-forteresse aussi importante. Ils n'étaient pas non plus les banquiers du roi et de la Cour. Nogaret n'aurait pas ouvert l'enquête sur les Templiers sans l'assentiment de son maître. Qu'il l'ait menée avec autant de passion que de mauvaise foi, cela ne change rien au problème. J'ai, pour ma part, la conviction que la vraie raison de Philippe le Bel est à chercher ailleurs que dans la convoitise, ou dans la crainte de leur puissance. Poursuivant sa politique à l'égard du Saint-Siège, il voyait dans leur destruction un moyen d'affaiblir celui-ci. C'est dans cette perspective que le Procès des Templiers s'inscrit comme la suite logique du procès contre Boniface VIII. Le Temple et l'Hôpital étaient des établissements religieux et militaires subordonnés au pape, en quelque sorte le signe de sa puissance temporelle, l'armée potentielle de l'Église.

Boniface, aveuglé par sa propre grandeur, ne s'était pas servi d'eux, mais il aurait pu le faire. Des Templiers et des Hospitaliers se trouvaient près de lui à Anagni. S'ils ne tuèrent pas Colonna et Nogaret, c'est qu'ils n'avaient pas le droit de lever l'épée sur des chrétiens. En abattant Boniface VIII, Philippe le Bel avait ruiné les prétentions du Saint-Siège à exercer une royauté suprême. En s'en prenant aux deux principaux Ordres militaires, il réduisait d'autant les possibilités du pape. Clément V n'était pas à craindre. Mais, dans l'éventualité où l'un de ses successeurs aurait eu des velléités de domination, il se trouverait désarmé. Un nouvel Ordre n'eût pas été dangereux, à condition de le contrôler, pour ne pas dire de l'annexer. La dénonciation d'Esquieu de Floyran procurait au roi l'occasion de s'en prendre d'abord aux Templiers, lui fournissait des mobiles apparemment inattaquables. Le tour des Hospitaliers viendrait, du moins le croyait-il...

On ne peut s'empêcher de souligner la duplicité de ce roi qui, tout en comblant les Templiers de faveurs et en célébrant leurs bienfaits, travaillait assidûment à leur perte. Depuis les entretiens de Lyon, il avait échangé avec Clément V une correspondance dont il subsiste malheureusement peu de traces. Il lui avait envoyé des ambassadeurs, sans obtenir de résultats. Le pape était une anguille qui lui glissait entre les doigts. Ne sachant que trop où Philippe le Bel voulait en venir, il se dérobait de son mieux, s'engageait à demi. Le roi lui rappela qu'à Lyon ils étaient convenus de se rencontrer afin de traiter les affaires qu'il avait évoquées, et le « convoqua » à Tours. Clément redoutait de se trouver face à face avec lui. Il atermoya, prétextant sa mauvaise santé. Le roi consentit à ce que l'entrevue ait lieu à Poitiers. Clément arriva dans cette ville le 6 ou le 7 avril 1307. Le roi se fit attendre jusqu'au 21 avril, à dessein, pour marquer sa supériorité. Il était accompagné de ses frères, de ses fils et de nombreux dignitaires. Il communiqua au pape des informations précises relatives aux Templiers, vraisemblablement des extraits du dossier réuni par Nogaret, avec un résumé des accusations principales. Clément se récria. Il ne voulait pas croire à la culpabilité des Templiers et doutait de la sincérité des témoignages recueillis par Nogaret. Non sans perfidie, Philippe le Bel feignit de partager ses doutes et lui suggéra d'autoriser l'ouverture d'un procès en bonne et due forme, afin que le Temple se lavât des accusations dont il était l'objet. Clément V n'opposa pas un refus catégorique. Il promit même de s'informer de son côté, tout en engageant le roi à poursuivre ses investigations et à le tenir informé. Il n'entrevit pas le piège que Philippe le Bel lui tendait. S'il avait eu plus de caractère, il aurait saisi l'occasion et, puisqu'il était statutairement seul justicier de l'Ordre, se serait chargé de conduire l'enquête ou de prescrire les réformes utiles. Mais il ne savait qu'atermoyer, geindre sur son état de santé, opposer une inertie systématique au réquisitoire du roi. Sans doute devait-il regretter amèrement de n'être pas à Rome, mais il n'avait pas encore fixé sa résidence. C'était un pontife errant, qui ne pouvait se décider à quitter les rives de la Garonne. La vérité oblige à dire qu'il était plus atteint physiquement qu'on ne le croyait. Les soucis du pontificat avaient aggravé son mal. Le roi, tout en feignant de le ménager, augmentait ses tourments. Il se déclara plus que jamais résolu à faire condamner Boniface VIII à titre posthume. Sans oser défendre la mémoire de Boniface, Clément V voulait à tout prix éviter le scandale d'un procès. Il cherchait à gagner du temps, espérant que la Providence se chargerait de la solution. Bref, le roi, malgré ses pressions, n'obtint une fois de plus que de vagues promesses et l'on se sépara sans avoir rien décidé. Il n'était pas homme à se laisser berner, fût-ce par un pape et d'autant moins que celui-ci était à sa discrétion.

Ouvrons les *Grandes Chroniques de France* rédigées par les historiographes de la Couronne. Voici le bref compte rendu de l'entrevue de Poitiers : « L'an de grâce MCCC et VII (1307) des susdits en suivant, le Roi de France Philippe se partit environ la Pentecôte pour aller à Poitiers parler au Pape et aux cardinaux, et là furent moult (beaucoup) de choses ordonnées par le Pape et par le Roi, et spécialement de *l'arrestation des Templiers.* »

La lettre de Clément V, reproduite plus loin, suffit à démentir cette version des faits. Il y avait des Templiers dans l'entourage du pape. Jacques de Molay fut prévenu de ce qui se tramait contre l'Ordre, des démarches réitérées du roi et des travaux de Nogaret. Il prit les devants, se rendit à Poitiers avec quelques-uns de ses lieutenants. Il protesta avec véhémence contre les accusations dont le Temple était la cible. Percevant les demi-réticences du pape, il demanda hautement qu'une enquête fût ouverte le plus tôt possible. Cette demande motivait assurément en faveur des Templiers. Elle fournit à Clément l'échappatoire qu'il cherchait en vain depuis l'entrevue de Poitiers. Le 24 août 1307, il écrivit à Philippe le Bel :

« Tu nous as écrit que tu nous enverrais des ambassadeurs aux environs de l'Assomption ; nous devons te faire savoir que, d'après les ordonnances des médecins, il nous faut suivre un régime jusqu'aux premiers jours de septembre ; nous devons ensuite prendre médecine. Tu nous enverras tes ambassadeurs vers le mois d'octobre. Tu te souviens de ce que tu nous as dit à Lyon et à Poitiers au sujet des Templiers ; cela nous a paru incroyable, impossible ; nous avons appris depuis des choses inouïes, mais nous sommes forcés d'hésiter et d'agir conformément aux conseils de nos frères. Le Grand Maître et les précepteurs de l'Ordre ont protesté, et nous ont suppliés de procéder à une enquête. Ils ont demandé à être absous s'ils étaient innocents, et à être condamnés s'ils étaient coupables, ce qu'ils ne croyaient pas. Nous ne saurions, d'après l'avis de nos frères les cardinaux, refuser aux Templiers ce qu'ils demandent. Et, comme l'affaire est grave, nous nous rendrons vendredi à Poitiers afin d'aviser avec nos frères à ce qui sera reconnu nécessaire. Tu nous adresseras les renseignements que tu auras pu recueillir, soit par lettres, soit par tes ambassadeurs... »

Quelles étaient ces « choses inouïes » que Clément V venait d'apprendre et qui avaient emporté sa décision ? Selon un vieil historien, Pierre Dupuy, il s'agirait d'une « confidence ingénue » faite par Guillaume de Chanteloup. Dupuy vivait dans la première moitié du XVIIe siècle. Il était bibliothécaire du roi. Comme tel, il avait inventorié le Trésor des chartes et publié en 1654 des *Traités sur l'Histoire de France*, parmi lesquels « La condamnation des Templiers ». Il fait état de documents authentiques, dont beaucoup sont aujourd'hui perdus, donc invérifiables. On ne saurait pourtant dénier toute valeur à ses citations. Donc, ce Guillaume de Chanteloup, camérier du pape et Templier, lui aurait spontanément révélé tout le mal qu'il avait reconnu dans l'Ordre, ses mauvais usages, sa « corruption ». La question se pose de savoir s'il était sincère, ou s'il avait pactisé avec les gens du roi. Car enfin, si les scrupules le tourmentaient à ce point quant à son appartenance à un Ordre corrompu, il avait passablement tardé à se confier au pape ! Il était entré au Temple à l'âge de onze ans, avec l'accord de ses père et mère, ce qui contrevenait à la Règle, mais il y avait des accommodements ! Les Templiers l'avaient éduqué. Il leur témoignait ainsi sa gratitude !

IV

LE COLLOQUE DE MAUBUISSON

Dès qu'il eut reçu la lettre du pape, la décision du roi fut prise. Il comprenait que le pape l'avait joué. L'enquête traînerait en longueur et n'aboutirait à rien, sinon même à l'acquittement des Templiers assorti de quelques réformes sans importance. Il résolut donc de suppléer à la carence de Clément V, en clair de se substituer à lui. L'entreprise présentait un grand risque, car elle était illégale. Mais depuis la défaite et la mort de Boniface VIII, le roi se croyait tout permis. Il réunit une commission secrète dans l'abbaye de Maubuisson, près de Pontoise. Elle était composée notamment de Gilles Aycelin, archevêque de Narbonne et garde des sceaux, frère Guillaume Imbert, dominicain, confesseur du roi et grand inquisiteur de France, et de Nogaret. La lettre de Clément fut considérée comme un accord tacite à l'ouverture d'une enquête, interprétation quelque peu extensive ! Il s'agissait donc de définir une procédure adéquate. Deux partis s'affrontèrent. Gilles Aycelin, pris entre deux feux, s'efforça de montrer que le roi ne pouvait empiéter sur les pouvoirs du pape, sous peine de l'offenser gravement et d'encourir des sanctions ecclésiastiques. Il rappela que le Temple n'était justiciable ni des princes temporels ni des évêques, mais du Saint-Siège, en vertu de la bulle *Omna Datum Optimum* délivrée en 1139 par Innocent II, confirmée ensuite par d'autres bulles et toujours en vigueur. Puisque Clément V avait décidé d'ouvrir une enquête, le roi, nonobstant la pureté de ses intentions, n'avait pas le droit de se substituer à lui. Il lui incombait au contraire d'éclairer le pape en lui communiquant le dossier préparé par Nogaret. Ce dernier rétorqua que le pape avait donné son assentiment à l'ouverture du procès par sa lettre du 24 août. Il ne s'agissait donc pas d'empiéter sur ses pouvoirs, ni de soustraire les Templiers à sa justice, mais de le mettre à même de prononcer sa sentence en toute connaissance de cause. Les Templiers, ayant été prévenus des suspicions très lourdes qui pesaient sur leur Ordre – leur démarche auprès de Clément V le prouvait —, pouvaient se rebeller ou fuir. Il convenait de prendre d'élémentaires précautions. Les arrêter ne serait pas les juger !

Frère Guillaume Imbert appuya cette thèse. Pour lui, la culpabilité des Templiers était évidente : suspectés d'hérésie, ils relevaient de l'Inquisition. Il oubliait en la circonstance que l'Inquisition relevait elle aussi du pape et qu'en sa qualité de Grand Inquisiteur de France, il n'avait pas reçu mandat d'examiner les Templiers. Selon lui, le roi de France était, de par son sacre, lieutenant de Dieu dans le royaume et comme tel défenseur de la foi et de l'Église. Or, les Templiers péchaient contre la foi par leurs pratiques hérétiques et déshonoraient l'Église puisque, moines-soldats, ils se réclamaient d'elle. En supposant qu'il y eut des innocents parmi eux, le fait qu'on eût toléré l'existence des coupables montrait que la contamination était générale : il suffisait de quelques brebis galeuses pour infecter le troupeau. Lui comme Nogaret savaient pourtant que la discipline templière restait rigoureuse : les Templiers qu'ils avaient interrogés étaient tous des exclus de l'Ordre ! Le roi n'avait sans doute qu'une opinion très mitigée sur la culpabilité des Templiers, mais il pensait que leur arrestation causerait un tel scandale que l'Ordre ne s'en relèverait jamais quelle que fût l'issue du procès. Il aurait de toute manière atteint son but. Les personnes ne l'intéressaient pas. C'était l'Ordre qu'il fallait détruire, en tant que puissance autonome, échappant par là même à l'autorité royale. L'archevêque de Narbonne ne put faire prévaloir sa thèse [1]. Il fut décidé qu'une lettre serait envoyée à tous les baillis et sénéchaux du royaume, à charge pour eux de la tenir secrète. Nogaret se chargeait d'arrêter Jacques de Molay et les Templiers de Paris. Il participa sans

1. Il n'existe évidemment pas de procès-verbal de l'assemblée de Maubuisson. J'ai donc déterminé les thèses en présence, non pas arbitrairement, mais à la lumière des comportements ultérieurs des intervenants.

aucun doute à la rédaction de cette lettre et de l'instruction détaillée qui l'accompagnait. On reconnaît son style à la fois emphatique et précis, ses formules excessives. Sans doute en avait-il déjà préparé le canevas, avait-il préalablement recueilli l'accord de Philippe le Bel. Voici ce texte capital, daté de Maubuisson, 14 septembre 1307 (cette date n'avait pas été choisie au hasard, elle tombait le jour de l'Exaltation de la Sainte Croix) :

Rex jubet templiaros comprehendi
(Ordre d'arrestation des Templiers)

« Philippe, par la grâce de Dieu Roi de France, à nos aimés et féaux... [suivaient les noms des destinataires, sénéchaux, baillis et autres seigneurs ayant la confiance du roi] salut et dilection.

Une chose amère, une chose déplorable, une chose assurément horrible à penser, terrible à entendre, un crime détestable, un forfait exécrable, un acte abominable, une infamie affreuse, une chose tout à fait inhumaine, bien plus, étrangère à toute humanité, a, grâce au rapport de plusieurs personnes dignes de foi, retenti à nos oreilles, non sans nous frapper d'une grande stupeur et nous faire frémir d'une violente horreur ; et, en pesant sa gravité, une douleur immense grandit en nous d'autant plus cruellement qu'il n'y a pas de doute que l'énormité du crime déborde jusqu'à être une offense pour la majesté divine, une honte pour l'humanité, un pernicieux exemple du mal et un scandale universel. Assurément, l'esprit raisonnable souffre pour qui dépasse les bornes de la nature et, en souffrant, il est tourmenté surtout pour cela que cette gent, oublieuse de son principe, non instruite de sa condition, ignorante de sa dignité, prodigue de soi et ordonnée à des sentiments réprouvés, n'a pas compris pourquoi elle était en honneur. Elle est comparable aux bêtes de somme dépourvues de raison, bien plus, dépassant leur déraison par sa bestialité étonnante, elle s'expose à tous les crimes souverainement abominables qu'abhorre et que fuit la sensualité des bêtes déraisonnables elles-mêmes. Elle a délaissé Dieu, son créateur, elle s'est séparée de Dieu, son salut, elle a abandonné Dieu, qui lui a donné le jour, oublié le Seigneur, son créateur, immolé aux démons, et non pas à Dieu, cette gent sans conseil et sans prudence (et plût à Dieu qu'elle sentît, comprît et prévît ce qui vient d'arriver !).

Naguère, sur le rapport de personnes dignes de foi qui nous fut fait, il nous est revenu que les frères de l'Ordre de la Milice du Temple, cachant le loup sous l'apparence de l'agneau, et, sous l'habit de l'Ordre, insultant misérablement la religion de notre foi, crucifient de nos jours à nouveau Notre-Seigneur Jésus-Christ, déjà crucifié pour la rédemption du genre humain, et l'accablent d'injures plus graves que celles qu'il souffrit sur la croix, quand, à leur entrée dans l'Ordre et, lorsqu'ils font leur profession, on leur présente son image et que, par un malheureux, que dis-je ? un misérable aveuglement, ils le renient trois fois et, par une cruauté horrible, lui crachent trois fois à la face ; ensuite de quoi, dépouillés des vêtements qu'ils portaient dans la vie séculière, nus, mis en présence de celui qui les reçoit ou de son remplaçant, ils sont baisés par lui, conformément au rite odieux de leur Ordre, premièrement au bas de l'épine dorsale, secondement au nombril et enfin sur la bouche, à la honte de la dignité humaine. Et après qu'ils ont offensé la loi divine par des entreprises aussi abominables et par des actes aussi détestables, ils s'obligent, par le vœu de leur profession et sans craindre d'offenser la loi humaine, à se livrer l'un à l'autre, sans refuser, dès qu'ils en seront requis, par l'effet du vice d'un horrible et effroyable concubinat. Et c'est pourquoi la colère de Dieu s'abat sur ces fils d'infidélité. Cette gent immonde a délaissé la source d'eau vive, remplacé sa gloire par la statue du Veau d'or et elle immole aux idoles.

Voilà, avec d'autres choses encore, ce que ne craint pas de faire cette gent perfide, cette gent insensée et adonnée au culte des idoles. Non seulement par leurs actes et par leurs œuvres détestables, mais même par leurs discours imprévus, ils souillent la terre de leur saleté, suppriment les bienfaits de la rosée, corrompent la pureté de l'air et déterminent la confusion de notre foi.

Et quoique nous eussions peine, au début, à tourner notre attention vers les colporteurs de ces rumeurs si funestes, soupçonnant qu'elles provenaient de l'envie livide, de l'aiguillon de la haine, de la cupidité, plutôt que de la ferveur de la foi, du zèle pour la justice ou du sentiment de charité, cependant les délateurs et les dénonciateurs susdits s'étant multipliés et le scandale prenant consistance, des susdites présomptions, d'arguments de poids et légitimes, de conjectures probables sortirent une présomption et un soupçon violents nous portant à rechercher la vérité à cet égard. Après en avoir parlé avec notre très Saint-Père devant le Seigneur, Clément, par la divine Providence souverain pontife de la très Sainte Église romaine et universelle, après en avoir soigneusement traité avec nos prélats et nos barons et en avoir délibéré avec notre conseil plénier, nous avons commencé à aviser soigneusement aux moyens les plus utiles de nous informer et aux voies les plus efficaces par lesquelles on pût, en cette affaire, trouver plus clairement la vérité. Et plus nous l'examinions amplement et profondément, comme en creusant un mur, plus graves étaient les abominations que nous rencontrions.

Par suite, nous qui sommes établis par le Seigneur sur le poste d'observation de l'éminence royale pour défendre la liberté de la foi de l'Église et qui désirons, avant la satisfaction de tous les désirs de notre esprit, l'accroissement de la foi catholique, vu l'enquête préalable et diligente faite sur les données de la rumeur publique par notre cher frère dans le Christ Guillaume de Paris, inquisiteur de la perversité hérétique, député par l'autorité apostolique ; vu la suspicion véhémente résultant contre lesdits ennemis de Dieu, de la foi et de la nature et contre lesdits adversaires du pacte social, tant de ladite enquête que d'autres présomptions diverses, d'arguments légitimes et de conjectures probables ; acquiesçant aux réquisitions dudit inquisiteur, qui a fait appel à notre bras ; et, bien que certains inculpés puissent être coupables et d'autres innocents, considérant l'extrême gravité de l'affaire ; attendu que la vérité ne peut être pleinement découverte autrement, qu'un soupçon véhément s'est étendu à tous et que, s'il en est d'innocents, il importe qu'ils soient éprouvés comme l'or l'est dans le creuset et purgés par l'examen du jugement qui s'impose ; après délibération plénière avec les prélats, les barons de notre royaume et nos autres conseillers, comme il est dit ci-dessus, nous avons décrété que tous les membres dudit Ordre de notre royaume seraient arrêtés, sans distinction aucune, retenus prisonniers et réservés au jugement de l'Église et que tous leurs biens, meubles et immeubles, seraient saisis, mis sous notre main et fidèlement conservés.

C'est pourquoi nous vous chargeons et vous prescrivons rigoureusement en ce qui concerne le bailliage de vous y transporter personnellement, seul ou deux d'entre vous, d'y arrêter tous les frères dudit Ordre sans exception aucune, de les retenir prisonniers en les réservant au jugement de l'Église, de saisir leurs biens, meubles et immeubles, et de retenir très rigoureusement sous votre main ces biens saisis, sans consommation ni dévastation quelconque, conformément à nos ordonnance et instruction, qui vous ont été envoyées sous notre contreseing, jusqu'à ce que vous receviez de nous là-dessus un nouvel ordre. D'ailleurs, nous donnons l'ordre, par la teneur des présentes, à nos fidèles juges et sujets de vous obéir d'une manière effective et d'être attentifs relativement aux choses qui précèdent, ensemble ou séparément, et à celles qui s'y rapportent. »

Les commissaires chargés de remettre cette lettre aux baillis et sénéchaux furent en outre munis de cette instruction détaillée :

« *Forme à observer par les commissaires dans l'accomplissement de leur mission* (très exactement : C'est la fourme comment lé commissaire iront en la besoigne) :

Premièrement, quand ils seront arrivés et qu'ils auront révélé la chose aux sénéchaux et aux baillis, ils feront une information secrète sur toutes leurs maisons [1], et l'on pourra par précaution, s'il en est besoin, faire aussi une enquête sur les autres maisons religieuses et feindre que c'est à l'occasion du décime [2] ou sous un autre prétexte.

Ensuite, celui qui sera envoyé avec le sénéchal ou le bailli, au jour indiqué et de bon matin, choisira, selon le nombre des maisons et des granges, des prud'hommes puissants du pays, à l'abri du soupçon, chevaliers, échevins, conseillers, et les informera de la besogne sous serment et secrètement, et comment le Roi en est informé par le Pape et par l'Église ; et aussitôt on les enverra en chaque lieu pour arrêter les personnes, saisir les biens et organiser leur garde ; et ils veilleront à ce que les vignes et les terres soient cultivées et semées convenablement, et ils commettront la garde des biens à des personnes honnêtes et riches du pays avec les serviteurs que l'on trouvera dans les maisons et, en leur présence, ils feront ce même jour en chaque lieu les inventaires de tous les meubles, les scelleront et iront, avec une force suffisante, pour que les frères et leurs domestiques ne puissent opposer de résistance et ils auront avec eux des sergents pour se faire obéir.

Ensuite, ils mettront les personnes isolément sous bonne et sûre garde, feront d'abord une enquête sur eux, puis appelleront les commissaires de l'inquisiteur et examineront la vérité avec soin, par la torture s'il en est besoin ; et, si elles confessent la vérité, ils consigneront leurs dépositions par écrit, après avoir fait appeler des témoins.

Manière de faire l'enquête :

On leur adressera des exhortations relativement aux articles de la foi et on leur dira comment le Pape et le Roi sont informés par plusieurs témoins bien dignes de foi, membres de l'Ordre, de l'erreur et de la bougrerie [3] dont ils se rendent spécialement coupables au moment de leur entrée, et de leur profession, et ils leur promettront le pardon s'ils confessent la vérité en revenant à la foi de la Sainte Église, ou qu'autrement ils seront condamnés à mort.

On leur demandera sous serment, soigneusement et sagement, comment ils furent reçus, quel vœu et quelle promesse ils firent et on leur demandera par paroles générales jusqu'à ce que l'on tire d'eux la vérité et qu'ils persévèrent dans cette vérité.

---

1. Les maisons templières.
2. La levée du décime ecclésiastique.
3. Hérésie.

Articles de l'erreur des Templiers fournis par plusieurs témoins :

Ceux qui sont reçus demandent d'abord le pain et l'eau de l'Ordre, puis le commandeur ou le Maître qui les reçoit les conduit secrètement derrière l'autel ou à la sacristie ou ailleurs, et leur montre la croix et la figure de Notre-Seigneur Jésus-Christ et leur fait renier par trois fois le Prophète, c'est-à-dire Notre-Seigneur Jésus-Christ dont c'est la figure, et par trois fois cracher sur la croix ; puis il les fait dépouiller de leur robe et celui qui les reçoit les baise à l'extrémité de l'échine, sous la ceinture, puis au nombril, puis sur la bouche et leur dit que, si un frère de l'Ordre veut coucher avec eux charnellement, qu'il leur faut l'endurer, parce qu'ils doivent et sont tenus de le souffrir, selon le statut de l'Ordre et que, pour cela, plusieurs d'entre eux, par manière de sodomie, couchent l'un avec l'autre charnellement, et ceints chacun par-dessus la chemise d'une cordelette, que le frère doit toujours porter sur soi aussi longtemps qu'il vivra. Et l'on entend dire que ces cordelettes ont été placées et mises autour du cou d'une idole qui a la forme d'une tête d'homme avec une grande barbe, et que cette tête, ils la baisent et l'adorent dans leurs chapitres provinciaux : mais ceci, tous les frères ne le savent pas, excepté le Grand Maître et les anciens. De plus, les prêtres de leur Ordre ne consacrent pas le corps de Notre-Seigneur ; et là-dessus on fera une enquête spéciale touchant les prêtres de l'Ordre.

Et les commissaires doivent envoyer au Roi sous leurs sceaux et sous les sceaux des commissaires de l'inquisiteur, le plus tôt qu'ils pourront, la copie de la déposition de ceux qui confesseront lesdites erreurs et principalement le reniement de Notre-Seigneur Jésus-Christ. »

L'archevêque de Narbonne se trouvait dans l'impossibilité de cautionner un procès diligenté contre des gens d'Église justiciables du pape seul. Il se démit de sa charge de Garde des Sceaux. Nogaret fut nommé à sa place, le 25 septembre 1307. Frère Guillaume Imbert n'éprouva pas les mêmes scrupules. Négligeant l'autorité du pape, il se mit résolument au service de Philippe le Bel, escomptant sans doute que cette servilité trouverait sa récompense. En sa qualité de Grand Inquisiteur de France, il prit sur lui, le 27 septembre, d'envoyer secrètement ses instructions aux inquisiteurs de Narbonne et de Carcassonne, aux prieurs des couvents dominicains. Il les informait des forfaits perpétrés par les Templiers et de la décision du roi. Il prétendait qu'il avait conseillé lui-même de faire examiner les coupables. Il exhortait ses subordonnés à découvrir la vérité, précisant qu'ils ne devaient pas procéder contre l'Ordre en général, mais contre les Templiers du royaume en tant que personnes. L'artifice était admirable, car il dissociait ainsi l'Ordre de ses membres, feignant de croire que l'institution seule relevait du pape !

On ne peut aborder la première phase du Procès des Templiers sans appeler l'attention du lecteur sur plusieurs points concernant l'ordre d'arrestation adressé aux sénéchaux et aux baillis et, plus encore, sur l'instruction remise aux commissaires.

L'ordre d'arrestation était un monument d'éloquence et d'hypocrisie. On y retrouve « les personnes dignes de foi » chères à Philippe le Bel et à Nogaret, des procédés analogues à ceux que l'on avait employés contre Boniface VIII, sans craindre la démesure. Stupéfait par les révélations faites par ces personnes, le roi entendait communiquer sa stupeur douloureuse aux baillis, aux sénéchaux et à leur entourage. C'était une grande partie qu'il jouait ; il ne lésinait pas sur les moyens ! Il insistait, lourdement, sur les précautions qu'il avait prises pour compléter son information, car il ne pouvait se persuader des crimes monstrueux que les délateurs imputaient aux Templiers, mais il avait dû se rendre à l'évidence, admettre ces monstruosités, le cœur dolent. Il se posait en défenseur de la foi et de l'Église catholique et laissait entendre qu'il agissait à la suite de ses conversations avec le pape, en évitant toutefois de spécifier qu'il avait l'accord formel de celui-ci. Il feignait de répondre à l'appel au bras séculier formulé par le grand inquisiteur, alors que frère Guillaume Imbert s'était mis à ses ordres ! Les crimes qu'il énumérait avec complaisance étaient de ceux qui menaient droit au bûcher : hérésie, sodomie. Or, sur quels témoignages fondait-il son intime conviction ? Sur les dépositions extorquées par Nogaret à des Templiers exclus de l'Ordre pour les crimes mêmes qu'ils reprochaient à leurs frères et sur la dénonciation négociée par Esquieu de Floyran, répugnant personnage ! Il était intervenu naguère pour mettre fin aux abus des inquisiteurs méridionaux. En 1307, il se servait de l'Inquisition pour assouvir ses appétits. On aura certainement remarqué les mesures conservatoires qu'il prescrivait relativement aux biens meubles et immeubles des Templiers : séquestre, inventaire, maintien des terres en culture, gestion par des personnes aisées (en clair, qui ne seraient pas tentées de s'enrichir indûment !). Le défenseur de l'Église ne perdait pas ses intérêts de vue. Il attendait de gros bénéfices de la destruction du Temple.

L'instruction aux commissaires était encore plus nette. Tout était prévu pour que le gigantesque coup de filet réussît : la visite préalable des commanderies pour dénombrer les occupants et apprécier les possibilités de résistance, le départ au petit matin pour que la surprise fût complète, l'arrestation et l'isolement des prisonniers, les inventaires. Les commissaires devaient *d'abord* interroger les Templiers, puis appeler les commissaires de l'inquisiteur. Ils devaient :

– leur signifier que le pape et le roi avaient été informés de leurs crimes « par plusieurs témoins dignes de foi, membres de l'Ordre » ;

– leur promettre le pardon s'ils confessaient « la vérité » et leur préciser qu'en cas de refus ils seraient condamnés à mort ;

– employer la torture pour obtenir les aveux ;

– les interroger spécialement sur les vœux et les promesses qu'ils avaient faits lors de leur entrée dans l'Ordre ;

– veiller à ce qu'ils persévèrent dans leurs aveux (pour qu'ils fussent irréversibles).

L'énumération de leurs crimes supposés fournissait un cadre pour l'interrogatoire :

– après leur réception dans l'Ordre, ils étaient conduits derrière l'autel, dans la sacristie ou dans une autre salle ; on leur présentait un crucifix et on les obligeait non seulement à renier Jésus-Christ par trois fois, mais à cracher sur la croix également trois fois ;

– le commandeur les faisait déshabiller, puis les embrassait au bas de l'échine, sur le nombril et sur la bouche ;

– il les invitait à s'unir charnellement aux frères, s'ils en étaient requis et parce que la Règle le prescrivait ainsi ;

– les Templiers portaient par-dessus leur chemise une cordelette qu'ils ne devaient jamais enlever ;

– ces cordelettes avaient été mises autour du cou d'une idole ;

– cette idole était une tête d'homme barbu ; les Templiers l'adoraient dans leurs chapitres, non tous, mais les anciens ;

– les prêtres de l'Ordre ne consacraient pas le corps de Notre-Seigneur : accusation d'une extrême gravité, car elle tendait à accréditer une infiltration cathare.

Dernière observation, mais d'une importance capitale : les commissaires étaient tenus d'envoyer au roi, le plus tôt possible, sous leurs sceaux personnels et ceux des commissaires de l'Inquisition, les dépositions de ceux qui confesseraient ces crimes, en particulier le reniement du Christ. Que signifiait exactement cela ? Que les commissaires ne devaient faire parvenir au roi que les aveux, à l'exclusion des dénégations et protestations. Encore ces aveux pouvaient-ils avoir été arrachés par la torture. Comme on le sait, les inquisiteurs recouraient à la torture, quand ils avaient épuisé tous les autres moyens de pression et quand ils avaient affaire à des hérétiques endurcis. Ce pouvoir exorbitant leur avait été concédé par le pape Innocent IV (bulle *Ad extirpenda*, 1252) pour en finir avec les cathares obstinés dans leur erreur, malgré la terrible croisade contre les Albigeois. Toutefois, la torture devait être modérée, n'entraîner ni la mort ni la mutilation. Cette restriction ne figurait pas dans l'instruction aux commissaires. Les Templiers seraient donc traités comme des criminels de droit commun et l'on pourrait user à leur encontre des tortures les plus cruelles et les plus dommageables. L'essentiel était d'obtenir des aveux conformes au modèle proposé. Il s'agissait pour Philippe le Bel, non de connaître la vérité, mais de justifier le coup de force qu'il envisageait, puis de mettre Clément V devant le fait accompli. Il importait donc fort peu que les aveux fussent sincères ou non. Ils le seraient de toute manière selon le droit pénal et le droit canon. C'était, on le constate, une opération politique de grande envergure. Le Procès des Templiers revêt les caractères de ces sinistres entreprises qui jalonnent l'Histoire des pays totalitaires, et obscurcissent le siècle. Intoxiquer savamment l'opinion, attiser les jalousies, susciter les plaintes et le mépris populaires, déshonorer ceux que l'on veut évincer et salir à tout jamais leur mémoire, faire état de crimes imaginaires, ou démesurément aggravés, à partir de faux témoignages, anéantir la résistance morale et physique des pseudo-coupables, obtenir des aveux en alternant les promesses et les menaces, puis en torturant et en dosant la cruauté ; tout cela est étonnamment moderne et résonne comme un chant funèbre dans nos cœurs épris de liberté.

QUATRIÈME PARTIE

LES AVEUX

(1307)

I

LE VENDREDI 13 OCTOBRE 1307

Voici le compte rendu de cet événement mémorable dans les *Grandes Chroniques de France* : « En cet an également, tous les Templiers du royaume de France, par le commandement de ce même Roi de France, avec la permission et l'assentiment du Souverain Évêque Pape Clément, le jour d'un vendredi après la fête de saint Denis, comme en l'espace d'une heure, soupçonnés de détestables et diffamatoires crimes, furent pris par tout le royaume de France, et en diverses prisons mis et emprisonnés. »

On ne saurait être à la fois plus circonspect et plus tendancieux. On verra plus loin quelle sera la réaction de Clément V quand il apprendra l'arrestation des Templiers. Ce qui est stupéfiant, c'est que cette gigantesque opération policière réussit totalement, et quasi sans bavures, eu égard aux moyens de l'époque. À l'aube du vendredi 13 octobre 1307, à la même heure ou presque, dans toute l'étendue du royaume, les frères de la sainte milice se laissèrent capturer sans opposer la moindre résistance. On ne saurait admettre que certains d'entre eux n'eussent pas été discrètement prévenus, par un parent ou un ami. S'il y eut des fuites – et il y en eut inévitablement —, les Templiers dédaignèrent l'avertissement, soit qu'ils fussent convaincus de leur innocence, soit parce qu'ils crurent que l'on n'oserait pas toucher au Temple. L'Ordre ne relevant que du pape n'avait en effet de comptes à rendre à personne, pas même au roi de France. Armé de ses privilèges, il ne redoutait rien. Je l'ai dit, et j'insiste, les Templiers vivaient en vase clos, dans le monde mais coupés du monde, avec leurs supérieurs et leurs chapelains. Ni les évêques ni les baillis n'avaient de prise sur eux. Ils réglaient leurs propres affaires entre eux et se débarrassaient des mauvaises têtes. Une longue pratique de la discipline templière les avait modelés. Guindés dans leur fierté d'appartenir à un Ordre héroïque, conscients des services rendus à la chrétienté, ils méprisaient les critiques dont ils étaient l'objet. Ils ne se sentaient nullement en porte à faux dans la société de leur temps. Nostalgiques de la Terre sainte, ils n'avaient pas la moindre notion de leur anachronisme. Leur seul espoir était de revenir à Tortose ou à Saint-Jean-d'Acre, la lance au poing, groupés en « batailles » autour du gonfanon Baucent.

Et Jacques de Molay n'était pas différent, pour leur infortune à tous ! Ses fonctions de Maître n'avaient changé ni sa nature d'homme ni son comportement de brave chevalier. Il était, comme ses frères, hors du temps. Les rumeurs qui couraient sur le Temple l'avaient néanmoins ému. Il avait demandé une enquête. Les propos lénifiants de Clément V avaient suffi à le rassurer. Il faisait fond sur sa protection. Il n'était pourtant pas difficile de comprendre que le pape n'avait pas les mains libres. Certes, Jacques de Molay arrivait de Chypre, mais il y avait des Templiers dans l'entourage de Clément qui, sans aucun doute, le mirent au fait de la question. Dans sa droiture foncière et, il faut bien dire, dans sa naïveté, il ne put concevoir que la plus haute autorité religieuse, le chef de la chrétienté, fût le subordonné d'un roi. Il avait trop longtemps révéré la hiérarchie pour admettre une situation aussi scandaleuse ! Il ne comprenait pas davantage les raisons de l'hostilité soudaine de Philippe le Bel à l'encontre des Templiers. Il ignorait que son rapport sur le projet de fusion des deux Ordres avait déçu et irrité le roi et ses légistes, plus encore qu'ils avaient jaugé son caractère un peu étroit et sa candeur. Bref, il n'était pas le Maître qui convenait à l'Ordre dans cette période cruciale. Un Robert de Craon, un Armand de Périgord « qui soufflait le feu par les narines », un Guillaume de Beaujeu issu des Capétiens, eussent déjoué les manœuvres de Philippe le Bel. Molay était un humble, toutes proportions gardées. Il croyait qu'un roi sacré à Reims, lieutenant de Dieu en son royaume, ne pouvait méfaire, malgré ce qu'on lui disait. Or, Philippe le Bel n'avait qu'un honneur, celui d'édifier un État fort ! Certes, plus d'un se fussent mépris sur ses intentions. Ses rapports apparents avec les Templiers restaient excellents. Il n'avait pas retiré le Trésor de la commanderie de Paris, ni le moindre de ses privilèges à la sainte milice. Il accueillit Molay avec sa courtoisie habituelle. Bien plus, le jeudi 12 octobre, ce dernier avait été prié d'assister aux funérailles de Catherine de Courtenay aux Jacobins. Cette princesse était la petite-fille de Baudouin II, empereur de Constantinople, et la femme de Charles de Valois. Elle était morte à Saint-Ouen le lundi précédent. Jacques de Molay avait tenu le poêle parmi les princes et les hauts dignitaires de la couronne. Comme Maître du Temple, il avait rang de prince souverain. On le traitait comme tel. Pouvait-il supposer que, le lendemain, il ne serait plus qu'un misérable prisonnier, déchu de sa grandeur et accablé d'insultes ? Cela donne la mesure du cynisme de Philippe le Bel ! Il fallait, jusqu'au dernier jour, endormir Molay par une fausse sécurité, lui faire croire que le roi avait renoncé à ses projets et à ses soupçons. À Paris, rien ne transpira du secret. Voltaire qualifie l'arrestation des Templiers de « conjuration ». De fait, c'en était une, dont Nogaret était le principal acteur.

Il faut reconnaître qu'il monta l'opération de main de maître, et constater que l'autorité de Philippe le Bel faisait trembler les plus braves. Les commissaires royaux, flanqués de leurs homologues de l'Inquisition, arrivèrent dans les bailliages et les sénéchaussées quelques jours avant la date fatidique. La stupeur des baillis dut être extrême. Les uns et les autres n'ignoraient point les fâcheuses rumeurs qui couraient sur le Temple, mais ils n'imaginaient pas un instant que les Templiers eussent commis les crimes qu'on leur reprochait tout à coup, et dont l'énormité les rendait à la vérité peu crédibles. Mais l'ordre de Philippe le Bel était formel et ne permettait aucun laxisme. Sénéchaux et baillis étaient ses représentants dans les provinces. Il ne leur demandait pas leurs états d'âme, mais une exécution prompte et entière. Les explications des commissaires, l'instruction qu'ils détenaient, ne laissaient place à aucune interprétation. La marche qu'il convenait de suivre était clairement tracée. Les baillis envoyèrent leurs agents « enquêter » dans les commanderies, sous des prétextes anodins, en réalité pour inspecter soigneusement les lieux, compter les chevaliers, les sergents et les domestiques en état de porter les armes. Ils visitèrent pareillement d'autres établissements religieux, extérieurs à l'Ordre, afin de ne pas éveiller la méfiance des Templiers. Ensuite, les baillis convoquèrent ou prévinrent les notables qu'ils entendaient employer, à charge pour eux de réunir le nombre d'hommes nécessaire. Ces chefs de groupe étaient, selon les vœux du roi, des chevaliers, des échevins ou des magistrats au loyalisme éprouvé. On ne leur révéla pas la « besogne » qu'ils auraient à effectuer. On leur assigna seulement les lieux de rassemblement, en leur indiquant la date et l'heure. Il est probable que les plus importants d'entre eux connurent un peu plus tôt le but de l'expédition ; cependant la consigne du silence fut respectée.

Lorsque ces policiers improvisés, sergents, soldats des milices communales et des seigneuries, apprirent soudain qu'il leur fallait arrêter les frères du Temple, il y eut, à n'en pas douter, des cris, de véhémentes protestations! On leur expliqua que le roi agissait au nom du pape Clément V, afin de dissiper leurs scrupules. Dans la nuit, ces petites troupes de cavaliers et de piétons, bien armées et solidement encadrées, se mirent en marche. Au point du jour, dans l'obscurité blanchissante, elles arrivèrent à la porte des commanderies. Leurs chefs se présentant de par le roi, on leur ouvrit sans difficulté. La plupart des Templiers étaient encore au dortoir, allongés sous leurs couvertures uniformément brunes. On les fit lever. Ils reconnaissaient des voisins, des amis. On leur signifia l'ordre d'arrestation. Ce fut un beau tapage. Mais que pouvaient-ils contre la force, surtout dans les petites templeries dont le commandeur était un simple sergent ? Et à quoi leur servait-il de se réclamer du pape ? On leur répondait que le Saint-Père était d'accord avec le roi, parce qu'il connaissait leur bougrerie et leurs autres crimes contre la foi. On les enferma dans une salle, en attendant que l'inventaire de la maison fût établi. Non pas un relevé hâtif et global, mais un dénombrement minutieux, fait en présence du commandeur. On compta les vaches à lait, les génisses, les veaux, les bœufs, les taureaux, les moutons, les porcs, les destriers, les chevaux de trait, les juments, les poulains, les charrettes, les charrues, les tonneaux de vin et de cervoise. On inventoria de même la cuisine et ses réserves de nourriture, la chapelle avec ses vêtements liturgiques, ses objets de culte, ses livres ; la chambre du commandeur, le dortoir, le réfectoire, le cellier, la lingerie. Les oies et les volailles de la cour ne furent pas oubliées. Le revenu des « granges » (fermes annexes de la commanderie), évalué par le commandeur, fut également noté avec soin. Il en fut de même du produit des dîmes et des moulins. On coucha ensuite les noms et prénoms de la domesticité : vachers, bergers, laboureurs, boulangers, cuisiniers, forestiers, brasseurs, vignerons, portiers, valets, servantes et jeunes pâtres. Ce travail achevé, les notables qui devaient assurer la gestion et la garde du domaine furent désignés, les domestiques restant provisoirement en place.

Ensuite, les captifs furent conduits en diverses prisons pour y être interrogés. Leur martyre commençait. Partout en France, en Auvergne comme en Poitou, en Aquitaine comme en Provence, en Normandie comme en Champagne et en Bourgogne, les Templiers se laissèrent surprendre comme des agneaux dans la bergerie. Ce comportement a fait couler beaucoup d'encre. On y a vu l'indubitable signe de leur décadence. On a écrit qu'ils avaient perdu leur valeur militaire ; que ce n'étaient plus que des rentiers. On oublie toujours que la Règle leur interdisait de tuer des chrétiens. Les frères du Temple n'avaient pas le droit de se défendre les armes à la main. De plus, s'agissant des gens et d'un ordre du roi, ils n'avaient aucune raison de le faire. Ils ne pouvaient pas davantage organiser leur défense, comme le firent plus tard les Templiers d'Aragon dans leurs forteresses. Les commanderies étaient de grosses fermes non fortifiées, ou à peine. Elles étaient disséminées dans la campagne, souvent fort éloignées les unes des autres, sans possibilité de communication. L'astuce de Nogaret avait été de prescrire l'arrestation le même jour par tout le royaume, avant le lever du soleil.

Il se chargea lui-même d'arrêter Jacques de Molay et ses frères dans la commanderie de Paris. C'était une vaste forteresse, flanquée d'un formidable donjon. Mais le Garde des Sceaux demanda la porte au nom du roi. Son escorte était considérable, et presque superflue ! Il n'y eut pas la moindre velléité de résistance. Les Templiers furent jetés dans les basses fosses de leur maison. Nogaret fit main basse sur les chartes, les objets précieux et le reste. On dressa l'inventaire et l'on scella les coffres. Philippe le Bel pouvait s'installer en maître. Le Temple n'existait plus. Il n'y avait que des Templiers captifs.

Cette arrestation massive fit l'effet d'un coup de tonnerre. Le bon peuple hurla avec les loups. Il n'est pas difficile de retourner l'opinion, surtout à Paris ! On applaudit le roi d'avoir débarrassé le royaume de cette engeance de sodomites et d'apostats. Cependant, beaucoup s'étonnaient que les Templiers fussent chargés de tant de crimes. Un poète anonyme écrivait :

« *L'an mil trois cent et sept, sachez bien qu'en ce temps*
Furent pris les Templiers, qui moult furent puissants,
Vilment furent menés onques des plus vaillants.
Je crois bien que ce fut par l'art des mécréants.
En cet an qu'ai dit or endroit
Et ne sais à tort ou à droit
Furent les Templiers sans doutance
Tous pris par royaume de France
Au mois d'octobre, au point du jour,
Et un vendredi fut le jour... »

Il est impossible de préciser le nombre des Templiers qui furent arrêtés le 13 octobre. On sait en revanche qu'une vingtaine d'entre eux, tout au plus, échappèrent au coup de filet, les uns parce qu'ils avaient été prévenus, les autres parce qu'ils se trouvaient hors des commanderies pour remplir quelque mission. Parmi ces fugitifs, se trouvaient le Maître de France, Gérard de Villers, et Imbert Blanc (ou Blanke), précepteur d'Auvergne, qui passa en Angleterre.

Philippe le Bel avait réalisé la première partie de son plan. Il était indispensable pour lui d'obtenir au plus vite les aveux des Templiers, principalement de leurs dignitaires, et de les rendre publics. Il voulait de surcroît entraîner les autres souverains dans son sillage, afin de n'être pas le seul responsable et, par ce moyen, de forcer la main au pape. Le 16 octobre, il leur envoya une missive par laquelle il les informait de l'arrestation des Templiers dans son royaume et les invitait à agir de même dans le leur. Le 30 octobre, Édouard Ier d'Angleterre lui répondit que « les prélats, comtes et barons de son royaume s'étaient refusés à ajouter foi aux crimes abominables, exécrables, dont il lui parlait dans ses lettres ». L'empereur d'Allemagne et l'archevêque de Cologne manifestèrent une extrême surprise et déclarèrent qu'ils s'en tiendraient aux ordres du pape. Les rois d'Aragon, de Castille et du Portugal prirent la défense du Temple. Charles II d'Anjou, roi de Naples et comte de Provence, ne pouvait se dérober, mais il ne se hâta pas de procéder à l'arrestation. En Italie, la plupart des Templiers ne furent même pas inquiétés et parvinrent à se soustraire à toute poursuite. Seuls des princes sans grande influence manifestèrent quelque complaisance. Par exemple, le duc de Brabant qui écrivit : « Nous faisons savoir à Votre Hautesse que nous avons bien compris ce que vous demandez en la besogne des Templiers. Nous les avons faits arrêter, et les tenons en prison ; nous avons saisi leurs biens comme vous l'avez mandé, très cher Sire ; si quelque chose vous plaît que nous puissions faire, veuillez nous le mander... »

II

PROCÉDURE INQUISITORIALE

Avant de relater les aveux des Templiers, il paraît indispensable de donner quelques précisions sur la procédure inquisitoriale. Car ce fut en effet à l'Inquisition qu'ils furent déférés en tant que personnes religieuses. Le Grand Inquisiteur Guillaume Imbert feignait, comme on l'a observé, de faire appel au bras séculier, en l'espèce le roi, alors que c'était celui-ci qui avait fait appel à l'Inquisition. Philippe le Bel connaissait pourtant, et fort bien, ses méthodes. Il écrivait naguère à l'archevêque de Toulouse : « Je suis informé par des plaintes nombreuses que le Frère Foulques de Saint-Georges, inquisiteur de la foi dans le Toulousain, commet des atrocités ; il force ceux qu'il accuse d'hérésie à des aveux mensongers, par la menace ou l'application de la torture, et quand il ne peut ainsi leur arracher des paroles qui suffisent à condamner leur innocence, il suborne contre eux de faux témoins. Je prends ces personnes sous ma protection. » On ne pouvait être plus clair ! Or, dans l'affaire des Templiers, c'était lui-même, à travers Nogaret, qui avait « suborné contre eux de faux témoins ». Il savait parfaitement que « la menace ou l'application de la torture » arrachaient des « aveux mensongers » aux innocents. Mais, en 1307, ce qui lui importait, c'était précisément d'obtenir des aveux, qu'ils fussent ou non mensongers ! Pour cela, il pouvait faire confiance à frère Guillaume Imbert et à ses assesseurs.

Le terme d'Inquisition est impropre. On l'emploie pour désigner cette juridiction d'exception, alors qu'il s'applique seulement à la procédure : *inquisitio hæreticæ pravitatis* (recherche de la perversité hérétique). Mais il est d'un usage courant. Cette institution, initialement fondée pour combattre l'hérésie cathare, avait progressivement fixé ses règles et développé son pouvoir. Elle avait sa jurisprudence, ses manuels, dont ceux de Gui Foulques (qui fut pape sous le nom de Clément IV), de Raymond de Peñafort, de Bernard Gui. Le Grand Inquisiteur, ou Inquisiteur général, était nommé par le pape et ne relevait que de celui-ci. Il ne pouvait être éventuellement sanctionné que par le Saint-Siège. Les archevêques, les évêques n'avaient aucun droit de contrôle effectif sur ce redoutable personnage occupant dans l'Église une place exceptionnelle. Il était au-dessus des rois, des princes et des plus grands seigneurs. Il nommait les simples inquisiteurs, lesquels devaient être âgés de plus de quarante ans, connus pour leur rectitude religieuse, Maîtres en théologie, initiés au droit inquisitorial, à la dialectique et bien informés des déviations de la foi. Les inquisiteurs allaient toujours par deux, chacun avec son socius, l'un surveillant l'autre, au besoin l'absolvant. C'étaient, à leur manière, des chevaliers de la foi, des paladins intrépides, du moins dans les débuts de leur institution, car plusieurs d'entre eux périrent assassinés dans des conditions affreuses. Au temps de Philippe le Bel, ils ne risquaient plus leur vie. Le pape exigeait d'eux une absolue pureté de mœurs. Il était évident que les défenseurs du dogme devaient donner l'exemple de la rigueur, sous peine de tomber dans la dérision. Le pape les démettait de leurs fonctions en cas de manquement grave à leurs devoirs et les sanctionnait avec la dernière sévérité. Très peu d'entre eux succombèrent à la tentation. Les inquisiteurs avaient le cœur desséché. Comme dévorés par la foi, ils récusaient tout sentiment humain et n'éprouvaient d'amour que pour Jésus-Christ. C'étaient des fanatiques du dogme, avides de découvrir une perversion quelconque et de l'exploiter. En principe, mais en principe seulement, leur rôle était de sauver les âmes menacées de perdition. En fait, c'était de châtier. Ces châtiments allaient parfois jusqu'à l'exclusion définitive de la communauté chrétienne, c'est-à-dire à la damnation éternelle, les flammes du bûcher préfigurant celles de l'enfer. Ils apportaient dans l'exécution de leur mission une détermination farouche, une habileté peu commune, parfois une sombre passion.

Les moyens qu'ils utilisaient pour détecter les suspects sont hors du sujet de ce livre, d'autant que les Templiers leur furent livrés par le roi, ce qui simplifiait l'enquête préalable, souvent longue et difficile ! J'en arrive donc à la procédure proprement dite. Le principe de l'Inquisition n'était pas de rechercher la vérité, mais d'établir la culpabilité des suspects. Le fait même de comparaître devant un inquisiteur constituait une présomption de faute contre la foi, car un bon chrétien n'appelait pas le soupçon sur lui.

La délation était non seulement admise mais recommandée et même systématisée. Il ne suffisait pas d'avouer, mais de dénoncer ses complices et de préciser les circonstances. Hormis de très rares exceptions, tous les témoignages étaient acceptés, même ceux qui émanaient de meurtriers, de condamnés de droit commun et d'hérétiques réconciliés, et cela par exception au droit canon. Seules les dépositions défavorables étaient prises en compte. L'accusé n'avait pas de défenseur : on eût taxé celui-ci de complicité et on l'eût déféré devant la juridiction. Il en était de même pour les témoins favorables.

Or, quand on examine les pièces du Procès des Templiers, force est de constater que ces principes furent strictement appliqués. Chaque Templier était interrogé sur les circonstances de sa réception dans l'Ordre ; il devait citer les noms de ceux qui avaient assisté à sa profession, donner des détails précis. Comme on l'a dit, Nogaret avait monté le dossier d'accusation à partir de faux témoignages, émanant de personnages douteux, de Templiers exclus de la Maison et avides de se venger. Frère Guillaume Imbert ne les récusa nullement, en dépit de leur caractère mensonger. Les procès-verbaux d'interrogatoires sont muets sur les protestations d'innocence, sur les dénégations. En revanche, sont développées à dessein les dépositions allant dans le sens de l'accusation, accumulant les détails scabreux ou scandaleux. Il n'est pas fait état des témoins à décharge, en supposant qu'on leur permît de s'exprimer. De même encore, du moins dans la première phase du procès (qui fut la phase décisive), les Templiers n'eurent pas de défenseurs et ne bénéficièrent pas de conseils juridiques.

L'objectif de l'inquisiteur étant de détecter l'hérésie, il disposait de moyens variés, et quasi sans limites, pour parvenir à ses fins. La méthode avait été mise au point grâce à une longue expérience. Bien entendu, les conditions de détention contribuaient à la réussite. Nombre d'accusés, brutalement déchus de leur rang et arrachés à leur confort quotidien, ne supportaient pas d'être isolés, enchaînés dans une geôle obscure et humide, souvent en compagnie des rats, réduits au pain et à l'eau. Mais on considérait que le délabrement physique libérait l'âme de sa gangue ! La terreur accélérait ce processus. L'inquisiteur alternait alors, avec un art consommé, la rigueur et l'indulgence. Il promettait une pénitence légère ou menaçait de la prison perpétuelle et du bûcher. Plus d'un se laissaient prendre à ces promesses fallacieuses, ou cédaient à la crainte. On allégeait leurs conditions de détention. On les transférait dans une cellule plus saine et mieux éclairée, ou on les descendait dans un cul-de-basse-fosse, partiellement inondé. On améliorait leur nourriture, ou on les privait d'eau et on les affamait. On exploitait aussi toutes les ressources de la dialectique, afin de les confondre : s'agissant d'hommes simples, la plupart du temps illettrés, il était facile de brouiller leur pauvre système de défense, s'ils en avaient un. Nous qui sommes citoyens du XXe siècle, nous connaissons tous ces procédés visant à anéantir l'individu, à croire que les tortionnaires de notre temps, de quelque obédience qu'ils se réclament, ont pris leurs modèles et leurs recettes chez les inquisiteurs...

Les Templiers subirent point par point ce traitement. Chargés soudain de chaînes, ils furent plongés dans l'obscurité des cachots, soumis au régime du pain et de l'eau, sinon pis. On leur promettait la liberté, le pardon, une rente pour leur permettre de vivre, s'ils avouaient spontanément. On leur présentait un questionnaire préparé à l'avance : il leur suffisait d'acquiescer. On leur demandait aussi de livrer quelques noms, de préciser quelques détails, pour la forme, pour varier un peu les dépositions et leur donner ainsi une apparence de crédibilité. Ceux qui s'obstinaient à nier étaient menacés de mort et de damnation. On essayait de raisonner les plus intelligents d'entre eux, en leur montrant l'inutilité de leur sacrifice. En outre, ils subissaient les pressions des agents royaux répandant de fausses informations, exhibant des documents truqués, ajoutant de fausses promesses à celles des inquisiteurs.

Dans la procédure habituelle de l'Inquisition, ce n'était qu'en dernier lieu, lorsque les autres moyens étaient épuisés, que l'on appliquait la torture. L'accusé était mené dans la salle adéquate. On lui montrait d'abord les instruments de torture, dont on expliquait le fonctionnement. S'il s'opiniâtrait, le tourmenteur passait aux actes. Initialement, la torture se déroulait hors de la présence des inquisiteurs en tant que personnes religieuses. Ils élevèrent une protestation unanime. Ils voulaient être là au moment décisif, lorsque la souffrance devenue intolérable avait brisé toute résistance. Il s'agissait pour eux d'obtenir des aveux aussi complets que possible. Le pape Alexandre IV se rendit à leur raison dans un souci d'efficacité. Il leur accorda la dispense nécessaire, en violation du droit canon.

La torture devait toutefois être appliquée avec modération, n'entraîner ni la mort ni un dommage définitif. Les supplices étaient ceux que l'on pratiquait dans les juridictions civiles : l'estrapade, les brodequins, la question de l'eau, le fouet, le feu. La question de l'eau était la plus fréquente : l'accusé était immobilisé par des sangles sur une table ; on lui plaçait un entonnoir dans la bouche et on versait progressivement la quantité d'eau nécessaire ; le malheureux gonflait comme une outre, tout en étouffant. Les brodequins étaient des planches entre lesquelles on insérait des coins ; elles écrasaient lentement les genoux. L'estrapade avait pour conséquence de disjoindre les membres, quand elle ne provoquait pas de fractures irréparables. Les poignets et les chevilles liés, l'accusé était hissé par une poulie, puis relâché brusquement. Souvent, on l'alourdissait avec des blocs de pierre ou du plomb. Lorsque l'accusé rétractait ses aveux, on le remettait à la torture.

Ces supplices et quelques autres furent infligés aux Templiers, non pas à ceux qui avouaient sans difficulté, par lâcheté, ou qui s'étaient laissé gagner par les promesses, mais à ceux qui s'obstinaient à clamer leur innocence et la pureté de l'Ordre. On peut même affirmer, sans risque d'erreur, qu'en ce qui les concerne, la procédure fut aggravée et accélérée. On ne se souciait pas de leur culpabilité personnelle, mais de celle de l'Ordre. On leur présentait le questionnaire. S'ils niaient, on les conduisait immédiatement dans les salles de torture. Le spectacle de leurs frères hurlant dans les brodequins, estropiés pour le reste de leurs jours et parfois expirants, abolissait leurs velléités de résistance. Il leur fallait reconnaître des turpitudes qu'ils n'avaient pas commises et dont ils n'avaient même pas entendu parler. Certains de ces malheureux en rajoutaient pour complaire à l'inquisiteur, abréger leurs souffrances. Les tourmenteurs leur appliquaient parfois des supplices que ne pratiquait pas habituellement l'Inquisition. Je n'exagère rien. J'en apporterai des preuves incontestables.

Dans la deuxième phase du procès, les relaps furent condamnés à l'emmurement perpétuel ou au bûcher. Les relaps étaient ceux qui revenaient sur leurs aveux, car tel était le code inquisitorial. Étymologiquement, relaps (du latin *relapsus*) signifie retombé. On appelait ainsi ceux qui, après avoir abjuré, retombaient dans l'erreur ou l'hérésie dont ils avaient été absous. On feignit de croire que les Templiers qui rétractaient leurs aveux étaient redevenus hérétiques et on les envoya au bûcher. Tel fut le cas des cinquante-quatre Templiers brûlés à Paris par l'archevêque de Sens, parce qu'ils voulaient défendre l'Ordre devant la commission pontificale.

III

LES QUATRE DIGNITAIRES

Jacques de Molay fut interrogé le 24 octobre 1307 par le Grand Inquisiteur de France. Voici le procès-verbal intégral (traduit du latin) de son interrogatoire :

« Au nom du Christ, *amen.* Soit patent à tous, par le présent instrument public, qu'en l'an du Seigneur mil trois cent sept, sixième indiction, au mois d'octobre, le vingt-quatrième jour dudit mois, la seconde année du pontificat du très Saint-Père le Seigneur Clément V, Pape par la divine Providence, en présence de religieux homme et honnête frère Guillaume de Paris [1], de l'Ordre des Prêcheurs, inquisiteur de la perversité hérétique, député dans le Royaume de France par l'autorité apostolique, dans la maison de la milice du Temple à Paris, pour informer contre certaines personnes qui s'y trouvent et sont accusées devant lui dudit crime d'hérésie, en présence aussi de nous, notaires publics, et des témoins soussignés, frère Jacques de Molay, Grand Maître de l'Ordre de la milice du Temple, comparaissant en personne et ayant juré sur les Saints Évangiles, à lui présentés et touchés par lui, de dire sur soi-même et sur les autres, dans un procès touchant la foi, la vérité pure, simple et entière, et interrogé sur l'époque et le mode de sa réception, dit

1. Guillaume Imbert, dominicain.

sous serment qu'il y a quarante-deux ans passés qu'il fut reçu à Beaune, au diocèse d'Autun, par frère Humbert de Pairaud [1], chevalier, en présence de frère Amaury de La Roche [2] et de plusieurs autres frères, des noms desquels il ne se souvient pas.

Il dit aussi sous serment qu'après qu'il eut fait plusieurs promesses relatives aux observances et aux statuts de l'Ordre, ils lui mirent le manteau au cou. Et celui qui le recevait fit apporter en sa présence une croix de bronze sur laquelle était l'image du Christ et lui dit et lui prescrit de renier le Christ dont l'image était là. Et lui, quoique malgré lui, le fit ; et alors celui qui le recevait lui prescrivit de cracher sur elle, mais il cracha à terre. Interrogé sur le point de savoir combien de fois il le fit, il dit sous serment qu'il ne cracha qu'une fois ; et de cela il se souvient bien.

Interrogé sur le point de savoir si, quand il fit le vœu de chasteté, on lui dit de s'unir charnellement avec ses frères, il répondit sous serment que non et qu'il ne le fit jamais.

Requis de déclarer sous serment si les autres frères dudit Ordre sont reçus de cette manière, il dit qu'il croyait qu'on ne lui avait rien fait qu'on n'eût fait aux autres ; d'ailleurs il ajouta qu'il créa peu de Templiers. Il dit cependant sous serment qu'après avoir reçu ceux qu'il créa, il prescrivait à quelques-uns des assistants de les conduire à part et de leur faire ce qu'ils devaient. Il dit aussi sous serment que son intention était qu'on leur fît et leur prescrivît ce qui lui avait été fait et prescrit, et qu'ils fussent reçus de la même façon.

Interrogé sur le point de savoir s'il avait mêlé à sa déposition quelque fausseté ou tu la vérité par suite de violences, de la crainte des tortures ou bien de la prison ou pour quelque autre cause, il dit sous serment que non ; qu'au contraire il avait dit la pure vérité pour le salut de son âme. »

Hugues de Pairaud, Visiteur de France, fut interrogé le 9 novembre par l'assesseur de Guillaume de Paris, Nicolas d'Ennezat, inquisiteur lui aussi et dominicain. De même que Jacques de Molay, il jura, la main sur les Évangiles, de dire toute la vérité ; il dit « qu'il fut reçu dans la maison du Temple de Lyon par frère Humbert de Pairaud, son oncle, il y a eu quarante ans à la foire des Rois passée [3], en présence de frère Henri de Dole et d'un autre frère appelé Jean, qui fut ensuite précepteur de la Muce [4], et de quelques autres du nom desquels il ne se souvient pas.

1. C'était l'oncle du Visiteur Hugues de Pairaud.
2. Amaury de La Roche, Maître en France et grand ami de Saint Louis.
3. Le 6 janvier.
4. Commandeur de Laumusse.

Il dit aussi sous serment qu'après qu'il eut fait de nombreuses promesses d'observer les statuts et les secrets de l'Ordre, on lui mit le manteau de l'Ordre au cou et que ledit Jean, qui fut ensuite précepteur de la Muce, le conduisit derrière un autel et lui montra une croix sur laquelle était l'image de Jésus-Christ crucifié et lui commanda de renier celui dont l'image y était représentée et de cracher sur la croix ; et lui, quoique malgré lui, renia Jésus-Christ de la bouche et non du cœur, à ce qu'il dit.

Il ajouta sous serment que, malgré l'ordre qui lui fut donné de cracher, il ne cracha pas sur la croix, à ce qu'il dit, et qu'il ne renia qu'une fois.

Requis de déclarer s'il avait baisé celui qui le recevait ou bien s'il avait été baisé par lui, il dit sous serment que oui, mais seulement sur la bouche.

Interrogé sur le point de savoir s'il avait reçu quelques frères, il dit sous serment que oui et plusieurs fois.

Interrogé sur la façon dont il les recevait, il dit sous serment qu'après leur promesse de garder les statuts et les secrets de l'Ordre et l'apposition du manteau, il les conduisit dans des endroits secrets et se faisait baiser par eux sur la partie inférieure de l'épine dorsale, sur le nombril et sur la bouche ; qu'ensuite il faisait apporter une croix et leur disait qu'il leur fallait, en vertu des statuts dudit Ordre, renier trois fois le Crucifié et cracher sur la croix et sur l'image de Jésus-Christ, ajoutant que, quoiqu'il le leur ordonnât, ils ne le faisaient pas du fond du cœur.

Requis de déclarer s'il s'en était trouvé quelques-uns qui refusassent de le faire, il dit que oui, mais qu'ils finissaient par renier et par cracher.

Il dit aussi sous serment qu'il disait à ceux qu'il recevait que, si quelque chaleur naturelle les poussait à l'incontinence, il leur donnait la permission de se calmer avec d'autres frères. Il dit cependant qu'il ne prescrivait pas ce qui précède du cœur, mais seulement de bouche.

Requis de déclarer pourquoi, s'il prescrivait ce qui précède non de cœur mais seulement de bouche, il agissait de la sorte, il répondit sous serment qu'il le faisait parce que c'était l'usage d'après les statuts de l'Ordre.

Requis de déclarer si ceux qui furent, sur son ordre, reçus par d'autres, le furent de la même façon qu'il déclare avoir reçu les autres, il répondit qu'il l'ignorait, parce que ce qui se passe dans un chapitre ne peut absolument pas être révélé à ceux qui n'y furent pas présents ni être connu par eux. C'est pourquoi il ignorait s'ils étaient reçus ainsi.

Requis de déclarer s'il croyait que tous les frères dudit Ordre fussent reçus de cette façon, il répondit qu'il ne le croyait pas.

Cependant ensuite, pendant le même jour [1], comparaissant en présence dudit commissaire, de nous, notaires, et des témoins soussignés, il ajouta qu'il avait mal compris et mal répondu ; il affirma sous serment qu'il croyait que tous étaient reçus de cette façon plutôt que d'une autre, et qu'il parlait ainsi pour corriger sa déposition et ne pas dénier.

Interrogé au sujet de la tête dont il est fait mention plus haut [2], il dit sous serment qu'il l'avait vue, tenue et palpée à Montpellier, au cours d'un chapitre, et que lui-même et d'autres frères présents l'avaient adorée. Il dit cependant qu'ils l'avaient adorée de bouche et par feinte, et non de cœur ; il ne sait cependant si d'autres frères l'adoraient de cœur. Requis de déclarer l'endroit où elle est, il dit qu'il la remit à frère Pierre Alemandin, précepteur de la Maison de Montpellier, mais il ignore si les gens du Roi la trouvèrent. Il dit que ladite tête avait quatre pieds, deux devant, du côté du visage, et deux derrière.

Requis de déclarer sous serment s'il avait dit ou mêlé quelque fausseté à sa déposition, ou s'il avait tu la vérité par suite de violences, de la crainte des tortures ou bien de la prison ou pour une autre cause, il dit sous serment que non ; qu'il avait, au contraire, dit la pure vérité sans y mêler aucun mensonge ».

Geoffroy de Charnay, précepteur de Normandie, fut le premier des quatre dignitaires du Temple à être interrogé, le 21 octobre 1307. (Il a paru préférable de placer sa déposition après celles du Grand Maître et du Visiteur.) Il était âgé de cinquante-six ans. Il avait été reçu à l'âge de dix-huit ou dix-neuf ans dans la commanderie d'Étampes, par frère Amaury de La Roche, en présence de frère Jean de Franceys, précepteur de Paris, et de quelques autres, tous décédés.

« ... Il dit aussi sous serment qu'après qu'on l'eut reçu et qu'on lui eut mis le manteau au cou, on lui apporta une croix sur laquelle était l'image de Jésus-Christ. Et le même frère qui le reçut lui dit de ne pas croire en celui dont l'image y était représentée, parce qu'il était un faux prophète et qu'il n'était pas Dieu. Et alors celui qui le reçut lui fit renier Jésus-Christ trois fois, de bouche non de cœur, à ce qu'il dit.

Requis de déclarer s'il avait craché sur l'image elle-même, il dit sous serment qu'il ne s'en souvient pas et qu'il croit que c'est parce qu'ils se hâtaient.

Interrogé sur le baiser, il dit sous serment qu'il baisa le Maître qui le recevait sur le nombril, et il entendit frère Gérard de

1. Il y eut donc interruption de la séance ; voir plus loin le commentaire à ce sujet.

2. Les Templiers étaient accusés d'adorer une idole.

Sauzet, précepteur d'Auvergne, dire aux frères présents au chapitre qu'il estimait qu'il valait mieux s'unir aux frères de l'Ordre que de se débaucher avec les femmes, mais il ne le fit jamais et ne fut pas requis de le faire, à ce qu'il dit.

Requis de déclarer sous serment s'il avait reçu ou fait recevoir quelques frères dans l'Ordre susdit, il dit, sous serment, que oui. Il dit aussi sous serment que le premier qu'il reçut dans l'Ordre, il le reçut de la même façon qu'il fut reçu lui-même, et tous les autres il les reçut sans aucun reniement ou crachat ou quoi que ce fût de malhonnête, conformément aux statuts primitifs de l'Ordre, parce qu'il s'apercevait que la manière dont on l'avait reçu était honteuse, sacrilège et contraire à la foi catholique... »

Lui aussi attesta sous serment qu'il avait dit la vérité, « pour le salut de son âme », sans violences, sans crainte des tortures ni pour toute autre raison.

Geoffroy de Gonneville, précepteur d'Aquitaine et de Poitou, était Templier depuis vingt-huit ans. Il avait été reçu au Temple de Londres par le frère Robert de Torteville, Maître en Angleterre. Il fut interrogé le 15 novembre. Je fais grâce au lecteur de la lecture de sa déposition pour ne souligner que les points essentiels. De même que Molay, Pairaud et Charnay, il déclare qu'après avoir fait sa profession et reçu le manteau, il reçut l'ordre de renier Jésus-Christ et de cracher sur la croix. Il aurait alors protesté avec véhémence. Torteville lui eût dit :

– « Fais hardiment. Je te jure au péril de mon âme qu'il ne t'en cuira ni à l'âme ni à la conscience. C'est l'usage de notre Ordre ; il a été introduit par la promesse que fit un mauvais Maître de l'Ordre qui, prisonnier du soudan, n'obtint sa libération qu'après avoir juré qu'il l'imposerait à nos frères... »

Finalement, Robert de Torteville le dispensa du reniement, à condition de garder le secret, et le fit cracher sur sa main, recouvrant le crucifix. L'inquisiteur lui demanda pourquoi il avait eu ce traitement de faveur. Il répondit que lui et son oncle, familier du Roi d'Angleterre, avaient rendu de grands services à Robert de Torteville. L'inquisiteur lui reprocha d'avoir attendu si tard pour révéler la vérité. Gonneville prétendit qu'il s'en était confessé à un chapelain de l'Ordre. Il rappela que, par privilège apostolique, les chapelains du Temple avaient le pouvoir d'absoudre certains péchés. De plus, il espérait que ces erreurs seraient bientôt corrigées.

Interrogé sur les réceptions des frères qu'il avait faites, il affirma les avoir dispensés du reniement et du crachat. Il précisa même qu'on l'avait dénoncé au Grand Maître pour n'avoir pas respecté le cérémonial. Il dit que l'Ordre lui déplaisait si fort, en raison de ce rite de réception, qu'il voulut le quitter, mais n'osa pas. Il raconta que, se trouvant en mission à Loches, il faillit parler au roi, lui révéler les erreurs de l'Ordre et demander sa protection, mais il ne voulut pas trahir ses frères qui lui avaient confié des papiers importants et de l'argent. L'inquisiteur voulut savoir qui avait institué ce rite pervers. Gonneville répondit que, selon les uns, c'était un Maître du Temple prisonnier dans les geôles du soudan, et, selon les autres, le Maître Roncelin, ou le Maître Thomas Bérard. Il ajouta qu'on le faisait, de l'avis de certains, « à l'imitation ou en mémoire de saint Pierre qui, par trois fois, renia le Christ ». Quant à l'idole, il ne l'a jamais vue et n'en a jamais entendu parler, sauf à Poitiers où le pape en fit mention dans ses entretiens avec Jacques de Molay.

Pour scandaleux et pitoyables qu'ils fussent, les aveux des quatre dignitaires doivent être passés au crible de la critique. La déposition de Jacques de Molay paraît anormalement brève, soit qu'elle ait été tronquée par ordre de l'inquisiteur, soit qu'elle ait été restrictive. Il donne l'impression de parler insincèrement, sous l'effet de la contrainte. Il met en cause deux chevaliers qui sont morts : Humbert de Pairaud et Amaury de La Roche, et ne se souvient plus du nom des autres. Il avoue le reniement du Christ, mais précise qu'il renia malgré lui et cracha à terre, non sur la croix. Comment admettre que le frère Amaury, familier de saint Louis qui le tenait en haute estime, de surcroît chaleureusement recommandé par le pape, ait assisté sans réagir au reniement du Christ, sous prétexte que ce rite était usuel ? Qu'il ait toléré pareil sacrilège, alors que la Règle prescrivait l'exclusion de tout frère qui, pour sauver sa vie ou pour obtenir sa liberté, aurait abjuré la foi catholique ? Molay reconnaît cependant – ou feint de reconnaître – que les autres frères ont été reçus selon le même rite. Il dit qu'il en a reçu lui-même un petit nombre et prescrivait « à quelques-uns des assistants de les conduire à part et de leur faire ce qu'ils devaient ». Chose curieuse, l'inquisiteur ne cherche pas à approfondir. Il se contente de cette déclaration assez vague. L'essentiel pour lui est que le Grand Maître ait avoué reniement et crachats, ce qui suffisait à déshonorer le Temple. Il dut cependant s'ébrouer quelque peu en entendant nommer Amaury de La Roche, mettre ainsi directement en cause la mémoire de saint Louis. Mais il n'en était pas à une malice près ! On a le sentiment qu'il épargna relativement Jacques de Molay, soit qu'il éprouvât un reste de respect pour un si grand personnage brutalement déchu, soit qu'il en ait reçu l'ordre de Nogaret ou de ses acolytes.

Le Visiteur Hugues de Pairaud, qui avait si loyalement aidé Philippe le Bel en 1303 [1], est plus explicite et prolixe que Molay. Il n'hésite pas à mettre en cause Humbert de Pairaud, son oncle. Lors de sa réception, il n'a renié le Christ qu'une fois, de bouche et non de cœur, et n'a craché sur la croix qu'une fois. Il a échangé avec celui qui le recevait le baiser d'hommage, sur la bouche. Il déclare sans hésiter qu'il a reçu quelques frères selon le même rite. Qu'il les a contraints au reniement et aux crachats. Il ajoute qu'il se faisait baiser par eux au bas de l'épine dorsale, sur le nombril et sur la bouche. Et qu'il leur permettait de s'unir charnellement avec d'autres frères, « si quelque chaleur naturelle les poussait à l'incontinence ». Il admet qu'il procédait de la sorte « parce que c'était l'usage d'après les statuts de l'Ordre ». L'inquisiteur lui demanda si cet usage était général. Bien qu'il fût Visiteur (c'est-à-dire inspecteur général), il répondit qu'il n'en savait rien. Sur cette réponse inacceptable, l'interrogatoire fut interrompu. Il fut repris « le même jour ». Il serait intéressant de savoir ce qui se passa dans l'intervalle. Pairaud fut-il soumis à la torture, comme on le pense généralement, ou subit-il des pressions de la part des gens du roi ? Toujours est-il que la mémoire lui revint soudainement. Comble d'hypocrisie, le procès-verbal suggère que le Visiteur demanda spontanément à rectifier sa déposition « parce qu'il avait mal compris » ! Non seulement il reconnaît que l'usage pervers était appliqué dans tout l'Ordre, mais il révèle qu'il a « vu, tenu, palpé et adoré », de bouche et non de cœur, une idole représentant une tête à « quatre pieds ». Il la décrit avec précision. Il finit par reconnaître qu'il l'avait lui-même remise au commandeur de la templerie de Montpellier.

C'est ce qu'on peut appeler des aveux complets ! Il ajoutait à l'hérésie la sodomie et le sacrilège. L'inquisiteur devait être bien aise !

Geoffroy de Charnay (ou de Charnay), précepteur de Normandie, interrogé le 21 octobre, fait l'effet d'un homme brisé moralement et physiquement. Il a cinquante-six ans. Il est Templier depuis trente-sept ou trente-huit ans. Il avoue tout ce que veut l'inquisiteur : le reniement, le baiser sur le nombril et l'incitation à l'homosexualité par le précepteur d'Auvergne, Gérard de Sauzet. Ou bien il a réellement perdu la mémoire, ou bien il divague. Car la carrière de Gérard de Sauzet est parfaitement connue. Quand il était commandeur d'Antioche, il provoqua la perte du château templier de Gastein. Il fut rétrogradé,

1. Il avait adhéré, au nom des Templiers de France, à la supplique adressée au roi en vue de faire juger Boniface VIII par un concile général.

condamné à servir comme simple chevalier. Le Maître Guillaume de Beaujeu ne le tira de l'obscurité qu'en 1289 pour le nommer précepteur d'Auvergne. Or, il y avait une vingtaine d'années que Charnay avait été reçu au Temple ! Mais celui-ci met également en cause le vénérable et vénéré Amaury de La Roche. À la fin de son interrogatoire, il semble reprendre ses esprits ; il esquisse un moyen de défense, en affirmant que les frères qui furent reçus par lui ou par les commandeurs de sa province, l'ont été « sans aucun reniement ou crachat ou quoi que ce fût de malhonnête, conformément aux statuts primitifs de l'Ordre, parce qu'il s'apercevait que la manière dont on l'avait reçu était honteuse, sacrilège et contraire à la foi catholique ». Ce faisant, Charnay soulève involontairement le délicat problème d'un double statut: la Règle approuvée par le concile de Troyes en 1128 et une Règle secrète, dont on ne sait rien et dont aucun exemplaire ne fut saisi par les gens du roi. Il est d'autant plus incompréhensible que l'inquisiteur se soit abstenu de le questionner sur cette Règle secrète. Mais il avait intérêt à ce que le mystère s'épaissît.

La déposition de Geoffroy de Gonneville, précepteur d'Aquitaine et de Poitou (15 novembre), est aussi misérable, et peut-être plus. Il ne songe pas à défendre l'Ordre, mais à l'enfoncer pour se blanchir. Il ne répond pas aux questions, il plaide sa propre cause. Il insiste sur la faveur dont son père jouissait à la cour royale d'Angleterre. Il a refusé de renier le Christ. Il n'a fait que cracher sur la main du commandeur de Torteville recouvrant le crucifix. Il s'est pourtant confessé à un chapelain de l'Ordre et se croyait en règle. Il a été dénoncé pour ne pas avoir respecté le rite secret en recevant de nouveaux frères. Il songeait à quitter le Temple, mais il redoutait la vengeance des Templiers. Il a failli se confier au roi de France et demander sa protection, et donne les raisons de son silence. Pour prouver sa bonne foi, il n'hésite pas à dire que le mauvais rite avait été institué par un Maître prisonnier du soudan, selon d'autres opinions par le Maître Roncelin ou par Thomas Bérard. Le premier ne pouvait être que Gérard de Ridefort, prisonnier de Saladin et libéré par ce dernier, non pour avoir abjuré, mais pour intimer l'ordre aux châteaux templiers de capituler. Le second n'a même pas existé. Quant à Thomas Bérard, il montra une activité incroyable pour sauver la Terre sainte et maintint la discipline templière avec une inflexible rigueur. Ce fut lui qui sanctionna Gérard de Sauzet après la perte de Gastein. Lui encore qui, à la demande de saint Louis et du pape, nomma Amaury de La Roche Maître en France. On voit mal comment il aurait pu inviter le frère Amaury à imposer aux nouveaux Templiers le reniement et les crachats.

Il faut essayer de trouver, non pas une excuse, mais une explication à ces aveux lamentables. Des historiens les mettent, un peu trop vite, il me semble, sur le compte de la lâcheté. Il convient de rapprocher les dates des interrogatoires respectifs des quatre dignitaires de celle de l'arrestation : 13 octobre. Geoffroy de Charnay fut interrogé le 21 ; Jacques de Molay, le 24 ; Hugues de Pairaud, le 9 novembre et Geoffroy de Gonneville, le 15 du même mois. Charnay fut donc remis à l'inquisiteur huit jours après l'arrestation ; Molay le fut après onze jours ; Pairaud, vingt-sept jours et Gonneville, un mois et deux jours. Pendant ces divers laps de temps, ils restèrent aux mains des gens du roi. Si l'on se rapporte à l'instruction délivrée aux commissaires, on aperçoit ce qui s'est passé dans la grande commanderie, comme d'ailleurs dans les autres prisons. Les gens du roi appliquèrent l'instruction avec un zèle tout à fait remarquable. Les prisonniers furent interrogés. On alterna les flatteries et les insultes, les promesses et les menaces, avant d'en venir plus ou moins rapidement à la torture. Nogaret, Plaisians qui ne valait pas mieux, surent, avec leur dextérité et leur passion habituelles, tromper Jacques de Molay et ses principaux compagnons. Il sied, avant de taxer ces malheureux dignitaires de lâcheté, de considérer leur effondrement moral et physique : on verra plus loin les sévices qui furent infligés aux chevaliers et aux sergents. Il n'y a pas de raison de penser que les dignitaires furent mieux traités. Ni qu'on leur épargna la torture. Nogaret et Plaisians se chargèrent de les endoctriner, en les accablant de nouveaux témoignages, de fausses informations. Le pire fut qu'ils parvinrent à gagner la confiance de Jacques de Molay et qu'il tint compte de leurs pernicieux conseils. Il ne comprit pas que ses aveux seraient un désastre pour l'Ordre dont il avait la responsabilité. Il eut la naïveté ou la faiblesse de croire que le pape Clément V soustrairait à bref délai les Templiers au roi et que l'Ordre réformé prendrait un nouveau départ, avec sa hiérarchie maintenue en poste. Le perfide Nogaret lui répétait que le roi n'en voulait pas aux personnes, mais souhaitait simplement que le Temple fût revivifié pour la guerre en Terre sainte. Il le menaçait de la prison perpétuelle ou du bûcher, s'il continuait à s'opposer à la volonté royale. Les aveux qu'on lui demandait n'étaient qu'une formalité juridique. Molay savait bien que non, mais il s'entêtait à faire confiance au pape, chef et suprême justicier du Temple. Les gens du roi lui montraient ses camarades morts dans les tourments ou gémissant dans la salle des tortures. On pense qu'il ne fut pas lui-même torturé, mais rien ne le prouve. De toute façon, il céda. Les gens du roi procédèrent de même à l'encontre de tous les prisonniers. La besogne était aux trois quarts faite quand on les présentait devant l'inquisiteur.

Jacques de Molay n'était pas au bout de son calvaire. Nogaret l'obligea à renouveler publiquement ses aveux. Le 25 octobre, il rassembla dans la commanderie de Paris une cohorte de religieux, les maîtres et les écoliers de l'Université. Molay confessa humblement :

– « C'est la ruse de l'ennemi du genre humain qui a conduit les Templiers à une perdition si aveugle que, depuis longtemps, ceux qui étaient reçus dans l'Ordre reniaient le Christ au péril de leur âme, crachaient sur la croix qui leur était montrée, et commettaient quelques autres énormités… »

Le cœur contrit, il ajouta :

– « Ils n'ont pas voulu jusqu'alors révéler ces forfaits par crainte des peines temporelles et de peur que l'Ordre ne fût détruit, auquel cas les Templiers auraient perdu les honneurs de ce monde, la situation et les richesses qu'ils avaient. Mais Celui qui fit la lumière, à qui rien n'est caché, les avait mis en lumière par l'intermédiaire du Roi Philippe. »

Nogaret avait bien choisi l'auditoire. Le peuple de Paris fut promptement informé des aveux du Grand Maître, des turpitudes des fiers chevaliers du Temple. Les doutes étaient levés. Molay et ses compagnons n'avaient plus de pitié à attendre de quiconque. Molay croyait pourtant n'avoir pas engagé l'avenir du Temple. L'idée ne lui vint pas qu'il devait donner l'exemple, ouvrir la voie, fût-elle sanglante ! Pour être juste, cette idée lui vint, mais trop tard !

IV

CHEVALIERS ET SERGENTS

Il est évident que les aveux des dignitaires du Temple, spécialement ceux de Jacques de Molay et du Visiteur Hugues de Pairaud, furent déterminants. La confession publique du Maître de l'Ordre eut un effet désastreux sur l'opinion, mais plus encore sur les Templiers qui attendaient leur comparution devant les inquisiteurs. C'était pour Philippe le Bel et pour Nogaret une victoire presque inespérée. On ne peut croire, malgré ce qui fut écrit à ce sujet, qu'ils fussent sincères et crussent à la culpabilité des Templiers ! Ils savaient mieux que quiconque comment ces aveux avaient été extorqués, et d'autant mieux qu'ils avaient donné les ordres en conséquence. Mais pour eux, le problème était ailleurs. Il fallait discréditer à jamais le Temple pour le supprimer valablement et, dans un premier temps, devancer le pape dont la mollesse et l'indécision étaient connues. Ils avaient atteint le premier objectif. Quoi qu'il arrivât désormais, quelque tournure que prît ultérieurement la procédure et quelle que fût la réaction du pape, le Temple ne se relèverait jamais du scandale. Il devenait impossible, inconcevable, de le rétablir dans ses biens et prérogatives même en remaniant ses structures. C'était un coup de maître pour Philippe le Bel, et Nogaret y avait contribué, ô combien ! Il avait le génie de « diaboliser » tout ce qu'il touchait.

Quand on parcourt les procès-verbaux des interrogatoires, on a l'impression que les Templiers se vautraient comme à plaisir dans la sanie et l'on éprouve une sorte d'écœurement. Ce n'est qu'une première impression. Car, si l'on se donne la peine de scruter ces misérables documents, de les analyser avec soin, d'effectuer les comparaisons nécessaires, on se convainc assez vite de leur incrédibilité. Leur répétitivité même révèle les méthodes expéditives de Guillaume de Paris et de son adjoint. Cette rapidité s'explique par le nombre des Templiers interrogés. On admonestait brièvement chacun d'eux. La main sur les Évangiles, il devait jurer de dire la vérité pure et entière sur ses agissements et ceux de ses compagnons (par exemple, sur les témoins de sa réception dans l'Ordre). On lui posait une suite de questions préparées à l'avance, dont les principales portaient sur le sacrilège, la sodomie, l'idolâtrie. On essayait cependant d'obtenir, ici et là, des réponses circonstanciées afin d'introduire une certaine variété dans les dépositions et de les rendre ainsi acceptables. Certains accusés allaient au-devant du désir des inquisiteurs et se livraient à une véritable autocritique, dans la meilleure tradition du genre. Les gens du roi s'entendaient fort bien à « préparer » les sujets avant de les faire comparaître. Parvenu au terme de l'interrogatoire, l'accusé devait à nouveau jurer qu'il avait dit la stricte vérité : « Requis de déclarer sous serment s'il avait dit quelque fausseté ou mêlé quelque fausseté à sa déposition ou s'il avait tu la vérité par suite de violences, de la crainte des tortures ou bien de la prison ou pour une autre cause, il dit sous serment que non ; qu'il avait, au contraire, dit la pure vérité sans y mêler aucun mensonge. » Cette formule – on serait presque tenté d'écrire : cette clause de style – est par elle-même une contrevérité. Non point que tous les Templiers interrogés eussent été torturés, mais l'enquête pontificale de 1309 démontrera, surabondamment, que l'emploi de la torture fut immodéré et fréquent, entraîna parfois des mutilations et parfois la mort. Généralement, la crainte de la torture, le spectacle de frères suppliciés suffisaient à calmer les récalcitrants. Le lavage de cerveau faisait le reste. Une prétendue lettre de Jacques de Molay, incitant les frères à avouer, circulait dans les geôles.

Guillaume de Paris et son assesseur interrogèrent cent trente-huit Templiers, dont quatre seulement refusèrent d'avouer. J'ai cru bon, pour compléter l'information du lecteur et dans un souci d'objectivité, de reproduire ou d'analyser succinctement quelques-unes de ces dépositions. Cet échantillonnage est arbitraire, mais il a le mérite d'éviter une accablante monotonie et surtout de permettre pour certaines d'entre elles la comparaison entre les dépositions de 1307 et les rétractations de 1309-1310.

Raynier de Larchant, entendu le 20 octobre, a été reçu en 1270 ou 1271, par le frère Jean du Tour, alors trésorier du Temple de Paris. Il reconnaît avoir baisé celui qui le recevait au bas de l'épine dorsale, sur le nombril et sur les lèvres. Il avoue le reniement du Christ (une fois seulement) et les crachats sur la croix. Il ajoute (sous quelles contraintes!) cette énormité : faisant allusion au psaume *Ecce quam bonum et quam jucundum habitare fratres in unum*, chanté par les frères à la fin de toute réception, il ose dire que c'était une invite à la sodomie ! Or, voici la traduction de ce psaume :

« Voici qu'il est bon, qu'il est agréable d'habiter tous ensemble en frères.

C'est comme une huile précieuse
sur la tête et qui coule sur la barbe,
la barbe d'Aaron, jusqu'au bord de son vêtement.
Comme la rosée de l'Hermon qui descend
sur les montagnes de Sion.
C'est là que le Seigneur accorde Sa bénédiction
et la vie dans les siècles des siècles. »

Raynier de Larchant avoue aussi avoir adoré, douze fois, une idole en forme de tête barbue, appelée « leur Sauveur » par les Templiers. Il croit que le Grand Maître a la garde de cette tête.

Frère Pierre de Bologne est prêtre et procureur général de l'Ordre. Il a quarante-quatre ans. Il est Templier depuis vingt-cinq ans au moins. Il a été reçu par le précepteur de Lombardie. Il avoue le reniement, les crachats, les baisers impurs et l'invitation à s'unir charnellement entre frères. Il juge toutefois épouvantable le péché de sodomie et déclare qu'il ne l'a jamais commis. Le même Pierre de Bologne sera le porte-parole des Templiers en 1309 et leur principal défenseur !

Un autre chapelain, Jean de Sivrey, âgé de vingt-huit ans, a été reçu dans la commanderie de Joigny. Il avoue lui aussi le reniement et les crachats. Il précise qu'après le baiser rituel au bas de l'épine dorsale, le commandeur perdit connaissance et qu'on en resta là. Il déclare aussi qu'il n'a jamais parlé de ce baiser à ses confrères pour ne pas trahir le secret du chapitre. Étrange déposition !

Interrogé le 20 octobre, Guillaume de Gy est frère-sergent. Préposé aux harnais et aux chevaux, il appartient à la suite de Jacques de Molay. Il a été reçu à la commanderie de Marseille. Il avoue le reniement, les crachats et les baisers. Il prétend avoir vu la tête de l'idole dans la commanderie de Limassol, à Chypre. Il affirme que la sodomie était permise et qu'à Chypre, une nuit, il eut des rapports charnels avec le Grand Maître.

Jacques de Molay n'a pas de chance avec ses domestiques. Son cuisinier, Pierre de Safat, interrogé le 21 octobre, avoue les reniements, les crachats, les baisers indécents. Il confesse avoir eu des rapports charnels avec un Templier espagnol, Martin Martini, qu'il a vu sortir, de nuit, de la chambre du Maître. Ce dernier lui avait d'ailleurs permis d'avoir « de semblables accointances ». Il est très probable que l'inquisiteur s'appliquait à obtenir des aveux susceptibles d'aggraver le cas de Jacques de Molay.

Le frère Guillaume de Herblay (ou d'Arblay) a quarante ans. Il est Templier depuis une vingtaine d'années. Il a été reçu lui aussi par Jean du Tour, trésorier de Paris. Avant son arrestation, il était aumônier du roi, ce qui ne lui a pas valu un traitement de faveur, mais explique peut-être sa docilité. Car il avoue tout, encore qu'il ait été dispensé des baisers indécents. Il a assisté à deux chapitres tenus par le visiteur Hugues de Pairaud. Il a vu la tête barbue de l'idole. Il croit qu'elle est en bois, doré ou argenté. Il a feint de l'adorer.

Le frère Jean du Tour [1], trésorier du Temple de Paris, a cinquante-cinq ans. Il est Templier depuis trente-deux ans, ayant été reçu à Maurepas par un autre Jean du Tour, alors trésorier du Temple de Paris, peut-être son parent. Il a eu, de par ses fonctions, de fréquents rapports avec le roi et avec ses légistes. Il confirme l'acte d'accusation sans la moindre réserve. Il a vu et adoré une seule fois la mystérieuse idole peinte sur un morceau de bois.

Interrogé le 24 novembre par Nicolas d'Ennezat, inquisiteur en second, le frère Nicolas d'Amiens, dit de Lulli, a vingt-quatre ans. Il a été reçu par Gérard de Villers, Maître en France. Il déclare avoir renié le Christ par peur des menaces proférées contre lui et craché à terre, non sur le crucifix. Ensuite, le Maître Gérard de Villers lui aurait dit brutalement : – « Baise-moi au c... » Lulli ne l'eût baisé que sur le nombril par-dessus la tunique, et aux lèvres. Il n'a pas entendu parler de sodomie. Le procès-verbal fait état de ses soupirs et de ses sanglots. On dirait aujourd'hui qu'il a « craqué ».

La déposition de frère Renaud est intéressante. Il a trente-six ans. Il est précepteur ou commandeur du Temple d'Orléans. Il est Templier depuis quinze ans. Il se tire habilement de l'interrogatoire. Comme, après les promesses, un frère lui montrait l'image du Christ peinte dans un livre et lui demandait : – « Crois-tu en lui ? », il répondit que non. Alors un autre frère se serait écrié : – « Tu as raison, c'est un faux prophète ! » Et frère Renaud de rétorquer qu'il ne croyait certes pas à l'image,

1. Interrogé le 26 octobre.

mais à Celui qu'elle représentait. Un autre dit : – « Nous l'instruirons à un autre moment des statuts de notre Ordre. » Il était tard. Les parents, les amis de Renaud attendaient à la porte de la chapelle, puisque les réceptions des nouveaux chevaliers se déroulaient à huis clos. Cependant, il était si inquiet qu'il tomba malade et, plus tard, se confessa à un dominicain. Il demanda à voir les statuts dont il avait été question le jour de sa profession. Il se heurta à plusieurs refus. Il en déduit que les Templiers qui ont avoué les erreurs de l'Ordre ont dit la vérité. Pour se ménager les bonnes grâces de l'inquisiteur, il ajoute qu'il a souvent médité d'abandonner le Temple pour se faire dominicain !

Interrogé le 20 octobre, Jean de Torteville s'est d'abord accusé d'avoir eu des rapports charnels avec un certain frère Guillerme, puis il s'est rétracté. Passé à la torture, il revint à ses premiers aveux, qu'il rétracta à nouveau devant la commission pontificale devant laquelle il pouvait parler sans contrainte.

Matthieu de Bois-Audemar, commandeur de Clichy, interrogé le 20 octobre, a été reçu par le trésorier Jean du Tour. C'est un roide témoin à charge. Refusant de renier le Christ, il a été jeté dans un cachot, à ce qu'il dit. Il a fini par renier, de bouche non de cœur. Il a embrassé le trésorier au nombril et aux lèvres. Il ne savait plus ce qu'il faisait. Il n'a pas vu l'idole, car il n'assistait jamais aux chapitres importants. Il avait résolu, avec sept autres frères, de se rendre auprès du pape, afin de se faire absoudre et d'entrer dans un autre Ordre. Bon chrétien, il faisait célébrer la messe trois fois par semaine dans la chapelle de sa commanderie. Mais, au cours d'une de ses inspections, le Visiteur Hugues de Pairaud emporta le calice et les ornements et défendit de célébrer le sacrifice.

Le 9 novembre, Radulphe de Gysi, précepteur de Champagne, reconnaît avoir vu l'idole au cours de sept chapitres tenus par Hugues de Pairaud. Cette idole avait la figure d'un maufé, c'est-à-dire d'un démon. Après avoir levé leur capuchon, les Templiers se prosternèrent et adorèrent cette tête hideuse. L'inquisiteur Nicolas d'Ennezat voulut savoir pourquoi ils l'adoraient. Gysi répondit qu'ils le pouvaient bien, puisqu'ils avaient renié Jésus-Christ.

Les inquisiteurs interrogèrent même un simple portier, frère Guillaume (de Chalou-la-Reine, en service à la commanderie de Choisy). Il avait été reçu à Étampes, lui aussi par le trésorier Jean du Tour. Il proteste de sa foi chrétienne, mais répète tout ce qu'on veut lui faire dire.

Certains accusés donnent du fil à retordre, tel Raymond de Caron, précepteur de Chypre, amené en France par Jacques de Molay répondant à la convocation de Clément V. Il a la soixantaine. Cela fait quarante-trois ans qu'il a été reçu au Temple de Richerenches, en Provence. C'est un fier chevalier et un grand personnage. Il déclare avec force qu'il n'a rien constaté de déshonnête lors des réceptions des nouveaux Templiers ni dans l'ensemble de l'Ordre. Pressé de questions, menacé de torture, il reste inébranlable. Il finit toutefois par confesser qu'avant sa profession, un frère lui montra un crucifix et lui dit : – « Si tu veux être reçu dans l'Ordre, il faudra que tu le renies. » Et cela en présence de l'évêque de Carpentras, qui était son oncle. Mais, au cours de la cérémonie, on ne lui demanda rien de mal. Pareille réponse ne pouvait satisfaire l'inquisiteur. Raymond de Caron, brisé par la torture, comparut à nouveau. Il avoua le reniement, les crachats, l'invite à la sodomie. Il affirma même que le rite était pratiqué dans toutes les réceptions. Puis, comme les autres, il attesta sous serment qu'il n'avait été ni menacé ni torturé.

Jean de Château-Villars était un jeune Templier encore plein de courage et de force. On ne put le contraindre à salir l'Ordre auquel il avait la fierté d'appartenir. Il fut interrogé le 9 novembre :

« ... *Item*, frère Jean de Château-Villars, âgé de trente ans, ayant juré de la même façon de dire la vérité, dans un procès touchant la foi, sur soi et sur les autres, et interrogé sur le mode et sur l'époque de sa réception, dit sous serment qu'il fut reçu à Mormant, au diocèse de Troyes, par frère Laurent de Beaune, précepteur de ladite maison, il y a eu quatre ans à la Madeleine passée, en présence de frère Julien, chapelain de ladite maison, et de quelques autres, des noms desquels il ne se souvient pas. Il dit aussi sous serment qu'après qu'il eût fait beaucoup de promesses touchant l'observance des bons statuts dudit Ordre, on lui mit le manteau au cou et qu'ensuite celui qui le recevait l'admit au baiser sur les lèvres, ainsi que tous les frères présents ; et on ne lui commanda ni ne lui prescrivit rien d'autre, ainsi qu'il le dit sous serment. »

Les Templiers qui résistèrent de la sorte aux pressions morales et physiques, et restèrent inébranlables, sont très rares. Dans les provinces, les interrogatoires furent conduits de la même manière et souvent avec plus de brutalité, car les Templiers demeurèrent plus longtemps encore aux mains des gens du roi. Ceux-ci se firent un devoir de faciliter la besogne des inquisiteurs. Cet excès de zèle n'était pas nécessairement imputable à la foi. La vengeance personnelle, la jalousie, l'ambition y étaient pour quelque chose. Il va sans dire que les inquisiteurs recueillirent des aveux identiques et par les moyens qui avaient si bien réussi à Paris ! La proportion des récalcitrants, des opiniâtres, de ceux qui malgré tout proclamaient l'innocence de l'Ordre, fut aussi minime. Il est vrai qu'en principe le roi ne s'intéressait qu'aux aveux. Les procès-verbaux ne font pas état de ceux qui moururent dans les supplices. La muette protestation des morts ne troublait nullement les inquisiteurs.

Les historiens du XIXe siècle sanctionnèrent la facilité avec laquelle ces aveux avaient été obtenus. Les uns y virent l'indice de la décrépitude du Temple ; les autres, l'indubitable preuve de la culpabilité des Templiers. Notre siècle se montre plus circonspect, pour les raisons que l'on a dites. Quand on a démonté ce procès pièce à pièce, analysé les méthodes des agents royaux et des inquisiteurs, la concordance des aveux n'est absolument pas convaincante ; elle accroît même les doutes, s'il en était besoin. On peut néanmoins s'étonner que ces Templiers, par nature plus soldats que moines, aient été si peu nombreux à préférer le martyre à une honteuse capitulation. C'est qu'il est plus facile de mourir dans le tumulte d'une bataille que d'affronter des tortionnaires. Ceux-là mêmes qui avouaient, parce qu'ils avaient atteint les extrêmes limites de leurs forces, eussent été des héros en Terre sainte. Mais d'autres considérations, certes plus prosaïques, doivent être mises en relief. Il y avait – on l'a suffisamment montré au début de ce livre – différentes sortes de Templiers, en raison soit de leurs origines, soit de leur affectation. Tout d'abord, et cette observation a son importance, la moyenne d'âge des Templiers interrogés était d'un peu plus de quarante ans : à cet époque, c'était plus que l'âge mûr, le commencement de la vieillesse ! Ce qui pose la question de savoir si le recrutement du Temple était en voie de tarissement. On peut à la rigueur admettre un ralentissement relatif. Le Temple avait perdu cinq cents chevaliers à Saint-Jean-d'Acre et plus de deux cents dans la malheureuse expédition de Tortose, sans compter les sergents qui étaient encore plus nombreux. Les effectifs combattants se partageaient depuis lors entre Chypre et l'Espagne. La majorité des chevaliers arrêtés en France était d'anciens combattants convertis en gestionnaires ou placés en semi-retraite. Certes, il y avait de jeunes chevaliers, mais ils n'avaient pas encore l'expérience de la guerre et ne pouvaient se réclamer de la tradition héroïque de l'Ordre. Il faut en outre souligner que les sergents représentaient les trois quarts des Templiers interrogés. Ils n'avaient pas exactement, sauf exception, les mêmes raisons de défendre le Temple, institution aristocratique. Certains s'étaient battus en Terre sainte. Les plus méritants recevaient la responsabilité d'une commanderie agricole ou d'une « grange », de même que Rome accordait à ses anciens légionnaires un petit domaine et faisait d'eux des colons. Ces vieux soldats menaient une existence sans doute laborieuse, mais paisible. Parfois, ils jalousaient les chevaliers. La Règle, qui recommandait de parler « bellement et suavement » aux inférieurs, était parfois perdue de vue. Beaucoup de Templiers étaient vieux, parfois diminués par la maladie ou par les séquelles d'anciennes blessures. Quels qu'ils fussent, l'effroyable malheur qui s'abattait sur eux comme la foudre les trouvait inaptes à réagir, à se défendre. Isolés dans les campagnes, capturés par petits groupes, ahuris, malmenés, menacés, c'était un troupeau qu'on menait à l'abattoir. La privation des sacrements, la perspective d'une damnation éternelle et le refus d'inhumer en terre bénite ceux d'entre eux qui périssaient, ajoutaient à leur désespoir.

V

LA BULLE *PASTORALIS PRŒEMINENTIA*

Clément V ne fut pas informé par Philippe le Bel de l'arrestation des Templiers, ni des interrogatoires conduits par le Grand Inquisiteur de France. Il apprit cette triste nouvelle par la rumeur publique et se cabra. Malheureusement, il avait la colère des faibles, brusque et fugace. Le 27 octobre 1307, il écrivit au roi :

« Très cher fils, ce que nous disons avec douleur, au mépris de toute règle, pendant que nous étions loin de vous, vous avez étendu la main sur les personnes et les biens des Templiers ; vous avez été jusqu'à les emprisonner et, ce qui est le comble de la douleur, vous ne les avez pas relâchés ; même, à ce qu'on dit, allant plus loin, vous avez ajouté à l'affliction de la captivité une autre affliction [1] que, par pudeur pour l'Église et pour nous, nous croyons à propos de passer actuellement sous silence. Nous avions signifié à Votre Sérénité, par nos lettres, que nous avions pris en main cette affaire et que nous voulions rechercher dignement la vérité. Dans la même lettre, nous vous priions d'avoir soin de nous communiquer ce que vous aviez découvert à ce sujet, vous promettant de vous transmettre ce que nous découvririons nous-mêmes. Malgré cela, vous avez commis ces

1. La torture.

attentats sur la personne et les biens de gens qui sont soumis immédiatement à nous et à l'Église romaine. Dans ce procédé précipité, tous remarquent, et non sans cause raisonnable, un outrageant mépris de nous et de l'Église romaine. »

Clément V était ulcéré et attristé par l'initiative de Philippe le Bel. C'étaient surtout la désinvolture et l'irrespect du roi qui le blessaient. On le traitait en quantité négligeable, en domestique, alors qu'il portait la tiare. Mais il était assez perspicace pour apercevoir que Philippe le Bel poursuivait sa politique contre le Saint-Siège. En perpétrant l'attentat du 13 octobre, il portait un nouveau coup à la papauté. Il ne lui suffisait pas d'avoir rabaissé l'Église en la personne de Boniface VIII ; il voulait ajouter à son discrédit en la personne des Templiers et l'anémier en abattant cet Ordre. Pour Clément, le vrai problème était là. Les Templiers étaient au second plan de ses préoccupations. C'est bien ainsi que l'on doit interpréter la lettre ci-dessus. Il rappelait que le Temple, établissement religieux, relevait de la justice du Saint-Siège et de nulle autre. Qu'en conséquence le roi avait agi illégalement, s'était arrogé des pouvoirs qui ne lui appartenaient pas. Cependant, il ne lui intimait pas l'ordre de libérer les prisonniers. Il ne le menaçait même pas de sanctions ecclésiastiques. On imagine ce qu'eussent été en pareil cas les réactions du grand Innocent III ou de l'abrupt Boniface VIII ? L'excommunication et l'interdit auraient suivi la lettre du 27 octobre, à moins que le roi ne relâchât immédiatement ses prisonniers. Mais Clément V n'était pas ce que nous appelons maintenant « un battant ». Capable de petites vindictes assez mesquines et sournoises, il était inapte à affronter une crise majeure. D'ailleurs, la maladie qui le rongeait lui enlevait toute pugnacité.

La mercuriale du 27 surprit quelque peu Philippe le Bel, mais, comme on s'en doute, ne le prit nullement au dépourvu. Il comprit à l'instant que le pape essayait de négocier au mieux des intérêts de l'Église. L'opération en cours ne fut pas suspendue. Les Templiers restèrent dans leurs geôles. Les interrogatoires, avec ou sans torture, continuèrent. En tout état de cause, le roi était en position de force. Les aveux succédaient aux aveux dans les registres inquisitoriaux. Jacques de Molay avait reconnu publiquement les turpitudes de l'Ordre. Le pape ne pouvait sanctionner un prince qui débarrassait la chrétienté d'une engeance hérétique et idolâtre. Cependant, il lui parut adroit de laisser Clément V sauver au moins la face et de l'aider à restaurer son prestige. Il lui envoya donc des émissaires. Sa colère apaisée, Clément ne demandait pas mieux que de parler. Il ne croyait guère à la culpabilité des Templiers. Les procès-verbaux d'interrogatoires dont on lui donna connaissance le troublèrent.

On aboutit assez facilement à un compromis. Clément consentit à prescrire l'arrestation des Templiers dans toute l'Europe. En revanche, il demanda, et il obtint, que leurs personnes et leurs biens fussent remis à l'Église.

Le 22 novembre 1307, il promulgua la bulle *Pastoralis præeminentia*. Elle prescrivait effectivement l'arrestation de tous les Templiers et la séquestration de leurs biens. Mais elle prévoyait aussi que ces biens leur seraient restitués dans le cas où l'innocence de l'Ordre serait prouvée. Sinon, ils seraient destinés à la reconquête des Lieux saints. Apparemment, cette bulle, en dépit de ses restrictions, donnait entière satisfaction à Philippe le Bel. Il pouvait même l'interpréter comme une approbation indirecte des mesures qu'il avait prises. Les souverains étrangers, qui n'avaient pas tenu compte de ses lettres, seraient obligés d'arrêter eux aussi les fautifs. En réalité, quels que fussent les doutes de Clément V, il prenait les Templiers sous sa protection et cherchait à empêcher les princes temporels de mettre la main sur leurs biens. De plus, il les soustrayait, ou croyait les soustraire, à leur justice.

Cependant, comme il était d'ailleurs prévisible, la bulle *Pastoralis præeminentia* fut diversement appliquée. Les rois de Castille et du Portugal persistèrent dans leur attitude favorable aux Templiers. Le roi d'Aragon ordonna leur arrestation, mais ils mirent leurs châteaux en état de défense : certains résistèrent jusqu'en 1309 ! Les rois de Majorque, de Naples et d'Angleterre se conformèrent aux instructions du pape. En Italie, notamment à Venise, il semble que les Templiers ne furent pas inquiétés. En Allemagne, quelques évêques les firent arrêter. À Chypre, ils avaient épousé le parti d'Amaury de Lusignan contre son frère Henri II ; ils ne furent arrêtés qu'en juin 1308. On ignore les suites qui furent données à la bulle *Pastoralis præeminentia* dans les autres pays.

En décembre 1307, Clément V envoya à Paris deux cardinaux, Bérenger Frédol et Étienne de Suisy, afin d'obtenir du roi qu'il se dessaisît officiellement des Templiers et de leurs biens, et les remît à la disposition de l'Église. Philippe le Bel les accueillit fort bien et fit droit à leur requête. Peu de jours avant Noël, il écrivit à Clément cette missive où perce l'ironie :

« Saint-Père, nous avons reçu avec un visage souriant les cardinaux Bérenger et Étienne, que vous aviez envoyés au sujet de l'affaire des Templiers, que nous avons fait arrêter sur la réquisition des inquisiteurs délégués dans notre royaume par l'autorité apostolique. Nous avons accueilli gracieusement vos envoyés, le cœur content et joyeux ; nous les avons écoutés avec respect. Pour ce que vous nous dites au nom de l'Église, concernant les biens et les personnes des Templiers dont vous demandez la remise en vos mains, nous consentons qu'il en soit fait ainsi, sous réserve de nos droits ; nous n'entendons pas porter préjudice aux personnes et aux biens, nos droits toutefois réservés et ceux de l'Église. Nous avons donc remis les Templiers dans les mains de vos cardinaux, en votre nom et au nom de l'Église, ainsi que tous les biens qui avaient été donnés pour les besoins de la Terre sainte ; nous les ferons garder et administrer avec soin, pour qu'ils ne soient pas distraits de leur destination, et sans les confondre avec ceux de notre domaine. »

On ne saurait être plus cynique, ni plus mensonger ! Il prétendait avoir fait arrêter les Templiers à la demande des inquisiteurs, alors que c'était précisément le contraire. Il soulignait que ceux-ci étaient délégués par l'autorité apostolique, ce qui sous-entendait qu'ils avaient agi au nom du pape, et non de leur propre initiative. Il acceptait volontiers de remettre les prisonniers aux deux cardinaux, mais il savait que l'Église n'avait pas les moyens matériels (bâtiments et soldats) pour les garder. Quant aux biens du Temple, il les conservait à titre provisoire, en s'engageant à les maintenir dans leur intégralité. Autrement dit, rien n'était changé. Les Templiers resteraient dans les prisons royales et leurs biens seraient gérés par les agents du roi. C'était une réparation symbolique qu'il offrait au pape !

Cependant, il fut pris à son propre piège, car il ne put empêcher les deux cardinaux d'interroger à huis clos Jacques de Molay, Hugues de Pairaud et quelques dignitaires. Ils crurent que le pape prenait enfin leur défense et s'exprimèrent librement. Ils rendirent compte des sévices qu'ils avaient subis depuis leur arrestation arbitraire, des tortures morales et physiques qui leur avaient été infligées, donnèrent les noms de leurs tortionnaires, précisèrent les méthodes employées par les gens du roi et par les inquisiteurs, évoquèrent les fallacieuses promesses qui leur avaient été faites par Nogaret, Plaisians et les autres. Bref, ils révoquèrent solennellement des aveux qui leur avaient été arrachés par la souffrance, ou extorqués par la persuasion. Ils déclarèrent que trente-six d'entre eux étaient morts dans les supplices. Ces témoignages furent ensuite confirmés par une soixantaine de Templiers. Selon Dupuy, Jacques de Molay aurait alors fait circuler un mot d'ordre incitant les frères à se rétracter et à dénoncer les inquisiteurs. Les cardinaux l'eussent même invité à partager leur repas, avec Hugues de Pairaud. Le Grand Maître était persuadé, dans son incoercible naïveté, que l'Ordre était sauvé !

Quoi qu'il en soit, Bérenger Frédol et Étienne de Suisy, au risque de s'attirer les foudres de Philippe le Bel, firent un compte rendu objectif de leur mission. Ils étaient convaincus de l'innocence des Templiers et, plus encore, de la servilité des inquisiteurs à l'égard du roi. Clément V était impressionnable et sensible. Il s'émut de pitié pour les Templiers. De plus, les déclarations des deux cardinaux, les précisions qu'ils lui donnèrent, rejoignaient ses propres soupçons. En février 1308, il cassa les pouvoirs des inquisiteurs et suspendit les procédures.

CINQUIÈME PARTIE

LA RIPOSTE DE PHILIPPE LE BEL

(1308)

I

CONSULTATIONS PRÉALABLES

La cassation du pouvoir des inquisiteurs, la suspension du Procès des Templiers, annulaient *ipso facto* les interrogatoires, donc les aveux dont ils faisaient état. Dans ces conditions, les Templiers avaient les meilleures chances, sinon même la certitude, d'être acquittés. C'était au tour de Philippe le Bel de perdre la face. Pis encore, ses ennemis n'eussent pas manqué de le taxer de cupidité et d'iniquité. Il comprenait que Clément V, tout en affectant de lui donner gain de cause dans la bulle *Pastoralis præeminentia*, l'avait trompé sur ses propres intentions. Que, depuis le début de l'affaire, il n'avait pas cessé de croire à l'innocence du Temple, et qu'il était désormais bien décidé à le conserver. Les entretiens qu'il avait eus avec lui à ce sujet, les informations qu'il lui avait fournies à maintes reprises, n'avaient pas eu raison de son obstination. Il résolut donc de le briser, en recourant aux méthodes qui lui avaient si bien réussi à l'encontre de Boniface VIII.

Il s'entoura toutefois de précautions extraordinaires, afin de se réclamer de l'avis d'autorités indiscutables, bref de couvrir sa responsabilité. On reconnaît dans tout cela l'astuce de Nogaret. Dès le mois de février 1308, sept questions furent posées aux maîtres en théologie de l'Université de Paris :

– « Premièrement, une cause relative à la foi appartient doublement à l'Église ; d'une première façon en ce qui concerne la prédication de la foi et l'instruction du peuple, et parce que, si un doute concernant la foi envahit l'esprit de quelques-uns, qu'ils soient ou ne soient pas de ceux qui errent, la connaissance de l'affaire revient à l'Église. De même, d'une autre façon : parce que, si quelque sacrilège pèche contre la foi, elle doit procéder contre lui afin de l'amener à la pénitence spirituelle et à la réconciliation, quand elle le trouve repentant et obéissant ; ou, si c'est un obstiné opiniâtre ou un relaps qui, auparavant, a abjuré son erreur et dont on ne peut pas présumer la persévérance après une telle conduite, l'Église, malgré son affliction et sa souffrance, remet ces obstinés et ces relaps à la cour séculière. Elle ne les juge ni ne les condamne au temporel ; bien plus, elle prie pour les relaps qui reconnaissent pour la seconde fois leur erreur, ces relaps contre qui la cour séculière exerce la force de son autorité [1]. Là-dessus, il n'existe aucun doute.

Mais un doute [2] s'élève en ceci que, selon le commandement de la loi divine, le prince laïc ou le peuple, qui a la juridiction, entend blasphémer le nom du Seigneur et voit cracher sur la foi catholique [3] par les hérétiques, les schismatiques ou les autres infidèles ; il veut, si la chose est publique, en vertu de la juridiction à lui commise, exercer l'action de la justice, ou, si le fait n'est pas public, faire une enquête touchant l'acte commis contre Dieu et contre la foi, tel qu'il est dénoncé ; et, s'il se trouve que le crime a été commis réellement, qu'il ne subsiste là-dessus aucun doute d'ordre juridique touchant la foi catholique, il veut exercer sa justice contre le coupable, afin que les autres soient terrorisés ; il voit qu'un scandale peut naître s'il n'exerce pas sa justice.

On demande donc si cela lui est permis sans réquisition de l'Église ou d'autrui, ou bien si l'autorité de sa puissance séculière est ainsi restreinte par le *Nouveau Testament* qu'il ne doit pas intervenir, sinon à la réquisition de l'Église.

– Secondement, dans l'affaire des Templiers – où l'on ne trouve, pour ainsi dire, qu'une secte unique, formée de plusieurs personnes, damnée, si horrible et si abominable – est-ce que, à cause de la grandeur du péril [4], le prince temporel doit plus complètement exercer de la manière susdite sa justice, afin d'extirper, en vertu de son office, une hérésie si grande et si pes-

1. C'est par suite de cette interprétation extensive que cinquante-quatre Templiers réputés relaps seront brûlés à Paris.

2. Ce doute *a posteriori* est le comble de la tartufferie.

3. Allusion au rite attribué aux Templiers lors de leur réception dans l'Ordre.

4. On se demande quel péril les Templiers faisaient courir au royaume pour justifier leur arrestation soudaine.

tilentielle, ou bien est-ce que, pour cela même que les Templiers ont affirmé constituer un ordre religieux, la main du prince est ainsi liée qu'il ne peut procéder contre eux autrement qu'à la réquisition de l'Église ? Ou bien, est-ce qu'une accusation ainsi prouvée, ainsi mise en lumière par les confessions [1] d'un si grand nombre de Templiers, annule toute dignité et tout privilège, puisque l'Ordre était surtout un collège formé de chevaliers et non pas de clercs ?

– Troisièmement, comme cinquante Templiers et davantage, établis en diverses régions du royaume de France, ont confessé l'erreur de ladite secte, ainsi que le Maître et les dignitaires de l'Ordre, est-ce que cette preuve suffit contre l'Ordre entier ? Suffit-elle pour que ce faux Ordre soit condamné dans sa totalité, ou du moins tenu pour condamnable, en raison de ce fait surtout que ceux qui ont avoué dans les différentes régions du royaume, ignoraient mutuellement leurs aveux et le détail de ces aveux ? Ou bien convient-il d'attendre des confessions identiques dans les autres royaumes pour que l'Ordre soit condamnable ou doive être tenu pour tel ?

– Quatrièmement, étant donné que chaque frère, au moment où il entrait dans l'Ordre, après qu'il avait fait publiquement la profession de foi commune, était, par celui qui le recevait, en présence de deux ou trois frères seulement, tiré à part dans une cachette où on le forçait à apostasier contre la foi, et qu'ainsi il en est plusieurs contre lesquels il n'existe pas de preuves, s'ils n'avouent pas spontanément ou si on ne leur arrache pas la vérité, puisque ceux qui étaient présents à leur réception sont morts, doit-on, si on ne peut d'aucune façon leur arracher la vérité, les tenir et les recevoir pour catholiques ?

– Cinquièmement, si, par hasard, ceux qui ne confessent rien et qui nient le crime, et contre lesquels on ne peut apporter aucune preuve, sont dix, vingt, trente ou plus, est-ce que les droits et le statut d'un tel Ordre doivent subsister en eux ? Ou bien est-ce qu'un Ordre de cette espèce est réprouvé par le fait que tant d'autres témoins [2] ont déposé contre lui ?

– Sixièmement, on demande si, par suite de ce qui précède, les biens que lesdits Templiers possédaient en commun et qui étaient leur propriété doivent être confisqués au profit du prince dans la juridiction de quoi ils sont constitués, ou bien être attribués soit à l'Église, soit à la Terre sainte, en considération desquelles ils ont été acquis ou recherchés par eux.

1. Les aveux.
2. À prendre dans le sens d'accusés.

– Septièmement, s'il arrivait qu'en vertu du droit ou par suite de la dévotion des princes, on les attribuât à la Terre sainte, à quoi la disposition, le règlement ou l'administration de ces biens doivent-ils revenir : à l'Église ou aux princes – surtout dans le royaume de France, où l'on sait que tous les biens des Templiers ont été depuis une date ancienne sous la garde et la surveillance spéciale du seigneur Roi et de ses prédécesseurs ? »

Philippe le Bel avait, on le constate, prévu tous les cas de figure. Toutefois, il demandait beaucoup aux théologiens de l'Université ! Il voulait les voir prendre une position contraire à celle du pape, à la fois quant aux personnes et aux biens des Templiers. Les bons maîtres de l'Université se trouvaient devant un dilemme quasi insurmontable : ou déplaire au roi, ou apporter un démenti au pape. Ils ménagèrent donc la chèvre et le chou, mais au total leur réponse fut décevante pour Philippe le Bel. Elle ne pouvait lui être d'aucune utilité, car il escomptait s'en servir pendant ses négociations avec Clément V ! L'Université de Paris avait une haute réputation. Ses verdicts étaient généralement sans appel. Or, sans donner tort au roi, ils ne lui donnaient pas raison :

« Au Sérénissime et très chrétien Prince Philippe, par la grâce de Dieu, très illustre Roi de France, ses humbles et dévots chapelains, maîtres en théologie à Paris, quoique indignes, tant actifs que non actifs, toujours empressés et disposés avec une complète soumission à rendre à la Majesté royale entier et dévoué service.

Les Rois très chrétiens du très illustre royaume de France sont connus pour avoir brillé, depuis l'origine même du royaume, moins par l'étendue de leur puissance que par l'excellence de leurs mœurs et par leur piété chrétienne. Voilà donc, très excellent Prince, qu'imitant vos louables prédécesseurs, brûlant de zèle pour la foi, mais voulant cependant la défendre, conformément à la règle légitime de la raison, sans usurper sur le droit d'une autre puissance, et quoique vous puissiez l'exiger de nous, qui sommes vos humbles clients, par suite néanmoins de votre grande estime, vous avez mieux aimé nous demander amicalement, par lettre, comment, sans faire injure au droit d'autrui, vous pouviez procéder contre certains destructeurs de ladite foi, nous proposant à ce sujet certains articles, sur lesquels et l'importance de l'affaire et l'absence de quelques-uns des plus considérables d'entre nous nous ont contraints à répondre plus tardivement qu'il n'eût fallu : que la bienveillance accoutumée de votre clémence royale nous le pardonne. Sur les susdits articles, après une délibération diligente, mûrie et répetée, nous avons, pour éviter la prolixité et épargner le temps de la Majesté royale, décidé de répondre en posant brièvement les conclusions que, persuadés que nous sommes par des motifs raisonnables, nous croyons être vraies.

Donc, sur les susdits articles, nous répondons comme il suit :

– Sur le premier, où l'on demande si un Prince séculier peut arrêter les hérétiques, les examiner et les punir, nous disons qu'il nous semble que l'autorité du juge séculier ne va pas jusqu'à faire un procès pour hérésie à quelqu'un qui n'est pas livré à l'Église, à moins que l'Église ne le requière ou ne soit requise, qu'il n'y ait péril imminent, évident et notoire ; auquel cas, sous condition certaine de ratification, il est permis à la puissance séculière de les arrêter, avec l'intention de les remettre à l'Église dès qu'elle le pourra. Et il ne nous semble pas qu'en vertu de l'autorité du *Nouveau* ou de l'*Ancien Testament* on puisse admettre expressément que le prince séculier doive autrement s'occuper du crime susdit... »

[Suit un alinéa passablement embrouillé dans lequel il est indiqué que le *Nouveau Testament* a non seulement restreint les droits que les princes séculiers détenaient de l'*Ancien Testament*, mais qu'il les a révoqués.]

– « Sur le second article, où l'on demande si les Templiers, parce qu'ils sont chevaliers, doivent être réputés non religieux et non exempts [1], nous disons qu'il nous semble que la milice créée pour le service de la foi n'exclut pas un statut d'ordre religieux et que de tels chevaliers, prononçant le vœu de l'Ordre institué par l'Église, doivent être tenus pour des religieux exempts. S'il en est toutefois qui n'ont pas fait une telle profession, mais se sont seulement obligés à observer cette hérésie, ils ne sont pas des religieux et ne doivent pas être tenus pour tels. S'il est cependant douteux qu'ils aient fait une pareille profession, il appartient à l'Église, qui a institué leur Ordre, de décider sur ce point. À raison de la nature du crime, cependant, tout ce qui touche à ce crime appartient à l'Église, chez n'importe quelle personne, jusqu'à ce que, comme il a été dit plus haut, elle soit abandonnée par elle.

– Sur le troisième article, où l'on demande si, à cause de la suspicion qui provient des confessions déjà faites, l'Ordre doit être réprouvé, nous disons que, comme suite des confessions déjà faites, il y a suspicion véhémente que tous les membres de l'Ordre ne soient hérétiques ou fauteurs d'hérésie : par exemple, pour n'avoir rien dénoncé ni fait connaître à l'Église ; comme il existe une présomption véhémente qu'ils n'ignoraient nullement l'existence de cette hérésie dans l'Ordre et comme, principalement, les

1. Exempts du privilège canonique

Maîtres de l'Ordre entier et un grand nombre d'autres ont confessé ce crime, cela doit suffire à faire réprouver l'Ordre en haine des personnes, ou à justifier une enquête contre l'Ordre tout entier ainsi diffamé publiquement pour un si grand crime.

– Sur le quatrième article, quand on demande ce qu'il convient de faire de ceux qui n'ont rien confessé et qui n'ont pas été convaincus, s'il en existe de tels, nous disons que, comme il y a présomption véhémente contre tous les membres de l'Ordre, ainsi qu'il est dit, bien que ceux-là ne doivent pas être condamnés comme hérétiques, puisqu'ils n'ont rien confessé et qu'ils n'ont pas été convaincus, cependant, parce qu'ils sont fort à craindre, à cause de ladite suspicion, il nous paraît bon d'y pourvoir et de prendre garde au péril d'infection des autres.

– Pour les sixième et septième questions, où l'on demande ce qu'il faut faire des biens des Templiers, nous disons que, comme les biens du Temple ne furent pas donnés aux Templiers à titre particulier, en tant que seigneurs, mais plutôt en tant que défenseurs de la foi et auxiliaires de la Terre sainte et que telle fut l'intention finale des donateurs de ces biens, ce qui est fait en vue d'une fin, pour une certaine raison ou pour une certaine nécessité, doit sortir son effet en vue de cette fin ; et comme ladite fin subsiste, alors qu'ils sont défaillants, lesdits biens doivent être fidèlement administrés et conservés en vue de ladite fin. Il nous paraît qu'en ce qui concerne leur garde, il en doit être ordonné selon ce qui convient le mieux à cette fin... »

Ce galimatias signifiait que les biens des Templiers, étant destinés à la défense de la Terre sainte, devaient demeurer aux mains de l'Église qui prendrait les meilleures dispositions en vue de les conserver et de les employer. La consultation s'achevait comme elle avait débuté : par une gerbe de compliments, de flatteries et de courbettes envers « le champion de la foi » et sur le souhait peu charitable que le Temple soit rapidement puni. Il n'en restait pas moins que « le champion de la foi », dans son excès de zèle, avait eu tort d'arrêter les Templiers sans être autorisé formellement par l'Église ; qu'il n'avait pas le droit de faire leur procès et ne pouvait davantage conserver leurs biens. Le camouflet était de taille ! Ils avaient attendu le 28 mars 1308 pour le lui envoyer.

Philippe le Bel avait eu plus de chance avec un autre consultant, personnage anonyme, probablement un juriste et des plus avertis. Les questions que lui avait posées le roi étaient un peu différentes. La réponse formait une espèce de réquisitoire :

– « Sur la première question par laquelle on agira avec le Maître des Templiers, qui a confessé une première fois publiquement qu'il était coupable de ce dont on l'a accusé, qui a dit ensuite qu'il a avoué par crainte de la souffrance et, troisièmement, que sa première confession était vraie et qui peut-être variera encore, je réponds avec assurance que, d'après les règles du droit canonique et du droit civil et ainsi que l'indique la raison naturelle, il est tout à fait indigne que celui qui a avoué ouvertement et publiquement puisse infirmer son propre témoignage. Il est constant, en effet, que ledit Maître a confessé d'abord spontanément ses erreurs à l'inquisiteur de la perversité hérétique, en présence de plusieurs bonnes personnes ; qu'ensuite, persévérant pendant plusieurs jours, il a, en présence du même inquisiteur, de plusieurs religieux et de l'Université de Paris, confessé en pleurant son erreur et celle de son Ordre publiquement sous forme de discours, et a persévéré encore deux mois et plus ; il est constant, en outre, que dès le début du procès, pleurant sur sa honte humaine, il demanda un jour à être torturé pour que ses frères ne pussent dire qu'il avait librement causé leur ruine... »

[Ce document est le seul insinuant que Jacques de Molay n'a pas été torturé, mais a demandé à l'être pour se rédimer à l'égard de ses frères. Étant donné la partialité systématique de son auteur, cette insinuation ne prouve rien.]

« ... On lui répondit qu'il y avait des témoins déposant contre lui publiquement ; que, par suite, il ne devait pas être torturé ; on ne détermina en lui aucune crainte. La vaine terreur de l'image de la souffrance n'a pu conduire un homme à faire aussi constamment de tels aveux. C'est pourquoi, comme il a contre lui des témoins et sa propre confession tant de fois renouvelée et dans laquelle il a persévéré si longtemps ; comme, de plus, il faut y ajouter tant de témoignages d'autres Templiers, par lesquels le rite condamnable du Temple est prouvé clairement, et qu'il est impossible que le Maître de l'Ordre ait ignoré de telles choses, aucune personne d'esprit sain ne doit douter qu'à cause des erreurs précédemment avouées, et de tant d'autres preuves concurrentes, son aveu ne doive lui être opposé. Rien d'étonnant à ce qu'il varie. C'est, en effet, le secret jugement de Dieu que le maître de si grands blasphèmes contre le Christ, qui a mal vécu si longtemps, attiré tant d'autres frères dans une secte condamnée, ne doive pas rester sans être, pour l'exemple, puni en ce monde ; et, en effet, l'Église ne peut pas facilement et sans scandale avoir pitié d'un tel homme. On doit en dire autant de frère Hugues de Pairaud, qui est connu pour avoir attiré à l'hérésie condamnée mille frères et plus, ainsi que de ceux qui ont fait comme lui. »

Sur la seconde question qui était de savoir si la profession des Templiers devait être considérée comme corrompue par nature, il répondait affirmativement, en raison de l'erreur du profès qui se trompait dans la substance de son obligation et de son contrat. Et il raisonnait ainsi :

« ... Il est certain, en effet, que tous ceux qui entraient dans l'Ordre susdit le voulaient et le croyaient au préalable catholique, formant une société et un collège de frères fondés pour le seul service du Christ et qu'ils considéraient ses secrets comme licites. Donc, comme le susdit adhérent se joignait à un tel collège, comme – ce qui est le point principal de toute profession de foi – il promettait obéissance à un collège du Christ qui était plutôt un collège de l'Antéchrist, il errait par ignorance de fait dans la substance dudit contrat, il errait dans la substance de son obligation touchant le statut du collège avec lequel il contractait et auquel il se liait, puisqu'il s'offrait au service du Christ, alors que le dessein de l'Ordre était opposé. Car il croyait se donner à Dieu et il se donnait au diable. De même il jurait de conserver les secrets qu'il croyait licites en leur essence et qui ne l'étaient pas... »

Suivaient des considérations purement juridiques, selon lesquelles tout contrat entaché d'une clause en dénaturant le sens ou chargé d'une obligation honteuse se trouve par cela même annulé. Ce qui suggérait que les Templiers étaient déliés de leurs promesses et de leurs serments ; que le Temple n'existait donc pas légalement !

Sur la troisième question qui était de savoir s'il fallait accorder un défenseur aux Templiers, il répondait par la négative pour ce qui concernait les personnes en particulier. Quant à l'Ordre lui-même, il n'y avait pas réellement de procès contre lui. Sa corruption ressortait de la déposition d' « innombrables Templiers ». Et il affirmait sur un ton péremptoire : « Le Roi de France, les personnes ecclésiastiques et le peuple entier de ce royaume voient un Ordre tellement fétide, en qui le Christ est tellement offensé, qu'ils en appellent au Seigneur, non pas en portant une accusation ni en instituant un procès, mais en provoquant l'Église romaine à défendre le corps du Christ et la foi catholique contre ces hommes perfides, à la laver d'une si grande tache, à ôter le scandale de l'Église. Donc le Roi ne parle pas en accusateur ni comme partie au procès ; mais, comme ministre de Dieu, défenseur et champion de la foi, il lui crie d'intervenir... »

Et il osait écrire : « Que fait donc l'Église ? Elle doit décider si la plainte repose sur des faits, quand le cas est douteux. Mais, ici, il ne peut être douteux ! Car il appert de tant de dépositions de Templiers, *quoiqu'elles n'aient pas été reçues en vue de la condamnation de l'Ordre,* que l'Ordre est dépravé. L'Église le voit, elle qui est tenue de faire une enquête sans qu'il y ait d'accusateur ; déjà l'évidence des faits démontre la corruption de l'Ordre. Pourquoi donc donnera-t-on un défenseur, sinon – ce qu'à Dieu ne plaise – pour défendre les erreurs des Templiers, puisque l'évidence des faits rend le crime notoire ? En outre, l'Église elle-même tient lieu de défenseur, si elle voit qu'il y a lieu de défendre, alors même qu'il n'y a aucun défenseur. »

Il estime, en conclusion, que « l'Église n'a pas à procéder contre l'Ordre entier par voie de jugement, *mais par voie de provision* ». Cette idée ingénieuse, Clément V la reprendra à son compte, on verra dans quelles conditions et qui lui suggéra cette solution.

Sur la quatrième question portant sur les personnes des Templiers, il rappelle qu'il existe « une présomption grave et violente contre l'Ordre entier ». Il ne peut donc y avoir de Templiers totalement innocents, puisqu'ils connaissaient les dépravations de leurs frères et n'ont point parlé. De ce fait même ils ne peuvent être laissés dans leur état et l'Ordre ne peut subsister sous quelque forme que ce soit.

Saisi d'un sombre lyrisme, l'auteur de ce mémoire évoque la destruction de Sodome et Gomorrhe, villes gangrenées par l'idolâtrie et la sodomie. Et il émet le vœu que l'Église débarrasse pareillement la terre de l'Ordre du Temple, et le plus vite possible, afin de supprimer le scandale et le péril qu'il fait courir au royaume.

On ne sait qui rédigea cet « avis », probablement un proche du roi. Il confortait en tout cas la position de celui-ci. D'ores et déjà, semble-t-il, Philippe le Bel avait décidé de réunir à nouveau les états généraux du royaume. Il avait besoin d'un large consensus pour atteindre son but, nonobstant les réticences du clergé et la mise en garde des maîtres de l'Université de Paris.

II

SUPPLIQUES ET REMONTRANCES

Il convenait, comme en 1302 lors du conflit avec Boniface VIII, de préparer l'opinion. Des libelles, des pamphlets diffamatoires furent diffusés. Ils avaient tous un double objectif : justifier l'action du roi, « champion de l'Église », et intimider le pape. Il était clair désormais que Clément V ne voulait nullement condamner le Temple et le dissoudre, mais bien se contenter d'apporter quelques réformes à ses statuts. Par chance, la personnalité de ce pontife prêtait le flanc à de sévères critiques au sein même du clergé, notamment son népotisme éhonté. Le roi s'adressa à Dubois, avocat de Coutances, publiciste fameux, monarchiste enragé et dont l'hostilité à la hiérarchie romaine était manifeste.

Dubois écrivit notamment deux pamphlets, dont le premier était une prétendue *Remontrance du peuple de France.* Il ne l'avait pas signée, mais son style est facilement identifiable :

« Le peuple du royaume de France, qui a toujours été et sera, par la grâce de Dieu, dévot et obéissant à la sainte Église, plus que nul autre, requiert que son seigneur le Roi de France, qui peut avoir accès auprès de notre Père le Pape, lui montre qu'il a trop fortement courroucé les Français et soulevé grand scandale parmi eux, parce qu'il ne paraît ne faire punir qu'en paroles, non pas la bougrerie des Templiers, mais les reniements révélés par les aveux qu'ils ont faits devant son inquisiteur et devant tant de prélats et autres bonnes personnes, que nul homme croyant en Dieu ne devrait les mettre en doute, ni sur un fait aussi notoire, chercher, garder ou demander ordre ni droit, ainsi que les décrétales le disent expressément. C'est pourquoi le peuple ne sait que penser de ce délai, ni d'une telle perversion du droit, hormis ceux qui croient ce que l'on dit communément : que beaucoup d'or donné et promis leur nuit, ou bien qu'ils ne promettent ni ne donnent rien pour droit faire. Et eux, et la commune renommée sont mus par le décret qui contient ces paroles : "Le pauvre qui n'a rien à offrir, non seulement on dédaigne de l'écouter, mais encore on l'opprime, contre la vérité ; car la justice est vite altérée par l'or, et l'accusé ne craint nulle faute parce qu'il pense pouvoir se racheter pour de l'argent." [1]

Et ainsi le peuple est porté à croire cela plus facilement, parce qu'un péché en entraîne un autre, comme le dit le canon : « Les indécis sont les nerfs des testicules de Léviathan, c'est-à-dire les péchés, car il est patent qu'un seul péché est la cause et l'occasion de beaucoup d'autres. » [2] Or, le peuple voit que la décrétale dit que ceux qui ont le pouvoir de donner des bénéfices doivent honorer des meilleurs bénéfices et des plus nombreux les personnes les plus lettrées. S'ils le font, ce n'est que justice et droit : car une si grande vertu comme est la justice requiert de ceux qui la détiennent de donner à chacun son droit. Or, le peuple voit que son père spirituel a donné, par affection de sang, des bénéfices de la sainte Église de Dieu à ses proches, à son neveu le cardinal, davantage que quarante papes n'en donnèrent jamais à tout leur lignage, davantage que Boniface, ni aucun autre, n'en donna jamais à tout son lignage.

Et ainsi il a laissé de côté deux cents maîtres de théologie et de décret, seigneurs ès lois, dont chacun est plus grand que n'est son neveu et ne pourrait être. Et ainsi les deux cents n'ont pas autant de biens de la sainte Église qu'il en a donné à son dit neveu. Et ainsi le Pape a donné et baillé à son neveu la grande cure de la province de Rouen [3], parce qu'on peut y trouver grand profit, et à un autre celle de Poitiers. De telles personnes, si elles n'étaient issues de son lignage, ou si elles ne l'avaient suivi, il les aurait tenues pour bien rentées de cent livres de revenu. Et il y en a beaucoup de plus lettrées qui n'en peuvent avoir autant, pas même soixante.

1. Cette citation, tirée du droit canon, est en latin dans le texte original.
2. Cette citation, tirée du *Livre de Job*, est aussi en latin dans le texte original.
3. Bernard de Fragues, archevêque de Rouen.

Or, le peuple considère que Notre-Seigneur commande que l'on fasse justice au petit comme au grand, sans acception ni faveur de personne. Frère Thomas d'Aquin décida qu'acception de personne au préjudice d'autrui est péché mortel ; il conclut que ce péché en soi ne peut souffrir la vertu, parce que les vertus et les vices sont contraires. Et que ce méfait soit très grand pour Dieu et ceux qui entendent raison, cela est évident.

Supposons, notre Roi de France, que vous ayez une grave maladie (Dieu vous en garde !), que pourtant vous ayez à conduire une grande armée et qu'il convienne qu'un seul homme en soit le Maître et le gouverneur à votre place ; que vous ayez à livrer bataille en champ clos par l'entremise d'un seul champion, au péril de votre vie, et que vous ne puissiez de vous-même choisir de médecin, ni de champion, ni de chef d'armée : vous donnez le pouvoir de les choisir à l'homme du monde auquel vous avez fait le plus de bien, qui vous est le plus redevable et en qui vous avez le plus confiance. Si cet ami considère que le médecin et les deux chevaliers, de quelque façon qu'ils s'y prennent pour bien exercer leur office, auront autant de rente que lesdits archevêques et évêques et que, pour enrichir deux de ses neveux qui sont chevaliers et un autre qui est médecin, il vous les nomme et choisisse (et pourtant il sait bien qu'il en aurait facilement trouvé d'autres plus forts, plus savants, plus éprouvés que ses neveux, mais il veut que ses neveux aient le profit dont vous auriez voulu qu'il fût donné aux trois meilleurs hommes que l'on pût trouver pour guérir votre corps, vous défendre et défendre le royaume), s'il arrivait mésaventure à ces trois neveux, ainsi choisis, ne puniriez-vous pas leur oncle autant et plus qu'eux ?

Vous savez que Notre-Seigneur Jésus-Christ est le père de toutes les âmes et que les évêques et tous les curés sont de droit appelés médecins des âmes et champions, combattant pour leur Sauveur contre tous les diables. Et vous savez aussi qu'une seule âme vaut plus que tout l'or et l'argent du monde ; et que Jésus-Christ a donné au Pape, pour qu'il fasse bien et loyalement son office, plus de biens qu'il n'en a donné à Moïse, aux trois patriarches et à tous les prophètes qu'il aima tant.

Ces choses regardées et considérées, dites au Pape qu'il s'excuse suffisamment, s'il le peut, du péché d'offense contre Dieu et contre chacun desdits archevêques et évêques, de telle sorte qu'il ne puisse être accusé du crime de lèse-majesté divine et qu'il ne tombe pas sous le coup de la peine qui frappa l'Apôtre, quand il affirme qu'on nie Dieu en commettant des actes pervers, comme le confirme saint Augustin, cause XI, question 3, canon *Existimant.*

Et que notre Père le Pape considère que, s'il n'y a maintenant personne qui fasse droit au peuple sur lesdites nominations si mal faites, comme chacun le sait et le voit, après sa mort, si vous ne l'empêchez, il sera facile, aux protestations du peuple, d'obtenir que son successeur, ayant appelé lesdits neveux et les ayant trouvés insuffisamment lettrés pour occuper de si hautes charges et enseigner un si grand peuple, les dépose et les remplace par de grands maîtres en théologie qui seront parmi les plus grands docteurs de toute la chrétienté, chacun plus grand, s'il le veut, que tous ceux qui sont en la Cour de Rome aujourd'hui.

De même et en droit, on constate que le Pape a autrefois déposé des évêques pour défaut de science ; et l'on devrait bien plutôt le faire en ce cas (parce que, en droit commun, l'élection appartient au chapitre, sans qu'aucun souverain y doive mettre la main, sauf exception : si le chapitre ne peut s'accorder pour élire son pasteur et le présenter auxdites églises). Le Pape, qui par son office devait préserver le droit de chacun, a interdit sans cause et ôté le pouvoir d'élire à ceux auxquels il appartenait. Et, s'ils n'avaient élu les personnes les plus lettrées de leurs collèges, le Pape les aurait refusées ou aurait dû le faire.

Et parce que le Pape et les siens, qui ont et auront besoin qu'on les supporte, en aucun temps n'auraient dû courroucer un si grand peuple, si dévot et si obéissant, ni lui refuser ce que l'on peut faire ou dire raisonnablement, surtout pour apaiser un si grand scandale [1], le peuple sait bien que la justice est la volonté constante et perpétuelle de donner à chacun son droit, sans acception de personnes. Et pour cette raison, qui fait ce qu'il doit, requiert sans affection de personne, est fils de Dieu ; qui varie en quelque chose ou temporise par affection de personne, par don ou par promesse, par peur, par amour, par haine, est fils du diable et par ce seul fait renie Dieu qui est vraie justice.

Qu'il vous plaise donc de dire à notre Père le Pape qu'il prenne garde d'aller en droite voie en sa grande seigneurie... »

La suite est répétitive et ne présente qu'un intérêt médiocre. L'accusation de népotisme était trop fondée pour que Clément V pût s'en défendre. Il savait fort bien que ses protégés n'étaient pas tous à la hauteur de la situation. En revanche, l'accusation d'avoir supprimé l'élection des évêques par les Chapitres ne manquait pas de sel, venant d'un homme de paille du roi. Cette suppression – en effet réelle – avantageait au moins autant Philippe le Bel que le pape ; elle lui permettait de choi-

1. Le scandale de l'affaire du Temple.

sir des prélats remplis de zèle monarchique. Cependant Clément V, parce qu'il avait suspendu le procès contre les Templiers, était en train de devenir « fils du diable » ! Dubois insinuait aussi qu'il n'était pas insensible à l'or, comme un mauvais juge châtie les pauvres et épargne les riches...

La *Remontrance* fut suivie d'une *Supplique du peuple de France*, que l'on peut dater d'avril ou du début de mai 1308. Elle vise plus directement les Templiers et défend le droit du roi à les anéantir :

« Le peuple du royaume de France supplie instamment et dévotement Sa Majesté royale de considérer que n'importe laquelle des sectes et des hérésies, au sujet desquelles on allègue des droits pour le seigneur Pape relativement au différend qui s'est élevé entre vous et lui touchant la punition des Templiers, faisait profession de conserver la foi catholique et la conservait, sauf que, sur un point ou plusieurs, elle différait et se séparait de l'observance complète de l'Église romaine. En cela elle errait, avec quelque apparence de raison – seulement avec l'apparence, non la réalité –, ainsi qu'ont erré les Grecs et le Pentarque [1] de la région orientale avec neuf cents évêques et les peuples baptisés qui leur étaient soumis. Et c'est à propos de ces sectes que l'on envisage et que l'on formule les droits qui sont allégués expressément à l'encontre des intentions du Roi. Mais il n'en va pas de même pour ces misérables qui ne doivent pas être tenus pour hérétiques ; au contraire, ils sont entièrement placés en dehors de la puissance de l'Église, s'en étant confessés d'une manière évidente et notoire.

L'Apôtre s'exprime ainsi : "Est-ce à nous qu'il appartient de juger ceux du dehors ?" L'Apôtre, en effet, dans un cas semblable, a montré comment on doit procéder à l'égard de ce qui est notoire, quand lui-même a excommunié un Corinthien, parce qu'il avait notoirement commis un inceste et livré son corps à Satan, pour que sa chair fût détruite, afin que l'esprit fût sauvé au jour du Seigneur. Comment, dans cette affaire, il faut procéder, Moïse l'a enseigné par sa propre conduite, lui, l'ami de Dieu, à qui le Seigneur parlait face à face, quand, à cause d'une apostasie semblable des fils d'Israël, qui avaient adoré le Veau d'or, il dit : "Que chacun prenne son glaive et tue le plus proche." Ainsi, pour qu'on en garde un souvenir et une crainte éternels, il en fit tuer vingt-deux mille, sans avoir demandé le consentement d'Aaron, son frère, qui était établi Grand Prêtre sur l'ordre de Dieu. Et, si tout ce qui est écrit et fait est, comme

1. Probablement le patriarche de Constantinople, chef de l'Église byzantine.

le dit l'Apôtre, écrit et fait pour notre instruction, pourquoi le Roi et Prince très chrétien ne procéderait-il pas de même contre le clergé tout entier si, ce qu'à Dieu ne plaise, celui-ci errait de la sorte ou s'il soutenait et favorisait l'erreur ?

Est-ce que tous ces Templiers ne sont pas des homicides ou bien des partisans, des soutiens, des complices, des receleurs d'homicides, s'accordant, d'une manière condamnable, avec les apostats et les assassins ?

Est-ce que les Apôtres et les canons des Saints Pères ne proclament pas que ceux qui agissent ainsi et ceux qui approuvent doivent être punis de la même peine ? Ne convient-il pas que les méfaits soient punis parce que la peine d'un seul fait la crainte de plusieurs et que la facilité du pardon procure l'aiguillon qui fait faillir ?

Si l'on répond que Moïse a fait ce qui précède comme prêtre et qu'il fut prêtre, car il est dit : "Moïse et Aaron dans leur sacerdoce", le peuple répond : il ne semble pas qu'on doive admettre que Moïse fût prêtre, sinon comme la loi y pourvoit, en prenant ce nom à titre de législateur, puisque la loi dit : "Le droit est l'art du bien et du juste, dont, à juste titre, on nous nomme les prêtres. Moïse, quand il donnait sa loi au peuple, ne donnait-il pas quelque chose de sacré ? Si, d'ailleurs, Moïse avait été prêtre, il n'aurait pas eu au-dessus de lui un Grand Prêtre ; et, comme prêtre, il n'aurait pas ordonné de tuer et fait tuer autant de personnes. Le Seigneur n'a-t-il pas dit au saint prophète David :"Tu ne m'édifieras pas de temple, parce que tu es un homme de sang" ?

Ainsi donc, qu'on ne croie pas ceux qui renversent les Écritures, ni qu'à cause d'eux l'exercice de la justice soit aucunement différé au préjudice de plusieurs, en sorte que la béatitude suprême, promise par Dieu quand il dit : "Heureux ceux qui jugent et rendent la justice en tout temps", aille au Roi très chrétien. Voilà ce qui est en question, surtout à cause de la haine et de l'horreur qu'il faut éprouver pour un si grand crime, sans avoir considération d'esprit malhonnête à raison des personnes, des prières, des dons et d'autres choses, à moins que l'intelligence des Écritures ne soit renversée par une fausse science humaine, en montrant que l'Antéchrist est arrivé et en niant Dieu, selon le témoignage de l'Apôtre, par des actes si vicieux. »

Cette fois, l'attaque était plus directe et plus brutale. Elle visait à la fois le pape et les bons maîtres de l'Université qui contestaient à Philippe le Bel le droit de procéder contre les Templiers sans l'autorisation de l'Église. L'avocat de Coutances, qui ne contrôlait pas toujours son inspiration, attribuait au roi le droit exorbitant de châtier « le clergé entier » s'il en venait à tolérer une secte hérétique ! Il y avait là un avertissement indirect, une menace à peine voilée. L'attentat d'Anagni restait dans les mémoires. Clément V pouvait redouter le sort funeste de Boniface VIII.

III

LES ÉTATS GÉNÉRAUX DE TOURS

Les états généraux de 1302 avaient trop bien réussi à Philippe le Bel dans sa lutte contre Boniface VIII pour qu'il se privât de ce moyen. Ces assemblées solennelles, présidées par le roi séant sur son trône dans sa tunique fleurdelisée, la couronne sur la tête, étaient alors dans toute leur nouveauté. Philippe le Bel ne prenait aucun risque en les réunissant. Il en tirait, si l'on peut dire, un surcroît de légitimité et de puissance. C'était ensuite au nom des trois ordres, du peuple entier du royaume, qu'il décidait et agissait. Il associait ainsi chaque Français, du plus humble laboureur au plus grand seigneur, à son action. Il fragmentait à l'infini sa responsabilité pour en multiplier l'effet. En l'espèce, il faisait aussi de son peuple ce qu'il prétendait être lui-même : le champion de la foi. C'était, d'une certaine manière, un honneur insigne dont il le gratifiait, lui marquant par là même son estime et sa paternelle affection. Une affection si vivement ressentie par les représentants du peuple qu'elle se traduisait par d'immanquables manifestations de respect et d'amour.

Bien entendu, il s'agissait de mettre, d'entrée de jeu, les représentants en condition, de dissiper les doutes s'ils persistaient en dépit de la propagande faite contre les Templiers. Nogaret se chargea de rédiger les convocations. Elles sont un modèle du genre !

« Philippe, par la grâce de Dieu, Roi de France, à tous nos chers et féaux maires, consuls, échevins, jurats et communautés des lieux insignes de notre royaume à qui ces lettres parviendront, salut et dilection.

Nos prédécesseurs furent toujours soucieux, plus que tous les autres princes, de chasser les hérésies et les autres erreurs de l'Église de Dieu et particulièrement du royaume de France, en défendant, comme un trésor incomparable, la très précieuse perle de la foi catholique contre les voleurs et les brigands. Aussi, considérant la pierre dans laquelle nous sommes taillés, nous attachant aux traces de nos ancêtres, nous admettons que Dieu nous a accordé la fin des guerres temporelles [1] par lesquelles il nous a, de même que vous, éprouvés, afin que nous consacrions toutes nos forces aux guerres suscitées contre la foi catholique par des ennemis non pas découverts, mais bien plutôt secrets, qui sont d'autant plus dangereux qu'ils sont proches de nous et qu'ils nous nuisent d'une manière plus cachée.

Vous savez que c'est par la foi catholique que nous demeurons ce que nous sommes dans le Christ ; c'est par elle que nous vivons, par elle que, d'exilés et mortels que nous étions, nous sommes anoblis dans le Seigneur Jésus-Christ, afin que nous soyons avec lui les vrais fils du Dieu vivant, le Père éternel, ainsi que les héritiers du Royaume du Ciel. Ce magnifique espoir nous réconforte ; il est par suite toute notre substance. Si donc quelqu'un tente de briser cette chaîne, il s'efforce de nous tuer, nous catholiques [2] ; le Christ est pour nous la voie, la vie et la vérité. Qui donc peut le nier, Lui, en qui et par qui nous subsistons, qui ne s'efforce de nous détruire aussi ? Que chacun considère que Lui-même nous a tant aimés et qu'Il n'a pas craint de se revêtir de chair pour nous et d'endurer, dans cette chair, une mort très cruelle. Aimons donc un tel Seigneur et Sauveur qui nous a d'abord tant aimés, nous qui sommes un seul corps et qui devons régner pareillement avec Lui ; efforçons-nous de venger Ses injures.

Ô douleur ! L'abominable erreur des Templiers, si amère, si déplorable, ne vous est pas cachée : non seulement ils reniaient Jésus-Christ dans leur profession de foi, mais ils contraignaient à renier ceux qui entraient dans leur Ordre sacrilège, et ils reniaient Ses œuvres qui sont les sacrements nécessaires de notre vie, de même que tout ce qui a été créé par Dieu. Ils cra-

1. Allusion à la guerre contre l'Angleterre et la Flandre.
2. Le plus extraordinaire est que ces lignes furent écrites par un excommunié, non encore relevé de l'excommunication et comme tel inapte à occuper une charge publique !

chaient sur Sa croix par laquelle nous avons été rachetés, ils La piétinaient et, au mépris de la créature de Dieu, ils se baisaient dans les endroits honteux, ils adoraient des idoles à Sa place. Ils disaient qu'il leur était permis, par leur coutume condamnable, de faire, contre la nature, ce que les animaux stupides refusent de faire.

Le Ciel et la Terre sont agités par le souffle d'un si grand crime et les éléments sont troublés. Il est prouvé que des énormités de cette sorte ont été commises dans les diverses régions de notre royaume, et elles sont patentes par la déposition des dignitaires de l'Ordre (si on peut l'appeler Ordre) ; il n'est pas vraisemblable qu'elles aient été commises en commun par tant et de si grands personnages seulement dans notre royaume ; au contraire, il est prouvé qu'elles ont été commises outre-mer ; bien mieux, partout où il y a des terres, et de la même manière. Contre une peste si criminelle tout doit se lever : les lois et les armes, les bêtes et les quatre éléments.

Donc, en vue de procurer l'extirpation de tant de crimes, de tant de graves erreurs, l'affermissement de la foi, ainsi que l'honneur de sainte Mère Église, nous vous proposons de nous rendre très prochainement auprès du siège apostolique. À cette œuvre sainte nous voulons que vous participiez, vous qui participez à la foi chrétienne et qui en êtes les zélateurs très fidèles ; et nous vous prescrivons de ne pas tarder d'envoyer à Tours, trois semaines après la prochaine fête de Pâques, de chacune des villes insignes susdites, deux hommes animés par la ferveur de la foi qui, au nom de vos communautés, assistent avec nous, aux lieu et date indiqués, à tout ce qui pourra être utile auxdites affaires.

Fait à Melun, le 25 mars de l'an du Seigneur 1308. »

Cette convocation n'était pas limitée aux grandes villes. Elle concernait les communautés moins importantes, voire des bourgades de quelques centaines d'habitants. Cette ouverture atteste l'habileté de Philippe le Bel et de Nogaret. Les échevinages et les consulats élisaient leurs représentants et leur délivraient une procuration que le prévôt du ressort enregistrait et scellait du sceau de la prévôté.

La convocation destinée aux barons ne différait pas substantiellement de celle du tiers état. Toutefois, comme il était logique, le roi rappelait l'hommage lige qu'ils lui avaient prêté et le ton était plus ferme :

« Nous vous enjoignons donc, pour le bien de la fidélité que vous nous avez jurée, de venir siéger à Tours en notre compagnie, trois semaines après les prochaines fêtes de Pâques, pour nous prêter assistance et secours et, à défaut, de nous déléguer un ou plusieurs procureurs. » La noblesse posait en effet un problème spécifique, en raison de l'origine des chevaliers du Temple. Certaines têtes chaudes pouvaient considérer que leur arrestation était un outrage à l'ordre nobiliaire tout entier. Dans ce milieu, n'était-ce pas depuis deux siècles un honneur d'être admis dans la sainte milice du Christ, voire d'y servir à temps, et d'être inhumé dans l'enclos deux fois béni de son cimetière ? Et voici qu'on les déclarait indignes et qu'on prétendait abolir un Ordre auquel on avait tant donné ! Les féodaux et leur clientèle ne voyaient pas sans inquiétude les gens et les juges du roi se substituer à eux, grignoter leurs pouvoirs. Quelques-uns peut-être se disaient que l'attentat de Philippe le Bel contre les Templiers visait, indirectement, à rabaisser leur caste. Il y avait tant de grands noms dans l'histoire du Temple ! Mais telle était l'autorité de Philippe le Bel que très peu d'entre eux crurent pouvoir s'abstenir ou se faire représenter.

Les convocations destinées au clergé (archevêques, évêques, abbés, curés) insistaient sur la culpabilité des Templiers, « cette secte condamnable et damnée par ses propres crimes, cette horde de renards camouflés en religieux et pareils à l'Antéchrist, en dépit de la croix qu'ils portent sur leurs épaules ». Elles évoquaient aussi, en termes grandiloquents, la stupeur douloureuse du roi découvrant cette plaie dans son royaume. Sans doute le clergé dans son ensemble ne tenait-il pas les Templiers en grande estime, car il jalousait ses richesses et ses privilèges. Cependant, quel que fût le degré de leur culpabilité, la manœuvre du roi apparaissait un peu trop clairement ! Avait-on le droit de s'y associer quand on appartenait à l'Église, c'est-à-dire, en fin de compte, de forcer la main au pape ? Pour autant, les clercs n'osèrent pas affronter la colère de Philippe le Bel. Trop d'avantages étaient en jeu ! Il importait de ne pas les perdre, car il était parfaitement exact que la situation matérielle de l'Église gallicane surclassait celle des autres royaumes.

Les Templiers croupissaient dans leurs geôles. Ceux qui avaient avoué bénéficiaient d'un meilleur traitement, on leur donnait un peu plus de nourriture, mais ils restaient captifs. Quant aux récalcitrants, ils étaient enchaînés dans les basses fosses, réduits au pain et à l'eau. L'espoir que la visite des deux cardinaux avait éveillé en eux, retombait peu à peu. Ils ne pouvaient compter sur la sympathie des représentants du tiers état empressés de plaire au roi, ni sur celle de la noblesse liée par son hommage, encore moins sur celle du clergé dont la chute du Temple allumait les convoitises. Ils étaient comme abandonnés à un implacable destin. Plus d'un, parmi les anciens, regrettaient de n'être pas morts à Saint-Jean-d'Acre dans l'écrasement de

La Voûte. Certains versaient des larmes amères sur leur lâcheté et leur déchéance morale. Pourtant, il leur restait un défenseur : Clément V. Faible et malade, diffamé par les pamphlets de Dubois, attaqué de toutes parts et peut-être trahi par son entourage, il pliait sous la bourrasque, mais tenait bon. En dépit des menaces, des promesses, il ne cédait pas, ne consentait pas à rendre leurs pouvoirs aux inquisiteurs. Il avait les nerfs à vif ; son anxiété croissait à mesure que la date des états généraux se rapprochait, mais les émissaires de Philippe le Bel repartaient à bout d'arguments. Jacques de Molay, dans son aveuglement, ne se lassait pas de répéter que le pape sauverait le Temple, car tel était le droit !

On peut se demander, par ailleurs, ce que les représentants du royaume pensaient des Templiers, et cela malgré la propagande royale. S'ils attendaient, en conscience, la réunion des états généraux pour se faire une opinion définitive. Dans la procuration délivrée par les habitants de Gien et scellée par le prévôt, je relève cet alinéa que je livre à la sagacité du lecteur :

« ... pour aller à Tours, ou bien où il plaira à notre seigneur le Roi, pour entendre et recueillir les volontés, ordonnance et établissement du Roi notre seigneur et de son noble conseil touchant l'ordonnance, absolution ou condamnation des Templiers... »

La culpabilité des Templiers ne semblait donc pas entièrement acquise aux yeux du prévôt de Gien, dont on ne sait s'il eut de l'avancement ! Or, les convocations étaient péremptoires ; elles ne laissaient planer aucun doute sur la condamnation de la « secte hérétique ».

Les états généraux ne purent se réunir finalement que le 5 mai. Ils siégèrent jusqu'au 15 mai. Les comptes rendus des séances ont certainement été établis par les scribes de service. Il n'en subsiste pas la moindre trace dans les archives. Il eût cependant été passionnant d'étudier les débats, s'il y en eut, et les interventions ; de savoir s'il y eut unanimité. Il est vrai que les trois ordres s'exprimaient par l'intermédiaire de leurs porte-parole respectifs, après des réunions de groupe et des conciliabules privés. Cependant, il est très douteux que le roi rencontrât le moindre obstacle et plus que probable qu'on ne lui décernât que des éloges. Ainsi que je l'ai souligné pour les états généraux de 1302, ces assemblées n'avaient rien de démocratique. Tout ce que le roi demandait aux députés, c'était une approbation massive, sinon enthousiaste, de sa politique. Aux états de Tours, il voulait même un peu plus qu'une approbation : c'était une collaboration active des représentants. Il persuada un grand nombre d'entre eux de l'accompagner à Poitiers, où résidait

Clément V. Il croyait que cette délégation de notables venus de toutes les régions de France, nobles et non-nobles, impressionnerait le pape. On ne sait si les trois ordres élurent les membres de cette délégation, ou si le roi les désigna.

IV

L'ENTREVUE DE POITIERS

Donc le roi se fit accompagner d'un grand nombre de prélats, d'abbés, de barons, de chevaliers et de bourgeois, de sa cour et de ses conseillers, parmi lesquels Nogaret et Plaisians, ses deux « âmes damnées ». Clément V et la Curie étaient pour ainsi dire submergés par cette affluence. On lui témoignait le plus grand respect, mais la courtoisie masquait une hostilité quasi générale, une volonté déterminée. Les porte-parole des trois ordres exposèrent le but de leur démarche dans des termes soigneusement pesés. C'était une mise en scène admirablement réglée, un dosage savant. Rien ne fut laissé au hasard et, assurément, cette unanimité apparente des représentants du royaume devait être impressionnante : le royaume entier prononçant la condamnation des Templiers et demandant avec force leur châtiment et leur suppression !

Guillaume de Plaisians, conseiller royal, chevalier ès lois, prit la parole au nom de Philippe le Bel. Nous n'avons que l'esquisse du discours qu'il prononça, non le texte intégral. Je me contenterai donc d'analyser ce canevas, en citant toutefois les passages les plus significatifs. Plaisians prononça ce discours le 29 mai 1308, probablement à l'ouverture du consistoire réunissant le roi et les représentants des états, le pape et ses cardinaux.

Plaisians commença par célébrer, en termes emphatiques, « la victoire universelle remportée sur le bois de la Croix contre l'antique ennemi ». Cette victoire était évidemment la chute du Temple, remportée par le roi de France, vicaire temporel de Jésus-Christ pour son royaume. Le but du consistoire était de la rendre manifeste.

« Donc, s'exclamait-il, cette victoire fut horrible et terrible au commencement de la lutte, joyeuse et admirable dans son développement, claire, notoire et indubitable dans son issue. Et il ne reste rien d'autre à faire, sinon que, pour en assurer l'achèvement, aide soit prêtée par vous, pieux Père, et par d'autres à qui il appartient, au moyen de remèdes nécessaires et convenables... »

Pourquoi fut-elle horrible et terrible pour le roi et les « autres ministres de Dieu » ?

– Primo, parce que les dénonciateurs « étaient des hommes de bien petit état pour mettre en train une si grande affaire ».

(Il désignait ainsi Esquieu de Floyran et ses comparses, Templiers exclus de l'Ordre, et autres.)

– Secundo, à cause de la puissance et de la richesse du Temple, de la condition des accusés et de leurs adhérents.

– Tertio, à cause de l' « inhumanité des crimes par lesquels, s'ils étaient vrais, la nature divine et humaine se trouvait bouleversée ».

– Quarto, à cause des « liens de dilection, de fidélité et de dévotion par lesquels ils étaient unis au seigneur Roi, comme à leur principal patron et seigneur temporel ; et parce que le seigneur Roi les traitait – et ses prédécesseurs avaient fait de même – avec une grâce spéciale et que, plus qu'en d'autres personnes revêtues de l'habit religieux, il avait en eux une confiance particulière ».

Après avoir aussi éloquemment exposé les « terribles » scrupules de Philippe le Bel, il fallait tout de même que Plaisians précisât la sorte de victoire « admirable » qu'il avait remportée. Il indiqua, avec une apparence d'objectivité, la procédure suivie : information secrète par les agents royaux et par l'inquisiteur, conseil de Maubuisson, ordre d'arrestation des Templiers.

Pourquoi cette victoire fut-elle « joyeuse et admirable ? »

I. « parce que Dieu a choisi ses exécutants pour qu'en cette affaire, ils ne recherchent pas leurs avantages, mais éloignent d'eux-mêmes la cupidité et la vaine gloire ». (Il insista sur le fait que le roi avait fait séquestrer les biens du Temple pour les conserver intacts et qu'en acceptant cette mission de Dieu, il se conformait au serment de défendre la foi prêté le jour de son couronnement.)

II. « parce que le Christ semble avoir agi miraculeusement en prévoyant que le Pape séjournerait dans le royaume de France et pourrait de la sorte ajouter son courage à celui du Roi ».

III. « parce que le Christ amena dans le royaume tous les dignitaires, sous le prétexte d'une autre affaire » [1].

IV. « parce que le Maître, avec tous les autres dignitaires, avant leur arrestation, en s'excusant auprès du Roi, en cachant leurs erreurs autant qu'ils le pouvaient et, en faisant connaître leur Règle et leurs secrets en présence des autres qui approuvaient, confessèrent une hérésie manifeste touchant le sacrement des clefs et de la confession sacramentelle [2] ».

V. « parce que, lors de leur arrestation, quelques-uns d'entre eux, par crainte des accusations dont ils étaient l'objet, se pendirent, que d'autres se tuèrent, que d'autres se précipitèrent ».

(Plaisians tente ainsi d'expliquer la mort sous la torture de nombreux Templiers et la fuite de quelques-uns d'entre eux.)

VI. « parce que, à peu d'exceptions près, dans tous les bailliages et sénéchaussées, les Templiers firent, sans se concerter, des aveux concordants ».

(On a vu par quels moyens ces aveux avaient été extorqués et comment on avait assuré leur parfaite concordance. Plaisians cita plusieurs miracles ayant provoqué une confession spontanée. Il ne parla point des tortures. En revanche, il relata la confession publique de Jacques de Molay, le 26 octobre 1307.)

VII. « parce que les Templiers persévérèrent dans leurs aveux en présence des évêques et de personnes dignes de foi ».

(Plaisians ne pouvait passer entièrement sous silence les rétractations du mois de novembre, mais il les expliquait à sa manière : « Quelques-uns, à la vérité, après leur confession spontanée (*sic !*) et souvent renouvelée en présence de diverses personnes durant un grand intervalle de semaines et de mois, et après y avoir persévéré longtemps, la révoquèrent après collusion entre eux, comme l'ont appris les seigneurs-cardinaux, envoyés à Paris et grâce aux encouragements qu'ils ont reçus oralement et par écrit de certaines personnes dont les noms seront dévoilés en leur lieu et en leur temps. »

VIII. « parce que, après les confessions générales, l'archevêque de Sens et l'évêque de Mâcon recueillirent d'autres aveux. L'un des accusés trépassa même en persévérant » (on imagine la forme de son trépas !).

1. Le projet de fusion avec les Hospitaliers.
2. L'absolution de fautes concernant le domaine spirituel.

Pourquoi cette grande victoire s'est-elle « maintenue claire et indubitable » ?

– parce que l'Ordre est vaincu et que les Templiers sont confondus par une multitude de témoins ;

– parce que la rumeur publique est générale, dans le royaume et dans le monde entier ;

– parce que la chose est notoire en droit et en fait, pour tous. Elle est notoire par des actes authentiques et scellés de sceaux authentiques, par le témoignage du roi, vicaire du Christ dans son royaume, par celui des prélats de l'Église gallicane, par les clameurs des barons et du peuple ;

– les présomptions, les indices, les conjectures, réunis en faisceau, « suffiraient à rendre la chose incontestable, abstraction faite d'autres faits antérieurs » :

1) les Templiers étaient suspectés de commettre quelque chose d'illicite dans leur réception secrète ;

2) ils ne révélaient pas les secrets de leur Ordre aux évêques de l'Église romaine ;

3) ils tenaient leurs chapitres et leurs assemblées de nuit, ce qui est la coutume des hérétiques ;

4) « parce que, par les fruits de leur action, nous pouvons les connaître, puisqu'on dit que la Terre sainte fut perdue à cause de leur défaillance et qu'ils ont conclu souvent des accords secrets avec le Sultan et que, dans leurs maisons, ils n'accordaient ni hospitalité ni aumônes et ne faisaient aucune œuvre de charité : toute leur attention était employée à acquérir, à plaider et à se quereller ; c'est ainsi qu'ils promettaient d' agir soit légalement, soit illégalement, comme il appert des dépositions de certains d'entre eux » ;

5) parce que certains se sont enfuis, sont devenus brigands dans les forêts, pillards sur les routes, « d'autres encore menacent de la mort, par le glaive ou par le poison, les juges et les ministres commis à cette affaire » ;

6) parce que, dans beaucoup d'endroits, ils ont fortifié des châteaux contre l'Église elle-même, dissipé ses biens et jusqu'à ses vases sacrés (Plaisians eût été bien en peine de citer un de ces endroits, mais on ne le lui demanda pas, semble-t-il) ;

7) parce que, parmi ceux qui résident hors du royaume de France, aucun ne s'est présenté pour « se justifier », malgré l'ordre du pape. Au contraire, la plupart des Templiers affectés en Espagne « sont passés tout à fait aux Sarrasins ».

Plaisians se proposait de conclure ainsi : il est désormais impossible de révoquer en doute des faits aussi « notoires, clairs et indubitables ». Même s'ils étaient divulgués par un animal stupide, il n'y aurait pas lieu d'en discuter.

« Ainsi, la cause de la foi, que protègent toutes les lois, doit être secondée spécialement par le Pontife romain ; et, dans ce procès, toutes les règles du droit sont trompeuses. Il ne faut pas s'inquiéter de savoir comment, de quelle façon, en présence de qui la vérité est découverte, pourvu qu'elle soit découverte, comme elle l'est, et le Pontife romain doit s'en inquiéter moins que tout autre, lui qui n'est lié par aucun lien. »

Sans doute Plaisians a-t-il étoffé ce canevas et remanié l'argumentaire, mais ce qui précède donne une idée suffisante du discours qu'il prononça. Cependant, le pape persista dans son attitude dubitative. Plaisians n'avait pas raisonné en juriste, mais en partisan. Il avait avancé trop d'explications tendancieuses et d'hypothèses gratuites, assaisonné sa mercuriale de trop de contrevérités patentes. Qui pouvait croire que la Terre sainte avait été perdue par la faute des Templiers, alors que cinq cents des leurs s'étaient sacrifiés à Saint-Jean-d'Acre pour sauver des milliers de fugitifs ? Que les Templiers d'Aragon, de Castille ou du Portugal étaient passés aux Sarrasins, alors que tant de leurs frères avaient péri pour ne pas abjurer ? À vouloir trop prouver, on ne prouve rien. Clément V ne céda pas. Aux pressions du roi et de ses conseillers, il opposa une apparente inertie. Philippe le Bel resta deux mois à Poitiers. Deux mois de colloques et d'entretiens privés, dont il ne sortait rien. Le pape ne voulait pas rouvrir le procès des Templiers, ou plutôt les punir et supprimer l'Ordre, selon les vœux du roi. Fidèle à sa manière, il cherchait à gagner du temps, faisait fond sur la lassitude de ses adversaires et gémissait sur sa mauvaise santé. Tantôt il laissait entrevoir une solution prochaine, et tantôt compliquait les choses et remettait sa décision. Il supportait en souriant les pressions dont il était l'objet, les tourments et les menaces qu'on lui infligeait. De son côté, Philippe le Bel devait subir les atermoiements de Clément, ses reproches déguisés en compliments, ses dérobades subtiles. Il l'eût volontiers traité comme Boniface VIII, mais les prétextes lui manquaient. Clément V ne le menaçait pas d'excommunication ; il ne voulait pas juger le roi, ni le déposséder, ni régler le gouvernement de la France. C'était un pontife de tout repos, un hôte exemplaire dont la présence même rehaussait l'éclat de la France.

Philippe le Bel crut en finir en demandant la réunion d'un second consistoire. Ce fut à nouveau Guillaume de Plaisians qui porta la parole en son nom, le 14 juin 1308.

Après un préambule grandiloquent dans lequel il rappela que saint Pierre lui-même avait été réprimandé par Dieu et que le Seigneur veut parfois révéler aux petits ce qui est profitable aux grands, il entra dans le vif du sujet :

« Saint-Père, voici que se présente l'affaire des Templiers. Une clameur puissante s'élève vers Dieu et vers vous, qui êtes son lieutenant : maintenant l'ivraie peut être séparée de la moisson, enlevée et jetée au feu. Le Roi catholique, le Roi de France, non comme accusateur, dénonciateur ou promoteur spécial, mais comme ministre de Dieu, champion de la foi catholique, zélateur de la foi divine pour la défense de l'Église, conformément aux traditions des Saints-Pères, sur quoi il est tenu de rendre compte à Dieu (quoique la plupart lui aient suggéré d'extirper l'hérésie des Templiers de sa propre autorité, comme on sait qu'il a été prescrit par Dieu et institué par les Saints-Pères ; et si quelque autorité a statué à l'encontre, il ne faudrait pas la suivre, mais obéir plutôt à Dieu et à ses préceptes), le Roi donc, s'adressant à Votre Révérence en fils respectueux, a requis de vous trois choses assurément nécessaires à l'extirpation de la susdite perfidie : la première est que vous preniez soin de stimuler les prélats ordinaires de son royaume et les prélats des autres royaumes pour que, dans leurs diocèses respectifs, ils exercent leur office relativement aux personnes du Temple en particulier ; la seconde est que la suspension que vous avez prononcée contre les inquisiteurs de l'hérésie établis par l'autorité apostolique doit être révoquée ; la troisième est que ledit Ordre des Templiers, qui doit être plutôt considéré comme une secte condamnée, doit, par provision apostolique, être entièrement rejeté de l'Église, comme un vase vraiment inutile et plein de scandales... »

Au consistoire du 29 mai, Clément V avait répondu aux exhortations de Plaisians et des autres par l'une de ces homélies lénifiantes et vides dont il avait le secret, où tout le monde trouvait son compte sans obtenir satisfaction. D'où cette attaque brutale de Plaisians :

« Là-dessus Votre Sainteté a répondu d'une façon générale, sans toutefois rien dire de précis du cas particulier ; vous avez vu que les esprits des auditeurs présents en avaient été considérablement surpris et que cela avait déterminé chez tous un grave scandale. Car les uns vous soupçonnent de vouloir favoriser les Templiers, comme on le dit aussi de quelques-uns de vos frères : on sait que de cela les Templiers se sont vantés en plusieurs endroits, en paroles et en écrits [1]. D'autres, en revanche, mettent en doute le péché des Templiers, qui est clair et certain, voyant que vous avez répondu comme si vous en doutiez. Au

1. Allusion probable à un mémoire qu'eût écrit Molay ou Pairaud à la suite de leur entrevue avec les deux cardinaux, mémoire dont il ne subsiste rien.

reste, il doit être rapidement pourvu à l'un et l'autre scandale par Votre Sainteté, afin que, comme vous avez vraiment une inclinaison pour le juste et pour le bien, vous le prouviez par des actes et qu'ainsi vos œuvres brillent aux yeux des hommes pour glorifier Dieu le Père, selon la doctrine de Jésus-Christ... »

S'ensuivaient des considérations sur les méfaits du scandale impuni, assorties d'exemples et de citations tirés des Écritures. Je crois pouvoir en dispenser le lecteur, sans pour autant trahir Guillaume de Plaisians.

« ... Ainsi, poursuivit-il, père de famille de la maison de Dieu, vous savez qu'à l'heure présente le diable, comme un voleur, est venu percer votre maison. Déjà il vous a soustrait furtivement des brebis du Temple changées en loups, et il s'efforce d'enlever celles qui sont restées dans le troupeau ; il a percé la maison que vous aviez édifiée, avec les fidèles en guise de pierres, sur le Christ qui en est la pierre angulaire. Veillez donc ! Que le sommeil ni la terreur ne s'emparent de vous, mais opposez-vous au voleur, comme un mur pour la défense de la maison de Dieu ; mettez en fuite le voleur, supprimez le scandale de la sainte Église de Dieu, en bannissant les pervers et en réconfortant en même temps les autres, par la parole, par les œuvres, par l'exemple.

Que si vous ne le faites promptement, considérez quelle grande confusion s'ensuivra pour Votre Sainteté ! Grande assurément, parce que les princes et les peuples, voyant que vous ne le faites pas, le feront eux-mêmes à défaut de vous... »

Le discours prenait à partir de là une allure de sermon, au point que les auditeurs ont dû se demander si c'était un religieux ou un laïc qui s'exprimait ainsi ! Plaisians s'appliquait à démontrer que les chrétiens, formant un corps unique, se trouvaient en état de légitime défense, lorsque l'hérésie gangrenait une partie de ce corps. Il était donc licite qu'en face de ce péril mortel, l'autorité temporelle se substituât à l'autorité spirituelle, en cas de défaillance de celle-ci. Il affirmait avec force combien, en pareil cas, il était dommageable de tarder à intervenir : « ... aux yeux de Dieu, il est beaucoup plus abominable de procéder avec retard ou avec lenteur en matière de foi que de s'abstenir complètement, ainsi que Dieu le dit à certain autre prélat : Plût au Ciel que tu fusses fervent ou froid ; mais, puisque tu n'es ni froid ni fervent, mais tiède, je commencerai par te vomir de ma bouche... »

Tolérer l'hérésie, c'était exposer les âmes à la contagion, décevoir les fidèles qui, dès lors, s'écarteront de la discipline de l'Église ! Plaisians terminait ainsi :

« ... Donc, Saint-Père, vous voyez le feu de cheminée ardent, brûlant les maisons des meilleurs ; l'Église de France tout entière, chez qui ce feu, jusqu'alors caché, ainsi que dans les autres royaumes, se révèle ardent, l'Église de France, dis-je, s'écrie dans le souffle de sa dévotion : "Au feu, au feu ! Au secours, au secours !" Que la torpeur ne s'empare pas de vous, ni le sommeil ni les pièges du diable, c'est-à-dire les arguments d'espèce captieuse. Car les discussions instituées contre de tels procès sont les liens du diable, les testicules de Léviathan, par lesquels il séduit les foules. Autrement, les murailles des voisins s'effondreront, leurs maisons seront brûlées, et vous – ce qu'à Dieu ne plaise –, vous pourrez craindre la sentence prononcée contre le Grand Prêtre Élie, qui expira en tombant de sa chaire, le crâne fracassé... »

L'Église gallicane criant au feu et au secours dans le souffle de sa dévotion était une trouvaille digne de figurer dans les annales ! Plaisians avait même emprunté « les testicules de Léviathan » à l'ingénieux avocat de Coutances. Mais sa péroraison dépassait tout le reste, du moins par le cynisme :

« ... De ces périls, que vous faites courir à vous et à vos sujets, puisse Dieu défendre Son Église ! La réalité de l'erreur des Templiers est évidente ; il n'est pas permis que la prompte administration de la justice dans une cause qui intéresse la foi, soit empêchée par les testicules et les liens du diable ci-dessus dits ; *car c'est conserver les formes juridiques que de ne pas les observer dans un pareil procès*, et il ne faut pas s'inquiéter de savoir par qui ont été mis au jour les crimes des Templiers, même si c'est devant des laïcs, non devant les inquisiteurs ou leurs commissaires ou les ordinaires qu'ils sont apparus : tous ceux que touche l'affaire sont appelés à la défense de la foi. »

Vous avez bien lu cette formule hardie : « C'est conserver les formes juridiques que de ne pas les observer dans un pareil procès. » Et c'était un juriste consommé, familier du droit romain, qui l'avait imaginée !... Le problème se pose de savoir s'il parlait avec conviction, s'il croyait ce qu'il disait ou ne songeait qu'à servir les intérêts du roi. S'il croyait en Dieu ou en l'État ! Il en est de même pour Nogaret qui, ayant agencé le procès depuis ses débuts et pris les moyens d'obtenir des aveux, considérait la culpabilité des Templiers comme acquise. Peut-être, à force de répéter que les Templiers étaient coupables, avaient-ils fini par se persuader qu'ils l'étaient réellement, intoxiqués par leur propre propagande ! Quant à Philippe le Bel, dont on ne peut contester la dévotion exacte et la foi, il est possible – mais très douteux – qu'il ait cru valables et sincères les aveux arrachés aux Templiers. Nogaret était un « fonctionnaire » trop zélé pour ne pas l'avoir informé du moindre détail de la procédure. Tout se mêle en la créature, fût-elle royale. La lumineuse intelligence de

LA RIPOSTE DE PHILIPPE LE BEL

Philippe le Bel s'enténébrait parfois étrangement. Parfois aussi ses doutes se changeaient anormalement en certitudes. Une certaine propension à la cruauté marquait son comportement. Si novateur qu'il fût, il restait un homme de son temps, qui n'était plus celui de saint Louis. La foi même avait perdu sa sérénité ; elle s'enfiévrait d'inquiétudes et éprouvait sans cesse le besoin de s'affirmer.

V

LE COMPROMIS

Clément V n'avait aucune envie de subir le châtiment d'Élie et d'avoir la tête fracassée. Il tenait trop à son existence, aux honneurs et aux avantages qu'elle lui procurait. Pourtant, il lui restait assez de conscience pour ne pas capituler. Il pouvait tout craindre de Philippe le Bel, mais il ne croyait pas à l'erreur des Templiers et refusait de les sacrifier. Déconcerté par cette obstination imprévue, le roi recourut au chantage. Pour embarrasser son adversaire, il remit en avant le procès de Boniface VIII. Le défunt pape contre les Templiers ! Clément V promit, sans conviction, d'ouvrir le procès contre Boniface, dès qu'il le pourrait. Mais il tenait à ce que le procès se déroulât contradictoirement, selon les formes, les Bonifaciens et les anti-Bonifaciens étant à même de s'exprimer librement, sans troubles ni pressions d'aucune sorte. Il importait donc extrêmement que toutes les précautions fussent prises et que l'information fût complétée. Philippe le Bel comprit que le procès de Boniface serait indéfiniment ajourné, car le pape Clément répugnait à juger son prédécesseur ; c'était même une question de principe pour lui. Il avait néanmoins souscrit un engagement que l'on saurait lui rappeler par la suite, le cas échéant.

On en revint ensuite aux Templiers. Le roi ne pouvait admettre que Clément V ne crût pas à leur culpabilité, malgré les preuves qu'on lui avait apportées. Précisément, elles étaient trop abondantes, trop concordantes pour être admises sans examen. De plus, le pape avait été offensé par les leçons que Plaisians lui avait assenées sans ménagement. Ce n'était pas à ce chevalier ès lois qu'il incombait de conduire le troupeau des fidèles, ni d'évaluer s'il y avait ou non hérésie. Tout cela sentait par trop le fabriqué, la machination ; le pape n'était pas dupe. Il avait parfaitement discerné les raisons de l'acharnement du roi, et ses convoitises travesties en souci de défendre la foi. Mais il était trop diplomate pour lui jeter ses vérités à la face, autrement que par des allusions feutrées. Pour donner le change, ce en quoi il s'entendait à merveille et sans doute un peu trop, il exprima le désir d'entendre lui-même les Templiers et leurs dignitaires. Il ne pouvait évidemment s'agir que d'une délégation. Philippe le Bel accepta sans hésiter. Clément venait, sans le savoir, de mettre le doigt dans l'engrenage !

Soixante-douze Templiers furent rapidement amenés à Poitiers et présentés au pape. Il fut à même de les interroger lui-même. Les gens du roi les avaient triés sur le volet. Ces malheureux avaient tous avoué les turpitudes de l'Ordre, soit par lâcheté, soit par crainte de la torture. Il ne fut pas difficile de les mettre en condition à l'aide de quelques menaces. Ils répétèrent docilement leurs aveux, les aggravèrent peut-être, versant de fausses larmes de repentir et implorant le pardon du Saint-Père. Ils avaient tous renié le Christ (de bouche, non de cœur), craché sur la croix ou à côté, reçu le conseil de s'unir charnellement à leurs frères s'ils en étaient requis, mais ne l'avaient jamais fait. Ils avaient feint d'adorer l'idole barbue et, sinon, connaissaient son existence. Le pape était stupéfait, troublé profondément, décontenancé. Mais il attendait la venue de Jacques de Molay et des autres dignitaires. Il espérait que leurs dépositions seraient au moins conformes à celles qu'ils avaient faites devant les deux cardinaux. C'était compter sans la malice de Nogaret. Molay et ses compagnons ne purent aller au-delà de Chinon. Ils étaient tombés malades au cours du voyage et ne pouvaient poursuivre. Par charité et pour éviter une aggravation de leur état de santé, on les hébergea au château de Chinon. Cette ville est peu distante de Poitiers. Le pape comprit qu'on cherchait une fois de plus à le tromper. Il décida de faire entendre Molay et ses baillis par trois cardinaux : Landolf Brancaccio, Bérenger Frédol et Suisy. Ce choix paraissait objectif, puisque deux d'entre eux avaient précédemment reçu les dépositions des dignitaires de l'Ordre (Frédol et Suisy). Les prisonniers avaient été incarcérés dans la tour du Coudray, où Jeanne d'Arc devait être hébergée plus tard par Charles VII. Les cardinaux entendirent successivement Raimbaud de Caron, précepteur de Chypre, Geoffroy de Charnay, précepteur de Normandie, Geoffroy de Gonneville, précepteur d'Aquitaine et de Poitou, Hugues de Pairaud, Visiteur de France, et Jacques de Molay, Grand Maître du Temple qui demanda qu'un sergent [1] fût également entendu. Ils invitèrent les prisonniers à parler sans contrainte, en insistant sur le fait qu'ils représentaient le pape. Toutefois Nogaret et Plaisians assistaient aux interrogatoires, ce qui était illégal. Les cardinaux tolérèrent leur présence. On se demande d'ailleurs quel jeu ils menaient, ou quels ordres secrets ils avaient reçus. Car, s'ils rendirent compte à Clément V de leur mission, ils ne manquèrent pas de renseigner fort exactement Philippe le Bel sous prétexte d'appeler sa miséricorde sur les dignitaires. Leur lettre, datée du mardi après l'Assomption 1308, a été conservée :

« Au Roi,

Nous nous sommes rendus à Chinon, d'après l'ordre du Souverain Pontife, à l'effet d'examiner le Grand Maître du Temple, le Maître de Chypre, le Visiteur de France, le précepteur de Poitou et d'Aquitaine et le précepteur de Normandie, au sujet du crime d'hérésie dont eux et l'Ordre sont inculpés. Le samedi après l'Assomption, nous avons appelé devant nous le précepteur de Chypre, et nous lui avons fait connaître les divers chefs d'inculpation. Après lui avoir fait prêter serment, en fils obéissant, il reconnut son crime, avoua la coutume de renier Jésus-Christ et de cracher sur la croix. Le même jour, le précepteur de Normandie se présenta devant nous, et après avoir prêté serment, il avoua avoir renié Jésus-Christ. Le même jour, après vêpres, fut conduit devant nous le précepteur de Poitou et d'Aquitaine, Geoffroy de Gonneville ; il demanda à réfléchir jusqu'au lendemain dimanche. Ce jour-là, ce précepteur avoua avoir promis à celui qui l'avait reçu dans l'Ordre que, si jamais les frères lui demandaient s'il avait renié Notre-Seigneur, il eût à répondre qu'il L'avait renié. Le dimanche au matin, nous avons fait comparaître le frère Hugues de Pairaud ; puis, le même jour, après vêpres, le Grand Maître de l'Ordre. Ils demandèrent à réfléchir jusqu'au lendemain lundi, ce que nous leur avons accordé. Et le lundi, le frère Hugues de Pairaud, après avoir prêté serment, persista dans les aveux passés par lui à Paris. Il déclara spécialement avoir renié Jésus-Christ, vu la tête de l'idole ; il avoua, en outre, d'autres choses illicites qui sont consignées dans sa confession passée devant l'inquisiteur de Paris. Le mardi suivant, comparut devant nous le Grand Maître, qui, après avoir prêté serment et pris connaissance des chefs

1. Probablement son compagnon de geôle.

d'inculpation, avoua la coutume de renier Jésus-Christ et nous supplia d'entendre un frère-sergent, son familier, qui l'avait accompagné à Chinon et qui voulait passer des aveux. Voyant le Grand Maître si repentant, si suppliant pour ce frère-sergent, bien que le Saint-Père ne nous eût pas donné mandat d'examiner d'autres personnes que les cinq frères ci-dessus nommés, nous avons cependant consenti à entendre ce frère-sergent. Ce frère comparut devant nous, et après avoir prêté serment, avoua avoir renié Jésus-Christ. Le tout a été consigné aux actes publics qui ont été revêtus de nos cachets. Après les avoir ainsi examinés, tous, abjurant toute hérésie, demandèrent l'absolution de leurs fautes ; nous la leur avons accordée, nous leur avons rendu la communion et nous les avons admis aux sacrements. Or, illustre Prince, comme on ne doit pas refuser miséricorde à celui qui l'implore, que lesdits frères demandent grâce, surtout le Grand Maître, Hugues de Pairaud et le précepteur de Chypre, qui, en raison de leurs aveux spontanés et de leur humble attitude, méritent sincèrement pardon devant Dieu et devant les hommes, nous supplions affectueusement Votre Royale Majesté de recevoir favorablement leur prière, parce qu'ils se sont rendus ainsi dignes de votre miséricorde. »

Molay et ses lieutenants étaient donc revenus sur leurs précédentes rétractations. Ils avaient reconnu les crimes dont on chargeait le Temple. Prétendument touchés par leur sincérité et par leur repentir, les cardinaux intervenaient en leur faveur auprès du roi. C'était un véritable coup de théâtre, dont les responsables ne pouvaient être que Nogaret et Plaisians. Quel abominable chantage exercèrent-ils sur les malheureux prisonniers ? Quel compte rendirent-ils de la réunion des états généraux, des consistoires et des entretiens de Poitiers ? Quels documents authentiques ou falsifiés leur présentèrent-ils ? Quelles furent leurs promesses insidieuses ? Il faut croire que Molay et ses compagnons se sentirent tout à coup perdus. Et, sinon, qu'ils cédèrent à de terribles menaces. En renonçant à défendre le Temple, croyaient-ils sauver leur peau ? Étaient-ils si désespérés qu'ils misaient désormais sur la miséricorde du roi ? Il est si facile d'abuser des hommes avilis par la souffrance et les humiliations ! Quoi qu'il en soit, ces pitoyables aveux de Chinon portèrent un dommage irréparable au Temple ; ils engageaient son avenir et enlevaient par avance toute crédibilité à ses dignitaires.

De son côté, Clément V avait tout aussi brusquement cédé aux pressions de Philippe le Bel. Il ne s'agissait pourtant de sa part que d'une capitulation relative. Il donnait apparemment raison au roi, tout en restant maître de la situation. C'est ainsi qu'il consentait à pardonner aux inquisiteurs d'avoir procédé contre les Templiers de leur propre initiative, sans son autorisation. Il leur rendait même leurs pouvoirs, mais assortis de sérieuses réserves. Il consentait également à rouvrir le procès des Templiers, mais en dessaisissait le roi et ses légistes. Non sans pertinence – et l'on reconnaissait ici le juriste –, il avait décidé de dissocier l'Ordre de ses membres.

Le Temple en tant que tel ferait l'objet d'une enquête approfondie, confiée, pour chacun des royaumes intéressés, à une commission pontificale. Le pape se réservait de désigner les commissaires.

Les Templiers en tant que personnes seraient examinés par des commissions diocésaines dont les membres seraient choisis par les évêques. Ces commissions enquêteraient sur la culpabilité des Templiers. Les coupables seraient jugés par des conciles ou synodes provinciaux.

Un concile général se prononcerait sur le sort de l'Ordre du Temple en tant qu'établissement religieux. Ce concile général se réunirait en principe en 1310 à Vienne, après la clôture des travaux de toutes les commissions pontificales.

Ce mécanisme à plusieurs niveaux était habilement conçu. Il semblait offrir toutes les garanties aux Templiers. Il enlevait l'initiative à Philippe le Bel, l'empêchait de s'approprier les biens du Temple et laissait au Saint-Siège le droit de réformer l'Ordre, de le fusionner avec les Hospitaliers ou de le supprimer, selon l'avis du concile. Il présentait pourtant, dans l'immédiat, un inconvénient majeur et que n'avait pas prévu Clément V. C'est que les commissions pontificales, les commissions diocésaines et les synodes provinciaux fonctionneraient simultanément. Autrement dit, on jugerait les Templiers avant de juger le Temple. Il y avait là une grave lacune. Philippe le Bel saura en tirer parti et mettre la commission pontificale de Paris en difficulté. Par ailleurs, Clément V se réservait personnellement le cas des dignitaires de l'Ordre. Bien entendu, les Templiers restaient à la garde du roi. Quant aux biens, ils continueraient d'être gérés par les royaux de part avec des curateurs ecclésiastiques.

Ce compromis, péniblement élaboré, fut sanctionné par plusieurs bulles, dont *Faciens misericordiam et Regnans in cœlis.* Dans la première, Clément V célébrait ainsi la générosité de Philippe le Bel :

« Ce n'est ni par avarice ni par cupidité que le Roi nous a dénoncé le crime des Templiers ; non seulement il ne prétend à rien sur leurs biens, mais, mieux encore, il les a remis entre nos mains et entre les mains de l'Église, pour qu'ils soient administrés par nous, gouvernés, conservés fidèlement dans son royaume. Le Roi s'est dessaisi entièrement, avec un désintéressement, une piété qui le rendent digne de ses aïeux... »

Le procès entrait dans sa seconde phase. Une nouvelle partie d'échecs allait commencer, plus âpre que la première et jalonnée d'instants pathétiques. Il n'y avait encore ni vainqueur ni vaincu. Clément V s'accommodait assez bien d'une telle situation.

Il quitta Poitiers le 13 août 1308, ayant finalement décidé de s'installer à Avignon. Il avait un peu trop éprouvé les inconvénients de résider en terre « française ». Le Comtat Venaissin appartenait à l'Église ; il échappait donc à la tutelle de Philippe le Bel. De plus, la ville d'Avignon présentait assez de ressources pour accueillir le Sacré Collège, les services et la domesticité du Saint-Siège. À vrai dire, la décision de Clément V était, comme toujours, provisoire. Il souhaitait s'installer à Rome, mais n'osait affronter l'hostilité des grandes familles auxquelles il avait quasi dérobé le trône de saint Pierre. Les querelles qui déchiraient la Ville éternelle l'effrayaient. Il abhorrait l'insécurité. Le courage n'avait jamais été sa vertu dominante, bien qu'il fût issu d'une vieille lignée chevaleresque. Fidèle à ses habitudes, il prit le chemin des écoliers et vagabonda dans les régions qui lui étaient chères. Il passa par Lusignan et Saint-Jean-d'Angély, avant d'entrer en Guyenne. Il séjourna près de Bordeaux, s'attarda dans le château de Villandraut, dans les lieux qui l'avaient vu naître et grandir. Puis, sans hâte, avec sa suite et ses bagages, il se dirigea vers Toulouse. Il s'arrêta à nouveau à Saint-Bertrand de Comminges, où il présida la translation des reliques de saint Bernard. Il passa par l'abbaye de Boulbonne, puis remonta vers le Rhône. Bref, il n'arriva en vue d'Avignon qu'en mars 1309. La population lui réserva un accueil enthousiaste. Le palais des papes n'existait pas encore. Clément V s'installa dans le couvent des Dominicains, qui était vaste et clos de bonnes murailles. Le règne des papes d'Avignon commençait. Il devait durer soixante-dix ans environ ! C'est ce que les Romains appelèrent aimablement « la captivité de Babylone ».

Pendant les pérégrinations de Clément, Henri VII de Luxembourg fut élu empereur d'Allemagne. Philippe le Bel avait tenté vainement de faire élire son frère Charles de Valois. Le pape n'était pas tout à fait étranger à cet échec. Ce n'est ici qu'une incidente, cependant significative.

SIXIÈME PARTIE

LA DÉFENSE DU TEMPLE

(1309-1311)

I

LA COMMISSION PONTIFICALE DE PARIS

En août 1308, Clément V avait donc prévu deux procédures distinctes à l'encontre des Templiers. Les commissions pontificales devaient enquêter sur l'Ordre en tant qu'institution religieuse ; leurs rapports seraient soumis à un concile général, dont l'avis permettrait au pape de prendre la décision finale : absolution, réformation ou condamnation du Temple. Les commissions diocésaines et les conciles provinciaux devaient examiner les Templiers en tant que personnes ; ils étaient habilités à les absoudre, à les réconcilier avec l'Église, ou à les condamner. Malheureusement pour eux, les commissions diocésaines pouvaient, comme il est indiqué au chapitre précédent, fonctionner en même temps que les commissions pontificales. Il se produisit de regrettables interférences, comme il était inévitable. Les évêques gallicans étaient trop dépendants du roi pour qu'ils ne subissent pas son influence. De plus, Clément V s'était dispensé de leur envoyer des instructions précises, s'en tenant comme toujours à des directives générales. Il donnait alors l'impression de se désintéresser du procès et il n'est pas moins troublant de constater chez Philippe le Bel la même indifférence apparente. Il est vrai qu'après les aveux de Jacques de Molay et des dignitaires du Temple à Chinon, il pouvait être tout à fait tranquille quant à l'issue du procès.

Les travaux de ces commissions se chevauchant, il est impossible de respecter la chronologie, sous peine d'aboutir à une confusion totale. Or, le principal objectif de cet ouvrage est d'être aussi clair que possible dans une affaire passablement embrouillée et jalonnée de contradictions. J'ajoute que si les commissions diocésaines se réunirent en même temps que les commissions pontificales, elles restèrent en activité après la suppression de l'Ordre du Temple au concile de Vienne. Il apparaît donc logique d'examiner d'abord les procès-verbaux de la commission pontificale de Paris. Il est évident que cette commission fut la plus importante et que son rôle fut déterminant, cela pour deux raisons :

– l'Ordre était né en France ; il y possédait le plus grand nombre de commanderies, dont celle de Paris ;

– les Maîtres et les principaux dignitaires, y compris le précepteur de Chypre, séjournaient en France.

Clément V avait institué la commission pontificale de Paris par la bulle *Faciens misericordiam*. Il y rappelait, de façon détaillée, les événements qui l'avaient amené à prendre cette décision : les rumeurs qui ternissaient la réputation du Temple, les accusations précises dont il était l'objet, les informations données par le roi, les opinions formulées par les représentants des trois ordres, les aveux que lui avaient faits les soixante-douze Templiers qu'il avait interrogés lui-même à Poitiers, les erreurs confessées à Chinon par Jacques de Molay et plusieurs précepteurs. Ne pouvant s'occuper personnellement de l'enquête, il invitait les membres de la commission à se rendre « dans les cités, diocèse et province de Sens, à évoquer par édit citatoire tous ceux qui seront à évoquer, et à enquêter sur le questionnaire inclus en notre bulle, ainsi que sur tout autre que votre sagesse estimera opportun ». Les enquêteurs devaient établir un procès-verbal authentifié par leurs sceaux. Le pape leur accordait le droit de faire arrêter ceux qui tenteraient d'entraver le cours de l'enquête par des pressions et des menaces. Il leur permettait de ne siéger qu'à trois, si certains membres de la commission se trouvaient empêchés ou malades.

La commission était composée de Gilles Aycelin, archevêque de Narbonne, qui la présidait, de Guillaume Durant, évêque de Mende, Guillaume Bonnet, évêque de Bayeux, Renaud de La Porte, évêque de Limoges, Matthieu de Naples, notaire apostolique, Jean de Mantoue, archidiacre de Trente et Guillaume Agarni, prévôt de l'église d'Aix, naguère évêque de Grasse. Encore que Gilles Aycelin eût été Garde des Sceaux jusqu'à 1307 et restât Conseiller royal, et que plusieurs de ces évêques fussent, à divers degrés, des créatures de Philippe le Bel, la commission sut agir avec une certaine bonne foi.

Quant au questionnaire dont elle se servit, j'ai beaucoup hésité à le reproduire dans son intégralité en raison de sa longueur, de son accablante répétitivité et de son caractère odieux, voire imbécile. Cependant, j'ai considéré que c'était le canevas sur lequel les commissaires avaient travaillé. Il ne comprenait pas moins de 127 questions ! Le voici :

1. « Encore que les Templiers assurent que leur Ordre répondait à de saints motifs et qu'il avait été approuvé par le Siège apostolique, il n'empêche que, lors de la réception des frères de cet Ordre, étaient observés les rites qui suivent :

Le postulant, au moment de sa réception, quelquefois après, ou le plus tôt possible à la convenance de celui qui le recevait, reniait tantôt « le Christ », tantôt « le Crucifié », tantôt « Dieu », tantôt même la Sainte Vierge ou bien les Saints et Saintes de Dieu. Cela, sur l'ordre de ceux qui les recevaient.

2. Les frères accomplissaient de tels rites communément.

3. La majorité d'entre les frères.

4. Parfois même après leur réception.

5. Ceux qui les recevaient enseignaient que le Christ n'était pas le vrai Dieu (ou bien Jésus, ou bien le Crucifié).

6. Qu'il avait été un faux prophète.

7. Qu'il n'avait pas souffert Sa passion et Sa croix pour la rédemption du genre humain, mais en châtiment des crimes qu'il avait commis.

8. Que ceux qui recevaient, comme ceux qui avaient été reçus, n'avaient pas l'espérance du salut par Jésus ; les premiers le disaient aux seconds (ou bien l'équivalent).

9. On faisait cracher les postulants sur la croix, sur un signe de la croix, sur une croix sculptée ou sur l'image du Christ (sauf que, quelquefois, des postulants crachaient à côté de la croix).

10. On leur enjoignait parfois de fouler la croix aux pieds.

11. Les frères reçus foulaient parfois la croix de leur propre initiative.

12. Ils urinaient sur la croix, tout en la piétinant, et faisaient uriner de même : il arrivait que cela se passât le Vendredi saint.

13. Quelques-uns d'entre eux, en ce jour ou tout au long de la Semaine sainte, avaient l'habitude de se réunir ensemble pour de telles pratiques.

14. Ils adoraient un chat, qui leur apparaissait de temps en temps lors de cette réunion.

15. Ils faisaient cette cérémonie-là en outrage du Christ et de la foi catholique.

16. Ils ne croyaient pas au sacrement de l'autel.

17. Quelques-uns d'entre eux.

18. La majorité.

19. Ni aux sacrements de l'Église.

20. Les prêtres de l'Ordre omettaient au canon de la messe les paroles de la Consécration.

21. Quelques-uns d'entre eux.

22. La majorité.

23. Ceux qui les recevaient leur en donnaient la consigne.

24. Ils croyaient, ou du moins leur affirmait-on, que le Grand Maître pouvait les absoudre de leurs péchés.

25. Le Visiteur aussi.

26. Les précepteurs de même, dont beaucoup étaient des laïcs.

27. Et de fait ils les absolvaient.

28. Du moins certains d'entre eux.

29. Le Grand Maître de l'Ordre l'avait avoué, par-devant des personnes éminentes, avant même son arrestation.

30. Lors de la réception des frères ou à peu près à ce moment, celui qui recevait et celui qui était reçu s'embrassaient parfois sur la bouche, au nombril ou sur le ventre nu, ainsi qu'à l'anus, ou sur l'épine dorsale.

31. Sur le nombril seulement.

32. Au bas de l'épine dorsale.

33. À la verge.

34. Au cours de cette cérémonie, on faisait jurer aux postulants de ne pas quitter l'Ordre.

35. On les tenait sur-le-champ pour profès.

36. Les réceptions se faisaient à huis clos.

37. Sans autre assistance que les frères de l'Ordre.

38. Ce fut là le motif du long et véhément soupçon qui se propageait contre l'Ordre.

39. Soupçon qui était général.

40. On disait aux frères nouvellement reçus qu'ils pouvaient s'unir charnellement les uns aux autres.

41. Que c'était licite pour eux.

42. Qu'ils devaient se le permettre et le souffrir réciproquement.

43. Que le commettre n'était pas un péché pour eux.

44. Ils le faisaient eux-mêmes, ou un grand nombre d'entre eux.

45. Quelques-uns.

46. Dans chaque province, ils avaient des idoles, à savoir des têtes dont les unes avaient trois faces, d'autres une seule, d'autres un crâne humain.

47. Ces idoles, au pluriel ou au singulier, ils les adoraient, spécialement en leurs grands chapitres et assemblées.

48. Ils les vénéraient.

49. À l'égal de Dieu.

50. Comme leur Sauveur.

51. Quelques-uns.

52. La majorité des membres du chapitre.

53. Ils prétendaient que cette tête-là pouvait les sauver.

54. Qu'elle rendait riche.

55. Qu'elle leur donnait toutes les richesses de l'Ordre.

56. Qu'elle faisait fleurir les arbres.

57. Germer la terre.

58. Ils ceignaient ou touchaient avec des cordelettes le chef de ces idoles, et s'en ceignaient ensuite sous la chemise à même la peau.

59. Ces cordes étaient remises à chacun des frères lors de sa réception ; ou une partie de leur longueur.

60. Ils faisaient cela par dévotion pour l'idole.

61. On leur enjoignait de se ceindre de ces cordes et de les porter sans cesse. Même la nuit.

62. C'était le mode commun de réception des frères.

63. Partout.

64. En général.

65. Ceux qui refusaient d'accomplir ces rites lors de leur réception ou après étaient tués ou jetés en prison.

66. Quelques-uns.

67. La plupart.

68. On leur enjoignait, sous la foi du serment, de ne rien révéler de ces cérémonies.

69. Sous peine de mort, ou de prison.

70. De ne pas révéler le mode de leur réception.

71. Entre eux, ils n'osaient pas en parler.

72. S'il y en avait qui fussent pris à les révéler, ils étaient punis de mort ou de prison.

73. On leur enjoignait de ne se confesser qu'aux frères de l'Ordre.

74. Les frères au courant de ces erreurs négligèrent de les corriger.

75. De les dénoncer à notre Sainte Mère l'Église.

76. Ils ne rompirent ni avec l'observance ni avec la communion des frères, encore qu'ils eussent eu la faculté de le faire.

77. Tout cela s'observait outre-mer, aux lieux où résidaient, selon le temps, le Grand Maître et le Couvent de l'Ordre.

78. Parfois, le reniement du Christ s'effectuait en présence du Grand Maître et du Couvent.

79. On l'observait généralement à Chypre.

80. De même en deçà des mers, dans tous les royaumes et lieux où se faisaient des réceptions dans l'Ordre.

81. On l'observait dans l'Ordre tout entier, d'une façon générale et commune.

82. Depuis longtemps.

83. Selon une antique coutume.

84. Selon les statuts de l'Ordre.

85. Ces observances, coutumes, ordonnances et statuts régissaient la totalité de l'Ordre, en deçà et au-delà des mers.

86. Ils faisaient partie des règlements de l'Ordre introduits après l'approbation du Siège apostolique.

87. Les réceptions des frères se faisaient, d'une façon générale, dans tout l'Ordre de cette manière.

88. Le Grand Maître le faisait observer.

89. Les Visiteurs.

90. Les précepteurs.

91. Les autres dignitaires de l'Ordre.

92. Ils l'observaient eux-mêmes, et veillaient à ce qu'il en fût ainsi.

93. Quelques-uns d'entre eux.

94. On n'observait pas d'autre mode de réception dans l'Ordre.

95. De mémoire de membre encore vivant de l'Ordre, il n'y eut jamais de son temps d'autre mode de réception.

96. Le Grand Maître, les Visiteurs, précepteurs et autres Maîtres de l'Ordre châtiaient sévèrement ceux qui n'observaient pas ou refusaient d'observer ces rites et le reste.

97. Dans cet Ordre, ni les aumônes ni l'hospitalité n'étaient observées comme il convenait.

98. Dans cet Ordre, on ne considérait pas comme un péché d'acquérir licitement ou illicitement des droits d'autrui.

99. Dans cet Ordre, on prêtait serment de travailler à l'accroissement de l'Ordre par tous les moyens, licites ou illicites.

100. On ne considérait pas comme un péché de se parjurer en ce domaine.

101. Les chapitres se tenaient en secret.

102. En secret, soit à l'heure du premier sommeil, soit pendant la première veille de la nuit.

103. En secret, vu que toutes les familles étrangères à l'Ordre étaient expulsées de la maison et de son enceinte.

104. En secret, vu que les Templiers s'enclosent pour tenir chapitre, et ferment si solidement toutes les portes de la maison et de l'église qu'il n'est plus possible d'y avoir le moindre accès, ni de voir ni d'entendre ce qui s'y passe.

105. En tel secret qu'ils placent des sentinelles sur le toit de la maison ou de l'église où ils tiennent chapitre, afin d'empêcher que l'on approche.

106. Ce secret, ils l'observent spécialement lors des réceptions de frères.

107. Depuis longtemps persiste dans l'Ordre l'opinion dévoyée que le Grand Maître peut absoudre les frères de leurs péchés.

108. Plus grave encore : le Grand Maître peut absoudre les frères de leurs péchés, même non confessés, s'ils ont omis de les avouer, par honte ou crainte de la pénitence qu'on leur infligerait.

109. Ces erreurs, le Grand Maître les a reconnues avant son arrestation, spontanément, devant des clercs et des laïcs dignes de foi.

110. En présence des grands dignitaires de l'Ordre.

111. Les tenants de ces erreurs les tenaient et continuent de les tenir, non seulement du Grand Maître, mais encore des autres précepteurs, et surtout des Visiteurs de l'Ordre.

112. Tout ce que le Grand Maître, spécialement avec son chapitre général, faisait et décidait, l'Ordre dans son ensemble était tenu de l'observer et l'observait.

113. Il revendiquait ce pouvoir et se l'était arrogé depuis très longtemps.

114. Ces usages pervers et ces dévoiements duraient depuis si longtemps que l'Ordre aurait pu être réformé une, deux ou plusieurs fois, quant aux personnes, depuis leur introduction.

115. Tous ceux qui, dans l'Ordre, en ses deux parties [1], avaient connaissance de ces dévoiements refusèrent de les corriger.

116. De les dénoncer à notre Sainte Mère l'Église.

117. Ne rompirent pas pour autant avec l'observance de ces erreurs ni avec la communion des frères fautifs, bien qu'ils en eussent la faculté.

118. Un grand nombre de frères ont quitté l'Ordre à cause de ses ignominies et de ses dévoiements, les uns pour entrer dans un autre institut, les autres pour rester dans le siècle.

119. Pour toutes ces causes, une profonde indignation a secoué contre l'Ordre les cœurs de hauts personnages, rois et princes, et s'est étendue à presque tout le peuple chrétien.

120. Tous ces faits sont bien connus des frères de l'Ordre.

121. Ils sont de notoriété publique et d'opinion courante tant parmi les frères de l'Ordre qu'à l'extérieur.

122. De leur majorité du moins.

123. De quelques-uns.

124. Le Grand Maître de l'Ordre, le Visiteur, les Grands Maîtres [2] de Chypre, Normandie et Poitou, en même temps que bien d'autres précepteurs et quelques-uns des frères de l'Ordre ont reconnu les faits, tant en jugement qu'ailleurs, devant des personnages solennels, en plusieurs lieux et devant plusieurs personnes publiques.

125. Quelques-uns des frères de l'Ordre, chevaliers et prêtres, d'autres encore en présence de nos seigneurs le pape et les cardinaux, ont reconnu les faits, du moins en grande partie.

126. Sous la foi du serment.

127. Certains même en plein consistoire. »

---

1. En Orient et en Occident.
2. Les précepteurs de Chypre.

On peut ramener à neuf les 127 chefs d'accusation :

– touchant au rite des réceptions : le reniement, les crachats sur la croix et les baisers impudiques ;

– adoration d'idoles auxquelles on frottait les cordelettes-ceintures ;

– omission par les chapelains des paroles de Consécration ;

– usurpation par le Maître des pouvoirs d'absolution des prêtres ;

– obligation du secret absolu (pour les réceptions et les chapitres) ;

– obligation de ne se confesser qu'aux chapelains de l'Ordre ;

– sodomie ;

– cupidité érigée en système et manque de charité envers les pauvres ;

– non-dénonciation des mauvais usages de l'Ordre aux autorités religieuses.

Il tombe sous le sens que l'auteur de ce questionnaire avait soigneusement épluché les dépositions recueillies par les inquisiteurs en octobre-novembre 1307. Il avait aussi tenu compte des aveux faits à Clément V par les soixante-douze Templiers que l'on avait conduits à Poitiers et, plus encore, de la misérable confession de Jacques de Molay et des précepteurs retenus à Chinon. Il avait prévu toute une série de petites questions insidieuses permettant des recoupements. Clément V doutait certainement encore de la culpabilité des Templiers. Il espérait que du grand nombre des réponses jaillirait enfin la vérité. Ce qui le préoccupait surtout, c'était le mystère sacrilège des réceptions, la responsabilité du Grand Maître et des dignitaires, les pratiques supposées d'idolâtrie.

Les commissaires décidèrent de siéger à Paris, dont l'évêché relevait alors de l'archevêque de Sens. Ils montrèrent assez peu d'empressement à se réunir, soit qu'en dépit du questionnaire, ils ne crussent pas à l'erreur des Templiers, soit qu'ils renâclassent devant les obstacles qui les attendaient. Ils tinrent en effet leur première séance seulement le 8 août 1309, soit presque un an après leur nomination. Leur premier ouvrage fut de citer à comparaître les Templiers qui désiraient défendre l'Ordre. Ils étaient convoqués pour le premier jour non férié venant après la Saint-Martin d'hiver. Non sans difficulté ni palabres, les commissaires obtinrent que l'injonction du pape fût signifiée dans toutes les provinces ecclésiastiques et que les défenseurs éventuels du Temple fussent extraits de leurs geôles et conduits à Paris sous bonne garde.

II

LES TROIS DÉPOSITIONS DE JACQUES DE MOLAY

La commission pontificale commença à fonctionner le mercredi 12 novembre 1309, dans une salle du palais épiscopal de Paris. Deux de ses membres s'étaient fait excuser. Les commissaires avaient adressé une citation à comparaître à tous les Templiers déterminés à défendre l'Ordre, ainsi qu'il est précisé plus haut. Il ne s'agissait pas de juger les personnes. Les défenseurs potentiels étaient cités comme témoins, mais ils étaient de surcroît « partie » dans le procès, puisqu'ils représentaient le Temple. Il ne se présenta personne à cette séance du 12. Les commissaires furent obligés de constater que les évêques et les gens du roi faisaient leur possible pour retarder la procédure, voire la rendre inopérante. En attendant l'arrivée des Templiers de province, ils ordonnèrent à l'évêque de Paris de regrouper les Templiers de son ressort qui désiraient témoigner. Ce qui mérite explication : en vertu du compromis passé en juillet-août 1308 entre le pape et Philippe le Bel, les Templiers captifs étaient placés sous l'autorité des évêques, mais restaient à la garde des gens du roi. Un prévôt ecclésiastique, Philippe de Voet, et un représentant du roi, Jean de Janville, furent chargés d'extraire les « défenseurs » de leurs prisons et de les amener au palais épiscopal pour être entendus.

Le samedi 22 novembre comparut Jean de Melot dont la tenue, les expressions et les gesticulations donnaient à penser qu'il avait perdu l'esprit. Il présenta un sceau sur lequel son nom paraissait être gravé et déclara :

– « Je m'appelle Jean de Melot, du diocèse de Besançon. J'ai appartenu à l'Ordre du Temple et j'ai porté l'habit de l'Ordre pendant dix ans, et j'en suis sorti, mais jamais, je le jure sur mon âme et ma foi, je n'ai vu, ni entendu, ni connu aucun mal sur l'Ordre. Je suis venu vous trouver pour faire et signer ce que vous voudrez. »

On lui demanda s'il voulait défendre le Temple. Il répondit :

– « Je ne suis pas venu pour un autre motif. Je voudrais savoir ce qu'il adviendra de l'Ordre, mais je ne veux pas le défendre. Faites de moi ce que vous voudrez, mais donnez-moi de quoi vivre, parce que je suis pauvre. »

Peut-être avait-il perdu l'esprit par suite des sévices qui lui avaient été infligés, ou de son extrême dénuement. Devant l'incohérence de ses propos et les bizarreries de son attitude, les commissaires le renvoyèrent à l'évêque, persuadés que celui-ci l'accueillerait charitablement.

Six Templiers se présentèrent ensuite. Ils déclarèrent les uns et les autres qu'ils tenaient l'Ordre en grande estime, mais ne pouvaient assumer sa défense car ils n'étaient pas assez lettrés et de trop faible entendement.

Le Visiteur Hugues de Pairaud leur succéda. Les commissaires attendaient beaucoup de sa déposition ; ils furent déçus. Il commença par déclarer qu'il était venu pour demander à la commission d'intervenir auprès du pape et du roi afin d'éviter la dilapidation des biens du Temple. Il rappela qu'ils étaient destinés à secourir la Terre sainte. Il ajouta :

– « Je me suis entretenu plusieurs fois des affaires de l'Ordre avec Monseigneur le Pape et les trois cardinaux chargés de l'enquête. Je suis prêt à en reparler quand je serai en présence de Monseigneur le Pape. Vous comprendrez que, maintenant, je ne veuille rien dire. »

Les commissaires insistèrent. Il leur opposa un refus. Ce fut là sa seule participation [1] à l'enquête pontificale. Elle laisse supposer un accord préalable avec Nogaret ou avec Plaisians. On verra comment le Visiteur en fut récompensé. Comparut ensuite Jean de Plublaveh, prévôt du Châtelet. La commission avait été informée qu'il avait fait arrêter et jeter en prison sept Templiers venus de province pour défendre l'Ordre. Il reconnut le fait, précisant

1. Il comparut à nouveau un peu plus tard ; sa seconde déposition ne fut qu'une confirmation de la première.

qu'ils ne portaient pas l'habit templier. Il crut qu'ils s'étaient enfuis. Il avoua en avoir passé deux à la question. On lui ordonna de les amener immédiatement, et de ne plus entraver désormais la marche de l'enquête même sous la pression des gens du roi. Les sept Templiers comparurent. Ils ne connaissaient rien de mal sur l'Ordre ; cependant, ils n'avaient pas l'intention de le défendre. L'un d'eux s'était enfui quinze jours avant l'arrestation ; il venait à Paris pour chercher du travail, car il n'avait pas de ressources. Deux autres avaient été envoyés par les Templiers du Hainaut pour s'informer. La récolte était maigre pour les commissaires, qui commençaient à se demander si quelqu'un consentirait à défendre le Temple. Le surlendemain, 24 novembre, personne ne se présenta devant eux. Ils ne reprirent leurs auditions que le 26.

Ce jour-là comparut Jacques de Molay, Grand Maître de l'Ordre. Sa déposition avait une importance capitale. On lui demanda s'il voulait défendre le Temple ou parler pour lui-même. Il répondit :

– « L'Ordre a été confirmé et privilégié par le Siège apostolique. Il me paraît très surprenant que l'Église romaine veuille subitement procéder à sa destruction, alors que la sentence de déposition contre l'Empereur Frédéric [1] avait été différée trente-deux ans. »

On lui demanda à nouveau s'il était prêt à défendre le Temple.

– « Je ne suis pas aussi savant qu'il conviendrait, ni d'assez grand conseil, pour défendre l'Ordre. Cependant, je suis prêt à le défendre, selon mes possibilités ; car, autrement, je m'estimerais vil et misérable et je pourrais être réputé tel par les autres, si je ne défendais pas un Ordre dont j'ai reçu tant d'avantages et d'honneurs. Cependant, il me paraît difficile d'en présenter une défense convenable, car je suis prisonnier des seigneurs Pape et Roi ; je n'ai rien, pas même quatre deniers, à dépenser pour la défense ou pour autre chose, à l'exception de ce qui m'est alloué personnellement. Aussi je demande qu'on me donne aide et conseil, car mon intention est que la vérité, touchant ce qui est imputé à l'Ordre, soit connue non seulement par les membres de la Commission mais aussi, dans toutes les parties du monde, par les rois, les princes, les ducs, les comtes, les barons. J'admets que plusieurs membres de mon Ordre aient montré trop de raideur dans la défense de leurs droits vis-à-vis de certains prélats. Mais je me déclare prêt à m'en tenir aux dépositions et aux témoignages des rois, princes, prélats, comtes, ducs, barons et d'autres gens honnêtes. »

---

1. Il s'agit de Frédéric II de Hohenstaufen, empereur excommunié.

Il ajouta :

– « C'est pour moi une affaire difficile, car je n'ai avec moi qu'un frère-sergent dont je puisse prendre conseil. »

– « Réfléchissez bien à la défense que vous allez présenter et prenez garde à ce que vous avez confessé quant à l'Ordre et quant à vous-même. Toutefois nous sommes prêts à vous accorder un délai. Nous voulons que vous sachiez que dans une cause touchant l'hérésie et la foi, il est procédé simplement, sans bruit ni forme de procès [1]. »

Puis, sans doute pour l'impressionner, ils firent lire et traduire en français diverses lettres apostoliques, notamment celle faisant état des aveux que Molay avait faits à Chinon devant les cardinaux Bérenger Frédol, Étienne de Suisy et Landolf Brancaccio. Molay fit deux signes de croix. La stupéfaction, la douleur, puis la colère se peignirent successivement sur son visage. Il gronda :

– « Si vous n'étiez pas ceux que vous êtes, je vous dirais bien autre chose ! »

– « Nous ne sommes pas ici pour recevoir un gage de bataille ! » [2], rétorquèrent-ils.

– « Je ne parle pas de cela. Mais plaise à Dieu que la coutume des Sarrasins et des Tartares soit observée dans le cas présent contre de tels pervers, car les Sarrasins et les Tartares coupent la tête des pervers qu'ils trouvent ou bien les fendent par le milieu. »

– « L'Église, insinua un commissaire, juge hérétiques ceux qu'elle trouve hérétiques et remet les obstinés à la cour séculière. »

C'était une menace directe, puisque le Grand Maître remettait en cause la rétractation de Chinon et devenait donc un relaps promis au bûcher. Bien entendu, ce commissaire avait outrepassé ses droits ; il était sorti de son rôle de simple enquêteur. Cependant, le dialogue prenait un mauvais départ.

Or, à cet instant, Jacques de Molay aperçut Guillaume de Plaisians. Il demanda à s'entretenir avec lui, disant qu'il l'estimait et avait son estime, car tous deux étaient chevaliers. Plaisians n'avait pas été convoqué. Il s'était glissé dans l'assistance. Il n'avait aucunement le droit d'assister à l'interrogatoire. Néanmoins, les commissaires autorisèrent Molay à lui parler en privé. Plaisians fit amitié avec le Maître. Il lui conseilla hypocritement de ne pas se compromettre inutilement et de ne pas se

---

1. En clair, sans avocat pour assurer juridiquement la défense de l'accusé (cf. procédure inquisitoriale).

2. On offrait le combat en jetant son gantelet ; l'adversaire ramassait le gant, s'il acceptait le combat.

perdre sans raison. Jacques de Molay revint devant la commission. Ce fut pour déclarer, fort piteusement :

– « Si je ne suis pas à même de réfléchir longuement, je risque de m'enchevêtrer. Aussi je vous prie de m'accorder un délai à vendredi prochain. »

Les commissaires firent droit à sa demande. Ils proposèrent même de lui accorder un délai supplémentaire, s'il l'estimait nécessaire. Ils étaient à la vérité décontenancés. La venue de Plaisians avait suffi à modifier complètement l'attitude hautaine de Molay. Ils pouvaient à bon droit se demander si, quelque jour, le Grand Maître leur parlerait librement.

Ce même 26 novembre et le lendemain, ils poursuivirent les auditions : nous reviendrons sur l'une d'entre elles qui les impressionna vivement. Le 28 novembre, Jacques de Molay comparut à nouveau.

– « Messieurs, commença-t-il humblement, je vous remercie de m'avoir accordé ce délai pour réfléchir et de m'en accorder un plus long s'il m'avait plu. En cela, vous m'avez laissé la bride sur le cou. »

– « Êtes-vous prêt à défendre l'Ordre ? »

– « Je suis un pauvre chevalier illettré. J'ai compris, par la teneur d'une lettre apostolique, qu'on a lue, que le seigneur Pape s'est réservé de me juger, moi et quelques autres dignitaires des Templiers. Pour cette raison, présentement et dans l'état où je me trouve, je ne veux rien faire d'autre. »

– « Nous vous requérons, expressément, de nous dire si vous voulez défendre l'Ordre ! »

– « Non, mais j'irai en présence du seigneur Pape, quand il lui plaira. Je supplie et requiers les seigneurs commissaires, attendu que je suis mortel comme tous les hommes et ne dispose que du temps présent, de faire comprendre au pape la nécessité de me convoquer le plus vite possible. Alors, dans la mesure de mes moyens, je dirai au seigneur Pape, mais seulement à lui, ce qui est à l'honneur du Christ et de l'Église. »

Cette réponse agaça les commissaires :

– « Nous ne nous occupons que de l'Ordre en tant qu'Ordre, sans nous immiscer dans le procès contre les personnes. Voyez-vous quelque chose qui puisse nous empêcher d'effectuer bien et fidèlement une enquête qui nous a été confiée par le pape ? »

– « Certes non, et je vous requiers même de procéder bien fidèlement en cette affaire ; pour soulager ma conscience, je tiens même à vous exposer trois choses au sujet de l'Ordre : la première est que je ne connais pas d'autre Ordre dans lequel les chapelles et les églises aient des ornements, des reliques et des instruments du culte divin aussi beaux ni dans lequel le service divin fût mieux célébré par les prêtres et par les clercs, les églises-cathédrales exceptées.

La seconde est que je ne connais pas d'Ordre où l'on fasse plus d'aumônes que dans le nôtre ; car dans toutes les maisons de l'Ordre, d'après la Règle, les Templiers font trois fois par semaine l'aumône à tous ceux qui veulent l'accepter.

La troisième est que je ne connais pas d'autre Ordre ni d'autres personnes qui, pour la défense de la foi chrétienne contre ses ennemis, aient exposé plus promptement leur vie, ni versé autant de leur sang ni qui fussent plus redoutés des ennemis de la foi catholique. C'est pour cela que le comte d'Artois, quand il mourut outre-mer dans un combat, voulut que les Templiers fussent à l'avant-garde de son armée [1] ; et, si le comte avait cru le Maître du Temple alors en fonction, lui et les autres n'auraient pas péri... »

– « Tout cela est inutile au salut de l'âme, lorsque manque le fondement de la foi catholique. »

– « Il est vrai. Moi-même je crois bien en un Dieu, dans la Trinité et autres points de la foi catholique. Il n'y a qu'un seul Dieu, une seule foi, un seul baptême et une seule Église. Quand l'âme sera séparée du corps, on verra qui était bon et qui était mauvais ; alors chacun saura la vérité sur ce qui est présentement en question. »

Guillaume de Nogaret venait d'entrer dans la salle. Il entendit les dernières phrases de Molay et, sans y être invité, fort de sa qualité de Garde des Sceaux, s'exclama :

– « On rapporte, dans les *Chroniques de Saint-Denis*, qu'au temps de Saladin, Sultan de Babylone, celui qui était Maître de l'Ordre et d'autres dignitaires lui avaient fait hommage. Celui-ci, apprenant le grand malheur qu'ils avaient éprouvé, a dit publiquement que c'était à cause du vice de sodomie qui les travaillait, et parce qu'ils avaient manqué à leur foi et à leur loi. »

Jacques de Molay fut outré. Il répliqua :

– « Je n'ai jamais entendu dire cela ! Toutefois je sais bien que, me trouvant outre-mer au temps où le Maître de l'Ordre était Guillaume de Beaujeu, moi, Jacques, et beaucoup d'autres frères du couvent des Templiers, jeunes et désireux de faire la guerre, comme c'est l'habitude chez les jeunes chevaliers qui veulent assister à des faits d'armes, et même d'autres qui n'étaient pas de notre couvent, nous avons murmuré contre ce Maître. Pendant la trêve que le défunt Roi d'Angleterre avait établie entre les Chrétiens et les Sarrasins, il se montrait loyal envers le Sultan et

1. Allusion à la défaite de Mansourah, où le comte d'Artois, frère de Saint Louis, causa la perte de l'avant-garde des croisés.

conservait son estime. Finalement, nous fûmes satisfaits en constatant que le Maître ne pouvait agir autrement. L'Ordre tenait alors sous sa garde beaucoup de villes et de forteresses aux frontières du territoire du Sultan [Molay les énuméra]. Il n'aurait pu différemment les conserver. Elles auraient même été perdues si le Roi d'Angleterre ne leur avait envoyé des vivres. »

Pauvre vieux soldat, il revivait le passé, n'avait rien oublié de l'âpre lutte à laquelle il avait participé dans sa jeunesse ! Il parlait de Guillaume de Beaujeu, qui avait été Maître du Temple de 1273 à sa mort glorieuse en 1291. Nogaret faisait allusion à la maîtrise de Gérard de Ridefort et à la victoire de Hattin remportée par Saladin en 1187. Par surcroît, cette accusation de sodomie et de trahison de la foi ne figure pas dans la *Chronique de Saint-Denis*. C'était une malice de plus de sa part. Il cherchait à désarçonner Molay. Il n'en fallut pas davantage pour que celui-ci s'égarât. Il pouvait à son tour mettre Nogaret en difficulté. Mais, semble-t-il, il ne connaissait pas très bien l'histoire du Temple et ne savait parler que de sa jeunesse.

Il demanda ensuite, avec une humilité qui émut tout de même les commissaires, qu'il lui fût permis d'entendre la messe et les autres offices divins, d'avoir sa chapelle et ses chapelains. Ils répondirent qu'ils y pourvoiraient et louèrent sa dévotion.

Comme on le constate, un conseiller royal interrompait la déposition du Grand Maître par une intervention intempestive, pour la seconde fois. L'intrusion de Nogaret, après celle de Plaisians, aurait peut-être pu éclairer les commissaires !

Quelques mois s'écoulèrent, pendant lesquels de nombreux Templiers furent entendus. La défense de l'Ordre s'organisait en dépit de la réserve obstinée, ou des palinodies de Jacques de Molay. Lui seul, de par son autorité même sur l'ensemble des Templiers qui n'avaient de cesse de se réclamer de son nom, pouvait coordonner l'action des défenseurs de l'Ordre et lancer un fracassant défi au roi. Peut-être le fit-il secrètement, mais, dans cette hypothèse, on n'ose qualifier sa discrétion. Il semble bien que, pour le malheur du Temple, il n'ait pas été à la hauteur de la situation, soit en raison de son âge, soit en raison d'une irrémédiable usure morale et physique. La commission l'entendit une troisième, et dernière fois, le 2 mars 1310. Les commissaires lui demandèrent à nouveau s'il voulait défendre le Temple.

– « Le seigneur Pape s'est réservé mon cas, répondit Molay. Je vous prie donc de me tenir quitte jusqu'à ce que je me trouve en sa présence. Je dirai alors ce que je crois utile. »

– « Nous ne voulons, ni ne pouvons agir et faire une enquête sur votre personne, mais seulement contre l'Ordre en tant qu'Ordre, conformément au questionnaire qui nous a été remis. »

– « Je vous requiers, messeigneurs, d'écrire au seigneur Pape pour qu'il m'appelle en sa présence, moi et ceux dont il s'est réservé le cas. »

Les commissaires lui promirent d'écrire au pape et le congédièrent, constatant qu'ils n'en pourraient rien tirer d'autre. Il s'était enfermé dans son système de défense. Il gardait encore, malgré tout, confiance en Clément V. Sans doute voulait-il lui dire que les trois cardinaux envoyés à Chinon l'avaient trompé, que ses aveux avaient été truqués. Cependant, il confondait, dans une large mesure, son cas personnel et celui des dignitaires, avec la cause de l'Ordre. Cette confusion était infiniment dommageable. Les circonstances dans lesquelles la troisième déposition de Molay fut faite, appelaient de sa part plus d'abnégation.

III

PONSARD DE GIZY

Il nous faut revenir au 26 novembre 1309, jour de la première déposition de Jacques de Molay. Ponsard de Gizy, précepteur (ou commandeur) du Temple de Payns, comparut à la suite du Grand Maître et montra plus de courage. Sa commanderie, située près de Troyes, avait été donnée à l'Ordre par Hugues de Payns, l'illustre fondateur du Temple. La déposition de Ponsard de Gizy, replacée dans son contexte (le début de l'enquête pontificale), revêt une importance particulière. À la question : « Voulez-vous défendre l'Ordre ? », il répondit sans périphrases :

– « Les accusations articulées contre l'Ordre, à savoir le reniement du Christ, le crachement sur la Croix, la permission donnée aux frères de s'unir charnellement, et les autres énormités qu'on nous oppose, sont fausses ! Tout ce que nous avons avoué devant l'évêque de Paris et ailleurs, moi et les autres frères du Temple, était faux. Nous n'avons avoué que contraints par le danger et la terreur, parce que nous étions torturés par Floyran de Béziers, prieur de Montfaucon, Guillaume Robert [1], moine, nos ennemis, en vertu d'un accord et d'une instruction de ceux

1. Il s'agit sans doute de l'inquisiteur Guillaume Imbert, surnommé Guillaume de Paris, et d'Esquieu de Floyran, qui n'était point prieur de Montfaucon.

qui nous détenaient en prison. Et aussi par la crainte de la mort et parce que trente-six de nos frères étaient morts à Paris, ainsi que beaucoup d'autres en d'autres endroits, des suites des tortures et des tourments. Pourtant, je suis prêt à défendre l'Ordre en mon nom et au nom de mes frères, pourvu qu'on me donne une allocation sur les biens de l'Ordre pour mes dépenses. Je demande que les frères Renaud d'Orléans et Pierre de Bologne, prêtres, me soient accordés comme aides et conseillers. Voici une cédule écrite de ma main, contenant les noms de quelques ennemis de l'Ordre. »

Le libellé de cette cédule était le suivant :

« Liste des traîtres qui ont articulé des faussetés contre ceux de l'Ordre du Temple et leur ont imputé des actes déloyaux : Guillaume Robert, moine, qui les a mis à la question ; Esquieu de Floyran, de Béziers, comprieur de Montfaucon ; Bernard Pelet, prieur du Mas-d'Agenais, et Gérard de Boyzol, chevalier, venu à Gisors. »

Les commissaires lui demandèrent s'il avait été mis à la torture. Réponse :

– « Trois mois avant les aveux que je fis devant le seigneur-évêque de Paris, je fus placé dans une fosse, les mains liées derrière le dos si fortement que le sang coulait jusqu'à mes ongles, et j'y restai l'espace d'une heure. Je proteste que, si on me remet encore à la torture, je renierai tout ce que je viens de dire et dirai tout ce qu'on voudra. Autant je suis prêt à souffrir, pourvu que le supplice soit court, la décapitation, le feu ou l'ébouillantement, autant je suis incapable de supporter les longs tourments dans lesquels je me suis déjà trouvé en subissant un emprisonnement de deux ans. »

On lui demanda s'il avait quelque objection à formuler contre l'enquête à laquelle il était procédé. Il répondit que non ; qu'il souhaitait seulement qu'elle fût menée par le moyen d'honnêtes personnes. Le prévôt remit alors aux commissaires une cédule fort compromettante, écrite par le même Ponsard de Gizy. Il en fut donné lecture aussitôt :

« Ce sont les articles sur lesquels vous questionnerez les frères du Temple, articles sur lesquels lesdits frères n'ont pas été examinés :

Premier article. Il est défendu par les Maîtres aux frères d'aller à l'offrande.

Item, défendu aux frères de tenir des enfants sur les fonts pour être baptisés.

Item, défendu aux frères de coucher sous un toit où se trouve une femme ; et, à cause des articles ci-dessus, les Maîtres voulurent mettre un pauvre frère en prison.

Item, les Maîtres qui créaient des frères et des sœurs [1] du Temple, faisaient promettre auxdites sœurs obéissance, chasteté, pauvreté et lesdits Maîtres leur promettaient foi et loyauté comme à leurs (propres) sœurs.

Item, quand lesdites sœurs étaient entrées, lesdits Maîtres les dépucelaient et les autres sœurs qui étaient d'un certain âge et qui pensaient être entrées dans l'Ordre pour sauver leur âme, il fallait que les Maîtres en fissent de force leurs volontés ; et lesdites sœurs en avaient des enfants ; et lesdits Maîtres faisaient de leurs enfants des frères de l'Ordre.

Item, le statut de l'Ordre était tel qu'aucun frère ne devait recevoir dans l'Ordre un autre frère si celui-ci n'était sain de tous ses membres, non bâtard et s'il n'était homme de bonne vie et de bonne conduite [2].

Item, communément il y avait des larrons qui avaient mis à mort d'autres personnes et qui, s'ils avaient un peu d'argent, devenaient frères.

Item, lesdits Maîtres des bailliages demandaient aux commandeurs provinciaux de créer des frères, tout comme on vend un cheval au marché : ainsi on faisait marché de celui qui voulait entrer dans l'Ordre. Et vous savez que tous ceux et toutes celles qui entrent dans un Ordre par simonie sont – et celui qui reçoit et celui qui entre – excommuniés. Celui qui est excommunié en tel cas ne peut être absous que par notre Père le Pape.

Item, lesdits Maîtres faisaient jurer au frère sur les saints qu'il ne venait pas par don ni par promesse, et lesdits Maîtres savaient bien qu'ils le faisaient se parjurer, et ledit frère était parjure et excommunié, et il n'en pouvait sauver sa vie.

Item, ledit commandeur du bailliage, si un petit frère lui disait quelque chose qui l'ennuyât, demandait au commandeur provincial et obtenait de lui, par des dons, que le pauvre frère allât outre-mer pour y mourir, ou en terre étrangère où il ne connaissait personne, et il y mourait de douleur et de pauvreté ; s'il abandonnait l'Ordre et s'il était pris, il était mis en prison.

Item, au dernier chapitre qui fut tenu par le Visiteur, à la Chandeleur, fête de Notre-Dame, frère Renaud de La Folie, ainsi qu'un autre frère, accusèrent Géraud de Villiers d'avoir fait perdre l'île de Tortose, et causé la mort de frères et leur capture – ils sont encore prisonniers. Ils voulaient le prouver par le moyen d'honnêtes personnes. Ce fut parce que ledit frère

1. Il n'y avait pas de sœurs templières, mais des femmes de service logées avec la domesticité.

2. Ce rappel de la Règle est destiné à mettre mieux en relief les abus qui suivent.

Géraud partit un jour avant, en emmenant avec lui ses amis, et faute des bons chevaliers qu'il avait emmenés, qu'ils furent perdus. »

Ponsard de Gizy ne se troubla pas. Il déclara, non sans audace :

– « La vérité ne cherche pas de détours. C'est bien moi qui ai écrit cette cédule. Je l'ai remise au prévôt afin d'être conduit devant le seigneur Pape, ou devant ses commissaires. Je l'ai écrite parce que j'étais bouleversé par les paroles outrageantes que le trésorier du Temple de Paris m'avait adressées. »

Il est plus que probable qu'il demanda que les accusations contenues dans cette étrange cédule fussent tenues pour nulles et non avenues. Toutefois, le procès-verbal est muet sur ce point. Ponsard ajouta :

– « Je crains qu'on aggrave ma prison, parce que je me suis offert à défendre l'Ordre. Je vous supplie d'y pourvoir. »

Les commissaires enjoignirent au prévôt et à l'appariteur, son adjoint, de ne le maltraiter en aucune façon. Ils répondirent que sa condition ne serait pas aggravée à cause de cela. Le contraste est si flagrant entre l'ignoble cédule et les propos courageux de Ponsard que l'on est amené à penser que ses tortionnaires avaient profité d'un moment de faiblesse pour la lui faire écrire. Tous les moyens leur étaient bons pour accumuler les dénonciations.

Le même jour (26 novembre), la commission interrogea frère Aymon de Barbone, lui aussi du diocèse de Troyes. Il intéressait d'autant plus les commissaires qu'il avait été au service du Grand Maître. Sa déposition fut émouvante et simple. Elle traduit fidèlement l'état d'esprit du « Templier moyen » dans cette période encore incertaine du procès. À la question : « Voulez-vous défendre l'Ordre ? », il répondit :

– « J'ai été appliqué trois fois à la torture. On me versait de l'eau dans la bouche avec une cruche. J'ai été au pain et à l'eau pendant sept semaines. Je défendrais l'Ordre bien volontiers, si je le pouvais, mais je suis un pauvre prisonnier. Pendant trois ans, j'ai été préposé à la garde du Grand Maître, outre-mer. Je ne sais rien de mal contre lui et contre l'Ordre. Je ne sais désormais que faire, mon corps souffre et mon âme pleure. J'ai beaucoup souffert pour l'Ordre... »

On lui demanda s'il avait quelque chose à ajouter. Réponse :

– « Je ne dirai rien de plus que ce que j'ai dit, tant que je serai prisonnier. »

Cependant, il ne tarda pas à s'enhardir et, quelques mois plus tard, il participa activement à la défense de l'Ordre. On observe un comportement semblable de la part du frère Jean du Faur.

– « Je ne veux pas, dit-il, entrer en litige avec Messeigneurs le Pape et le Roi de France. »

On lui expliqua qu'il ne s'agissait pas de plaider contre le pape et le roi, mais de révéler la vérité sur les accusations contre l'Ordre. Que telle était la mission confiée par le pape aux commissaires.

– « Voulez-vous défendre l'Ordre ? »

– « Non. Étant prisonnier, je ne saurais le défendre. »

– « Maintenez-vous les aveux que vous avez faits devant Monseigneur l'évêque de Paris ? »

– « Oui, hormis le péché de sodomie. Si j'ai fait cet aveu, je le rétracte ; d'ailleurs, je l'avais déjà rétracté. »

– « Pourquoi l'avoir fait ? »

– « J'avais été appliqué à la question trois mois auparavant. J'avais peur d'y repasser. Pendant toute une année, j'avais perdu la raison. »

En octobre 1307, le sergent Pierre de Safet, cuisinier du Grand Maître, avait avoué, en présence de l'inquisiteur, qu'il avait des rapports charnels avec un Templier espagnol, ayant vu ce dernier sortir de la chambre de Molay. Il ne renouvela pas ses accusations devant la commission pontificale.

– « Je ne veux pas défendre l'Ordre, dit-il, parce qu'il a deux bons défenseurs, le Pape et le Roi, qui sont, je le pense, deux loyales personnes. Je m'en rapporte à eux. Faites bien votre enquête, etc. »

Au terme de cette première phase de l'enquête (26 novembre 1309), le bilan était assez décevant. Pour des raisons obscures, les frères qu'ils avaient entendus s'étaient déclarés dans l'incapacité de défendre l'Ordre, bien qu'ils se fussent portés volontaires : les uns invoquant le fait qu'ils étaient prisonniers, les autres, leur incapacité intellectuelle. Le Visiteur Hugues de Pairaud avait déclaré qu'il ne parlerait qu'en présence du pape. Quant à Jacques de Molay, il avait adopté la même position. Cependant il avait, par deux fois, commencé une sorte de plaidoyer, mais qui tourna court par suite de l'intrusion de Plaisians et de Nogaret. La déposition la plus éclairante avait été finalement celle de Ponsard de Gizy, commandeur de la Maison de Payns. Elle avait malheureusement été gâtée par la production de la cédule écrite de sa main, ajoutant aux accusations imputées au Temple, certaines d'entre elles ayant un caractère ignoble. Ses explications à ce sujet avaient été embarrassées, tirées par les cheveux. Il ressortait néanmoins de diverses réponses que les frères avaient été cruellement traités et torturés, non tous, la terreur ayant suffi à provoquer les aveux du plus grand nombre. Cependant, les commissaires n'avaient encore entendu que les Templiers incarcérés à Paris. Aucun des frères détenus en province ne s'était présenté. Les incidents relevés pendant les interrogatoires attestaient la mauvaise volonté des gens du roi. Ils avaient entravé, dans la mesure de leurs moyens, la marche de l'enquête, fait emprisonner de pseudo-fugitifs au Châtelet. Avaient-ils reçu des ordres de la Cour ou agissaient-ils de leur propre initiative ? D'autre part, il était évident que les lettres citatoires envoyées par la commission n'avaient pas toutes été signifiées. Sinon, ceux qui gardaient les Templiers refusaient de les envoyer à Paris. Or, l'enquête pontificale n'avait de sens que dans la mesure où les commissaires entendraient des Templiers venus de toutes les régions du royaume.

Ils décidèrent donc de suspendre leurs réunions jusqu'au 3 février 1310. Les lettres citatoires furent renouvelées : il était enjoint à leurs destinataires d'autoriser les Templiers volontaires pour défendre l'Ordre à se rendre à Paris. De plus, il fut demandé avec fermeté au roi d'assurer leur transport sous escorte. La dépense devait être prélevée sur les revenus du Temple, lesquels étaient intégralement perçus par les royaux depuis le mois d'octobre 1307.

IV

LE VERGER DE NOTRE-DAME

Philippe le Bel pouvait difficilement s'opposer à la requête des commissaires. De plus, les résultats qu'ils avaient obtenus jusqu'ici étaient trop décevants, pour éveiller sa défiance. Il donna donc les ordres nécessaires, estimant que les Templiers de province ne feraient pas mieux que leurs devanciers et pour les mêmes raisons : usure morale et physique, crainte d'être traités en relaps s'ils rétractaient leurs aveux, désespoir, suspicion à l'égard des représentants d'un pontife qui manquait à tous ses devoirs envers le Temple. Nogaret et Plaisians ne prévirent pas davantage le revirement brutal qui allait se produire. Prenant leurs désirs pour des réalités, ils crurent les Templiers définitivement vaincus, se réjouissant d'avoir abusé les meilleurs d'entre eux. Ils n'avaient redouté que la déposition de Jacques de Molay, mais avaient l'un et l'autre fait en sorte qu'elle fût tronquée, inopérante. Le Grand Maître les avait d'ailleurs involontairement secondés, en affirmant qu'il ne parlerait que devant le pape, « qui s'était réservé son cas ». Aucun système de défense ne pouvait déplaire autant aux commissaires, ni pareillement desservir la cause de l'Ordre. C'était évidemment le subtil Plaisians qui avait soufflé ce moyen au naïf Grand Maître, se disant son ami, un ami soucieux de le sauver malgré lui !

Philippe le Bel traversait une période faste de son règne. Tout lui réussissait et, croyait-il, l'heure d'un triomphe total allait sonner. Poussant ses pions sur l'échiquier avec sa dextérité et sa ténacité habituelles, ne cessant de tourmenter Clément V, il était à la veille de gagner sur les deux tableaux : la condamnation de l'Ordre du Temple et celle du défunt Boniface VIII. Ses émissaires avaient enfin arraché au faible pontife la décision d'ouvrir le procès de Boniface. Les témoins de l'accusation et ceux de la défense furent cités à comparaître... en mars 1310. Comme toujours, Clément V cherchait à gagner du temps, espérant que les esprits se calmeraient ou que la providence résoudrait le problème. Philippe le Bel avait simultanément obtenu la nomination de Philippe de Marigny à l'archevêché de Sens. Philippe était le frère cadet d'Enguerrand de Marigny, principal conseiller du roi, premier ministre sans en avoir le titre. Le roi pouvait compter sur le zèle du nouvel archevêque. Il sut l'inciter à témoigner sa gratitude !

Cependant, les Templiers commençaient à arriver dans la capitale, les uns encordés comme du bétail, les autres enchaînés, transportés dans des charrettes ou voyageant à cheval, selon leur rang ou selon l'humeur des hommes d'armes qui les escortaient. Rares étaient ceux qui ne portaient pas l'habit de l'Ordre, mais sali par le séjour en prison, voire déchiré ou même réduit à l'état de loques. Hâves, décharnés, ils gardaient pour la plupart une attitude fière et se redressaient sous les insultes. Certains pourtant semblaient accablés par les humiliations ou par la maladie. D'autres tremblaient de fièvre, et leurs yeux luisaient au fond de larges orbites. Ceux qui, dans les villages et dans les villes, les regardaient passer, cohortes misérables, se sentaient parfois émus de compassion malgré les horreurs que l'on racontait sur l'Ordre. Mais le plus grand nombre les accueillait avec des rires ou des cris de mort. Ils allaient ainsi, avec au fond du cœur une sombre flamme, défiant cette tourbe de pécheurs dont ils s'étaient naguère séparés en entrant au Temple. Les plus mystiques d'entre eux pensaient que Dieu leur avait infligé cette épreuve pour bonifier leur âme et, dans leur ferveur, se préparaient au martyre. Presque tous, pendant cet interminable voyage, appliquaient scrupuleusement la Règle et, comme les frères en chevauchée, faute de pouvoir assister aux offices, priaient. Les rudes soldats qui les gardaient commençaient à se demander si des apostats, des idolâtres pouvaient réciter tant de Pater dans la journée et avec autant de cœur. Leur perplexité grandissait d'une étape à l'autre.

Le 3 février 1310, la commission pontificale reprit ses séances. Aucun Templier ne se présenta. Il en fut de même le lendemain, puis le surlendemain. Mais, le 6 février, seize frères comparurent : ils venaient de Lyon, Le Puy, Langres et Mâcon. Tous se déclarèrent prêts à défendre l'Ordre, sauf un qui se rangea résolument parmi les témoins à charge. Le 7, il en vint trente-trois du diocèse de Clermont. Cet afflux continua, s'intensifia les jours suivants. À partir du 10 février, ils étaient déjà si nombreux qu'il fallut les répartir entre divers hôtels particuliers de la capitale et grosses maisons bourgeoises. Ils arrivaient de toutes les provinces du royaume : de Clermont, de Sens, d'Amiens, de Tours, de Chaumont, de Mende, de Carcassonne, etc.

C'était exactement ce que les commissaires avaient souhaité, mais ils risquaient d'être promptement débordés, et d'autant qu'ils s'efforçaient de convoquer le plus vite possible les nouveaux arrivants. Ceux-ci déclaraient massivement vouloir témoigner en faveur du Temple. Leurs dépositions n'appellent pas de remarques, hormis celles qui suivent.

À l'audience du 14 février, Jean de Barre précisa qu'enfermé à Saint-Denis il avait subi trois fois la question et qu'il était resté douze semaines au pain et à l'eau. Ce régime succédant à trois séances de torture avait inévitablement raison des plus fortes têtes !

Le même jour, Jacques de Sacy, qui venait du diocèse de Troyes, déclara que vingt-cinq frères, incarcérés avec lui, étaient morts sous la torture ou de ses suites.

Le 14 encore, Bertrand de Saint-Paul eut l'audace de dire : « Dieu opérerait un miracle, si les frères qui ont avoué et ceux qui ont nié se rencontraient ensemble à la même Table sainte pour y recevoir le corps de Jésus-Christ ! » On ne donna pas suite à cette proposition.

Comparurent enfin six Templiers de Carcassonne. Ils avaient figuré parmi les soixante-douze conduits à Poitiers devant Clément V. Ils affirmèrent qu'ils avaient menti au pape et se rétractèrent solennellement. L'un d'eux, qui se nommait Jean de Couchey, exhiba une lettre à laquelle pendaient deux sceaux à la vérité peu lisibles. Il affirma qu'elle lui avait été remise par le clerc Jean Supini, de la part du prévôt Philippe de Voet [1]. Le frère Laurent de Beaune confirma le fait. Il ajouta que le clerc leur avait donné cette lettre avant leur comparution devant l'évêque d'Orléans. Les commissaires en prirent connaissance :

« Philippe de Voet, prévôt de l'église de Poitiers, et Jean de Janville, huissier d'armes de notre seigneur le Roi, députés à la garde des Templiers dans les provinces de Sens, de Mâcon et de

1. On se souvient qu'il avait été chargé d'amener les Templiers à la commission pontificale, avec Janville pour assesseur.

Reims, à notre aimé frère Laurent de Beaune, jadis commandeur d'Apulie, et aux autres frères qui sont en prison à Sens, salut et amour.

Nous vous faisons savoir que nous avons obtenu que le Roi notre Sire vous envoie à l'évêque d'Orléans pour vous réconcilier (avec l'Église). Aussi nous vous requérons et prions que vous vous en teniez à la bonne confession où nous vous laissâmes, si dévotement et si gracieusement, devant ledit évêque d'Orléans qu'il n'ait cause de dire que par votre faute nous l'avons fait travailler et entendre mensonge. Nous vous envoyons Jean Supini, notre aimé clerc ; veuillez croire ce qu'il vous dira de notre part ; nous vous l'envoyons à notre place. Et sachez que notre père le Pape a mandé que tous ceux qui auront fait confession devant les Inquisiteurs, ses avoués, et ne voudraient persévérer dans cette confession seront mis en damnation et brûlés. Nous avons ordonné audit Jean qu'il vous mette dans des chambres convenables, jusqu'à ce que nous soyons près de vous, ce qui ne tardera pas, s'il plaît à Dieu. Et nous y serions déjà si ce n'avait été la grande besogne où le Roi nous envoie. »

Les commissaires firent venir le prévôt et lui demandèrent s'il était l'auteur de la lettre. Il répondit qu'il ne croyait pas avoir dicté cette lettre et qu'il ne pouvait affirmer qu'elle avait été close de son sceau. Il ajouta que son clerc disposait parfois de ce sceau. Cette réponse évasive mécontenta les commissaires. Le prévôt protesta avec force qu'il n'avait jamais conseillé aux Templiers de dire autre chose que la vérité. Interpellés, les frères Jean de Couchey et Laurent de Beaune n'osèrent soutenir le contraire, sans doute par peur des représailles. Les commissaires jugèrent superflu de les confronter avec le clerc Supini. Leur opinion était faite. Ils avaient compris que le prévôt n'avait pas eu le courage d'avouer ses tristes procédés.

Les interrogatoires continuèrent sans interruption jusqu'au 13 mars. L'écrasante majorité des frères prenait parti pour l'Ordre. La tension montait, quoique les séances fussent, en apparence, d'une uniformité un peu lassante. Cependant, quelques dépositions tranchent sur cette monotonie.

Le frère Bernard du Gué, qui venait du diocèse d'Albi, chercha à émouvoir les commissaires :

– « J'ai été, dit-il, tellement torturé, tourmenté, exposé au feu si longtemps que les chairs de mes talons ont été consumées et que les os en sont tombés quelques jours après. »

Et il montra ces os à demi carbonisés à la commission. C'était en effet une des tortures assez souvent pratiquées : on enduisait de lard les pieds de l'accusé et on les exposait au feu pour le faire parler, en interposant un écran pour lui laisser quelque répit.

Gérard de Caus, chevalier venu du Rouergue, se posa en juriste.

– « Ce que je dirai et proposerai n'est pas pour soutenir le mensonge ou l'erreur, ni pour attaquer l'Église, le Pape, le Roi ou ses conseillers. Les réponses que je pourrais apporter sont nulles et sans valeur. Car je n'ai pas mon libre arbitre. Je suis prisonnier, spolié et privé de l'usage des biens du Temple. Je ne jouis pas de la liberté nécessaire, n'étant plus maître de ma volonté. Si j'étais libre, si je pouvais disposer de ces biens, alors, oui, je procéderais selon le droit par-devant vous. »

Les commissaires lui dirent qu'ils n'avaient pas le pouvoir de le libérer, mais seulement d'enquêter. Ils se déclarèrent disposés à l'entendre quand et autant de fois qu'il le voudrait.

Ce fut la période où Jacques de Molay déposa pour la troisième et dernière fois. Geoffroy de Gonneville, précepteur d'Aquitaine et du Poitou, comparut à sa suite. Il calqua son attitude sur celle du Grand Maître :

– « Je suis prisonnier du Pape et du Roi de France, illettré, incapable de défendre l'Ordre. Je n'ai pas de conseil, ni les moyens d'en avoir. Aussi, je ne puis dans le présent ni n'ose rien dire. Toutefois, si j'étais en présence du Pape ou du Roi, que je tiens pour bons sires et juges équitables, je dirais ce qui paraîtrait convenable. »

Les commissaires l'exhortèrent à parler sans crainte des tourments et des représailles, affirmant qu'ils sauraient le cas échéant les empêcher. Il s'obstina, comme Jacques de Molay, à demander qu'on le conduise devant le pape.

Les commissaires voulurent interroger à nouveau le Visiteur Hugues de Pairaud. Il s'enferma dans son mutisme et se borna à déclarer qu'il maintenait ses aveux. Molay et Gonneville ne refusaient pas de défendre l'Ordre ; ils voulaient présenter sa défense directement à Clément V, sans personnes interposées. Pairaud paraissait toutefois admettre sans réserve la culpabilité du Temple. Il y avait entre eux une grande différence.

Le 14 mars, les commissaires firent venir dans une salle du palais épiscopal quatre-vingt-dix Templiers qui s'étaient déclarés prêts à défendre le Temple. Lecture leur fut faite des lettres apostoliques prescrivant l'enquête et des 127 questions qui devaient être posées par les commissaires. C'était un changement radical de procédure. Submergés par le nombre, les commissaires avaient décidé de ne plus interroger les témoins séparément.

Le 28 mars, ils rassemblèrent quelque cinq cent cinquante Templiers, tous résolus à défendre l'Ordre. Il n'y avait pas de salle assez vaste dans le palais de l'évêque. La réunion eut lieu dans le verger situé derrière le palais. Les 127 questions furent lues en latin. Un commissaire demanda aux Templiers s'ils voulaient qu'on les traduisît en français. Ce fut un concert d'imprécations :

– « Le latin nous suffit ! Nous n'avons pas besoin d'entendre ces turpitudes ! Tout est faux, innommable ! »

Quand le tumulte se fut apaisé, un commissaire prit la parole. Il expliqua que la commission ne pouvait entendre, un à un, un si grand nombre de témoins. Il s'ensuivrait trop de confusion. C'est pourquoi elle avait décidé de recevoir, autant de fois qu'il serait nécessaire, et selon les règles du droit, une délégation de six, huit ou dix « procureurs », ou plus. Ces procureurs, choisis par les frères, seraient chargés d'organiser la défense du Temple et de prendre les décisions utiles. Après quoi la commission se retira, laissant les Templiers délibérer à leur gré.

Pierre de Bologne, prêtre et procureur du Temple à la Cour de Rome, et Renaud de Provins, prêtre lui aussi et commandeur du Temple d'Orléans, proposèrent de remettre au préalable une protestation en bonne et due forme aux commissaires. Elle était ainsi conçue :

« Il nous est dur, à nous et à nos frères, d'être privés des sacrements de l'Église. Plusieurs d'entre nous, depuis leur incarcération, ont été spoliés de leur habit de religion. Nous avons été tous spoliés de nos biens temporels. Tous, nous avons été ignominieusement jetés en prison et chargés de chaînes, et nous le sommes encore.

– Il est très mal pourvu à nos besoins.

– Presque tous nos frères morts en prison loin de Paris ont été inhumés hors des lieux saints et des cimetières.

– À l'article de la mort, on leur a refusé les derniers sacrements.

– Nous ne savons pas ce que pourrait faire un procureur sans l'assentiment du Maître, dans l'obédience duquel, nous-mêmes et les autres frères, nous sommes et devons être.

– Nous sommes presque tous simples et illettrés, et nous réclamons le conseil de prud'hommes et de clercs.

– Beaucoup de nos frères veulent participer à la défense de l'Ordre, mais on ne le leur permet pas, tel le frère Renaud de Vossignac, du diocèse de Limoges, et le frère Matthieu de Clichy, du diocèse de Paris.

– Nous demandons que le Maître, les frères et les précepteurs des provinces se réunissent à nous pour décider de l'institution de procureurs et voir ensemble ce qu'il y aurait à faire.

– Dans le cas où le Maître et les précepteurs ne voudraient ou ne pourraient se réunir à nous pour un accord général, nous agirions sans leur concours. »

Les commissaires prirent connaissance de ces observations. Sans répondre sur le fond, ils réaffirmèrent leur volonté d'entendre les défenseurs de l'Ordre avec bienveillance et autant de fois que ceux-ci en exprimeraient le désir :

– « Quant au Maître, au Visiteur et aux autres grands de l'Ordre, ajouta l'un des commissaires, ils nous ont fait savoir qu'ils n'entendaient pas défendre l'Ordre dans l'état où ils se trouvaient. »

Cette déclaration souleva des murmures d'incrédulité ou de réprobation. Ce fut alors que l'archevêque de Narbonne, président de la commission pontificale, prit la parole :

– « Frères, vous avez entendu ce que nous avions à vous faire savoir. Décidez dès aujourd'hui, alors que vous êtes encore tous rassemblés. Le temps presse, la date du concile général approche. C'est votre intérêt de vous hâter. Que vos procureurs se présentent devant nous pour défendre l'Ordre, et nous procéderons selon le droit. Sachez que notre intention n'est pas de vous réunir une seconde fois, mais que nous nous conformons aux instructions que nous avons reçues. »

L'évêque de Bayeux intervint à son tour :

– « Frères, mettez-vous d'accord entre vous. Demain, c'est dimanche, nous n'aurons pas d'audience, ni lundi. Nous reprendrons mardi. Nous vous enverrons nos tabellions pour consigner par écrit ce que vous aurez bien voulu faire et décider. »

V

LA PRIÈRE DES TEMPLIERS

Le 31 mars 1310, qui était un mardi, les tabellions se transportèrent rue du Marché-Palu, dans la maison de Guillaume La Huce, où dix-huit Templiers étaient détenus. Ceux-ci déclarèrent qu'ils ne pouvaient rien décider sans le consentement du Grand Maître. Cette réponse était d'ailleurs conforme à la Règle du Temple. Ils ne faisaient donc qu'obéir, comme ils n'avaient jamais cessé de le faire pendant leur longue obédience. Pourtant cette attitude était, dans la conjoncture, entièrement négative.

Les tabellions se rendirent ensuite dans la grande commanderie de Paris, où soixante-quinze Templiers étaient détenus. Ils s'étaient concertés et mis d'accord sur leur position. En foi de quoi, le frère Pierre de Bologne, parlant en leur nom, dicta cette réponse aux notaires :

« Nous avons un chef et nous ne pouvons ni ne devons rien faire sans son consentement ; notre intention n'est pas de constituer des procureurs, mais nous sommes prêts à défendre nous-mêmes l'Ordre.

Les articles envoyés avec la bulle du Pape, ce questionnaire déshonnête, ignoble, déraisonnable et odieux, sont mensonge, mensonge énorme, mensonge inique. Ils ont été fabriqués de toutes pièces par des menteurs, ennemis de l'Ordre.

La religion du Temple est pure et immaculée, et l'a toujours été, quoi qu'ils disent ! Ceux qui affirment le contraire parlent comme des infidèles et des hérétiques ; ils cherchent à semer l'hérésie et l'immonde ivraie dans la foi du Christ. Nous sommes résolus à défendre l'Ordre de tout notre cœur, en paroles et en actes, du mieux que nous pourrons. Nous demandons toutefois qu'on nous rende la liberté, afin de pouvoir assister en personne au concile général et que ceux qui ne pourront y participer puissent se faire représenter. Bref, nous demandons d'être libres, délivrés entièrement de nos prisons.

Tous les frères du Temple qui ont reconnu pour vrais les articles de la bulle, ont menti. Cependant qui songerait à les blâmer ? Ils ont parlé par crainte de la mort. On ne pourrait les en accabler, non plus que l'Ordre. Une partie d'entre eux n'a parlé que sous la torture ; ceux-là mêmes qui n'ont pas été torturés, ce fut tout comme : épouvantés en assistant à la torture des autres, ils ont raconté ce que voulaient les tortionnaires. On ne saurait le leur reprocher : la souffrance d'un seul a provoqué la terreur pour beaucoup ! Ils voyaient bien qu'ils ne pouvaient échapper aux angoisses et aux tourments que par le mensonge. Il y en eut, peut-être, qui ont été séduits par les prières, l'argent, les caresses, les belles promesses ou les menaces.

Tout cela est public, notoire, indiscutable, et nul ne peut le cacher. Nous supplions la miséricorde divine de nous faire rendre justice, car nous souffrons depuis trop longtemps d'injustes oppressions. En bons et fidèles chrétiens, nous demandons les sacrements de l'Église. »

Les notaires se transportèrent ensuite à l'abbaye de Saint-Martin-des-Champs, sise hors les murs. Les treize Templiers qui y étaient détenus protestèrent eux aussi de leur innocence et déclarèrent qu'ils ne pouvaient rien décider sans le consentement de leurs supérieurs.

Les infatigables tabellions – ils avaient certainement reçu des ordres pour se hâter à ce point – visitèrent ensuite les quatorze Templiers enfermés dans l'ancienne maison de l'évêque d'Amiens, proche de la porte Saint-Marcel. Ceux-ci clamèrent leur innocence et dirent que Pierre de Bologne, leur mandataire, se présenterait le lendemain devant la commission pontificale.

Les dix-huit Templiers de l'hôtel de Savoie venaient du pays de langue d'oc. Ils se plaignirent d'être séparés de leurs frères méridionaux et demandèrent qu'on les réunît afin de délibérer.

Les notaires et leurs greffiers achevèrent leur journée dans la maison de l'évêque de Beauvais, proche de Sainte-Geneviève. C'est un piquant exercice que de suivre leur itinéraire ! Vingt-et-un Templiers étaient les hôtes forcés de l'évêque. Ils voulaient défendre l'Ordre par eux-mêmes et n'avaient pas désigné de mandataires.

Le lendemain, mercredi 1er avril, les notaires commencèrent leurs visites par celle de l'abbaye Sainte-Geneviève, où se trouvaient vingt Templiers. Ils avaient constitué des mandataires, non pas pour défendre l'Ordre au fond, mais se concerter entre eux sur les décisions à prendre. Il s'agissait donc d'une délégation très restrictive, et l'on s'interroge sur les motifs qui dictaient cette conduite : peut-être le silence des dignitaires. L'un des frères, Élie Aymeri, du diocèse de Limoges, remit au nom de tous une « Prière des Templiers en prison ». Il demanda au greffier d'excuser son mauvais latin. Ce document est assurément le plus beau plaidoyer que l'on puisse écrire en faveur du Temple. Je le reproduis en entier [1] :

« *Que la grâce du Saint-Esprit nous assiste. Que Marie, Étoile de la mer, nous conduise au port du salut. Amen.*

Seigneur Jésus, Christ saint, Père éternel et Dieu tout-puissant, sage Créateur, Dispensateur bienveillant et Ami révéré, humble et pieux Rédempteur, Sauveur clément et miséricordieux, je Te prie humblement et Te requiers de m'éclairer, de me délivrer et de me protéger, avec tous les frères du Temple et tout Ton peuple chrétien qui est dans la confusion et dans l'angoisse de l'avenir. Accorde-nous, Seigneur, en qui sont et de qui viennent toutes les vertus, bienfaits, dons et grâces du Saint-Esprit, accorde-nous de connaître la vérité et la justice, la faiblesse et l'infirmité de notre chair, d'accepter la véritable humilité, afin que nous puissions mépriser ce triste monde et ses souillures, les vains plaisirs, l'orgueil et toutes les misères, de n'aspirer qu'aux biens célestes, de travailler humblement au maintien de nos vœux et de Tes commandements.

Très Saint Seigneur Jésus-Christ, par le mérite de Tes vertus, que Ta grâce nous accorde, puissions-nous échapper au diable rugissant, à tous nos ennemis, à leurs embûches et à leurs œuvres. Ô notre Rédempteur et Défenseur, ceux que par Ta passion et Ton humilité tu enchaînes au bois de la croix, les rachetant par Ta miséricorde, protège-les, protège-nous. Par Ta sainte croix et par son signe, puissions-nous triompher de l'ennemi et de ses embûches. Protège Ta sainte Église, éclaire ses prélats, ses docteurs et ses recteurs, avec tout Ton peuple chrétien ; qu'ils proclament et accomplissent Ton service et Ta volonté d'un cœur pur, humble et pieux ; que leur piété soit pure et exigeante ! Qu'ils enseignent le peuple et l'éclairent par le bon exemple. Puissions-nous, pour notre part, accomplir humblement les œuvres d'humilité, à Ton exemple et à celui des saints apôtres et des élus. Puissions-nous considérer de quoi nous sommes faits, ce que nous

1. Traduction R. Oursel.

sommes et ce que nous serons, ce que nous faisons et devons faire pour avoir la vie conduisant aux joies du paradis. Daigne éclairer et convertir ceux qui n'ont pas été revivifiés par l'eau et l'Esprit-Saint, afin qu'ils obéissent à Ta sainte loi et reçoivent les sacrements de la sainte Église, et qu'ils gardent ensuite Ta sainte foi. Seigneur, donne à Ton peuple chrétien la soif et la possession de cette Terre sainte où Tu es né dans le dénuement, où Ta sainte miséricorde nous a rachetés, où Tes exemples et Tes miracles nous ont instruits... Daigne faire en sorte que nous la libérions par Ta grâce et la possédions ! Que nous remplissions Tes saints services et volonté !

Dieu miséricordieux, Ta religion, qui est celle du Temple du Christ, a été fondée en concile général et en l'honneur de la sainte et glorieuse Vierge Marie Ta mère, par le bienheureux Bernard, Ton saint confesseur, élu à cette fin par la sainte Église romaine. C'est lui qui, avec d'autres prud'hommes, l'enseigna et lui confia sa mission. Or, la voici prisonnière et captive du Roi de France pour une injuste cause. Veuille la délivrer et la protéger, par la prière de la sainte et glorieuse Vierge Marie Ta mère et de la Cour céleste. Seigneur, Toi qui es la vérité, qui sais que nous sommes innocents, fais-nous libérer, afin que nous tenions humblement nos vœux et Tes commandements, dans l'accomplissement de Ton saint service et de Ta volonté. Ces mensonges iniques lancés contre nous par pressions et tribulations (exauce nos prières !), tout ce que nous avons souffert, la condamnation pour nos corps, les propos qui nous ont été rapportés de la part de Monseigneur le Pape, la prison perpétuelle que nous vaut l'infirmité de notre chair, puissions-nous n'avoir plus à endurer cela, malgré les calomnies qui pèsent si douloureusement sur nos consciences ! Protège-nous, Seigneur, avec tout Ton peuple chrétien ; apprends-nous à T'obéir. Donne à Philippe, notre Roi, qui est petit-fils de Saint Louis, Ton saint confesseur, de mériter comme lui, par sa vie parfaite et ses mérites, la paix en son royaume et la concorde entre les siens, les rois, princes, barons et chevaliers. Que tous ceux qui ont été désignés pour faire et garder la justice y veillent selon Tes commandements, l'accomplissent, souffrent et conservent entre eux et pour tout le peuple chrétien la paix et la lumière. Donne-leur de reconquérir avec nous la Terre sainte, et d'accomplir Ton saint service et Tes saints ouvrages ; accorde à tous nos parents, bienfaiteurs et prédécesseurs, à nos frères vivants et défunts la vie et le repos éternels.

Toi qui vis et règnes, étant Dieu, par tous les siècles des siècles. Amen.

De moi-même je ne suis pas digne de prier : mais que Ta miséricorde et Ton abaissement, que la bienheureuse et glorieuse Vierge Marie, Ta Mère et notre avocate, que toute la Cour céleste intercèdent pour nous et nous obtiennent cette grâce. Amen.

Sainte Marie, Mère de Dieu, Mère très pieuse, pleine de gloire, sainte Mère de Dieu, Mère toujours vierge et précieuse... Ô Marie, salut des infirmes, consolatrice de ceux qui espèrent en Vous, triomphatrice du mal et refuge des pécheurs repentants, conseillez-nous, défendez-nous. Défendez Votre religion, qui a été fondée par Votre saint et cher confesseur le bienheureux Bernard avec d'autres prud'hommes institués par la sainte Église romaine ; c'est en Votre honneur, ô très sainte et glorieuse, qu'elle s'est répandue. Nous Vous en prions humblement, obtenez-nous la libération de Votre religion et de ses biens, avec l'intercession des anges, des archanges, des prophètes, des évangélistes, des apôtres, des martyrs, des confesseurs, des vierges elles-mêmes – en dépit des calomnies qui, Vous le savez, nous sont jetées à la face – ; que nos adversaires reviennent à la vérité et à la charité ! Puissions-nous, nous-mêmes, observer Vos vœux et les commandements de Notre-Seigneur Jésus-Christ, Votre Fils, qui est notre défenseur, créateur, rédempteur, sauveur miséricordieux et très aimé.

Lui qui vit et règne, étant Dieu, par tous les siècles des siècles. Amen.

Prions. Dieu tout-puissant et éternel, qui as donné au bienheureux Louis, Roi de France et Ton saint confesseur, la grâce, les mérites, l'humilité, la chasteté, la justice et la charité, selon l'intercession de la bienheureuse et glorieuse Vierge Marie Ta Mère, que tant il aimait ; Toi qui as donné la paix à son règne, accorde-nous, Seigneur, par son intercession, la paix et le conseil ; délivre et conserve dans la vérité, malgré les calomnies, notre religion fondée en l'honneur de la sainte et glorieuse Vierge Marie Ta Mère, afin qu'en cette Terre sainte où Ta miséricorde et Ton amour nous ont rachetés, nous accomplissions Ton saint service et Ta volonté, et qu'ensemble, avec notre Roi et les siens unis dans les mêmes mérites, nous accédions enfin aux félicités du Paradis.

Toi qui, étant Dieu, vis et règnes par les siècles des siècles. Amen.

Dieu tout-puissant et éternel, qui tant aimas le bienheureux Jean l'Évangéliste, Ton apôtre, et le laissas reposer sur Ton cœur à la Cène ; qui lui révélas les célestes secrets, et, de la croix où Tu gisais pour le salut du monde, le recommandas à Ta sainte Mère et Vierge, en l'honneur de qui notre religion a été fondée, délivre et conserve celle-ci par Ta sainte miséricorde ; et de même que Tu nous sais innocents des crimes qu'on nous impute, de même accorde-nous d'observer nos vœux et Tes commandements dans l'humilité et dans l'amour, afin qu'au terme d'une vie méritoire, nous parvenions aux félicités du Paradis.

Par Jésus-Christ Notre-Seigneur. Amen.

Dieu tout-puissant et éternel qui as illuminé le bienheureux Georges, ton preux chevalier et saint martyr, par son amour et par la glorieuse et bienheureuse Vierge Marie, Ta très sainte Mère, en l'honneur de qui fut fondée notre religion, daigne la délivrer et préserver avec nous, afin que nous observions humblement nos vœux et Tes commandements, et possédions la vie par laquelle nous mériterons d'accéder aux félicités du Paradis. Toi qui, étant Dieu, vis et règnes par les siècles des siècles. Amen. »

L'esprit mystique du Temple s'épanouit dans cette émouvante prière, qui rappelle, s'il en était besoin, que ces hommes de guerre étaient aussi et d'abord des moines. Certes, l'ascèse à laquelle leur Règle les vouait était plus restreinte que dans les ordres religieux de type ordinaire. Il leur fallait chevaucher et se battre ; ils n'en remplissaient pas moins de strictes obligations. Et leurs âmes, loin du fracas des batailles, pouvaient s'élever jusqu'à la méditation. Tout est inclus dans cette sublime prière : l'adoration de la croix, la dévotion à Notre-Dame, patronne du Temple, et à saint Georges, patron des chevaliers, l'humilité et l'espérance ; l'espérance d'obtenir la conservation du Temple, la libération des Templiers et de reconquérir la Terre sainte ! L'innocence de l'Ordre est proclamée, répétée, en dépit des calomnies. Le Templier prie pour que les détracteurs du Temple reviennent à la vérité. Il souhaite que Philippe le Bel acquière autant de mérites que saint Louis et gagne lui aussi les félicités éternelles. Il n'y a, dans ces lignes, nulle trace de haine, mais le sentiment poignant d'une énorme injustice. On aura cependant remarqué que le pape n'est nommé qu'une fois et qu'il est absent des vœux du Templier, omission lourde de signification. Élie Aymeri et la plupart des frères ne partageaient certes pas la confiance que Jacques de Molay et les dignitaires s'obstinaient à placer dans Clément V...

Au cours de la même journée du 1er avril, les procès-verbaux établis par les notaires furent apportés aux commissaires. On aimerait savoir ce qu'ils pensèrent de la Prière des Templiers en prison, s'ils l'estimèrent hérétique ou sacrilège, s'ils y relevèrent une déviation quelconque de la foi. Rien ne subsiste des opinions qu'ils purent émettre à ce sujet. Sans doute manifestèrent-ils quelque irritation devant le refus des Templiers d'instituer des mandataires. Ils consentirent cependant à entendre leurs représentants officieux : Renaud de Provins, Pierre de Bologne, Guillaume de Chamborent (ou de Chambonnet), Bertrand de Sartiges et Robert Vigier. Ce fut Renaud de Provins qui parla en leur nom. Plus exactement, il présenta aux commissaires et lut une cédule que l'on peut résumer comme suit :

– Les Templiers n'ont pas l'intention de procéder contre le Saint-Siège ni contre le roi de France.

– Ils ne peuvent constituer de procureurs sans le consentement du Grand Maître et du Couvent de l'Ordre.

– Ils demandent que le Grand Maître, les dignitaires, l'ensemble des frères soient remis effectivement aux mains de l'Église, afin de les soustraire aux pressions des gens du roi : trop de frères n'osent pas défendre l'Ordre par suite de la crainte que leur inspirent leurs geôliers, des promesses trompeuses auxquelles ils sont en butte ; leurs déclarations seront fausses tant que durera la cause ; cesse la cause, ils défendront l'Ordre eux aussi.

– Ils demandent sécurité et sauvegarde pour tous, en particulier pour les mandataires quand ils seront désignés.

– Ils souhaitent que les frères qui ont jeté l'habit de l'Ordre et tiennent des propos scandaleux soient remis à l'Église et placés sous bonne garde, en attendant qu'on les interroge afin de savoir si leur témoignage est vrai ou faux, s'ils se sont laissé corrompre, ou non, par des promesses ou de l'argent.

– Ils suggèrent que ceux qui ont assisté aux derniers moments de leurs frères défunts, les prêtres qui ont reçu leur ultime confession, soient interrogés, afin de savoir s'ils ont porté une accusation quelconque contre l'Ordre.

– Ils signifient à la commission qu'elle ne peut procéder contre l'Ordre que dans trois cas :

1° par voie d'accusation, mais il faudrait produire l'accusateur et que celui-ci s'oblige à la peine du talion [1] ;

2° par voie de dénonciation, mais le dénonciateur ne peut être entendu, car il aurait dû préalablement inviter les frères à se corriger, ce qu'il n'a pas fait [2] ;

3° par voie d'office, auquel cas les mandataires produiront leurs moyens de défense et feront valoir leurs droits sans aucune restriction.

Une autre cédule fut remise aux commissaires. Elle émanait des Templiers détenus à Saint-Martin-des-Champs. Ils confirmaient leur intention de se défendre eux-mêmes et sollicitaient surtout l'augmentation de leurs « gages », car ils ne pouvaient assurer leur subsistance.

La commission se donna le temps de délibérer. Elle fut ajournée au vendredi 3 avril. La cédule de Renaud de Provins soulevait un problème juridique assez délicat. Avant d'adopter une position, les commissaires estimaient nécessaire d'attendre les autres procès-verbaux des notaires. Il s'agissait en effet de déterminer

---

1. L'accusateur subissait la peine qu'il voulait voir infliger à celui dont l'innocence est démontrée.

2. Allusion à la discipline du Temple, où la délation était admise dans le seul but de redresser les fautes et les erreurs d'un frère.

dans quelle mesure la déclaration de Renaud de Provins reflétait l'opinion générale.

Ce même 1er avril, les notaires et leurs greffiers continuaient leurs pérégrinations dans Paris. Nous ne pouvons faire mieux que de les suivre.

Onze Templiers étaient détenus dans la maison de Lagny, près de la Porte du Temple. Ils commencèrent par déclarer qu'ils ne pouvaient désigner de procureurs, pour les raisons que nous connaissons déjà. Ils acceptèrent pourtant de nommer quatre porte-parole, sans toutefois leur consentir de pouvoirs. Ils demandèrent de l'encre et du papier pour rédiger leur défense. Ils tinrent à préciser qu'aucun d'eux n'avait avoué les erreurs imputées à l'Ordre, malgré la torture et les promesses.

Il y avait aussi onze Templiers dans la maison de Lenrage (ou de La Rage), rue de Chaume [1]. Ils déclarèrent unanimement et noblement qu'ils voulaient vivre et mourir dans l'Ordre, l'estimant « bon, loyal et saint ». Ils demandèrent avec insistance qu'on leur rendît les sacrements de l'Église. Ils souhaitèrent également se concerter avec leurs frères et leurs supérieurs.

Les quarante-sept Templiers détenus dans la maison de Richard-des-Dépouilles, rue du Temple, ne voulaient pas davantage élire de procureurs sans l'assentiment du Grand Maître. Certains d'entre eux devaient être malades, car ils demandèrent instamment que ceux qui mourraient fussent inhumés en terre bénie.

Le lendemain, 2 avril, les notaires se rendirent à l'abbaye Sainte-Magloire, où se trouvaient douze Templiers. Leurs réponses furent identiques à celles des autres frères. Ils tinrent toutefois à rappeler que le Temple avait été fondé et confirmé par l'autorité apostolique : autrement dit qu'il ne relevait que de la justice du pape.

Les dix Templiers de la maison de Nicolas Haudrée, rue des Prêcheurs, furent encore plus explicites. Ils insistèrent sur le fait qu'ils ne pouvaient constituer de procureurs sans la permission du Grand Maître, par suite de leur obligation d'obéissance. Mais il était, selon eux, criminel que chacun d'eux en fût réduit à se défendre, car c'était l'ensemble des Templiers qui formait le Temple. Ils se déclaraient néanmoins prêts à se disculper personnellement et à disculper l'Ordre selon le droit et la raison. Ils eurent même une formule saisissante : « N'est pas vrai Templier qui dit que l'Ordre est mauvais ». Les trente-sept Templiers détenus dans la maison de Jean Le Grant, à la porte Saint-Eustache, clamèrent eux aussi que l'Ordre était pur, juste et bon.

1. Probablement une maison où l'on enfermait les fous.

Tous étaient résolus à le défendre. Même son de cloche à la maison de La Jambière, à La Croix-du-Tyrol, où se trouvaient treize Templiers. L'un d'eux lança à l'adresse des notaires :

– « Quand on nous torturait, on ne nous demandait pas si nous avions des représentants ! »

Les dix-sept Templiers de la maison de Robert Anudieu, rue de la Place-aux-Porcs, se montrèrent pareillement convaincus de l'innocence de l'Ordre. Ils protestèrent avec véhémence contre les articles du questionnaire lu dans le verger de l'évêque, et qui n'étaient selon eux que « mensonge et fausseté, sauf le respect dû à celui qui avait prescrit l'enquête », c'est-à-dire le pape. Ils demandèrent à se concerter avec Renaud de Provins.

L'un d'eux, Raoul de Favernay, dit qu'il avait assisté à la réception de nombreux frères et que pour chacun d'eux le précepteur prononçait les paroles prévues par la Règle : « Au nom de la Sainte-Trinité, du Père, du Fils et du Saint-Esprit, de la Sainte Vierge et de tous les saints, je te reçois et te donne l'habit du Temple. » Cela, et rien de plus !

Les notaires se rendirent ensuite à la maison Blavot, proche de la Porte Saint-Antoine, pour y entendre neuf Templiers. Ces derniers firent une réponse identique et réclamèrent les sacrements de l'Église. De même, les neuf détenus de la maison de Guillaume de Marcilly, dans le même quartier : ils étaient décidés à se battre jusqu'à la mort pour la défense du Temple. Les sept Templiers de la maison de Jean de Chamines, rue de la Porte-Baudoyer, n'avaient rien décidé, faute d'avoir reçu les directives du Maître. Dans la même rue, il y avait encore huit Templiers enfermés dans l'hôtel de l'abbé de Tiron. Ils se prétendirent trop simples et trop peu instruits pour défendre l'Ordre et préféraient se conformer aux décisions des autres frères.

Les vingt-huit Templiers de l'hôtel de l'abbé de Prouilly, rue de la Mortellerie, avaient pris part à l'assemblée du Verger et s'étonnaient de ne pas avoir reçu la visite de Renaud de Provins et de Pierre de Bologne. Ils ne pouvaient rien faire sans leurs conseils. Quelques-uns se plaignirent d'avoir été dépouillés de leur habit ; ils en demandaient la restitution. Ils demandaient aussi que leur chapelain fût payé sur les revenus de l'Ordre, car ils le payaient jusqu'ici sur leurs faibles allocations.

Vingt-huit Templiers étaient détenus dans la maison de Jean Roussel, près de l'église Saint-Jean-en-Grève. Ils attendaient également la visite et les conseils de Renaud de Provins et de Pierre de Bologne, ne voulant rien décider sans leur aide. L'un d'eux, frère Aymon de Pratini, demanda à quitter le Temple. Il n'était pas hérétique. Il n'avait rien commis ni rien constaté de mal, mais l'Ordre ne lui plaisait plus et il voulait entrer dans un autre. Il ne donna pas d'autre raison.

Le bilan de cette tournée d'enquête s'établissait comme suit : les notaires avaient interrogé quatre cent cinquante-trois Templiers du 31 mars au 2 avril inclus. Ils ne les avaient évidemment pas questionnés un par un, mais par groupes. De l'ensemble des réponses, plus ou moins circonstanciées, il ressortait que :

– Les détenus étaient unanimes à vouloir défendre le Temple qu'ils estimaient pur, juste et bon.

– Certains étaient prêts à se battre jusqu'à la mort pour le défendre.

– Quelques-uns réclamaient avec insistance l'aide et le conseil des deux porte-parole de l'Ordre à l'assemblée du Verger.

– Ceux qui avaient assisté à cette assemblée récusaient absolument les articles du questionnaire.

– Tous répétaient qu'ils n'avaient pas le droit de désigner des représentants sans l'autorisation formelle du Grand Maître et, pour justifier leur refus, ils invoquaient leur devoir d'obéissance.

On voit ici combien l'attitude de Jacques de Molay et des dignitaires était préjudiciable à l'ensemble des frères. Et non seulement préjudiciable, mais cruelle ! En s'obstinant à réclamer leur comparution devant Clément V, « qui s'était réservé leur cas », ils abandonnaient les Templiers à eux-mêmes, en face de ce dilemme : ou désigner des mandataires et désobéir au Maître, ou respecter le vœu d'obéissance et priver le Temple de ses défenseurs, puisque la commission pontificale ne voulait plus recevoir les témoignages individuels. Mais enfin, hors de la présence des gens du roi et quel que fût leur embarras, ils pouvaient s'exprimer sans contrainte, faire entendre le son de leur cœur et, du fond de leur misère, crier l'innocence du Temple.

On aura noté que, sur quatre cent cinquante-trois détenus, un seul souhaitait quitter l'Ordre, toutefois sans indiquer les motifs de sa décision.

VI

LE MIRACLE DU VENDREDI SAINT

Le vendredi 3 avril, quatorze Templiers comparurent devant la commission. Ils avaient choisi Jean de Montréal comme porte-parole. Il lut une cédule rédigée en langue occitane. Malgré son intérêt linguistique, il m'a paru préférable d'en indiquer seulement le contenu :

« En nom de Nostre Sire, *Amen*. Propaussant li Templers, primarement que lor Ordre fut senz et aprovez antiquammant, ben et honestement par la sancta Égleize de Roma... »

(Au nom de notre Sire, *Amen*. Proposent les Templiers, premièrement que leur Ordre fût saint et approuvé autrefois, bien et honnêtement, par la sainte Église de Rome...)

– Ils proposent que tous les frères furent reçus, de cette heure jusqu'ici, bien et honnêtement, sans aucun péché, selon la foi catholique romaine. Cela peut se constater dans les livres du Temple, lesquels sont semblables dans toutes les parties du monde. Aussi par les frères qui furent transférés dans un autre Ordre, l'Hôpital ou Saint-Laurent, par les écoliers qui furent au Temple, par les confessions des frères morts en prison et par les apostats.

– Qu'ils vivent bien et honnêtement, selon la foi catholique de Rome, à entendre les Heures, à observer les jeûnes que sainte Église recommande. De plus, ils jeûnaient deux quarantaines par an, se confessant et communiant trois fois, à Noël, à Pâques et à la Pentecôte, en présence des fidèles et par la main du frère chapelain s'il y en avait un, sinon dans la chapelle d'un autre Ordre. Quand ils étaient malades, ils se confessaient, communiaient, recevaient les saintes onctions. On les ensevelissait en terre bénite après leur trépas, en présence des fidèles, comme de bons chrétiens, loyaux envers Notre-Seigneur. Pour chaque trépassé, les frères nourrissaient un pauvre pendant quarante jours. Ils étaient tenus de dire cent patenôtres pour le salut de son âme, au cours de la semaine suivant son trépas. Cela était connu des gens du siècle.

– Que dans les églises du Temple, le maître-autel était dédié à Notre-Dame. Les frères devaient dire toutes les Heures et achever par les complies.

– Le vendredi saint, ils adoraient la Croix sur laquelle le Sauveur endura sa Passion.

– Ils tenaient leurs chapitres bien et honnêtement, sans nulle tache de péché, selon la foi de Rome. Aux chapitres généraux, c'était tantôt un évêque, tantôt un frère mineur qui prêchait. On peut questionner à ce sujet les frères qui ont quitté l'Ordre, voire les apostats.

– Au Temple régnaient le courage et la justice selon Dieu.

– Le Pape accorda aux frères le privilège d'avoir des chapelains pour les recevoir en communion.

– Les chapelains servaient l'Ordre bien et honnêtement, selon la foi catholique de Rome.

– Dans les commanderies, on pratiquait quotidiennement l'hospitalité et l'aumône, et spécialement trois jours par semaine, où chacun pouvait venir s'il le désirait.

– Le Jeudi absolu (le jeudi saint), ils recevaient des pauvres dans leur maison pour faire le *mandatum*, comme il est établi pour l'Église de Rome.

– Chaque dimanche, en leurs commanderies ou ailleurs, ils prenaient le pain bénit de la main de l'officiant.

– Pour chaque grande fête, ils processionnaient dans leurs églises, en présence du peuple.

– De nombreux chanoines et moines prêcheurs, mineurs, Carmes, Trinitaires, ont quitté leur Ordre pour venir au Temple : ils ne l'auraient pas fait s'ils avaient connu en nous quelque mauvaiseté.

– Certains frères de l'Ordre ont été faits archevêques et évêques par la sainte Église de Rome.

– Naguère, certains frères sont devenus camériers du Pape ; s'ils avaient été tels qu'on le dit, ils n'auraient pas obtenu cet office.

– Des frères ont été trésoriers et aumôniers des Rois de France sans attirer le moindre soupçon d'erreur. Il en était de même des frères au service des archevêques, évêques, comtes ou barons.

– Certains prélats de la sainte Église, nobles et non-nobles, demandèrent à être admis dans les bienfaits de la Maison, ce qu'ils n'eussent pas fait s'ils avaient décelé quelque erreur.

– Des nobles et d'autres demandaient à être reçus Templiers à leur trépas, en raison de la dévotion qu'ils avaient pour le Temple.

– Au temps passé, les Templiers outre-mer et deçà les mers, sur les frontières des Sarrasins, combattirent bien et loyalement contre les ennemis de la foi du Christ, au temps du Roi Louis, du Roi d'Angleterre, où il arriva que tout le Couvent se perdît ; ensuite, au temps de Guillaume de Beaujeu, notre Maître, où trois cents frères périrent à Acre [1].

– En Espagne, sur la frontière d'Aragon, les Templiers ont combattu loyalement, en l'honneur de la Croix, selon leur force et leur pouvoir, ce qui peut se vérifier auprès des Rois de Castille et d'Aragon.

– Les frères qui furent capturés, en faits d'armes, il y a vingt-cinq ans passés, sont restés au pouvoir du Sultan. S'ils avaient abjuré, ils seraient libres.

– Est-ce que la sainte Croix que conserve le Temple resterait à la garde des Templiers, s'ils étaient tels qu'on le dit ?

– Est-ce que l'épine de la couronne de Notre-Seigneur fleurirait le jour du vendredi saint entre les mains de nos frères chapelains, s'ils méritaient les reproches qu'on leur fait ?

– Est-ce que le corps de sainte Euphémie qui vint à Château Pèlerin par la grâce de Dieu, où il a fait des miracles, aurait été reçu par les Templiers s'ils étaient tels qu'on le dit ? Garderaient-ils les autres reliques qui sont en leur pouvoir ?

– Les aumônes qui se faisaient dans les templeries d'Occident et d'Orient et même au cours des « passages » [2], par le Maître et l'Aumônier, ne sauraient être dépassées par aucun Roi au monde, malgré les reproches que l'on nous adresse.

– Plus de vingt mille frères sont morts pour la foi de Dieu outre-mer.

– Si donc on veut charger l'Ordre de tant de mauvaiseté, les frères sont résolus à se battre, hormis contre le Pape et le Roi.

---

1. Cinq cents et non trois cents. Jean de Montréal n'a, lui aussi, que des notions approximatives de l'histoire du Temple ; il confond les périodes et les événements.
2. Les transferts de Templiers d'Occident en Orient.

– Les frères demandent qu'on leur rende les sacrements, dont on les a privés à grand tort.

– En tout premier lieu, ils nient toute culpabilité et récusent les articles du questionnaire.

L'intérêt de cette cédule est de tout premier ordre, car elle rend parfaitement compte de la vie religieuse des Templiers et de l'ardeur de leur foi. Le miracle de la Sainte Épine le jour du vendredi saint dut surprendre et mettre les commissaires dans l'embarras, plus encore que la Prière des Templiers en prison. Pouvait-on croire que ces hommes fussent apostats, hérétiques et de mœurs dévoyées ? Cela paraissait de plus en plus difficile à admettre. Mais leur devoir d'enquêteurs leur faisait obligation de poursuivre leurs investigations sans faiblesse. Si diverses et nuancées que fussent leurs opinions, ils ne pouvaient cependant nier les bienfaits du Temple, ni son rôle en Terre sainte, ni la mort héroïque des vingt mille frères qui avaient sacrifié leur vie pour défendre la foi. Leur tâche apparaissait plus ardue et complexe qu'ils ne l'avaient prévue.

Exploitant son avantage, Jean de Montréal insinua que de nombreux frères désireux de défendre l'Ordre avaient été empêchés de venir à Paris. L'un des commissaires répliqua sèchement que personne n'avait été empêché et que les refus avaient été enregistrés en bonne et due forme : ce qui, par parenthèse, ne prouvait pas grand-chose !

La commission entendit ensuite Colard d'Évreux, gardien des Templiers détenus dans la maison de Lenrage. Il apportait en leur nom une cédule qu'ils avaient rédigée (en fort mauvais français). À leur insu, ils ajoutaient un argument de poids aux observations présentées par Jean de Montréal :

« Nous avons enduré tant de tourments de fers, prisons et géhenne, nous avons été si longtemps au pain et à l'eau, que plusieurs de nos frères sont morts. Jamais nous n'aurions tant souffert, si notre religion n'avait pas été bonne, si nous ne maintenions pas la vérité pour ôter du monde une erreur sans raison. »

Ils exprimaient naïvement leur confiance dans l'équité des commissaires et leur demandaient la permission de se concerter avec Guillaume de Chamborent, Renaud de Provins, Pierre de Bologne et autres, avant de comparaître en personne ou d'envoyer leurs délégués.

Sur ce, les commissaires prirent une décision pour le moins déconcertante. Ils chargèrent les greffiers de retourner dans les maisons où ils étaient passés les jours précédents et de vérifier si les détenus approuvaient les cédules présentées en leur nom.

On peut voir dans cette démarche une volonté d'objectivité, mais aussi l'intention de semer la zizanie parmi les défenseurs, de susciter des protestations et de regrettables mises au point. Les greffiers devaient aussi collecter d'autres cédules et inviter à nouveau les frères à désigner des procureurs.

La commission fut ajournée au 7 avril et les notaires poursuivirent leurs visites. Ils interrogèrent vingt-trois Templiers gardés dans la maison à l'enseigne de Penne Vayre, rue Lieudelle, et quatre autres à l'hôtel de Guillaume de Domont, rue Neuve-Notre-Dame. De même que les autres frères, ces détenus demandaient l'autorisation de consulter Renaud de Provins, Pierre de Bologne, Guillaume de Chamborent et Bertrand de Sartiges. Les notaires en rendirent compte aux commissaires.

Pour faire droit à ces réclamations, il fut décidé que les quatre frères accompagneraient dorénavant les notaires et que ceux-ci reprendraient leur enquête à son point de départ. Ce qu'ils firent : on ne peut qu'admirer leur zèle et leur patience. Ils repassèrent donc dans toutes les maisons où ils avaient instrumenté. L'accueil ne fut pas unanime, loin de là ! Certains frères s'obstinaient à demander une réunion avec Jacques de Molay et les dignitaires de l'Ordre. Ils ne parvenaient pas à surmonter leurs scrupules. Ils déclaraient que, s'ils n'obtenaient pas satisfaction, ils s'estimeraient « déniés de droit » et en appelleraient à Dieu ! D'autres affichaient une totale confiance dans les commissaires et prétendaient qu'il était inutile de désigner des mandataires. D'autres jugeaient préférable de présenter eux-mêmes la défense de l'Ordre, et la leur. D'autres encore acceptaient que les quatre frères fussent leurs porte-parole, sans toutefois définir leur mandat, en attendant l'avis du Grand Maître. D'autres enfin, mais c'était une minorité, consentaient à donner blanc-seing à Pierre de Bologne et à ses compagnons. Certes, il y avait quelque chose de pénible dans cette défiance à l'égard de frères plus instruits et mieux disants. Mais ces malheureux avaient eu trop de cuisantes déceptions pour ne pas craindre une nouvelle trahison. Ils avaient trop souffert dans leur âme et dans leur corps, pour ne pas s'égarer dans leur raisonnement, croire le premier venu, se monter la tête. Il n'y avait finalement qu'un point sur lequel ils étaient tous d'accord : l'innocence du Temple, le rejet furieux des cent vingt-sept articles du questionnaire. Pour le reste, ils étaient comme perdus, oscillant d'une opinion à l'autre, mais gardant au fond de leurs cœurs meurtris, malgré tout, une flamme d'espérance.

Je ne puis clore ce chapitre sans évoquer la cédule que les Templiers détenus dans la maison de l'abbé de Tiron firent parvenir à la commission. Elle donne quelque idée sur les conditions de détention. Ces frères se plaignaient d'être parqués deux par deux « en noire fosse, obscure, toutes les nuits ».

« Nous vous faisons assavoir, écrivaient-ils, que les gages de XII deniers que nous avons ne nous suffisent pas. Car il nous faut payer nos lits III deniers par jour, chaque lit – linge de cuisine, nappes, toiles et autres choses II sols VI deniers par semaine. Aussi pour nous mettre debout et enlever nos fers, XI sols. Aussi pour laver draps et robes, linges, XVIII deniers par quinzaine et XVI deniers pour traverser la Seine de la Cité à la rive droite. »

Ils étaient incarcérés à leurs frais !

VII

LES DÉFENSEURS DU TEMPLE

Le mardi 7 avril 1310, la commission pontificale se réunit dans la chapelle du palais épiscopal. Il n'y avait aucun absent. La séance devait être consacrée à l'audition des défenseurs du Temple. Ils étaient neuf : Pierre de Bologne, Renaud de Provins, prêtres, Guillaume de Chamborent, Bertrand de Sartiges, Guillaume de Foix, Jean de Montréal, Matthieu de Cresson-Essart, Jean de Saint-Léonard et Guillaume de Givry, chevaliers. Aucun d'entre eux n'avait occupé de hautes charges dans la hiérarchie de l'Ordre à l'exception de Pierre de Bologne. Matthieu de Cresson-Essart avait été cependant commandeur du Temple de Bellyvial-en-Artois, mais ce n'était pas une maison très importante. Ces neuf personnages représentaient quelque cinq cents Templiers. Il faut les imaginer dans leur tunique blanche, timbrée de la croix rouge, la ceinture prise dans une courroie de cuir noir. Ils se sont efforcés d'être présentables, mais leurs habits sont élimés et reprisés tant bien que mal. Tous portent la barbe et ont le crâne rasé, selon la coutume du Temple. Leurs visages, naguère tannés par le soleil et par les chevauchées au grand air, sont pâles et burinés. Malgré leur dénuement et l'humilité de leur état, ils gardent leur fierté. S'ils ont perdu cette « hautainerie » que l'on prêtait au Temple, on sent qu'ils tiennent pour un honneur d'avoir accepté cette périlleuse mission. N'avaient-ils pas par avance sacrifié leur vie quand ils reçurent l'habit ? Ils ont le regard de ceux qui défient la mort. En face d'eux, les prélats de la commission sont confortablement installés dans leurs cathèdres. Ils portent leurs somptueuses robes, signes de leurs dignités. C'est Gilles Aycelin, archevêque de Narbonne, qui préside. Il cumule les titres et les bénéfices. Les Templiers croient encore qu'il leur est favorable. Ils savent qu'il a résilié ses fonctions de Garde des Sceaux, dont le sinistre Nogaret, leur ennemi, s'est aussitôt emparé. Mais l'archevêque est resté conseiller royal.

On pourrait s'attendre à un vrai débat, ponctué de joutes oratoires. Mais les commissaires sont de simples enquêteurs. Il est vrai que le concile général jugera le Temple principalement sur leur rapport. Leur seul objectif reste de découvrir la vérité. Ils accumulent les dépositions, les documents de toute nature. Bientôt, ils classeront dans leur dossier la cédule que leur présente Pierre de Bologne. Il en donne lecture, d'une voix ferme et claire. C'est évidemment un document capital.

« En présence de vous, révérends pères et commissaires, établis par le seigneur Souverain Pontife pour informer sur le statut de l'Ordre du Temple à propos de certaines accusations horribles articulées contre lui, les soussignés frères proposent et déclarent, non pas avec l'intention d'entamer un procès, mais simplement à titre de réponse : que, dans une si grande cause, ils ne peuvent, ne doivent ni même ne veulent constituer de procureurs sans la présence, le conseil et l'assentiment de leur Maître et du Chapitre, car en droit ils ne le peuvent ni ne le doivent.

Item, qu'ils s'offrent tous, personnellement, ensemble et séparément, à défendre l'Ordre et demandent avec supplication à assister en personne au concile général et à être présents partout où l'on traitera du statut de l'Ordre.

Item, ils disent que, quand ils seront en pleine liberté, ils ont assurément l'intention d'y aller, s'ils le peuvent ; ceux qui ne pourront y aller commettront à leur place ou constitueront comme procureurs des frères de l'Ordre qui, en leur nom, suivront l'affaire.

Item, ils ont désigné les frères Renaud de Provins, Pierre de Bologne, prêtres, Guillaume de Chamborent et Bertrand de Sartiges, frères-chevaliers ; les ont autorisés à produire, présenter, dire et remettre par écrit à vous, révérends pères, l'exposé de tous les droits, de toutes les allégations et de tous les arguments favorables qu'ils apportent ou qu'ils peuvent apporter pour la défense, le statut et l'honneur de l'Ordre. Si ceux-ci vous présentaient ou vous déclaraient quoi que ce fût qui pût tourner au préjudice ou aux dépens de l'Ordre, ils n'y consentent en rien et veulent qu'on le tienne pour nul et non avenu.

Item, ils protestent que, si les frères du Temple disent ou disaient à l'avenir, tant qu'ils seront en prison, quoi que ce soit à leur charge ou à la charge de l'Ordre, cela ne lui porte pas préjudice. Car il est notoire qu'ils ont parlé ou qu'ils parleront contraints et poussés ou corrompus par les prières, l'argent ou la crainte. Ils protestent qu'ils le prouveront en temps et lieu, quand ils jouiront d'une pleine liberté et qu'ils auront été rétablis pleinement et intégralement.

Item, ils demandent que tous les frères de l'Ordre qui, ayant abandonné l'habit, se comportent malhonnêtement, à la honte de l'Ordre et de sainte Église, soient mis en la main de l'Église, sous garde sûre, jusqu'à ce que l'on sache s'ils ont fait un vrai ou faux témoignage.

Item, ils demandent, supplient, requièrent, que, chaque fois que des frères seront examinés, aucun laïc ne soit présent, qui puisse les entendre, ni aucune autre personne de l'honnêteté de qui on puisse douter avec raison, ni que, sous prétexte de terreur ou de crainte, le faux puisse être dit et le vrai dissimulé. Car tous les frères, en général, sont frappés d'une telle crainte, et d'une telle terreur, qu'il ne faut nullement s'étonner qu'il y en ait qui mentent, mais bien plutôt qu'il y en ait qui soutiennent la vérité : quand on voit les tribulations et les angoisses qu'éprouvent ceux qui disent la vérité, les menaces, les outrages et les autres tourments qu'ils subissent quotidiennement, comparés aux avantages, commodités, libertés dont jouissent les menteurs et les grandes promesses qui leur sont faites chaque jour. D'où s'ensuit que c'est à nos yeux une chose admirable, bien plus, stupéfiante, qu'on accorde aux menteurs qui, ainsi corrompus, témoignent, dans leur intérêt corporel, plus de créance qu'à ceux qui, comme des martyrs du Christ, sont morts dans les tortures, avec la palme du martyre, pour soutenir la vérité, et même qu'à la plus grande et plus saine partie des vivants, lesquels, pour défendre la vérité et n'obéir qu'à leur conscience, ont souffert et souffrent encore chaque jour, en prison, tant de tortures, de peines, de tribulations, d'angoisses, d'incommodités, de calamités et de misères.

Item, ils disent qu'on n'a trouvé aucun frère du Temple hors du royaume de France, dans tout l'univers, qui dise ou qui ait dit ces mensonges. Par quoi on voit assez clairement la raison pour laquelle c'est dans le royaume de France que ces accusations sont articulées : c'est parce que ceux qui les ont dites ont témoigné alors qu'ils étaient corrompus par la crainte, par les prières ou par l'argent.

Pour la défense de l'Ordre, ils répliquent et disent simplement que l'Ordre du Temple fut créé et fondé dans la charité et l'amour d'une vraie fraternité et qu'il est – pour l'honneur de la glorieuse Vierge, Mère de Notre-Seigneur Jésus-Christ, pour l'honneur et la défense de la sainte Église et de toute la foi chrétienne, pour la lutte contre les ennemis de la croix, c'est-à-dire les infidèles, les païens et les Sarrasins, en tout lieu et principalement sur la Terre sainte de Jérusalem, que le Fils de Dieu, en mourant pour notre rédemption, a consacrée par son propre sang – auprès de Dieu le Père, un Ordre saint et immaculé de toute tache et de toute espèce de vice, en qui est et sera toujours en vigueur une doctrine régulière, une observance salutaire, et, comme tel, il est approuvé, confirmé et honoré de nombreux privilèges par le Siège apostolique.

Quiconque entre dans l'Ordre promet quatre choses essentielles, savoir : obéir, rester chaste, rester pauvre et consacrer toutes ses forces au service de la Terre sainte, c'est-à-dire à la conquête de la Terre sainte de Jérusalem et, au cas où Dieu aurait fait la grâce de la conquérir, à la conserver, la garder et la défendre selon son pouvoir. Il est admis à l'honnête baiser de paix et, quand il a reçu l'habit avec la croix – que nous portons perpétuellement étalée sur la poitrine, en révérence de Celui qui a été crucifié pour nous et en souvenir de Sa passion –, on lui apprend à appliquer la Règle et les coutumes antiques données aux Templiers par l'Église romaine et par les Saints-Pères. Et voilà l'unique profession de foi de tous les frères du Temple, qui est et fut conservée dans le monde entier par tous les frères de l'Ordre, depuis sa fondation jusqu'au jour présent. Et quiconque dit ou croit autre chose erre entièrement, pèche mortellement et s'écarte tout à fait de la voie de la vérité.

C'est pourquoi, au sujet des articles proposés contre l'Ordre – articles déshonnêtes, horribles, terrifiants et détestables autant qu'impossibles et souverainement honteux –, ils disent que ces articles sont mensongers et faux et que ceux qui ont suggéré ces mensonges iniques à notre seigneur le Souverain Pontife et à notre sérénissime seigneur le Roi de France sont de faux chrétiens ou bien de parfaits hérétiques [1], détracteurs et corrupteurs de la sainte Église et de toute la foi chrétienne. En effet, mus par un zèle cupide et une ardeur envieuse, ils ont, comme de très impies semeurs de scandale, recherché les apostats ou les frères sortis de l'Ordre, qui furent, à cause de leurs crimes, chassés comme des bêtes malades de la bergerie, c'est-à-dire de la congrégation des frères. De conserve avec eux, ils ont inventé et

1. Allusion non douteuse à Nogaret, petit-fils d'hérétique albigeois.

ourdi les crimes et les mensonges qu'on attribua faussement aux frères et à leur Ordre. Ils les ont séduits de telle sorte que, tous ceux qui ont pu être découverts, ils les recherchaient, les amenaient, les chapitraient et ils constituaient un dossier de ces mensonges pour le porter ensuite au seigneur Roi et à son conseil. De cette façon, tous ceux qui étaient amenés des diverses parties du monde, si nombreux fussent-ils, étaient ainsi subornés et conduits que, touchant ces crimes, ils faisaient la même déposition. Grâce à quoi ils induisaient l'esprit du seigneur Roi et de ses conseillers à croire à ces crimes. Car ceux-ci croyaient que ce qu'ils disaient, et qui procédait de la malice des inspirateurs et des suborneurs, venait réellement des vices de l'Ordre et des frères.

C'est de tout cela qu'ensuite sont sortis de si grands périls pour l'Ordre, comme aussi l'arrestation, la spoliation, les tortures, les assassinats, les violences endurés par les frères qui, menacés de mort, avouaient contre leur conscience, dressés qu'ils étaient par des satellites [1]. Ils étaient forcés d'avouer ces crimes, parce que le seigneur-roi, trompé par ces séducteurs, avait instruit le seigneur Pape de tout ce qui précède. Ainsi le seigneur Pape et le seigneur Roi ont été trompés par de faux avis.

Item, ils disent que vous ne pouvez procéder par la voie qui vous est tracée, c'est-à-dire d'office, car les Templiers n'étaient pas diffamés à propos de ces articles avant leur arrestation, et que l'opinion publique ne travaillait pas contre l'Ordre. Et il est certain que nos frères, pas plus que nous, n'ont la moindre garantie, car ils se trouvent et se sont continuellement trouvés au pouvoir de ceux qui suggéraient des faussetés au Roi et qui, chaque jour, par eux-mêmes ou par autrui, les engagent, par le moyen de discours, d'envoyés, de lettres, à ne pas s'écarter des fausses dépositions qui leur ont été extorquées par la crainte, parce que, disent-ils, s'ils s'en écartaient, ils seraient inévitablement brûlés.

Item, ils disent que les frères de l'Ordre qui ont dit ou confessé ce qui précède l'ont fait à cause ou par crainte des tortures, et qu'ils reviendraient volontiers sur leurs aveux s'ils l'osaient ; mais ils sont frappés par tant et de si grandes terreurs qu'ils n'osent pas, à cause des menaces qui leur sont adressées quotidiennement. Par suite, ils supplient qu'on leur donne, lors de leur audition, une sécurité si grande qu'ils puissent revenir sans crainte à la vérité.

Ils protestent de toutes ces choses et les disent, sauf les défenses présentées et à présenter par les frères en particulier en

1. Ici, dans le sens de geôliers.

faveur de l'Ordre. Et si des choses ont été produites, ou bien apportées ou bien dites, qui puissent tourner au détriment ou au préjudice de l'Ordre, ils les tiennent pour entièrement nulles, vaines et sans valeur. »

Pierre de Bologne avait rédigé cette cédule en latin. Il était instruit, raison pour laquelle on l'avait choisi comme porte-parole. Néanmoins, eu égard aux réticences des frères à l'endroit de leurs mandataires, sa position paraissait assez délicate. Il était clair qu'il ne pouvait prendre d'initiatives sans encourir le risque d'être désavoué.

La cédule que présenta et lut à la suite Jean de Montréal, au nom d'un autre groupe de détenus, avait été écrite en langue occitane. Elle était à la fois plus directe et moins juridique.

Jean de Montréal révélait d'abord une iniquité flagrante, ou plutôt la rappelait vigoureusement, car il est peu probable que les commissaires l'aient ignorée. Il dit que les Templiers avaient été appliqués à la question aussitôt après leur arrestation, et cela par les gens du roi. Que ces derniers les remirent ensuite aux inquisiteurs. Il souligna que de tels agissements violaient les privilèges du Temple, lequel n'était justiciable que du pape. En foi de quoi, Montréal proposait hardiment que les procès-verbaux où l'on avait consigné des aveux pareillement extorqués fussent annulés par le Saint-Siège, puisqu'ils étaient sans valeur aucune ! Il demandait que les frères eussent la possibilité de se présenter devant la commission chaque fois qu'ils le jugeraient nécessaire pour faire valoir leurs droits. Il déclarait aussi catégoriquement que, si le Maître ou d'autres frères avaient menti, leurs aveux n'engageaient en rien l'Ordre en tant que tel. C'était la première fois que Jacques de Molay se trouvait ainsi personnellement mis en cause. Ce qui porte à croire que son comportement commençait à décevoir les frères ou que les Templiers de langue d'oc étaient des têtes chaudes ! Montréal insista pour finir sur les habitudes religieuses et sur la solidité de la foi de ses frères. Il rappela aussi que, le premier jour du Carême, en présence du peuple, ils recevaient les cendres des mains du chapelain, en bons fils de Dieu et en chrétiens fervents : cela, comme l'énonçait la Règle, « en remembrance que nous sommes cendres, et en cendres retournerons ». Combien d'entre eux, même et surtout parmi les défenseurs, allaient en effet retourner en cendres et à bref délai ! Montréal rappela aussi le sacrifice des quatre-vingts Templiers de Saphet qui, prisonniers du Sultan et pouvant sauver leur vie, refusèrent de renier la foi du Christ et furent tous décapités.

Les commissaires ne manquaient pas d'arguments, du moins en se plaçant sur le plan juridique, pour réfuter les thèses et répondre aux demandes qui venaient de leur être exposées. Ils rappelèrent que Jacques de Molay avait déclaré et confirmé à deux reprises qu'il se refusait à défendre le Temple devant la commission et réclamait sa comparution devant le pape. Il était, de ce fait, parfaitement inutile de chercher à se concerter avec lui. N'étant que les représentants du pape, exclusivement chargés d'effectuer une enquête suivant ses directives, il ne leur appartenait pas de décider l'élargissement des Templiers retenus en prison, ni de les autoriser à participer au concile général. Cette décision était de la seule compétence du pape. Il serait bien entendu informé de ces requêtes. Il n'appartenait pas davantage aux commissaires d'émettre une opinion sur la manière dont les accusations contre l'Ordre avaient été recueillies, sur les circonstances de l'arrestation des frères, ni sur les conditions dans lesquelles ils avaient consenti des aveux. Ils n'avaient pas à faire le procès du Temple. Leur seul rôle consistait à interroger les Templiers, à enregistrer objectivement les témoignages à charge comme à décharge, et à réunir tous les documents susceptibles d'établir la vérité. Ils se gardèrent bien de répondre sur la présence de laïcs et de personnes douteuses aux audiences de la commission, sachant fort bien qu'il s'agissait d'espions de Nogaret et de Plaisians. Ils promirent en revanche de faire en sorte que la sécurité des intervenants fût assurée et que les détenus fussent traités avec charité. On verra ce qu'il adviendra de ces promesses.

VIII

TÉMOIGNAGES

Les commissaires avaient évolué depuis leurs premières réunions. Ils donnaient alors, à quelques réserves près, une apparence d'impartialité. Subirent-ils des pressions de la part des envoyés du roi ? Leur président influa-t-il sur leurs décisions ? De fait, ils se trouvaient en difficulté et, pour ainsi dire, pris à leur propre piège. En sollicitant la désignation de procureurs du Temple, ils simplifiaient un peu trop leur besogne d'enquêteurs. Par surcroît, les procureurs en question les avaient entraînés sur un terrain dangereux : celui du droit. Ils décidèrent en conséquence de revenir à leur point de départ, dût-il leur en coûter ! Toutefois, à moins de perdre la face, et de se trahir, ils ne pouvaient renvoyer purement et simplement les mandataires en prison. Ceux-ci restaient, qu'on le voulût ou non, les représentants du Temple. On décida donc de les admettre aux audiences à titre officieux, non pas comme parties au procès, mais comme contre-enquêteurs, en leur accordant le droit de présenter leurs observations. Pierre de Bologne, Renaud de Provins, Guillaume de Chamborent et Bertrand de Sartiges furent désignés comme étant les plus capables de remplir cet office. Les commissaires décidèrent en outre de reprendre, à partir du 11 avril, les interrogatoires sur la base du questionnaire joint à la bulle pontificale, c'est-à-dire de poser des questions précises, en éliminant autant que possible les considérations générales.

En attendant cette première audition, il me faut dire un mot de la manière dont les Templiers furent interrogés. Les détenus convoqués par les commissaires étaient amenés au palais épiscopal. On commençait par dériveter leurs fers. Ils se présentaient donc fictivement libres devant l'aréopage des prélats. On les considérait, non pas comme des accusés, mais comme des témoins. Chacun d'eux comparaissait séparément. On lui faisait prêter serment, la main sur l'Évangile, de révéler la vérité pleine et entière sur ce qu'il savait pour ou contre l'Ordre, sans crainte, sans haine, sans réticence, sans céder à la complaisance ou à la corruption d'où qu'elle vînt. On lui posait ensuite les questions reprises dans le questionnaire. Les auditeurs pouvaient interrompre sa déclaration, afin de lui faire préciser tel ou tel point, ou pour le mettre en garde contre les conséquences éventuelles de sa déposition. On ne refusait pas de « débattre » avec le témoin, soit pour l'aider à retrouver ses souvenirs, soit pour l'amener à se contredire ou à reconnaître tel ou tel fait. Toutefois, cette méthode ne ressemblait en rien à celle des inquisiteurs. Ce n'était pas la culpabilité des personnes qui était recherchée, mais les déviations hypothétiques de l'Ordre. On voulait surtout vérifier si elles étaient générales ou limitées à certaines baillies ! L'interrogatoire, s'il présentait un intérêt particulier ou si l'heure était trop tardive, était renvoyé au lendemain. Cet intervalle de temps pouvait être mis à profit par les geôliers pour amener le témoin à de « meilleurs sentiments » et à rectifier ses déclarations. L'interrogatoire terminé, il n'était pas donné connaissance du procès-verbal au déclarant. On avait pu le tronquer ou le maquiller. On ne lui demandait pas de le signer. La griffe du notaire suffisait. Quand on étudie ces procès-verbaux, on est cependant amené à penser que, dans l'ensemble, ils furent correctement établis. Que la volonté manifeste des commissaires était bien de ne pas enregistrer les seuls aveux, mais de tenir compte aussi des déclarations en faveur du Temple.

Ils commencèrent pourtant par convoquer des témoins à charge, sans doute pour tenir la balance égale et sinon pour se conformer aux suggestions des curiaux. Une petite scène bien préparée, très significative, inaugura la séance du 11 avril. Quatre chevaliers du Temple se présentèrent devant la commission, sans être convoqués. Ils jetèrent leurs manteaux blancs à terre, disant qu'ils rompaient avec cet Ordre dont ils ne voulaient plus. On les expulsa sans les interroger.

Le premier témoin entendu fut Maître Raoul de Prelles, avocat du roi et laïc. Il avait une quarantaine d'années. On ne voit pas à quel titre il avait été convoqué. Son témoignage ubuesque a tout l'air d'avoir été dicté par Nogaret ou par l'un de ses séides. Cet avocat raconta qu'il comptait parmi ses bons amis, à l'époque où il habitait Laon, le frère Gervais de Beauvais, précepteur du Temple de cette ville. Quatre, cinq ou six ans avant l'arrestation des Templiers, frère Gervais lui aurait déclaré – plus de cent fois et devant témoins – qu'il y avait dans l'Ordre « un règlement si extraordinaire et sur lequel un tel secret devait être observé, qu'il aurait préféré se faire couper la tête plutôt que de devoir le révéler », en tout cas d'être dénoncé pour l'avoir trahi. Gervais eût ajouté que dans les chapitres généraux il y avait une pratique tellement secrète qu'à supposer qu'il en fût le témoin les membres du chapitre l'auraient tué sur-le-champ. Il en eût été de même du roi de France, sans considération pour sa qualité. Décidément en veine de confidences, Gervais aurait confié à son ami qu'il possédait les statuts de l'Ordre et les montrait volontiers, mais aussi un livre secret que, pour tout l'or du monde, il ne montrerait à personne. Plus étrange encore ! L'avocat, faut-il croire, avait de bien hautes relations, car Gervais lui aurait demandé d'intervenir pour qu'il pût assister au chapitre général, persuadé d'être bientôt élu Grand Maître. Raoul de Prelles l'aurait vu sortir du chapitre « revêtu d'une grande autorité » et entouré de considération par les autres dignitaires, ainsi qu'il l'avait prédit ! Gervais lui aurait également confié plusieurs fois qu'il n'existait pas de prison plus atroce que celle des Templiers. Que les récalcitrants y étaient jetés, parfois jusqu'à la mort.

Les commissaires lui demandèrent de citer les témoins de ces extraordinaires confidences. Il donna les noms de trois clercs de Laon, avec lesquels il était probablement de mèche. D'ailleurs, les commissaires ne se donnèrent pas la peine de vérifier. Ce qui leur importait, semble-t-il, c'était la révélation de l'existence d'un statut secret et, accessoirement, de la cruauté des Templiers. Pourtant, il tombait sous le sens que Raoul de Prelles extrapolait et qu'en dépit de son amitié avec le frère Gervais, il ne connaissait ni les statuts du Temple, ni la hiérarchie, ni le mode d'élection du Grand Maître. Les propos attribués à Gervais étaient de grossiers mensonges. En effet, la Règle énonçait :

« Nul frère ne doit détenir les Retraits ni la Règle sans autorisation du Couvent [1], car il a été et il reste défendu aux frères de les détenir, parce que des écuyers les trouvèrent parfois et les lurent : nos établissements (nos statuts) se découvraient aux gens du siècle, laquelle chose peut être dommageable pour notre

1. L'assemblée suprême de l'Ordre présidée par le Grand Maître.

religion. Et, pour éviter que cela advienne, le Couvent établit que nul frère ne les tînt s'il ne fût bailli, lequel peut les détenir pour l'office de la baillie. » Il existait probablement des versions très simplifiées de la Règle, à l'usage des commanderies de moindre importance, notamment pour la réception des profès. D'où la confusion entre la version intégrale de la Règle seulement aux mains des baillis et sa version simplifiée. Mais le livre secret, dont Raoul de Prelles faisait état, permettait toutes les suppositions. À partir de là, nombre d'historiens du siècle passé et du nôtre ont échafaudé l'hypothèse – entièrement gratuite – d'une doctrine secrète d'inspiration généralement cathare.

Il n'est pas interdit de supposer que frère Gervais se fût payé la tête de l'avocat et eût abusé de sa crédulité.

Mais quand on examine la déposition de Nicolas Symon-Damoiseau, on est cette fois convaincu d'un montage de toutes pièces. Nicolas Symon-Damoiseau, prévôt du couvent de Saint-Maur-des-Fossés, avait lui aussi habité Laon et il était à peu près du même âge que Raoul de Prelles. Il prétendit que son oncle Jeannot avait refusé de se faire Templier, bien qu'il eût été élevé au Temple. Il raconta ensuite que Gervais lui donna connaissance des statuts – qu'il jugea assez convenables –, mais lui révéla « avec des gémissements » qu'il existait d'autres règlements qu'il lui était interdit de dévoiler. Cet intéressant entretien se situait deux ans avant l'arrestation, en présence de Raoul de Prelles et d'un autre témoin. Symon-Damoiseau ne s'en tint pas là. Il dit que ses soupçons avaient été aggravés par un autre fait. Devenu veuf, il avait songé à entrer au Temple et s'était ouvert de son projet au même frère Gervais. Il demandait une commanderie voisine de Laon, en laissant entendre qu'il donnerait une grosse somme. Et Gervais de répondre : « Ah ! ah ! il y aurait trop à faire ! » En somme, les soupçons de Symon-Damoiseau venaient du fait qu'on l'avait rebuté. Il est superflu, je pense, de souligner l'incohérence et les contradictions de cette déposition. L'essentiel, pour ceux qui l'avaient inspirée, était qu'elle concordât avec les déclarations du complaisant avocat. Les commissaires ne demandèrent pas à ces deux témoins pourquoi, si ce mystère pesait à ce point sur leur conscience, ils ne l'avaient pas dénoncé plus tôt aux autorités religieuses : d'autant qu'ils n'avaient rien à craindre, les Templiers étant emprisonnés depuis octobre 1307, soit un peu plus de deux ans et demi !

Le 13 avril, la commission envoya trois de ses membres à l'évêché de Saint-Cloud, à savoir les évêques de Bayeux et de Limoges et l'archidiacre de Maguelonne. Le frère Jean de Saint-Benoît, Maître de l'importante commanderie tourangelle de L'Isle-Bouchard, se mourait. Les commissaires se transportèrent d'urgence à son chevet. Ils espéraient faire bonne récolte, se disant qu'à l'article de la mort Jean de Saint-Benoît déchargerait sa conscience. Ils furent partiellement déçus. Le moribond, après avoir juré sur les Évangiles, avoua que, lors de sa réception au Temple de La Rochelle par le frère P. de Légion, décédé depuis, il avait renié le Christ, de bouche mais non de cœur, et craché à côté de la croix. Mais il ne croyait pas que cette pratique eût été générale. En tout cas, il ne l'avait jamais mise en application lui-même en recevant des profès. Selon lui, il n'y avait, lors des réceptions, d'autres baisers que sur les lèvres. De même, il répondit par la négative à tous les articles du questionnaire. Il croyait, comme tous les Templiers, aux sacrements de l'Église. Il ne savait rien de l'adoration du chat, de l'adoration de l'idole ; il n'avait entendu parler de cette idole qu'après son arrestation ! Il n'avait jamais entendu dire que le Maître de l'Ordre et les dignitaires aient donné l'absolution des péchés, sauf ceux qui étaient prêtres. Les chapelains n'omettaient pas de prononcer les paroles sacramentelles. Ils avaient le pouvoir d'absoudre les frères qui devaient effectivement se confesser à eux, dans la mesure du possible. Il était exact que les Templiers avaient l'obligation de porter une cordelette nuit et jour sur leur chemise, mais c'était en signe de chasteté. Il n'avait jamais constaté de dérèglements de mœurs ni de manquements à la foi. Il savait que certains frères avaient été exclus : en raison de leurs fautes personnelles, non des indignités que l'on imputait à l'Ordre. Il ignorait tout des aveux consentis par Jacques de Molay et d'autres frères en présence du pape et des cardinaux. Bref, il n'y avait à retenir de cette confession que le simulacre du reniement du Christ et le crachat à côté de la croix, mais cet aveu était capital.

Le même jour, la commission entendit un troisième témoin laïc : Guichard de Marchiaco (ou de Marchant), chevalier, ancien gouverneur de Montpellier et sénéchal de Toulouse, âgé d'environ cinquante ans. C'était un personnage important ; il avait occupé de hautes fonctions, au service du roi de France. On pouvait attendre beaucoup de son témoignage. Or, il n'apporta aucun élément positif et ne savait à peu près rien sur les articles repris dans le questionnaire. Il avait ouï dire que les Templiers échangeaient des baisers indécents lors de la réception des profès. Il invoqua la notoriété publique comme preuve de ce qu'il avançait, mais ne savait rien de la provenance de ces rumeurs. Il raconta néanmoins la réception d'un de ses parents, Hugues de Marchant. Ce dernier avait longtemps étudié le droit. À la quarantaine, il s'était décidé à entrer au Temple. Le témoin l'avait armé lui-même chevalier – chevalier laïc – avant sa réception à Toulouse. Les Templiers fermèrent la porte dont ils obturèrent les interstices avec un matelas afin que personne ne pût voir ce qui allait se passer. Quand, après une longue attente, Hugues reparut en habit de Templier, il avait perdu sa gaieté ; son visage affectait une grande tristesse. Jamais Guichard n'avait pu connaître la cause de ce changement. Par la suite, Hugues se fit graver un sceau qui portait cette inscription énigmatique : « *Sigillum Hugonis Perditi* » (sceau de Hugues le Perdu). Il ne resta que deux mois dans la commanderie de Toulouse, revint dans sa famille et mourut bientôt, sans avoir livré son secret. Ces faits remontaient à une dizaine d'années.

L'inscription du sceau de Hugues de Marchant piqua la curiosité des commissaires. Mais, comme il était tard, ils renvoyèrent l'audience. Le lendemain, Guichard fournit une explication tirée par les cheveux, mais opportune. Il avait d'abord pensé que ce qualificatif de « perdu » se rapportait aux austérités de la vie templière ; il croyait désormais qu'il s'agissait de la perdition de l'âme. Questionné sur les méthodes employées par les Templiers pour enrichir l'Ordre, il répondit qu'ils n'étaient pas de bon voisinage. Il ignorait toutefois s'ils considéraient comme un péché d'agir illicitement. Il avait entendu dire que le Visiteur Hugues de Pairaud et d'autres dignitaires avaient émis, il y avait de cela seize ans, plusieurs règlements sur la façon « de gouverner et de se nourrir » et que ces règlements étaient observés depuis lors, mais il ne put préciser lesquels. Il avait également entendu parler des « déguerpissements » de nombreux Templiers. Il n'avait toutefois qu'un exemple à citer. Celui d'un profès reçu à seize ans et qui lui demanda d'intervenir pour quitter le Temple et entrer dans l'Ordre de l'Hôpital, sous prétexte qu'on risquait fort « de ne jamais le revoir ». Les commissaires voulurent savoir s'il avait entendu parler de la collusion entre Guillaume de Beaujeu et le sultan et des dommages qui en résultèrent pour la Terre sainte. Il répondit par l'affirmative, mais dit qu'il croyait le contraire, car il connaissait la conduite vaillante et la mort de Beaujeu à Saint-Jean-d'Acre. En définitive, ce témoignage ne pesait pas lourd. Il permettait cependant d'« étoffer » un peu le mystère des réceptions templières. En fait, la petite histoire de Hugues le Perdu ne prouvait absolument rien, car celui-ci ne fut certainement pas le seul profès à ne pouvoir supporter les rigueurs de la Règle.

La déposition de Jean Taillefert s'avéra plus consistante. Il était frère-sergent, originaire de Gene dans le diocèse de Langres. Il avait vingt-cinq ans et n'était Templier que depuis cinq ans. Il ne portait plus l'habit et avait rasé sa barbe. Sa position avait au moins le mérite de la clarté ! Il avoua tout ce qu'on voulut, ou à peu près. Reçu dans la templerie de Mormant, il avait renié le Christ, de bouche mais non de cœur, craché, une fois, à côté de la croix : on l'avait menacé, s'il refusait, « de le mettre en tel lieu qu'il ne verrait plus ses mains ni ses pieds ». Il avait subi les baisers indécents. Un autre frère-sergent lui avait raconté que les Templiers piétinaient parfois la croix, mais il n'a jamais constaté ce fait. Il n'a pas non plus assisté aux chapitres. Certains frères prétendaient que le Grand Maître avait pouvoir d'absolution. Là-dessus, Taillefert n'avait pas d'opinion personnelle. Le jour de sa profession, on plaça une sorte de tête sur l'autel. Il ne l'avait pas vue distinctement, car l'aurore pointait à peine et la chapelle n'était éclairée que par deux chandelles. On lui donna une cordelette dont cette tête avait été ceinte. À tout hasard, il la jeta. On lui fit promettre le secret. Il estimait, quant à lui, que tous ces mystères avaient fini par éveiller de graves soupçons contre l'Ordre. Dans les maisons où il avait servi, l'aumône et l'hospitalité étaient correctement faites. Cependant, l'Ordre lui déplaisait au point qu'il s'était réjoui d'être arrêté avec tous les autres par les gens du roi. Mais il n'avait pas cru rester si longtemps en prison. C'est pourquoi il avait jeté son manteau devant les commissaires. « Templier de base », il ne pouvait avoir de bien grandes lumières sur les erreurs de l'Ordre. Sa déposition se fondait en partie sur les ragots qui couraient dans les commanderies.

Celui qui lui succéda, Jean l'Anglais, s'était lui aussi rasé la barbe et ne portait pas l'habit des Templiers. Il était originaire de Hinquemete, dans le diocèse de Londres. Il avait trente-six ans. Il avait été reçu dans le Temple de La Rochelle dix ans auparavant. Il fit un récit de sa réception en tout point semblable à celui de Jean Taillefert. Toutefois, il fournit une précision troublante. Sur les instances du frère Guillaume de Légion, le Maître en Poitou emmena le nouveau profès derrière l'autel pour y subir l'épreuve du reniement, des crachats et des baisers indécents. C'était la seconde fois que Guillaume de Légion se trouvait mis en cause : il est vrai qu'il ne risquait pas de poursuites, étant mort ! Jean l'Anglais pensait que ce rite était général et très ancien. On ne lui avait pas conseillé de s'unir charnellement avec les autres frères. Il ne savait rien de l'adoration des idoles, ni du prétendu pouvoir d'absolution du Grand Maître. Il avait entendu parler de ces choses seulement depuis son arrestation. Quant à lui, il affirmait croire à tous les sacrements et être bon chrétien. Avec ses frères, il jeûnait tous les vendredis de la Toussaint à Pâques, ainsi qu'avant Noël. Chaque jour, il a récité soixante *Pater Noster* et *Ave Maria* pour les vivants et les morts, neuf Patenôtres pour les Heures canoniales, et sept *Ave Maria* pour les Heures de Notre-Dame. Interrogé sur la sodomie, il déclara que c'était un péché très grave et une faute sévèrement punie par la Règle. Jamais on ne lui a conseillé de s'unir charnellement aux frères. Il a cependant entendu dire, par des laïcs, qu'outre-mer, des Templiers s'étaient adonnés à ce vice, mais il ne croyait absolument pas que ce fût avec la permission du Maître. Un commissaire lui demanda s'il était exact que des profès eussent été menacés de prison ou de mort, s'ils refusaient de renier le Christ après leur réception. Il répondit que non. Toutefois, il fit observer que les frères ne parlaient jamais entre eux de leur réception, ayant juré le secret. Au sujet des chapelains de l'Ordre, il reconnut qu'ils interdisaient aux frères de se confesser à d'autres prêtres.

Il se faisait tard. La commission interrompit l'interrogatoire de Jean l'Anglais et fut ajournée, après les fêtes pascales, au jeudi 23 avril. L'évêque de Bayeux, qui avait remplacé Guillaume Bonnet, décédé, informa ses collègues qu'il allait s'absenter. Il devait en effet assister à un synode provincial présidé par l'archevêque de Rouen.

L'interrogatoire de Jean l'Anglais reprit donc le 23 avril. Le témoin admit volontiers que les Templiers avaient tardé à se réformer. Questionné sur les aumônes et les charités du Temple, il confirma qu'elles avaient lieu trois fois par semaine, selon la Règle, dans les templeries munies de chapelles, non dans les autres. Il dit que le portier de la maison de Nantes donnait le bon blé aux porcs et le pain de « furfure » (de son) aux pauvres, malgré les réprimandes du commandeur. Il savait peu de chose sur les profits illicites. Il signala pourtant que l'évêque de Saintes se plaignit un jour au Visiteur de ce que le commandeur des Épaux avait extorqué cinq cents livres à ses ouailles. Le Visiteur passa outre. Au sujet des déguerpissements, il prétendit qu'il aurait volontiers quitté l'habit sept ans avant l'arrestation et que plus de cinq cents autres auraient eux aussi quitté l'Ordre, s'ils avaient osé. Et cela à cause des erreurs abominables qui y étaient commises. Elles étaient bien connues des frères, et de notoriété publique. Jean l'Anglais n'avait pas assez d'expérience de la vie templière pour être vraiment renseigné ! Il avait passé deux ans aux Épaux comme « donat » (laïc ou clerc servant à temps dans une commanderie) et deux ans à La Rochelle comme profès, ce qui faisait quatre ans. Or, il venait de déclarer qu'il avait eu envie de quitter le Temple depuis sept ans... En réalité, il avoua, d'ailleurs à son insu, s'être inspiré des aveux figurant dans une lettre du pape à l'évêque de Poitiers.

Après l'audition de Jean l'Anglais, les quatre procureurs de l'Ordre (Bologne, Provins, Chamborent et Sartiges) se présentèrent spontanément devant la commission. Ils apportaient une nouvelle cédule, dont Pierre de Bologne donna lecture, selon le processus habituel.

« Nous protestons (disaient-ils, en substance) que le procès poursuivi contre nous a été violent, inique et injuste. Il est le résultat d'une erreur intolérable. Les formes n'ont pas été respectées. On a mis en pratique toutes les rigueurs du droit, car on était résolu à exterminer les frères du Temple dès le jour de leur arrestation en France, comme on mène des brebis à l'abattoir. On les a spoliés de leurs biens. On les a jetés en prison. On leur a appliqué toutes sortes de tortures. Beaucoup sont morts, et beaucoup sont estropiés pour toujours. Ils ont été contraints à mentir contre eux-mêmes et contre l'Ordre. On les a privés de leur libre arbitre, qui est le plus grand bien qui ait été donné à l'homme de posséder. Sans lui, on est incapable de discerner le bien du mal ; on n'a plus ni science, ni mémoire, ni intelligence. Pour inciter les frères à mentir contre eux-mêmes et contre l'Ordre, on leur a fait parvenir des lettres, avec le sceau du Roi, leur promettant la vie sauve, la liberté, des rentes. Ceci est notoire, public, incontestable : nous offrons d'en faire la preuve à l'instant. Nul ne serait assez fou, assez insensé pour entrer dans un Ordre, à la perdition de son âme. Un grand nombre de nobles, de puissants de toutes les parties du monde, des hommes de haute valeur, sont entrés dans l'Ordre du Temple et y sont restés jusqu'à leur mort. Si des personnages aussi considérables y avaient trouvé des pratiques blasphématoires contre Jésus-Christ, ils l'auraient quitté tout de suite ; ils auraient dévoilé au siècle ces infamies.

Nous demandons qu'on nous délivre copie des griefs articulés, et les noms de tous les témoins, nous réservant de présenter nos observations sur les personnes et les dépositions.

Nous vous supplions d'ordonner que les témoins, après avoir déposé, soient séparés de ceux qui déposeront après eux, de manière qu'ils ne puissent parler ensemble.

Nous vous demandons de leur enjoindre le secret le plus absolu, jusqu'à ce que l'enquête soit envoyée au pape.

Nous vous prions de requérir des gardiens des Templiers, et de leurs aides, de vous rendre compte de l'état dans lequel beaucoup de nos frères sont morts, spécialement ceux que l'on disait réconciliés.

Nous demandons que les frères qui ont refusé de se présenter sous prétexte qu'ils n'avaient rien à dire pour ou contre l'Ordre, soient astreints à prêter serment, car ils connaissent aussi bien la vérité que ceux qui ont accepté de le défendre. »

Les commissaires prirent acte. Ils ordonnèrent aux notaires de délivrer copie des chefs d'accusation contre le Temple aux quatre défenseurs. Une fois de plus, ils s'étaient abstenus de répondre sur le fond et de faire droit aux requêtes qui venaient de leur être présentées. Il est même probable que le texte de la cédule fut communiqué à Nogaret. C'est en tout cas ce que suggère l'événement du 12 mai.

Les jours suivants, la commission poursuivit les interrogatoires. Par une étrange coïncidence, c'étaient toujours des frères défroqués qui étaient conduits devant elle.

Le 24 avril, elle interrogea Hugues de Bure. Il avait la barbe rase et portait un habit séculier. Il n'avait été frère du Temple que trois ans avant l'arrestation. Il prétendit avoir été reçu à la commanderie de Fontenaltes (dans le diocèse de Langres) par son parent Pierre de Bure, sergent et précepteur de cette maison. Si le fait était exact, Pierre de Bure contrevenait à la Règle, n'ayant pas qualité pour recevoir un profès. Hugues de Bure reconnaît le reniement, les crachats, les baisers. Sa déposition serait quelconque s'il n'avait précisé que Pierre de Bure lui avait interdit d'entrer dans une église où l'on célébrait un mariage et de dormir sous le toit d'une femme en couches. Par ailleurs, il affirma qu'il s'était confessé à un prêtre séculier, lequel lui infligea une pénitence. C'était une infraction à la Règle disposant que les Templiers ne devaient se confesser qu'à leurs chapelains, sauf impossibilité.

La déposition de Gérard du Passage ne différait guère de la précédente. Il avait été reçu à Chypre par le précepteur de Nicosie, il y avait de cela dix-sept ans. Il était resté trois ans à Chypre, puis on l'avait envoyé successivement dans la région de Langres, en Romagne, en Lorraine, en Picardie et en Allemagne. Depuis son arrestation, il avait été interrogé par les frères prêcheurs, l'évêque de Châlons et le vicaire de l'évêque de Toul. On lui avait arraché des aveux en le passant à l'estrapade. Mais on ne se contenta pas de lui disjoindre les membres ; on lui suspendit aussi des poids aux parties génitales, jusqu'à l'évanouissement. Il avait visiblement peur de se rétracter. Les commissaires s'efforcèrent de le rassurer, tout en obtenant de lui des aveux supplémentaires. Son interrogatoire fut particulièrement soigné. Gérard du Passage était un témoin idéal en raison de son âge (cinquante-sept ans) et de son passé. Cependant, en dehors du rite de réception, sa déposition ne motivait pas contre l'Ordre. Lui aussi prétendit s'être confessé à un cardinal-légat du pape et à l'archevêque de Trèves. Ce qui pose à nouveau l'une des questions les plus épineuses de l'affaire des Templiers. Pourquoi ces deux prélats ne saisirent-ils pas le Saint-Siège après de telles révélations ? Il y a là une omission d'autant plus incompréhensible que l'épiscopat n'aimait guère les Templiers.

Le 29 avril, comparut Geoffroy de Thatan, barbe rase et tête tondue, en habit séculier. Il avait été reçu quatre ans avant l'arrestation dans la commanderie de L'Isle-Bouchard, par le frère Jean de Saint-Benoît. Ce n'était certainement pas une bien fameuse recrue. Il n'a pas subi la torture, car il a avoué spontanément et complètement. Devant les commissaires, il ne put que réitérer sa confession ; peut-être même l'aggrava-t-il. Il raconta que, lors de sa réception, Jean de Saint-Benoît l'avait contraint par des menaces à renier le Christ, puis il se troubla, se dédit et réaffirma qu'il avait été menacé. Or, on se souvient qu'à l'article de la mort, le même Jean de Saint-Benoît avait déclaré que jamais il n'avait pratiqué le rite du reniement quand il recevait de nouveaux frères. Geoffroy de Thatan n'en était pas à un mensonge près. Il avait entendu parler du chat qui apparaissait de temps à autre pendant les chapitres. Il avait vu l'idole, qui avait été apportée dans un sac par le valet du précepteur. Il affirmait que toutes les réceptions dans l'Ordre étaient identiques à la sienne. Il avait entendu dire au commandeur de L'Isle-Bouchard que ce n'était pas un péché d'acquérir un bien illicitement, ni de se parjurer en affaires, puisqu'il s'agissait de réaliser, par tous les moyens possibles, des profits pour le Temple. Il précisa que les Chapitres se réunissaient à minuit, toutes portes closes. Selon lui, ces réunions clandestines nuisaient à la réputation de l'Ordre et furent la source des rumeurs qui commencèrent à courir sur lui. Il oubliait simplement que toutes ces réunions se déroulaient ainsi depuis la fondation du Temple, comme le voulait la Règle. Enfin et pour faire large mesure, il admettait volontiers que les Templiers avaient manqué de diligence pour corriger des erreurs connues de tous.

Le 30 avril, on amena Jean de Juvigny, frère-sergent et précepteur d'une petite templerie de l'Amiénois. Il se borna à déclarer qu'il avait déjà été interrogé par le pape et demandait aux commissaires de ne pas revenir sur cette enquête. Il était prêt toutefois à répondre sur les autres articles. Embarras des commissaires ! Ils n'avaient pas prévu cette éventualité. Ils décidèrent de surseoir, peut-être dans l'intention de demander des instructions à Clément V. Jean de Juvigny ne fut jamais reconvoqué.

Le 2 mai, on introduisit un groupe de Templiers qui arrivait de Périgueux. Consolin de Saint-Joire, chevalier du diocèse de Cahors, parla le premier. Il déclara vouloir défendre l'Ordre qui était « bon et loyal ». Il rétracta hautement les aveux qu'il avait faits devant l'évêque de Périgueux, car, en plein hiver, on l'avait dépouillé de sa tunique et de son capuchon, réduit au pain et à l'eau, et exposé au froid. Dix-huit frères tinrent le même langage : soumis aux tortures et à la faim, ils avaient reconnu des erreurs qu'ils rétractaient. Six Templiers, venant du diocèse du Mans, déclarèrent qu'ils n'avaient jamais rien avoué malgré les sévices qu'ils avaient endurés.

La commission ne se hâtait pas. Elle s'accordait volontiers des jours de repos, sous des prétextes divers. Il est vrai que l'obligation d'utiliser cet interminable questionnaire, en l'assaisonnant de questions subsidiaires, et d'entendre des réponses à peu près semblables, devait être déprimante. D'autant plus qu'on ne savait réellement si les témoins parlaient avec sincérité, s'ils cédaient aux pressions de leurs geôliers ou tout simplement à la crainte d'être relaps et traités comme tels. On aimerait pouvoir déterminer dans quelle mesure les commissaires étaient eux-mêmes manipulés par les gens du roi et choisissaient les frères qui comparaissaient devant eux. En d'autres termes, s'ils recherchaient la vérité en leur âme et conscience ou si, d'ores et déjà, ils considéraient le Temple comme condamné. Connaître surtout – et j'insiste sur ce point – le rôle exact de l'archevêque de Narbonne, conseiller royal. C'est d'ailleurs la caractéristique du procès du Temple que cette confusion des rôles et ces empiétements du pouvoir royal dans le domaine religieux. En sorte qu'il faut sans cesse dépasser les apparences. Les cartes avaient été savamment brouillées dès le début et elles le resteront pendant tout le cours de l'affaire. En voici un exemple : le 4 mai, huit frères furent introduits devant la commission. Les quatre procureurs de l'Ordre se récrièrent. Ils ne reconnaissaient nullement les huit frères comme appartenant au Temple. Ces derniers n'en avaient que l'habit... Les quatre procureurs firent les plus expresses réserves sur les déclarations que ces inconnus seraient amenés à faire. Cette protestation – qui fait honneur à leur sagacité – resta aussi vaine que les autres. Les commissaires toléraient la présence des quatre défenseurs officieux. Leurs observations étaient enregistrées par les greffiers, mais il n'en était tenu compte que pour préserver les apparences du droit.

Raymond de Vassignac, chevalier, fut entendu le 6 mai. Il avait quitté l'habit et rasé sa barbe. C'était un homme d'une soixantaine d'années. Il a été torturé, mis au pain et à l'eau avant de comparaître devant l'archevêque de Bourges. Il maintient absolument ses aveux et reprend à son compte à peu près toutes les accusations contre l'Ordre. Il croit que les mauvais usages étaient répandus dans toutes les maisons et il affirme que de nombreux frères avaient déserté, de façon ou d'autre, bien avant l'arrestation.

Baudouin de Saint-Just était un personnage assez important. Il avait dirigé la baillie du Ponthieu, bien qu'il n'eût alors qu'une trentaine d'années. Il a renoncé à l'Ordre depuis quelques mois.

C'est en habit laïc et la barbe rasée qu'il comparaît, le 7 mai. Il déclare avoir été torturé peu de jours après son arrestation. Pour éviter de nouveaux tourments, il a consenti plusieurs aveux devant les inquisiteurs. Il les a renouvelés devant l'évêque de Paris. Il raconte qu'âgé de dix-huit ans il a été reçu dans l'Ordre par son parent, Robert de Saint-Just, prêtre et commandeur de la templerie de Sommereux. Quand on l'invita à renier le Christ, il protesta si vigoureusement que frère Robert lui dit : « C'est bien, tu seras un bon champion outre-mer ! » Il n'a jamais entendu parler de crachats sur la croix, ni de piétinements rituels, ni des idoles, ni du chat. Il qualifie ces accusations de plaisanteries grossières et dérisoires. La cordelette était simplement un signe de chasteté. Les frères qui commettaient une faute se voyaient infliger une peine disciplinaire, mais personne ne les absolvait de leurs péchés hormis les chapelains. Les commissaires revinrent à la question des reniements. Frère Baudouin répondit :

– « Je crois qu'en certains endroits il y en a qui les font faire, comme je les ai faits moi-même ; je ne crois pas avoir été le premier ni le seul. Je sais pourtant fort bien qu'ailleurs, ils ne le font pas. »

Le frère Gillet d'Encrey, du diocèse de Reims, était sergent et surtout cultivateur-éleveur. Il maintient les aveux qui lui ont cependant été arrachés par la torture quelques jours après son arrestation. Il a peur des inquisiteurs, peur de se compromettre. Il regrette surtout les biens qu'il a « placés » dans l'Ordre. C'est un humble ; il ne veut en rien contrarier les commissaires. Pour leur complaire sans doute, il prétend avoir entendu dire qu'un chat apparaissait parfois aux Templiers d'outre-mer au cours de leurs combats. Et il se réjouit de ce que le pape et le roi punissent les coupables. J'aurais passé cette déposition sous silence, si l'état d'esprit des sergents ne s'y dessinait avec autant de netteté. Il y avait chez eux – du moins chez la plupart d'entre eux – une sorte de rancœur contre les chevaliers et les supérieurs hiérarchiques. Ils réglaient en quelque sorte leur compte, ou se revanchaient. Ce qui suggère tout de même un certain affaissement de l'idéal templier. Mais il est non moins évident que la différence était grande entre les combattants (ou anciens combattants) d'outre-mer et les modestes tâcherons du Temple, gestionnaires dévoués des commanderies agricoles, plus préoccupés de la qualité du blé et de la santé du cheptel que de la Terre sainte et des expéditions guerrières.

À la vérité, Gillet d'Encrey avait beaucoup d'excuses. Tel n'était pas le cas de Jacques de Troyes, qui comparut le 9 mai. Frère-sergent lui aussi, il savait le latin. Il se présentait en habit laïc, et sans barbe, ayant quitté l'Ordre un an avant son arrestation. On l'avait cependant arrêté, mais on lui épargna la torture. Âgé de vingt-quatre ans, il portait beau et parlait d'abondance. Il manifestait même un évident entrain à confirmer ses aveux. Il ne chercha pas à cacher qu'il avait délaissé le Temple « pour l'amour d'une femme », insinua que le frère Raoul de Gisy, qui l'avait reçu profès, possédait un démon particulier qui lui assurait la richesse. Il avait entendu dire qu'une tête apparaissait aux Templiers de Paris, sur le coup de minuit, pendant leurs chapitres, et autres fariboles. Il affirma sans hésiter que les frères ne pratiquaient ni l'hospitalité ni l'aumône comme ils devaient le faire ; qu'ils réalisaient sans scrupule des profits illicites ; que l'usage des reniements et des baisers obscènes avait été introduit par un chevalier à son retour de Terre sainte, « il y avait bien cinq cents ans de cela » [1] ! Il raconta que sa mère avait essayé de s'opposer à son entrée dans l'Ordre, la mauvaise réputation des Templiers étant bien antérieure à leur arrestation. En réalité, Jacques de Troyes se rangeait dans cette catégorie de Templiers débauchés, qui fréquentaient les tavernes et les « bourdiaux », dont Pierre de Bologne avait demandé à la commission qu'ils fussent remis d'urgence à l'Église et placés sous bonne garde.

Malgré les précautions prises par les gens du roi, l'enquête pontificale s'égarait. Elle commençait même à donner des inquiétudes. Les chefs d'accusation tombaient un à un. Il devenait évident que les aveux avaient été extorqués par la torture ou par la terreur qu'elle inspirait. Les Templiers n'étaient pas hérétiques. Une foi sincère les animait et ils remplissaient ponctuellement leurs obligations religieuses. Il était non moins clair que les témoins qui maintenaient leurs aveux parlaient sous la contrainte ou par calcul. Au contraire, de nombreux Templiers entendaient défendre l'Ordre, l'estimant bon et pur. De toutes les accusations, ne subsistait, d'ailleurs en partie, que celle du reniement. Encore ceux qui avaient renié le Christ ne l'avaient-ils fait que de bouche, non de cœur, et ils affirmaient n'avoir jamais pratiqué ce rite en recevant eux-mêmes de nouveaux profès. Ce point ne laissait pas d'être extrêmement obscur, mais les commissaires se faisaient fort de l'éclaircir dans les jours à venir. Le sort du Temple se jouait en définitive sur cette question.

1. L'existence du Temple ne couvre que deux cents ans.

IX

LE GUET-APENS DU 12 MAI

Le 10 mai, alors que la commission interrogeait le frère Jean Bertaud, les quatre procureurs demandèrent à être entendus de toute urgence. L'archevêque de Narbonne y consentit.

– « Révérends Pères, s'écria Pierre de Bologne qui paraissait au comble de l'émotion, nous avons appris, et nous craignons malheureusement qu'il ne soit exact que l'archevêque de Sens réunisse dès demain un synode provincial pour juger un grand nombre de nos frères qui se sont offerts à défendre l'Ordre et les contraindre à s'en désister. C'est pourquoi nous avons formé un appel que je vous demande la permission de lire. »

L'archevêque de Narbonne acquiesça et Pierre de Bologne lut cette cédule qui pouvait, et devait normalement, suspendre les sentences éventuelles du synode de Sens :

« Au nom du Seigneur. *Amen.*

Nous, Pierre de Bologne, Renaud de Provins, Guillaume de Chamborent et Bertrand de Sartiges, en notre nom et au nom de nos adhérents, présents et à venir. Nous avons de graves raisons de craindre que l'archevêque de Sens et ses collègues, archevêques et prélats de France, ne se réunissent pour juger les frères qui se sont offerts à la défense ; et ce, contrairement aux règles du droit, alors que vous procédez vous-mêmes à votre enquête contre l'Ordre. Nous recourons donc à l'appel, car votre enquête se trouverait entravée si des sentences d'exécution étaient prononcées contre lesdits défenseurs.

Nous en appelons au Pape et au Saint-Siège, tant de vive voix que par écrit. Nous mettons notre droit sous la protection du Saint-Siège, nous en appelons aux apôtres. Nous demandons le conseil de lettrés pour rectifier, s'il en est besoin, la forme de notre présent appel. Nous demandons à être conduits en toute sûreté devant le Pape, dans le délai nécessaire. Nous protestons que nous voulons agir comme de droit. C'est pourquoi, Révérends Pères, nous vous supplions de bien vouloir informer l'archevêque de Sens et ses collègues qu'ils aient à s'abstenir de procéder. Nous vous supplions d'intervenir, afin que nous puissions nous présenter audit archevêque et lui signifier notre appel. Nous vous supplions de nous accorder l'assistance de deux notaires pour signifier cet acte d'appel. Nous demandons que les notaires ici présents en dressent l'acte public. Nous vous supplions de le faire signifier. »

Chose proprement incroyable, l'archevêque de Narbonne, quand il eut entendu la lecture de cette cédule, et sans répondre quoi que ce fût aux quatre procureurs, déclara brusquement :

– « Ah ! je vais célébrer la messe, ou l'entendre ! »

Les quatre frères durent se retirer, afin de permettre aux commissaires de délibérer. Ceux-ci ne pouvaient prendre de décision en l'absence de leur président. Le départ de l'archevêque paralysait leur action. Il ne reparut à leurs séances que le 18 mai, des affaires l'appelant ailleurs : il faut dire qu'il remplissait alors la charge de Garde des Sceaux, en remplacement de Nogaret envoyé par le roi à Avignon (on verra plus loin en quelles circonstances). Les commissaires se devaient cependant de répondre aux quatre procureurs. Pierre de Bologne et ses compagnons furent rappelés après vêpres devant la commission. Les Révérends Pères leur déclarèrent benoîtement qu'ils avaient toute leur compassion, mais qu'ils n'avaient pas qualité pour suspendre la procédure entreprise par le synode de Sens contre les personnes des Templiers. Il s'agissait en effet d'une juridiction distincte de la commission pontificale, et qui ne lui était subordonnée en rien. Les commissaires prenaient acte de l'appel au pape. Ils délibéreraient plus avant sur la suite à lui donner. Ils s'étaient bien entendu concertés avec l'archevêque de Narbonne pour faire cette réponse.

En droit strict, rien ne s'opposait à ce que l'archevêque de Sens réunît un synode pour juger les Templiers de son ressort. Clément V avait effectivement institué deux sortes de commissions : les commissions pontificales ou nationales pour enquêter sur l'Ordre, et les commissions diocésaines pour enquêter sur les personnes des Templiers (lesquels devaient ultérieurement être jugés par des conciles ou des synodes provinciaux). Il n'avait pas interdit leur fonctionnement simultané, malgré les inconvénients qui pouvaient en résulter. Peut-être ne les avait-il pas prévus, ou en acceptait-il le risque. Il apparaissait cependant très probable que la commission pontificale pour la France rencontrerait de graves obstacles ou subirait des pressions de la part du pouvoir. L'initiative de l'archevêque de Sens, si elle n'était pas substantiellement illégale, restait néanmoins gravissime. Elle visait en effet ceux qui s'étaient portés volontaires pour témoigner sur l'Ordre et, en premier lieu, ses défenseurs inconditionnels. Son but était évidemment de fausser les résultats de l'enquête pontificale. Cependant, l'appel interjeté par les quatre procureurs était incontestable, formellement prévu par le droit canon, applicable même à la procédure inquisitoriale. S'il en avait été tenu compte, les sentences eussent été bloquées jusqu'à la décision du pape. L'archevêque de Sens passa outre. Il avait reçu les ordres de Philippe le Bel, irrité par la fâcheuse tournure que prenait l'enquête pontificale. Rappelons que cet archevêque n'était autre que Philippe de Marigny. Il avait obtenu ce riche archevêché grâce à l'appui de son tout-puissant frère Enguerrand. Il fallait bien qu'il acquittât sa dette envers le roi.

Pris de scrupules et sans doute avec l'accord de leur président, les commissaires pontificaux, qui n'ignoraient rien de la législation, chargèrent le prévôt Philippe de Voet et son adjoint de se rendre sans retard [1] auprès de l'archevêque de Sens et du synode provincial pour leur signifier l'appel au pape. Ils leur donnèrent aussi pour mission de persuader, ou d'essayer de persuader, le synode d'agir avec pondération et après mûre réflexion, en tout cas de différer les exécutions. On avait en effet rapporté aux commissaires que les Templiers condamnés à mort persistaient, au péril de leur âme, à se déclarer et à déclarer l'Ordre innocents. S'ils étaient exécutés, le fonctionnement de la commission deviendrait inopérant : les frères, terrorisés, n'oseraient plus témoigner dans la crainte d'un châtiment identique ; du moins leurs dépositions seraient-elles dénuées de valeur. Et il ne resterait plus à la commission, dont le rôle était d'éclairer le futur concile général, qu'à clore ses travaux sur un constat d'échec.

Philippe de Marigny ne tint compte ni de l'appel au Saint-Siège ni des suggestions des commissaires pontificaux. Le roi avait décidé de frapper un coup décisif, d'épouvanter les défen-

1. Le 12 mai au matin ; il est vrai que le synode de Sens s'était réuni en réalité à Paris.

seurs de l'Ordre. Il n'ignorait pas non plus le droit, mais il avait décidé la perte du Temple une fois pour toutes et, dès lors, peu lui importait le bien-fondé de sa démarche. Il avait empiété sur les pouvoirs du pape en faisant arrêter les Templiers en 1307. Il empiétait à nouveau, et plus gravement encore en 1310, en faisant juger les défenseurs du Temple par un complaisant archevêque. De plus, les apparences étaient sauves, à condition de se hâter ! Philippe de Marigny n'avait d'ailleurs pas l'intention de juger tous les défenseurs du Temple, mais seulement ceux de la province ecclésiastique de Sens, ainsi que les Templiers non-défenseurs. On ne pouvait donc le soupçonner de partialité : c'était une hypocrisie de plus ! Le synode provincial donna lui aussi l'impression de juger avec objectivité. Il avait divisé les accusés en trois catégories : ceux qui avaient avoué et maintenu leurs aveux furent « réconciliés » et se virent infliger des pénitences légères ; ceux dont les aveux étaient considérés comme insuffisants furent condamnés à l'emmurement (la prison) à temps ou perpétuel, selon le degré de leur culpabilité supposée ; ceux qui avaient rétracté leurs aveux et prétendaient par surcroît défendre l'Ordre furent abandonnés au bras séculier, comme relaps, c'est-à-dire voués au bûcher. Ce terme de relaps, comme je l'ai déjà dit, désignait un hérétique retombé dans son hérésie après avoir abjuré. Il est évident que l'on ne pouvait qualifier les Templiers d'hérétiques, avant que le concile général et le pape se fussent prononcés sur l'hérésie prétendue de l'Ordre. *A fortiori* ne pouvait-on les juger comme relaps. Philippe de Marigny avait d'ailleurs consulté à ce sujet les théologiens de l'Université de Paris. Dix-neuf d'entre eux avaient estimé que ces Templiers n'étaient pas relaps et trois qu'ils l'étaient. L'archevêque retint l'avis le plus défavorable.

Marigny aurait pu au moins surseoir, comme le lui demandaient les commissaires pontificaux et pour les raisons qu'ils lui exposaient. Il aurait pu au moins se concerter avec eux. Mais, plein de zèle, il envoya, le même jour, les cinquante-quatre relaps au bûcher, tous défenseurs de l'Ordre ! Ces malheureux furent entassés dans des charrettes, les mains liées, et conduits à travers Paris, au-delà de la porte Saint-Antoine, près d'un moulin à vent.

« Malgré les très cruelles souffrances qu'ils endurèrent, lit-on dans les *Grandes Chroniques de France*, ils ne voulurent pas se rétracter ; ce dont, à ce qu'on pensait, ils purent encourir la damnation perpétuelle, car ils mirent le menu peuple en très grande erreur. »

On peut donc supposer qu'une grande foule de curieux assistait à cette exécution et que l'effet sur l'opinion parisienne ne dut pas être tout à fait celui que l'on attendait.

Les Templiers ne furent pas attachés individuellement à des poteaux, mais jetés dans un enclos où l'on avait répandu des fagots et des brasiers ardents. Devant ce bûcher, ils clamèrent leur innocence et celle de l'Ordre, rétractèrent une dernière fois les aveux qui leur avaient été arrachés par la torture. Tous moururent en criant qu'ils étaient de « vrais catholiques ».

Peu de jours après, neuf Templiers furent brûlés à Senlis, « leurs chairs et leurs os ramenés en poudre », comme l'écrit le rédacteur des *Grandes Chroniques de France.* Pour ne pas être en reste, Philippe le Bel fit exhumer et brûler la dépouille de l'architecte templier qui avait édifié le donjon du Temple sous Philippe Auguste.

Pourtant, la commission pontificale entendait poursuivre son enquête. Le 13 mai, on amena devant elle le frère Aimery de Villiers-le-Duc. L'archevêque de Narbonne et l'évêque de Bayeux étaient absents. Le frère Aimery avait la barbe rasée et ne portait plus l'habit de Templier. Il venait du diocèse de Langres. Il avait été donat de l'Ordre pendant vingt ans, avant d'être reçu profès, il y avait une huitaine d'années. Il avait environ cinquante ans. Il semblait terrifié, et les commissaires remarquèrent sa pâleur :

« ... Il déclara, sous serment et au péril de son âme – en appelant sur lui, s'il mentait, une mort subite et en acceptant d'être sur-le-champ, en présence des commissaires, précipité corps et âme en enfer, martelant sa poitrine avec les poings, levant les mains vers l'autel en signe d'affirmation plus solennelle, fléchissant les genoux – que toutes les erreurs imputées à l'Ordre étaient entièrement fausses, bien que, par suite des tortures que lui infligèrent G. de Marcilly et Hugues de La Celle, chevaliers du Roi, qui l'interrogèrent, il eût, lui témoin, reconnu quelques-unes de ces erreurs... »

– « Hier, continua-t-il en tremblant, j'ai vu, de mes yeux, conduire en charrettes cinquante-quatre frères de l'Ordre pour être brûlés, parce qu'ils n'avaient pas voulu avouer ces erreurs. J'ai entendu dire effectivement qu'ils avaient été brûlés. Moi, si je devais être brûlé, j'ai trop peur de la mort pour ne pas avouer et déposer sous serment, même en présence des seigneurs commissaires, que toutes ces erreurs sont vraies. J'avouerais même avoir tué le Seigneur si on me le demandait. Aussi, je vous conjure, seigneurs commissaires et notaires, de ne pas révéler ce que je viens de dire à mes gardiens ou aux gens du Roi, car, s'ils l'apprenaient, je serais livré au même supplice que les cinquante-quatre Templiers. »

Cette déposition tragique impressionna les commissaires. Voyant ce « témoin au bord du précipice », considérant que les autres témoins étaient pareillement terrifiés par les événements du 12 mai et que, de ce fait, l'enquête se trouvait gravement compromise, ils décidèrent de suspendre les séances jusqu'à plus ample information.

Ils se réunirent à nouveau le 18 mai, mais à l'hôtel de l'archevêque de Narbonne, sans doute pour lui éviter le dérangement et surtout pour l'inciter à prendre ses responsabilités, car on était au bord du conflit avec l'archevêque de Sens. Après une courte délibération, les commissaires décidèrent d'envoyer le prévôt de Voet et l'archidiacre à Philippe de Marigny en les chargeant d'exposer leurs observations. Elles étaient celles-ci :

– les frères de Provins, de Bologne, de Chamborent et de Sartiges sont admis comme procureurs du Temple ; le frère Renaud de Provins a, notamment, formulé divers moyens de défense ;

– or, les commissaires ont appris que le synode provincial de Sens vient de convoquer le frère Renaud de Provins pour le juger ;

– les commissaires ne cherchent pas à défendre quoi que ce soit à l'archevêque de Sens, ni à apporter des entraves à son office ;

– cependant, pour décharger leurs consciences, ils invitent les membres du synode à décider en hommes « compétents et instruits » si, dans cette conjoncture particulière, ils doivent persévérer dans leur projet, sous prétexte que le frère Renaud est justiciable de leur tribunal.

Le prévôt et l'archidiacre s'acquittèrent promptement de leur mission et la riposte ne se fit pas attendre. Le même jour, après vêpres, trois chanoines – Pierre de Mossa, Michel Mauconduit et Jean Coccard – se présentèrent de la part de l'archevêque.

– « Voilà deux ans, déclarèrent-ils, que les inquisiteurs ont commencé la procédure contre Renaud de Provins, en vertu d'un mandat apostolique. Notre seigneur l'archevêque de Sens n'a pu réunir un synode aussitôt qu'il l'eût voulu. Nous vous demandons de sa part quelle est la signification exacte de votre démarche d'aujourd'hui. Le synode n'a nullement l'intention d'entraver les travaux de votre commission. Nous requérons qu'il soit dressé acte de notre déclaration. »

Une fois de plus, l'archevêque de Narbonne avait été appelé au-dehors, laissant les commissaires à eux-mêmes. Ceux-ci répondirent aux envoyés de Philippe de Marigny :

– « Nous avons agi d'après les ordres de notre président. Notre démarche était sans ambiguïté. En l'absence de l'archevêque de Narbonne, en ce moment éloigné de Paris, nous ne pouvons en dire plus. L'archevêque de Sens et ses collègues sont assez éclairés, grâce à Dieu, pour comprendre l'objet et la portée de notre intervention… »

Et ils ajoutèrent, pour mettre les trois chanoines en porte à faux :

– « On fait courir le bruit que l'acte d'appel n'a pas été signifié au synode de Sens le 12 mai au matin à la première heure, en raison de l'absence de votre archevêque. Cet appel a été formulé le 10 mai par les frères de Provins, de Bologne, de Chamborent et de Sartiges. Il a été régulièrement signifié à l'archevêque de Sens et au synode le 12 mai, à l'heure de prime, par le prévôt Philippe de Voet et par l'archidiacre d'Orléans, qui en ont attesté. »

Les chanoines n'étaient pas habilités à répondre à cette question cependant primordiale. Ils prirent congé. Ils avaient à peine quitté la salle d'audience que Renaud de Provins, Chamborent et Sartiges survinrent à l'improviste. Ils semblaient fort inquiets :

– « Le frère Pierre de Bologne n'est plus avec nous ! Nous ne savons pourquoi. Nous sommes gens sans expérience, peu lettrés et trop bouleversés pour assurer à nous seuls la défense de l'Ordre. Le conseil du frère Pierre de Bologne nous est indispensable. Nous vous supplions d'ordonner qu'on le ramène devant vous, de vous informer des causes de sa disparition. Nous voudrions savoir s'il persiste à défendre l'Ordre, ou s'il y renonce… »

Les commissaires donnèrent l'ordre au prévôt et à l'archidiacre d'amener Pierre de Bologne le 19 au matin. Il avait disparu ! Ce même 19 mai, quarante-quatre frères du Temple se présentèrent à la commission. Tous s'étaient offerts à défendre le Temple ; tous se désistèrent. Les greffiers se contentèrent d'enregistrer leurs noms. Ce revirement massif était l'inévitable conséquence du bûcher du 12 mai et de la disparition de Pierre de Bologne. Il ne restait d'ores et déjà aucun espoir aux Templiers, ni même l'espoir d'un espoir ! Ils eurent le sentiment que, cette fois, ils demeuraient vraiment seuls en face du roi, des évêques et des inquisiteurs.

Devant cette situation, la commission décida de s'ajourner au 30 mai. Puis, pour laisser aux Templiers le temps de se ressaisir, elle renvoya l'interrogatoire au 3 novembre. Mais, à cette date, elle ne comptait plus que trois membres, les autres étaient malades ou occupés à des missions diverses, dont l'archevêque de Narbonne, les évêques de Bayeux et de Limoges. Les commissaires durent attendre le 17 décembre 1310 pour que leur effectif fût à peu près au complet.

De toute manière, il n'y avait plus urgence. Le pape avait renvoyé l'ouverture du concile général au 1er octobre 1311, les autres commissions pontificales n'ayant pas encore terminé leurs travaux.

X

CLÔTURE DE L'ENQUÊTE

Les commissaires étaient à certains égards aussi délaissés que les Templiers. L'évêque de Paris et l'archevêque de Narbonne ne voulaient plus, sous des prétextes divers, les accueillir dans leurs hôtels. Le pouvoir royal, sans exprimer sa désapprobation, avait hâte de les voir partir après clôture de leurs travaux. Leur président n'avait pas la moindre envie de consulter le pape, moins encore de protester contre l'attitude de l'archevêque de Sens. D'ailleurs, eût-il tenté cette démarche qu'elle serait restée sans effet. Clément V était aux prises avec les émissaires du roi, Nogaret, Plaisians et leurs comparses. Il avait été contraint d'ouvrir le procès contre la mémoire de Boniface VIII, après avoir recouru à tous les moyens pour le différer. Les témoins qu'il avait cités étaient arrivés à Avignon. Les défenseurs de Boniface VIII et les représentants de Philippe le Bel s'affrontaient avec une passion presque indécente. Une fois de plus, Boniface VIII était impitoyablement traîné dans la boue, accusé d'hérésie, de simonie, de sodomie. Mais pour obtenir sa condamnation, encore fallait-il prouver qu'il était hérétique. C'était là l'argument majeur de ses avocats. Nogaret tenait autant que Philippe le Bel, et peut-être plus, à ce que la mémoire de Boniface fût condamnée. Il était toujours excommunié en raison de l'attentat d'Anagni, malgré les pressions et les marchandages. Cette excommunication, qu'il estimait inique, lui pesait extrêmement. Il était prêt à tout pour qu'on le débarrassât de ce carcan moral. En principe, il n'avait pas le droit d'exercer une charge publique. Philippe le Bel avait trop besoin de ses services pour lui retirer sa confiance. Toutefois, si Nogaret lui déplaisait ou s'il était victime de quelque intrigue, il perdrait son titre de Garde des Sceaux et retomberait dans l'anonymat. Il avait donc un puissant intérêt à faire prononcer la déchéance de Boniface VIII et n'hésitait pas à avancer des accusations et des témoignages mensongers. Les partisans du défunt pape recouraient eux-mêmes à des moyens inacceptables. Par exemple, ils essayèrent d'éliminer Rainaldi da Supino, un des affidés de Nogaret et de Colonna dans l'affaire d'Anagni. Attaqué par des sicaires sur la route d'Avignon, Supino fut obligé de se réfugier à Nîmes. Clément V était accablé par ces disputes haineuses, par cette atmosphère passionnelle si peu accordée à son tempérament. Pour laisser à cette tempête le temps de s'apaiser et, surtout, pour remettre sa décision à plus tard, il ajourna le procès. Après le départ de ces hôtes indésirables, il se retira dans un ermitage près de Malaucène. Il avait besoin de calme et de repos. On peut croire qu'il se souciait alors assez peu des Templiers. Désormais, ils n'étaient plus en effet à ses yeux qu'une monnaie d'échange...

Les commissaires pontificaux reprirent les interrogatoires le 18 décembre 1310, comme il était prévu. Ils jugeaient de leur devoir de poursuivre et d'achever leurs travaux contre vents et marées. On ne peut que louer cette obstination. Car, après le bûcher du 12 mai, il paraissait peu probable que les témoignages des Templiers fussent objectifs. Mais si les commissaires estimaient déraisonnables et même dérisoires la plupart des chefs d'accusation, ils n'étaient pas encore parvenus à percer le mystère du reniement et des crachats. Force leur avait été de constater que les frères étaient de bons chrétiens. Ils avaient essayé vainement de découvrir chez eux une tendance hérétique, un relent de catharisme, si ténu fût-il. Ils ne comprenaient pas pourquoi on obligeait certains frères, non tous, à renier le Christ, alors qu'ils venaient de s'engager à Le servir dans leur profession de foi. Ni pourquoi les mêmes frères étaient exclus de l'Ordre, s'il leur advenait ensuite d'être capturés par les Sarrasins et d'abjurer pour sauver leur vie. Le contraste entre ce rite bizarre des réceptions, l'inflexible rigueur de la Règle et les obligations religieuses des frères, posait une insondable énigme. Les commissaires n'avaient pas renoncé à l'élucider. Ils attendaient encore une explication plausible, un éclaircissement acceptable, tout en prévoyant que les détenus, terrorisés ou manipulés par leurs geôliers, ne parleraient plus, sinon pour répéter des aveux plus ou moins mensongers.

Le plus extraordinaire est qu'il se trouva des Templiers assez courageux pour défendre encore leur Ordre, malgré les promesses qu'on leur avait extorquées, malgré la menace de bûcher ou d'emmurement perpétuel ! Ils savaient que la commission pontificale était impuissante à les protéger et que leurs déclarations filtreraient au-dehors, de façon ou d'autre. Mais l'honneur et l'acceptation du martyre l'emportaient sur leurs tremblements ! Ils voulaient témoigner de l'innocence du Temple, espérant que leur témoignage traverserait les siècles pour tomber sous la plume de quelque historien : en quoi ils ne se trompaient pas ! On imagine leurs luttes intérieures avant d'en arriver à la décision, c'est-à-dire au sacrifice pour beaucoup !

Certains rétractèrent leurs aveux, mais pour revenir à leur première déposition. D'autres se rétractaient à demi, assaisonnaient leurs déclarations de silences, de réserves, lourds de sens. D'autres enfin ne pensaient qu'à sauver leur vie, ou ne parvenaient pas à surmonter leurs craintes, quel que fût leur désir de défendre l'Ordre. Cette cohorte lamentable d'hommes naguère superbes et sans peur, aujourd'hui méconnaissables, amaigris et pleins d'angoisse, défila pendant six mois devant les commissaires. On les tirait de leurs geôles et on les déferrait pour les exhiber une dernière fois. Jamais ils n'avaient subi pareilles humiliations, même au temps des revers en Terre sainte, même au soir des pires défaites comme à Hattin : ils marchaient alors à une mort glorieuse. Leurs dépositions s'égrenaient comme un chapelet interminable, dans une monotonie qui s'appesantissait avec les jours. Très peu d'entre elles présentaient un intérêt, apportaient une information nouvelle. Pourtant les commissaires écoutaient patiemment, questionnaient souvent avec intelligence et les greffiers enregistraient.

Le 18 décembre, les commissaires siégeaient dans la maison de l'abbé de Fécamp, dite « de la Serpent », dans la paroisse Saint-André-des-Arts. Les frères Guillaume de Chamborent et Bertrand de Sartiges se présentèrent devant eux. Ils confirmaient l'appel au pape interjeté le 10 mai et réclamaient instamment que Pierre de Bologne et Renaud de Provins comparussent à nouveau avec eux, l'un et l'autre ayant disparu. On leur répondit :

– « Les frères Renaud et Pierre ont renoncé solennellement, et volontairement, à défendre l'Ordre. Ils sont revenus à leurs premiers aveux. Qui plus est, Pierre de Bologne a « rompu » sa prison ; il est en fuite. Quant à Renaud de Provins, il a été condamné et dégradé par le synode de Sens : il ne pourrait de ce fait être admis comme procureur. Mais nous sommes prêts à entendre vos observations. »

Chamborent et Sartiges semblaient frappés de stupeur. Ainsi, les garanties qui leur avaient été formellement promises par les commissaires ne servaient à rien. Elles n'étaient qu'un leurre ! En acceptant le rôle de procureur, les quatre frères avaient tout simplement aggravé leur cas. On avait fait disparaître Pierre et Renaud parce qu'ils étaient les plus redoutables ! Guillaume de Chamborent et Bertrand de Sartiges n'avaient pas le choix. Ils déclarèrent qu'en l'absence de Pierre et de Renaud, ils ne voulaient plus assumer la défense du Temple, car « autrement, il y aurait préjudice pour les appels au Pape ».

L'archevêque de Sens avait parachevé sa besogne. Après avoir terrorisé les Templiers, l'Ordre se trouvait sans défenseurs institués ! De surcroît, la plupart des détenus qui seraient conduits devant la commission avaient été « réconciliés ». Pourtant, cette seconde phase des interrogatoires ne saurait être considérée comme négligeable, en dépit de son apparente superfluité. Elle révèle parfois des personnalités attachantes. Elle traduit surtout une atmosphère pesante et douloureuse qui ne doit pas être ignorée. C'est une espèce de marche funèbre qui serre le cœur et appelle la compassion. Ici, nous atteignons le tréfonds de ce procès où les mensonges et les vérités n'ont cessé de se mêler et de se confondre dans un inintelligible murmure.

Le 8 janvier 1311, les commissaires entendirent le frère Jean de Pollencourt. Il avait été « réconcilié » par l'évêque d'Amiens. Épouvanté, il commença par clamer qu'il maintenait ses aveux. Oui, il avait renié le Christ lors de sa réception ! Devant son trouble, les commissaires l'exhortèrent à dire la vérité, lui promettant le secret. Soudain rasséréné, il déclara, comme soulagé d'un grand poids, qu'il n'avait pas renié, ni craché sur la croix, ni reçu de baisers impurs. Il a avoué tout cela à l'inquisiteur parce qu'il redoutait la torture et la mort. Un de ses frères, détenu avec lui, lui avait dit qu'il fallait aider à la ruine du Temple si l'on voulait sauver sa vie. Il avait confessé ces aveux mensongers à un frère mineur qui l'avait absous. Quatre jours après, le même Pollencourt revint « spontanément » devant la commission dire qu'il avait menti et s'était parjuré. Les commissaires ne furent pas dupes. Ils l'obligèrent à prêter à nouveau serment sur les Évangiles. Mais la terreur fut la plus forte. Pollencourt confirma ses premiers aveux, les alourdit même de détails scabreux. Ce malheureux se vautrait dans la fange pour obéir à ses geôliers. Les greffiers prenaient note, impavides.

Le frère Gérard de Caus, qui fut interrogé le 12 janvier, après la rétractation spectaculaire de Jean de Pollencourt, était du diocèse de Rodez. Il avait « jeté le manteau » devant le synode de Sens. L'évêque de Paris l'avait réconcilié et absous. Certes, il avait avoué le reniement, mais, devant la commission, il tint à préciser : – « ... il y avait certains mauvais frères qui faisaient les réceptions de la manière qu'ils avaient eux-mêmes subie, et d'autres, les bons, qui procédaient autrement. » Ayant été absous, il n'éprouvait pas les mêmes inquiétudes que son prédécesseur. Comme il était instruit et s'exprimait avec aisance, les commissaires lui firent raconter sa réception au Temple de Cahors. Le récit de Gérard de Caus est un remarquable document. Il reproduit au mot près et de façon très vivante les articles de la Règle 657 et suivants décrivant minutieusement la réception des profès, précisant même les paroles [1] qui devaient être prononcées, indiquant les conseils et les mises en garde qui devaient être adressés au nouveau Templier. Or, et c'est là où je voulais en venir, Gérard de Caus avait été reçu en 1292. On constate que rien n'avait été modifié depuis les origines : on utilisait toujours le texte proposé par Hugues de Payns, fondateur de l'Ordre, et approuvé par le concile de Troyes en 1128. Après l'apposition du manteau et le psaume *Ecce bonum*, etc., le Maître fit asseoir Gérard de Caus à ses pieds et lui parla des fautes qui entraînaient l'exclusion de la maison : la simonie, la sodomie, l'hérésie, la désertion, le meurtre d'un chrétien, le brigandage, la rébellion. De celles que sanctionnait la perte de l'habit : la désobéissance, l'agression d'un frère du Temple ou d'un chrétien, la délation mensongère devant le chapitre, la fréquentation des femmes, l'abandon sans motif valable de l'étendard du Temple, les gains illicites fussent-ils au profit de la maison, etc. Il lui dit comment se tenir à table et comment se comporter à la chapelle. Il énuméra ses obligations religieuses. Il l'invita à parler bellement et suavement, même aux inférieurs. Sur ce, il le congédia en lui souhaitant de devenir un vrai prud'homme. Mais, quand il fut sorti de la chapelle, quatre ou cinq frères-sergents barricadèrent la porte. Ils ordonnèrent à Gérard de Caus de renier Dieu et dégainèrent leurs épées. N'ayant pas d'arme, il finit par renier « de bouche », mais refusa de cracher sur la croix. Les sergents n'insistèrent pas, mais lui demandèrent le secret. L'un d'eux lui conseilla de s'unir charnellement aux autres frères, s'il ressentait « quelque chaleur naturelle ».

Un mois après, frère Gérard se confessa à l'évêque de Cahors, lequel lui infligea une pénitence sévère et lui suggéra de partir le plus vite possible outre-mer.

1. Voir ces articles à la fin de ce volume.

L'un des commissaires lui demanda pourquoi il s'était laissé torturer au lieu de faire ces révélations :

– J'avais peur de la mort. Je ne voyais pas comment échapper à la vengeance de mes frères... Si j'avais fait ces révélations avant l'arrestation, on ne m'aurait pas cru et on m'aurait exclu. Je n'aurais pas eu de quoi vivre, car mon frère aîné avait hérité de tous nos biens, avec mon consentement.

Puis il formula diverses critiques contre l'Ordre :

– il n'y avait pas de période probatoire et l'on était tenu pour profès dès le premier jour, ce qui contrevenait à la Règle ;

– on ne vérifiait pas davantage avant de les recevoir si l'esprit de Dieu animait réellement les chapelains ;

– on ne pouvait appeler à Rome de sentences prononcées par les chapitres ;

– le Maître du Temple n'était pas confirmé par le pape ; son élection tenait lieu d'agrément ;

– seuls, le Maître et les précepteurs des provinces avaient le droit de détenir la Règle : certains Maîtres, tels Guillaume de Beaujeu et Thomas Bérard confisquaient les Règles illégalement détenues et les faisaient brûler. Jacques de Molay agissait de même : frère Gérard insinuait que l'Ordre se méfiait d'ailleurs des gens cultivés !

En revanche, il ne croyait pas que le Maître eût le pouvoir d'absoudre les péchés. Personne ne le croyait, hormis « les idiots et les imbéciles ».

C'était l'un des points qui préoccupaient le plus les commissaires. Au cours de sa déposition, Gérard de Caus mentionna la réception d'un chevalier au Temple de Paris par le Visiteur Hugues de Pairaud. Le roi de France assistait à cette cérémonie qui avait eu lieu six mois avant l'arrestation. « Rien ne se passa de déshonnête », crut-il bon de préciser ! On le croit sans peine. Cette longue déposition pèche par sa modération, par sa perfection même. Elle a tous les accents de la sincérité. Elle témoigne surtout de l'intelligence de son auteur. On perçoit qu'il laisse des portes entrouvertes. Il ne veut pas revenir sur ses principaux aveux, par prudence, parce que, finalement, il s'est assez bien tiré de l'épreuve mais il les nuance autant qu'il le peut. Il ne nie pas le principe du rite sacrilège, mais il en limite singulièrement la portée en soulignant qu'il n'était pas général. Il critique trois Maîtres du Temple sur une question de détail, mais il s'empresse de souligner qu'ils ne sont pas responsables du sacrilège, non plus qu'aucun « homme vivant ». C'est à dessein, pour embarrasser les commissaires, qu'il insiste sur la rigueur de la Règle et les obligations religieuses des frères. On en vient presque à regretter qu'il n'ait pas été choisi comme procureur :

il avait plus de talent que Renaud de Provins ou Pierre de Bologne.

Jean de Buffavent était frère-sergent depuis douze ans. Il avait été reçu au Temple de Champallement, dans le Nivernais. Après la cérémonie, on l'avait obligé à renier Dieu et à cracher sur la croix. Mais un des assistants lui avait dit en riant : – « N'en aie cure, ce n'est qu'une farce ! » Non sans répugnance, Buffavent avait renié « de bouche, non de cœur » et craché à côté de la croix. En sortant de la chapelle, il avait demandé si ce rite sacrilège était prévu par la Règle : dans l'affirmative, il aurait quitté l'Ordre immédiatement. On le rassura : – « Non. Il (le précepteur) t'a dit cela pour rire. » Le même jour, il interrogea un autre frère, qui lui répondit : – « Tout ça, c'est des farces, ne t'en soucie pas ; le précepteur est un farceur qui colle des buffes aux gens. »

Un autre sergent, Jean de L'Aumône, avait été reçu au Temple de Paris par le trésorier Jean du Tour. Après le reniement et le crachat (bien entendu, à côté de la croix), Jean du Tour lui dit en s'esclaffant : – « Imbécile, va te confesser, maintenant ! » C'est ce que Jean de L'Aumône s'empressa de faire. Son confesseur lui donna l'absolution et lui dit : – « C'est une épreuve pour savoir si, dans le cas où tu serais pris par les Infidèles outre-mer, tu renierais Dieu. »

Or, interrogé quelques jours après, le frère Jean du Tour, trésorier du Temple de Paris, prétendit qu'il n'avait jamais appliqué le rite sacrilège dans les réceptions qu'il avait dirigées. Il reconnaissait pourtant que, lors de sa propre réception, il avait été obligé de renier. Il ajouta d'ailleurs, prudemment, qu'il croyait que certains frères avaient été reçus comme lui, et d'autres non. Les commissaires avaient dû insister pour qu'il consentît à déposer. Absous et réconcilié par l'évêque de Paris, après sa comparution devant le synode de Sens, il avait grand peur de s'écarter de ses aveux et de trop parler. Mais, à lire sa déposition, on sent bien qu'il avait beaucoup à dire.

Les commissaires s'intéressaient aussi à la fameuse idole et aux cordelettes dont on la ceignait avant de les remettre aux nouveaux profès. Pierre de Larchant, interrogé par l'inquisiteur Guillaume de Paris en octobre 1307, affirmait qu'il avait vu douze fois l'idole : une tête barbue que l'on appelait le « Sauveur » et que l'on adorait. Le 3 février 1311, il déclara que l'Ordre n'avait pas d'idoles. De même, en novembre 1307, le frère Radulphe de Gisy avait confessé à l'inquisiteur qu'il avait vu sept fois l'idole dans les chapitres tenus à Paris par le Visiteur Hugues de Pairaud. Il précisa que cette idole avait l'aspect d'un Maufé (un démon) et qu'en l'apercevant il avait été glacé d'effroi. Le 15 janvier 1311, autre son de cloche : il n'avait assisté en réalité qu'à un seul chapitre et il avait à peine vu l'idole placée sur un banc et non plus sur l'autel. D'autres déposants avaient aperçu l'idole, mais ils ne pouvaient pas la décrire. Le trésorier Jean du Tour prétendait que c'était une image peinte sur un panneau de bois, probablement le portrait d'un saint, mais il ignorait lequel. D'autres prêtaient à l'idole une longue barbe blanche, mais ils ignoraient si elle était en bois, en or ou en argent et ne pouvaient décrire son visage ni lui attribuer un nom. Le frère Pierre Maurin croyait qu'il s'agissait du chef de saint Pierre, ou de saint Blaise. Le frère Guillaume Avril raconta l'histoire d'une tête qui apparaissait de temps en temps dans le golfe de Satalie et mettait les navires en danger, mais c'était avant la fondation du Temple et de l'Hôpital ; il n'en savait pas plus. Autre histoire extravagante dans la bouche du frère Hugues de Faur, chevalier : alors qu'il était à Chypre, il avait entendu raconter qu'un noble avait été naguère éperdument amoureux d'une jeune fille de Maracléa près de Tripoli, mais n'avait pu la posséder. Quand elle mourut, il lui fit couper la tête. Une voix lui cria : « Garde bien cette tête, car quiconque la verra, sera anéanti ! » Il fit placer la tête dans un écrin. Il s'en servit une fois contre des étrangers dont les forteresses furent détruites à l'instant. Il projeta alors de s'emparer de Constantinople. Mais, au cours de la traversée, une vieille nourrice ouvrit l'écrin. Aussitôt, le navire sombra et l'équipage fut englouti. Depuis lors, tous les poissons avaient péri en cet endroit. Le frère Hugues n'osait affirmer qu'il s'agissait de l'idole du Temple, mais il le suggérait. Les greffiers enregistraient ces insanités ! Il faut dire que l'époque était friande de démonologie, redoutait et pourchassait impitoyablement les sorciers et les magiciens, croyait que les sorcières se rendaient au sabbat, et voyait le diable partout. À preuve, la déposition écrite d'un personnage instruit, recommandable en tous points : Antoine Sici de Verceil, ancien notaire de l'Ordre du Temple. Cette déposition fut lue devant les commissaires, le 4 mars 1311. Antoine Sici avait entendu parler de l'idole en forme de tête et lui assignait, lui aussi, une origine démoniaque. Un seigneur de Sidon avait aimé une Arménienne, mais ne l'avait jamais possédée. Quand elle fut morte, il descendit dans son tombeau et la posséda. Une voix lui dit : « Reviens quand le moment de l'enfantement sera venu ; tu trouveras ton enfant et ce sera une tête. » Le terme étant écoulé, il redescendit dans le tombeau et trouva effectivement une tête humaine, cependant que la voix disait : « Garde ce chef, il te portera bonheur. » Or, le fils du seigneur de Sidon, nommé Julien, céda la ville aux Templiers, avec tous ses biens. Il était entré ensuite dans l'Ordre et Antoine Sici l'avait connu. Il en fut exclu, se fit Hospitalier et finit ses jours dans un couvent de Prémontrés. Le déclarant n'affirmait pas non plus qu'il s'agissait de l'idole templière, mais la cession de la ville de Sidon et de tous les biens de son seigneur le laissait clairement entendre.

Les commissaires finirent par où ils auraient dû commencer. Ils convoquèrent Guillaume Pidoye, responsable des biens du Temple de Paris et détenteur des reliques et objets sacrés que l'on avait saisis après l'arrestation. Ils l'invitèrent, lui et ses deux adjoints, à présenter à la commission les figures de bois ou de métal qui avaient été confisquées. Guillaume Pidoye et ses collègues produisirent une grande tête en argent doré. Elle avait figure de femme et était d'une belle facture. Ce reliquaire, que l'on ouvrit, renfermait un crâne enveloppé d'« un linge blanc cousu » que recouvrait une étoffe précieuse de couleur rougeâtre. Une cédule portait cette inscription : « *Capud LVIII* ». Cette tête passait pour être celle d'une des Onze Mille Vierges. Guillaume Pidoye certifia qu'il n'avait rien découvert d'autre.

Les commissaires voulaient en avoir le cœur net. Ils rappelèrent l'un des frères qu'ils avaient entendus. Il s'agissait de Guillaume de Harblay, ci-devant aumônier du roi. Il ne reconnut pas le reliquaire, mais, soudain, pris de scrupules, il avoua ne pas avoir bien vu la tête dont il avait parlé précédemment. Or, en 1307, les gens du roi avaient perquisitionné dans toutes les commanderies, saisi et confisqué tout ce qu'ils avaient trouvé. Le Temple de Paris avait fait l'objet d'une sollicitude particulière. On ne découvrit nulle part d'idoles bicéphales ou cornues, de têtes à quatre bras et autres Maufés. Il fallait se rendre à l'évidence : les idoles que les Templiers révéraient, dont ils attendaient puissance, richesse et protection, étaient des reliquaires, analogues à ceux que les fidèles adoraient dans les églises séculières. Les Templiers possédaient, quant à eux, un fragment de la vraie Croix, des reliques de saint Pierre, de saint Jean, le disciple préféré du Christ, de saint Polycarpe, de saint Blaise, de sainte Euphémie. L'accusation touchant aux idoles revêtait donc un caractère spécialement odieux ; elle se fondait sur des racontars répandus dans la lie du peuple et sur des plaisanteries d'un goût douteux. Les inquisiteurs y avaient vu la preuve de quelque manichéisme aggravé d'un culte païen.

Le grief relatif aux cordelettes tombait donc de lui-même. L'obligation de les porter était attribuée à saint Bernard de Clairvaux, dont on connaît le rôle au concile de Troyes. Elle était conforme à la Règle, selon laquelle tout frère devait ceindre une « sainturette petite » sur sa chemise. On devait la porter en se rendant à matines, et, bien entendu, l'avoir pendant son sommeil :

« Or nous vous disons comment vous devez dormir : vous devez dormir tous les jours en chemise et en braies (caleçon) et en chausses-linges (draps), et ceints d'une petite ceinture », énonçait l'un des articles. Chez les religieux, le port de la cordelette en signe de chasteté était un usage très ancien, antérieur à saint Bernard. Les inquisiteurs avaient essayé d'accréditer la fable selon laquelle ces cordelettes ayant ceint le front d'une idole avaient un caractère maléfique. En réalité, les Templiers se procuraient ces cordelettes comme ils le voulaient. Certains d'entre eux, réclamant une protection spéciale, les faisaient toucher aux reliques : il n'y avait là rien que de très courant. Le frère Guy Dauphin d'Auvergne déclara aux commissaires :

– « La mienne avait touché un pilier qui se trouvait à Nazareth, au lieu même de l'Annonciation, et d'autres reliques que les Templiers possédaient outre-mer, celles des saints Polycarpe et Euphémie… »

Il en allait de même du grief, à la vérité très grave, selon lequel le Maître du Temple aurait usurpé le pouvoir d'absolution, alors qu'il n'était pas prêtre. Là-dessus, tous les témoignages concordaient. Chaque frère était tenu d'avouer devant le chapitre hebdomadaire les fautes qui contrevenaient à la Règle, mais c'était au chapelain qu'il confessait ses péchés. Le chapitre sanctionnait plus ou moins sévèrement les fautes, en se référant parfois à la jurisprudence de l'Ordre selon l'avis des anciens. Le chapelain infligeait au pécheur des peines canoniques. Cependant, dans les cas gravissimes, le pape devait être saisi : il avait seul le pouvoir d'absoudre. Le Maître de l'Ordre pouvait alléger éventuellement les peines disciplinaires, voire même pardonner le fautif. Mais il ne pouvait absoudre les péchés, « quia non habebat claves » : parce qu'il n'avait pas les clefs de l'absolution, n'ayant pas la qualité de prêtre. En revanche, il avait la faculté d'accorder un pardon global à ceux qui n'avaient pas eu le courage d'avouer leurs manquements à la discipline, par respect humain ou par crainte du châtiment. Il disait :

« Je vous absous des fautes que vous avez omis de dire par crainte de la discipline. Le frère chapelain ici présent vous donnera l'absolution après que vous aurez récité le *Confiteor* comme on le dit à l'église. »

Déposant devant la commission, le 15 janvier 1311, le frère Radulphe de Gisy se souvenait parfaitement d'avoir entendu le Maître dire :

« Beaux seigneurs frères, toutes les fautes que vous laissez à dire, par honte de la chair ou par crainte de la justice de la maison, je vous en accorde le pardon de bon cœur et de bonne volonté. Et Dieu, qui pardonna ses fautes à Marie-Madeleine, vous pardonne les vôtres. Priez Dieu qu'Il me pardonne les miennes. Notre frère chapelain va se lever et donner l'absolution. Que Dieu nous absolve et lui aussi. »

Aucun des frères n'accusa Jacques de Molay d'avoir enfreint la Règle à ce sujet et de s'être substitué aux chapelains en absolvant les péchés, cela malgré les insinuations des inquisiteurs et leurs questions ambiguës. Toutefois, ainsi que l'avait fait observer Jean de Caus, certains Templiers un peu simples d'esprit avaient pu confondre les fautes disciplinaires et les péchés, et interpréter à leur manière le pardon du Maître. Leurs témoignages naïfs avaient été montés en épingle et abusivement généralisés. Les commissaires entrevoyaient enfin le travail de sape auquel les gens du roi, Guillaume de Paris et ses assesseurs, s'étaient livrés, afin d'étoffer le dossier de Nogaret.

– « Bien souvent, déclara Jean Senand, précepteur du Temple de La Fouillouze, j'ai entendu des laïcs insinuer que les Templiers s'embrassaient sur l'anus. Je n'en crois rien, mais voici mon explication : lors des chapitres, au moment des prières, l'assistance se prosternait, la tête et les mains vers la terre, les jambes et le dos plus hauts qu'elle. Tous les frères étaient dans cette posture, l'un derrière l'autre. Des individus qui les auraient vus par hasard à travers les fentes et les trous d'une porte, auraient pu supposer qu'ils se distribuaient mutuellement des baisers malhonnêtes. Tout le monde dut accepter aisément cette explication, jusqu'à l'adopter. »

C'était une hypothèse plausible. Au début du XIVe siècle, les ordres religieux avaient mauvaise presse. Il fallait peu de chose pour alimenter les ragots qui prenaient bientôt les dimensions de la calomnie. Ce fut ainsi que les baisers de paix toujours pratiqués, le baiser d'hommage féodal qui se donnait sur les lèvres, se métamorphosèrent en baisers impudiques, par l'industrie des inquisiteurs.

Mais voici encore une preuve des manipulations de Nogaret ! Le frère Jean de Vaubellant, sergent, s'était porté volontaire pour défendre l'Ordre. Étrange défenseur ! Il avoua le reniement, les crachats et les baisers impudiques, avec une spontanéité si touchante qu'elle intrigua les commissaires. Ils le « cuisinèrent » un peu. Vaubellant avait été exclu de l'Ordre deux ans avant l'arrestation. De son propre chef, il avait confessé certains faits devant l'Inquisiteur, à Poissy. (Il ne dit pas qu'il avait été recruté par les hommes de Nogaret et conduit devant cet inquisiteur.) À la suite de cette comparution, on lui avait « conseillé » de se présenter au Temple de Paris et de solliciter sa réintégration. Le Grand Maître présidait alors un chapitre général. Il accorda son pardon. Vaubellant reprit le manteau. Sa seule pénitence fut de manger par terre durant un an et un jour et de jeûner au pain et à l'eau trois jours par semaine.

Les commissaires comprirent qu'ils avaient à faire à un indicateur, à une « taupe », comme on dit aujourd'hui. Ils lui demandèrent, non sans humour, s'il avait mis les frères au courant de sa comparution devant l'inquisiteur. La réponse est savoureuse :

– « Non. J'ignorais qu'ils allaient être arrêtés. Je ne l'ai su que *trois jours avant.* »

Mais il y avait ceux qui, las de mentir et d'être humiliés, rassemblaient leurs forces pour dire la vérité, sachant ce qu'ils risquaient malgré les promesses des commissaires ! Je voudrais les citer tous : ils sont les héros de cette lugubre histoire, pareils à ces rares lumières qui percent les ténèbres et montrent le chemin.

Thomas de Pampelune, frère-sergent, précepteur d'Aveyrins en Navarre et de Riba Forada en Aragon, avait soixante ans. Il était absous et réconcilié. Il pouvait se taire. Or, il déclara hautement qu'il n'avait rien vu, ni entendu dire à propos des griefs imputés au Temple, avant son arrestation :

– « À Saint-Jean-d'Angély, sous l'empire des tortures qu'on m'a infligées, j'ai déclaré à mes tortionnaires que je croyais aux aveux proférés par le Grand Maître et que j'y adhérais. Après un long séjour en prison, pendant lequel j'étais au pain et à l'eau, j'ai avoué à l'évêque de Saintes que, lors de ma réception, j'avais renié Dieu, de bouche, non de cœur, craché sur la croix, et donné des baisers impudiques à celui qui me recevait. J'ai menti. Je nie tout cela. Jamais je n'ai entendu parler de pareilles erreurs. »

Le commandeur Pierre Théobald fit à peu près la même déclaration. Il avait cédé aux tourments qu'on lui fit endurer pendant six mois et aux menaces qui lui étaient adressées « par d'autres personnes » que l'évêque. Il rétractait tous les aveux qu'il avait passés devant l'évêque de Saintes.

Il en fut de même de Raynier de Larchant, qui avait avoué tout ce que voulait Guillaume de Paris, en 1307. Il rétracta la totalité de ses aveux. De même aussi Vigier de Clermont qui avait fini par avouer, parce qu'il n'en pouvait plus d'être torturé et parce qu'il avait vu trois de ses compagnons mourir sous la main des tortionnaires. Il déclara que si le Grand Maître avait consenti des aveux, il en avait menti. De même encore le frère Audebert de La Porte, qui pleurait sur les mensonges que la douleur lui avait arrachés etc. etc.

Et puis il y avait ceux qui, ramenés en prison, étaient à nouveau tourmentés par leurs geôliers ! Ainsi le frère Jean de Cormèle, auquel les tortionnaires avaient tiré quatre dents avec des tenailles. Il voulait rétracter ses aveux, mais redoutait de nouveaux sévices. Il demanda la permission de s'entretenir en aparté avec chaque commissaire. Il se heurta à un refus, mais on lui accorda un délai de réflexion jusqu'au lendemain. Le lendemain, il confirma les aveux passés devant l'inquisiteur...

Trois frères qui étaient précepteurs de commanderies poitevines, Martin de Montrichard (précepteur de Mauléon), Jean Durand (précepteur de La Coudrie) et Jean de Ruivans (précepteur de Lande-Blanche), réfutèrent ensemble les accusations portées contre l'Ordre.

– « En France, dit Martin de Montrichard, tous les frères sont reçus de la même manière, honorablement. Ailleurs, certains peuvent l'être selon le rite avoué par le Grand Maître. »

Les deux autres acquiescèrent, ajoutant qu'ils n'avaient entendu parler des accusations qu'au moment de leur arrestation.

Mais, deux jours après, ils comparurent à nouveau, sur leur propre demande. Ce fut pour revenir à leurs premiers aveux, passés devant l'inquisiteur de Poitiers. Les commissaires tentèrent en vain de leur faire dire qu'ils avaient subi des menaces ou des pressions...

On accusait par ailleurs les Templiers de remplir insuffisamment leurs devoirs d'hospitalité et d'aumône, en dépit des injonctions de la Règle. Quelques rares frères, fortement manipulés, abondèrent en ce sens. Quelques autres firent des réserves. La majorité protesta contre cette accusation. Philippe Agate, commandeur de Saint-Vaubourg, cita des chiffres précis. Il avait servi à Renneville, la plus importante commanderie normande, dotée par les puissants sires d'Harcourt, avant d'être affecté à Saint-Vaubourg. Il dit :

– « Dans une période de disette, à Renneville, en une seule journée, j'ai fait donner l'aumône à onze mille quatre cent vingt-quatre personnes et, la même année, pour l'amour de Dieu, du blé pour une valeur de 4 000 livres parisis. Le vin était souvent prélevé sur la ration des frères. »

La déposition la plus curieuse fut celle de Pierre de La Palu, bachelier en théologie et frère prêcheur. Il fut entendu le 19 avril, probablement sur sa demande, car il prétendait avoir des informations particulières. Il déclara :

– « J'ai assisté aux interrogatoires de nombreux Templiers. Les uns reconnaissaient la plupart des erreurs énumérées dans le questionnaire ; quelques autres niaient le tout. Bien des indices me donnent à penser qu'il faut accorder plus de créance à ceux qui niaient qu'à ceux qui avouaient. En outre, j'ai recueilli beaucoup de renseignements auprès de plusieurs enquêteurs. Je suis persuadé que des pratiques déshonnêtes avaient effectivement lieu lors des réceptions de quelques-uns des frères de cet Ordre, ou après la cérémonie, mais qu'il ne se passait rien de tel pour les autres... »

C'était presque un plaidoyer en faveur du Temple, et d'autant plus percutant qu'il émanait d'un frère prêcheur. En tout cas, on ne pouvait lui refuser l'objectivité. Malheureusement, le bon effet de cette déclaration fut aussitôt gâté par deux historiettes dans le goût du temps. Pierre de La Palu avait entendu raconter qu'au tout début du Temple, il y avait deux frères qui combattaient sur le même cheval. Le premier invoqua Jésus-Christ et fut blessé. Le second – qui était peut-être l'incarnation d'un démon – sortit indemne du combat et lui reprocha son invocation. Il dit qu'il avait un protecteur plus efficace : « Si tu veux m'en croire, susurra-t-il, l'Ordre croîtra et sera riche. » Ce fut ainsi que le premier se laissa séduire par le diable. De là viennent les erreurs reprochées aux Templiers. Pierre de La Palu ajouta qu'il avait souvent vu une peinture représentant « deux barbus sur une seule monture ». Il croyait qu'il s'agissait de ceux-là. Or, comme on sait, le sceau le plus connu du Temple représentait deux chevaliers sur un seul cheval, symbolisant la double vocation de l'Ordre, spirituelle et temporelle, militaire et religieuse.

Pierre de La Palu avait aussi entendu conter qu'un Maître du Temple, longtemps prisonnier du sultan, avait abjuré sa foi pour obtenir sa libération. Il avait aussi juré d'introduire certaines erreurs. Ce qui expliquait la connivence des infidèles avec les Templiers. Pierre de La Palu ne se demandait pas quel traitement de faveur le sultan du Caire avait accordé aux Templiers de Saint-Jean-d'Acre et de Tortose !

Il acheva en déclarant qu'il ignorait si ces histoires étaient exactes. Mais enfin la mauvaise graine était semée. La tragédie du Temple repose principalement sur des insinuations de cette espèce !

L'enquête se terminait. Les commissaires avaient interrogé deux cent trente et un témoins. Il ne leur appartenait pas [1] d'émettre un avis ou de rédiger un mémoire quelconque. On ne leur avait pas demandé de formuler une opinion personnelle, mais de poser des questions précises, toujours les mêmes, selon le canevas qui leur avait été communiqué. Leur tâche consistait

1. Directement.

à enregistrer les réponses aussi complètement que possible. Ils avaient fini par abandonner l'inepte questionnaire afin de concentrer l'interrogatoire sur les accusations les plus importantes. Ils avaient mené l'enquête avec patience et ténacité, malgré les difficultés. Leur autorité avait été bafouée plus d'une fois par les gens du roi. Le prévôt Philippe de Voet et l'archidiacre les avaient servis déloyalement. S'ils faisaient comparaître les détenus convoqués par les commissaires, ils produisaient aussi sans vergogne, et de préférence, ceux qui maintenaient leurs aveux, parfois même de faux Templiers. L'enquête avait basculé après le bûcher du 12 mai 1310. Les commissaires s'étaient entêtés à la reprendre. Certains Templiers rétractaient les aveux passés en 1307 devant les inquisiteurs, pour y revenir piteusement ; ils étaient victimes de manœuvres inqualifiables. Rares étaient ceux qui bravaient la mort pour aller jusqu'au bout de la vérité. Fallait-il, à l'instar de Pierre de La Palu, apporter plus de créance à ceux qui niaient qu'à ceux qui avouaient pour sauver leur vie ? Toute l'enquête avait été traversée d'incidents détestables, marquée par l'insincérité et la peur. D'indicibles murmures couraient sous les paroles. Il y avait eu des silences pesants et parfois les regards étaient de véritables plaintes. Le pape espérait tirer de cet amas de contradictions, de protestations à demi étouffées, ce que pouvait être la vérité du Temple. Mais, en leur âme et conscience, que pensaient les commissaires ? Nous ne le savons pas.

L'archevêque de Narbonne et l'évêque de Bayeux siégeaient au parlement royal, qui se tenait à Pontoise. Les commissaires se rendirent dans cette ville. En accord avec Philippe le Bel, ils décidèrent de clore l'enquête à la date du 5 juin 1311. L'exemplaire original du procès-verbal fut porté à Clément V. L'ouverture du concile général de Vienne approchait.

SEPTIÈME PARTIE

LA SUPPRESSION DU TEMPLE

(1312-1314)

I

LES COMMISSIONS DIOCÉSAINES

Clément V avait prévu que les commissions diocésaines et les commissions pontificales siégeraient parallèlement, les premières s'occupant des personnes des Templiers et les secondes, de l'Ordre en tant que tel. Les commissions diocésaines commencèrent à fonctionner en 1310. L'année précédente, Guillaume de Baufet, évêque de Paris, écrivit un modèle de procès-verbal et détermina avec précision la manière de conduire l'interrogatoire. Ce document ne fut pas seulement envoyé aux suffragants de l'archevêché de Sens, mais aussi à d'autres évêques, peut-être à tous les prélats du royaume. Un exemplaire figurait par exemple dans les papiers de l'évêque d'Angers. Cette instruction fut certainement établie en accord avec l'archevêque de Sens, Philippe de Marigny, et, selon toute probabilité, avec les gens du roi. Il s'agissait alors de préparer le guet-apens du 12 mai 1210 afin de ruiner la défense du Temple :

« *Modèle de procès-verbal d'interrogatoire.*

Au nom du Christ, amen. Par le présent instrument public, qu'il soit patent à tous que nous, Guillaume, par la compassion divine évêque de Paris, etc. et un tel, inquisiteur, etc., avons reçu de notre Saint-Père et seigneur, le seigneur Clément, par la divine providence de la sacro-sainte etc. des lettres authentiques, non cancellées, non abolies, contenant ce qui suit : Clément, etc., etc. Lesquelles, reçues avec révérence, prescrivant une enquête contre les personnes du Temple vivant dans nos villes, diocèses et lieux insignes, relativement aux articles à nous envoyés par le Très Saint-Père et Souverain Pontife, et dont la teneur est reproduite plus bas, par un édit de citation publié dans nos cités, diocèses et lieux insignes, conformément à la teneur de ces lettres apostoliques, édit dont la teneur est insérée ci-dessous,

Nous avons mandé que, tel jour et en tel lieu, les personnes des Templiers nous fussent présentées séparément, audit jour, par ceux qui étaient préposés à leur garde.

Lequel jour, en notre présence, au lieu susdit, un tel comparaissant en personne, non examiné ailleurs, comme il l'a assuré, a juré en notre présence, sur les saints Évangiles – dont il a touché le livre de ses mains –, de dire la pure et entière vérité, tant sur lui-même que sur les autres personnes dudit Ordre, relativement aux points touchant la foi catholique ou à certaines horreurs, conformément à la teneur des articles susdits, dressés par notre seigneur le Souverain Pontife : ce sont les articles, etc. Donc, le susdit un tel, interrogé avec soin sur l'époque et le mode de sa réception, etc. répondit, etc.

Manière de conduire l'interrogatoire.

Au sujet des Templiers qui ont toujours nié et qui nient, il paraît bon qu'ils soient interrogés plusieurs fois et qu'on fasse grande attention si la seconde déposition diffère de la première.

Item, sur le lieu, l'époque, la personne qui les a reçus, les personnes présentes à la réception et le mode de réception.

Item, s'ils furent, après la réception publique, conduits en un lieu secret et si, là, quelque chose leur fut fait, ce que c'était et en présence de qui.

Item, s'il en est quelques-uns d'encore vivants qui disent avoir assisté à la réception et si on peut les avoir facilement à sa disposition, qu'on les entende sous serment ; et, si on ne peut les avoir facilement, qu'on écrive au prélat dans la ville ou le diocèse de qui ils seront retenus, lequel devra les entendre là-dessus et sur d'autres points, en rendre compte et faire une enquête non seulement sur la vérité de ce qu'ils disent, mais encore sur la créance qu'ils méritent et sur leur réputation.

Item, il importe que les Templiers de cette sorte soient mis au secret et sévèrement gardés.

Item, qu'on leur demande s'ils en ont vu recevoir quelques-uns, où et quand, par qui ils furent reçus, ceux à la réception de qui ils furent présents et en présence de qui ; et alors que les assistants et ceux qui procédaient à la réception soient entendus comme ci-dessus ; de même pour leur réputation.

Item, qu'on les mette au régime étroit, au pain et à l'eau avec quelques rares aliments, à moins que leur infirmité, leur faiblesse ou quelque autre cause n'exige qu'ils soient nourris plus abondamment. Si cependant ils ne reviennent pas ainsi à la vérité et s'ils ne sont pas par ailleurs convaincus, qu'on leur montre d'abord les aveux contenus dans les lettres apostoliques scellées, émanant du Maître de l'Ordre et d'autres dignitaires, et qu'on leur dise que la grande majorité des Templiers a spontanément avoué, et, s'il en est qui persévèrent dans le bien [1], qu'ils leur parlent pour les convaincre.

Item, si cela ne sert de rien, qu'on les menace de la torture, même grave, et qu'on leur en présente les instruments, mais qu'ils n'y soient pas soumis tout de suite. Si la menace ne réussit pas, on pourra recourir sur les indices précédents à la question et à des tortures, mais d'abord légères, ne devant recourir à d'autres que s'il y échoit. La torture devra être appliquée par un tortionnaire clerc idoine, à la manière habituelle et sans excès.

Item, il ne convient pas de leur administrer les sacrements ecclésiastiques, non plus qu'à tous les membres de l'Ordre contre lesquels travaille la rumeur publique et notoire, excepté la confession. Auquel cas on leur donnera un confesseur discret et sûr qui leur fasse une peur salutaire et les exhorte soigneusement à revenir à la vérité pour le salut de leur âme et le bien de leur corps : et qu'il leur dise que l'Église se montrera miséricordieuse à ceux qui reviendront à la vérité. Cependant, ce confesseur ne leur accordera pas l'absolution sacramentelle ni la sépulture ecclésiastique s'il leur arrive de persévérer dans leur état.

Item, qu'on absolve, à moins qu'ils n'aient été déjà absous, ceux qui ont avoué et qui persistent dans leur confession, après qu'ils auront abjuré toute hérésie avec la solennité requise en pareil cas, et qu'on les traite avec bienveillance. Qu'on les garde cependant d'une manière sûre et avec soin.

Quant à ceux qui ont d'abord nié et qui ensuite avouent, qu'on fasse à leur égard une enquête sur les points contenus dans le premier article et qu'on les garde avec soin, parce que leur négation première les rend suspects. Que, pour l'administration des sacrements, l'assistance aux offices divins, après qu'ils auront été absous, et pour la nourriture, on agisse avec eux avec bienveillance, comme il est dit à l'article précédent. On

1. C'est-à-dire qui ont confirmé leurs aveux.

pourra les absoudre du parjure qu'ils ont commis quand ils ont d'abord nié et leur imposer une pénitence salutaire.

Quant à ceux qui d'abord ont avoué et ensuite nié, et qui persistent à nier, qu'on les prive des sacrements ecclésiastiques, excepté la confession et dans la manière indiquée ci-dessus.

Item, qu'on agisse avec eux, en ce qui concerne la nourriture et le reste, comme avec ceux dont il est question dans le premier article, exception faite toutefois de ceux qui ont été entendus par le Pape, l'inquisiteur et les ordinaires, que l'on gardera d'une manière sûre jusqu'à ce qu'il en soit ordonné autrement. »

L'évêque de Paris n'appartenait pas à l'Inquisition, mais il avait l'âme d'un inquisiteur, car c'était, à très peu de chose près, la procédure inquisitoriale qu'il entendait promouvoir. J'insiste encore sur le fait qu'il ne s'agissait pas de juger les Templiers, mais de les soumettre à une nouvelle « enquête » en utilisant des moyens rigoureusement identiques à ceux de 1307 : bienveillance à l'égard de ceux qui avouaient ou plus exactement de ceux qui confirmaient leurs aveux : sacrements de l'Église, meilleure nourriture et geôle plus confortable ; rigueur extrême envers ceux qui niaient : régime au pain et à l'eau, cachots obscurs, voire privés de lumière, refus des sacrements et, éventuellement, de sépulture ecclésiastique, confession truquée, menaces de torture, puis torture habilement dosée et appliquée par un « clerc idoine », laquelle, aggravée en cas de besoin, pouvait bien entendu entraîner la mort. Rigueur équivalente envers ceux qui avaient rétracté leurs aveux. Pis encore, on pouvait utiliser les bons offices de ceux qui avaient confirmé leurs aveux pour tenter de persuader les récalcitrants. L'expression « revenir à la vérité » était riche de sens. Pour l'évêque de Paris, la « vérité » ne pouvait être autre chose que la reconnaissance des erreurs imputées à l'Ordre. Il était sans importance à ses yeux que ces erreurs fussent invérifiées et parfois dérisoires. Seuls, les aveux l'intéressaient, car pour lui la lettre du pape Clément V et l'inepte questionnaire qui y était joint exprimaient cette vérité. Il ne concevait même pas qu'il y eût des innocents parmi les Templiers, ou récusait globalement et fermement cette hypothèse. Tous étaient présumés coupables. Ceux qui avouaient après avoir nié lui paraissaient les plus suspects et appelaient sa malveillance.

Le système d'exception imaginé par Clément V offrait en théorie certaines garanties aux Templiers. D'une part, en effet, les commissions diocésaines étaient composées de membres du chapitre cathédral, de frères prêcheurs et de frères mineurs. Les évêques pouvaient absoudre les accusés et les réconcilier avec l'Église, en leur imposant des pénitences. Les récalcitrants, ceux dont on n'avait pu obtenir des aveux ou qui s'étaient rétractés, malgré tous les moyens mis en œuvre, étaient déférés devant les conciles provinciaux présidés par les archevêques. Ces assemblées, érigées en tribunaux ecclésiastiques, prononçaient les sentences : emmurements perpétuels ou à temps, peines de mort quasi automatiques pour les relaps. Il tombe sous le sens que le rôle personnel des évêques était capital. Si le pape avait restreint leurs pouvoirs en matière de sanctions canoniques, il les avait étendus en leur permettant d'enquêter dans d'autres diocèses et même de poursuivre des Templiers dont les commanderies n'étaient pas de leur ressort. Il faut ajouter que la torture fut appliquée dans la presque totalité des diocèses, cependant, semble-t-il, avec moins de cruauté qu'en 1307.

On a vu que le concile provincial de Sens, siégeant à Paris sous la présidence de Philippe de Marigny, avait condamné cinquante-quatre relaps au bûcher. Le concile de Reims, siégeant à Senlis, fit brûler aussi les obstinés. De même le concile de Rouen, réuni à Pont-de-l'Arche sous la présidence de Bernard de Farges, neveu de Clément V. De même encore à Nîmes. À vrai dire, les sentences émises par les conciles provinciaux ont laissé peu de traces : des mains non innocentes ont fait disparaître les procès-verbaux, en sorte qu'il est impossible d'évaluer le nombre de Templiers dont « les os et les chairs furent ramenés en poudre ». Les procès-verbaux des commissions diocésaines sont eux-mêmes rarissimes. Celui du diocèse de Clermont vient d'être publié, dans son intégralité, par Anne-Marie Chagny-Sève, poursuivant l'œuvre de son père, Roger Sève, que j'ai bien connu naguère. C'est un très remarquable travail, et d'autant plus que le texte est précédé d'une pertinente étude analytique. L'évêque de Clermont était alors Aubert Aycelin, neveu de Gilles Aycelin, archevêque de Narbonne, président de la commission pontificale et Garde du Sceau royal pendant les absences de Nogaret. On ne peut le soupçonner d'indulgence envers les Templiers, s'il ne fut pas à proprement parler une créature de Philippe le Bel à l'instar de son oncle Gilles. En tout cas, il apparaît probable que la torture ne fut pas employée durant l'enquête qu'il conduisit. L'évêque Aubert interrogea soixante-neuf Templiers provenant de son diocèse, mais aussi des diocèses de Limoges, de Bourges et même de Genève. Quarante d'entre eux avouèrent et vingt-neuf s'obstinèrent à nier. Il est intéressant de noter que les deux tiers des chapelains, les trois cinquièmes des sergents et le tiers des chevaliers reconnurent les erreurs de l'Ordre. Parmi ceux qui niaient, figuraient Guillaume de Chambonnet (ou de Chamborent), chevalier et commandeur de Blaudeix en Limousin, et Bertrand de Sartiges, chevalier et commandeur de Carlat : l'un et l'autre jouèrent le rôle que l'on sait dans la défense du Temple devant la commission pontificale. L'évêque Aubert utilisait un questionnaire réduit à quatre-vingt-huit articles, alors que le questionnaire employé par la commission pontificale en comptait cent vingt-sept. C'est qu'il s'agissait non plus de déterminer la culpabilité de l'Ordre, mais d'apprécier celle des Templiers en tant que personnes. La commission diocésaine de Clermont ne consacra que cinq jours à l'interrogatoire des soixante-neuf accusés, ce qui est une espèce de record ! Pour des raisons de commodité, on avait préalablement séparé ceux qui niaient et ceux qui avouaient, ce qui présuppose une enquête antérieure. Le procès-verbal est beaucoup plus bref en ce qui concerne les premiers. Je ne puis entrer dans le détail de l'ouvrage d'Anne-Marie Chagny-Sève auquel je renvoie volontiers le lecteur (voir Bibliographie). Un certain nombre de Templiers interrogés à Clermont furent conduits à Paris et comparurent devant la commission pontificale. Ils furent ensuite dispersés entre diverses prisons avant d'être définitivement jugés par le concile provincial de Bourges, probablement en mai 1311. L'évêque de Clermont avait absous et réconcilié ceux qui avaient maintenu leurs aveux. Des aveux consentis d'abord devant les agents royaux qui les avaient arrêtés en 1307 et docilement répétés devant les inquisiteurs ! On relève cependant d'extraordinaires discordances entre les dépositions de Clermont et celles de Paris, ce qui amoindrit encore leur crédibilité.

Que se passait-il hors de France dans la même période ? Les commissions pontificales, les commissions diocésaines et les conciles provinciaux fonctionnaient conformément aux instructions du pape, mais avec un certain décalage et dans un esprit souvent différent. Les souverains comme les prélats des pays étrangers avaient quelque mal à admettre la culpabilité des Templiers. Certains même la récusaient entièrement et résolument. D'autres feignaient d'obéir à Clément V, mais les cent vingt-sept articles du questionnaire leur paraissaient ineptes. On y reconnaissait un peu trop la main de Philippe le Bel et de ses légistes. Sans être formellement contestée, l'autorité de Clément V ne s'exerçait qu'à moitié. On doutait parfois de son libre arbitre et les fortes têtes le disaient quasi prisonnier du roi de France ou pour le moins assujetti à la volonté de ce prince. On ne pouvait s'empêcher de constater l'éloquente similitude des accusations portées contre le défunt Boniface VIII et des erreurs imputées au Temple. À ces considérations se mêlaient bien entendu de sordides questions d'intérêts, des jalousies tenaces : les Templiers n'avaient pas été seulement en conflit avec des évêques français ! D'où l'extrême disparité des attitudes à leur égard.

En Italie même, les commissions furent divisées. Dans l'État pontifical, les Templiers furent traités avec rigueur, soumis à la torture et condamnés. Charles II, qui régnait sur Naples et la Provence, ne pouvait s'opposer au pape, son suzerain, ni à Philippe le Bel, son parent. Il fit appliquer les instructions de Clément V avec un zèle exemplaire. Il en fut d'ailleurs récompensé un peu plus tard, puisque le pape partagea avec lui les dépouilles du Temple. Les Templiers de Sicile ne furent pas mieux traités. En revanche, dans la Sérénissime République de Venise – ville sans bûchers, et qui s'en vantait ! – les frères ne furent même pas inquiétés et continuèrent à habiter leur commanderie. L'archevêque de Ravenne obtempéra aux ordres du pape. Il institua un concile provincial devant lequel comparurent les Templiers. Ils nièrent avec énergie tous les articles. L'archevêque, qui s'appelait Rinaldo du Concorrezzo, demanda à ses collègues s'il convenait de leur appliquer la torture. Ils répondirent que non, à l'exception de deux dominicains. Le concile déclara les Templiers innocents. Les deux dominicains en appelèrent au pape qui reprocha sa mansuétude à l'archevêque, notamment pour n'avoir pas employé la torture. L'archevêque maintint son refus, considérant comme définitive la sentence qu'il avait prononcée. Toutefois, deux de ses suffragants (les évêques de Pise et de Florence) obéirent aux injonctions de Clément V et rouvrirent le procès, cette fois en utilisant la torture comme moyen de persuasion.

Même hétérogénéité en Allemagne. L'archevêque de Magdeburg avait fait arrêter les Templiers et prétendait les juger. L'évêque de Halberstadt leur était acquis ; il excommunia l'archevêque, ce qui était un comble ! L'archevêque ne put achever le procès. Alors que le concile provincial commençait à interroger quelques frères, le commandeur de la puissante templerie de Grumbach, Hugues de Waltgraff, fit irruption dans la salle avec vingt chevaliers en tenue de combat. Tremblant pour sa vie, l'archevêque essaya de le calmer ; il l'invita à s'asseoir et à parler. D'une voix tonnante, le commandeur Hugues déclara :

– « Nous avons entendu dire, moi et mes frères ici présents, que le concile s'était réuni d'après les instructions du Pape, pour détruire notre Ordre, auquel on impute des crimes énormes, aussi grands que ceux des païens ! Il serait très grave, il serait intolérable, de nous condamner sans nous avoir entendus, sans nous avoir convaincus de ces crimes ! En conséquence, nous en appelons au *Pape futur* (*ad futurum Pontificum*) et à tous les membres de l'Église. Nous protestons que ceux de nos frères qui ont été livrés aux flammes en raison de ces énormités, ont toujours nié, même dans les tortures, alors qu'ils étaient interrogés.

Leur innocence a été prouvée par le Dieu tout-puissant et bon, car les chlamydes blanches et les croix rouges n'ont pu être consumées par le feu ! »

Hugues de Waltgraff avait amené son frère, le comte de Salm. Ce dernier s'offrait à subir la terrible épreuve des ordalies afin de prouver l'innocence de l'Ordre. L'archevêque de Magdeburg préféra absoudre les Templiers, qui regagnèrent leurs commanderies.

Dans la très catholique Irlande, les commissions fonctionnèrent « normalement », torturèrent et condamnèrent. Les choses traînèrent en longueur en Angleterre. Le roi Édouard II, politique incertain, avait commencé par protéger les Templiers ; puis il les fit arrêter ou, plus précisément, garder à vue dans leurs commanderies. Il s'avérait impossible de conduire les enquêtes, faute de spécialistes, je veux dire d'inquisiteurs. Le pape dépêcha deux dominicains. Ils ne purent rien faire, faute de bourreaux. On finit par en trouver un. Il se montra si maladroit qu'il n'obtint les aveux que de trois Templiers. Il ne put davantage faire avouer Humbert Blanc, réfugié au Temple de Londres. Humbert Blanc avait été reçu à Tyr par le Maître Guillaume de Beaujeu. Il avait pris part aux ultimes combats de Terre sainte et, vers 1301, il avait été nommé précepteur de la province d'Auvergne. Il se trouvait en mission en Angleterre en octobre 1307 et, sinon, il avait échappé à l'arrestation et avait réussi, sous un déguisement, à gagner Londres. Il fut interrogé avec les autres frères en 1309 et nia catégoriquement. Comme il reconnaissait avoir reçu de nombreux profès, on renouvela l'interrogatoire à plusieurs reprises. Il maintint ses dénégations. L'évêque de Londres fit prendre des informations auprès de l'évêque de Clermont, qui l'informa de son mieux : il ressortait des aveux de nombreux Templiers d'Auvergne qu'Humbert Blanc pratiquait le rite sacrilège lors des réceptions. Ces informations, dont la teneur fut communiquée à Humbert Blanc, n'ébranlèrent pas sa position. Persistant à nier, il fut condamné à la prison stricte et aux fers doubles pour le reste de ses jours.

On se souvient qu'en 1307 les rois d'Aragon, de Castille et du Portugal avaient récusé les accusations portées par Philippe le Bel et, dans un premier temps, refusé de faire arrêter les Templiers. Il leur fallut pourtant obtempérer aux ordres de Clément V. Ils le firent d'assez mauvaise grâce, après plusieurs injonctions. En Castille, les interrogatoires se déroulèrent sans torture. Ils ne furent guère plus qu'un simulacre au Portugal, où les Templiers avaient toute la faveur du roi Denis. On verra plus loin ce qu'ils devinrent dans ces deux royaumes. En Aragon, leur situation fut plus difficile. Le roi guignait leurs possessions ; il était donc finalement assez enclin à imiter Philippe le Bel. Mais les Templiers s'enfermèrent dans leurs forteresses (Cantariega, Castello, Miravete, Monçon). On dut les assiéger, puis accepter qu'ils restassent dans leurs commanderies, en semi-liberté. Interrogés par les commissions, ils nièrent furieusement les abominations attribuées à l'Ordre. Menacés de torture, ils rétractèrent par avance les aveux que la douleur leur arracherait. Pas un seul n'avoua ! Le comportement des Templiers du Roussillon fut identique ; ils clamèrent leur innocence et la pureté du Temple avec la même vigueur.

À Chypre, les frères étaient placés sous l'autorité du maréchal Oselier. L'assassinat du roi Amaury les priva de leur protecteur. Ils finirent par être arrêtés et subirent les interrogatoires des commissions diocésaines. Oselier et quelques-uns de ses subordonnés furent condamnés à des peines de prison. Aucun d'eux ne fut brûlé. Encore cette sévérité relative est-elle attribuée aux pressions des Hospitaliers, ce qui reste d'ailleurs à démontrer.

Ce fut en définitive dans le royaume de France que les Templiers furent le plus cruellement traités : peut-être parce que leur Ordre y avait ses racines. Certains prélats, loin de se montrer miséricordieux ou simplement charitables, manifestèrent même un étrange acharnement, d'où l'intérêt matériel n'était pas exclu ! En voici deux exemples :

En 1310, trente-trois Templiers avaient été interrogés par la commission diocésaine de Nîmes. Ils étaient détenus à Alais. Quatre d'entre eux moururent en prison. Les vingt-neuf restants furent interrogés à nouveau, en 1311. On leur appliqua la torture. Ils avouèrent tout ce qu'on voulut : les reniements, l'idole, le démon sous forme de chat, etc. Ayant, selon le notaire qui rédigea le procès-verbal, subi « la question modérée », ils répondaient n'importe quoi, affirmant que le chat-démon leur accordait tout ce qu'ils demandaient, y compris des femmes-démones dont les frères usaient à volonté. D'autres affirmaient que l'idole était une tête parlante. Finalement, le 9 novembre 1312, on les contraignit à abjurer leur apostasie et leurs erreurs. Ils reçurent l'absolution. Toutefois, on ne sait ce qu'ils devinrent.

Bernard de Farges, neveu de Clément V, avait été démis (ou contraint de se démettre) de l'archevêché de Rouen : il s'y était distingué en envoyant au bûcher les Templiers de la commanderie de Pont-de-l'Arche. Il obtint en compensation (1311) l'archevêché de Narbonne, détenu jusque-là par Gilles Aycelin. Ce dernier recevait l'archevêché de Rouen, beaucoup plus riche, en récompense de son dévouement au roi et surtout des services qu'il avait rendus en tant que président de la commission pontificale. Bernard de Farges prétendit recommencer les procédures menées contre les Templiers de sa province. Il convoqua un concile provincial à Carpentras en septembre 1315. Il invita notamment l'évêque d'Elne à amener au concile les Templiers de son diocèse, afin de les juger. La commission diocésaine les avait reconnus innocents en 1309, mais ils n'avaient pas été soumis à la torture, l'évêque s'y étant opposé. Ce dernier se trouvant absent en 1315, ses vicaires étaient dans un grand embarras. Ils consultèrent le roi de Majorque qui répondit « que, le feu Pape Clément V l'ayant chargé de la garde de ces Templiers, il ne pouvait les remettre sans un ordre du Pape, son successeur ; que, si ces prisonniers devaient être punis des crimes dont ils étaient accusés, il lui appartenait de leur faire subir le supplice dans ses domaines, où ils les avaient commis, et de les faire juger par sa Cour ; mais que, de crainte que l'archevêque de Narbonne, l'évêque d'Elne, ou leurs officiaux, n'entreprissent quelque chose contre sa juridiction, ou qu'ils n'usassent d'excommunication ou d'interdit, il en appelait au Saint-Siège, ou au Pape futur ».

Cette ferme réponse sauva les Templiers du diocèse d'Elne.

II

LE CONCILE DE VIENNE

Par une bulle datée du 12 avril 1310, Clément V avait renvoyé l'ouverture du concile général au 1er octobre 1311. Ce concile siégea à Vienne, en Dauphiné, qui était ville d'Empire. Il se composait d'environ trois cents prélats venus de toute la chrétienté. Les Pères conciliaires disposaient, en théorie, d'instruments considérables :

– les procès-verbaux des enquêtes inquisitoriales de 1307 ;

– ceux des commissions diocésaines ;

– ceux des commissions pontificales provenant de tous les États où les Templiers possédaient des établissements : France, Angleterre, Allemagne, Aragon, Castille, Portugal, Italie, Chypre, etc.

Les documents de la commission pontificale de France étaient évidemment les plus importants par leur nombre et par leur cohérence. Cependant, il existait de graves discordances avec les rapports des commissions pontificales des autres royaumes. Il en allait de même des interrogatoires des commissions diocésaines. Selon les régions et les conjonctures, la culpabilité des Templiers apparaissait plus ou moins affirmée, voire incertaine. Cette disparité risquait d'égarer le jugement des Pères et, dans le doute, de les porter à l'indulgence. Or, Clément V voulait en finir, mais il espérait partager sa responsabilité avec une confortable majorité de prélats ! Il fit donc rédiger préalablement, par une commission réunie à Orange, un résumé de tous les procès-verbaux. Il va sans dire que ce mémoire était insincère, marqué par une partialité évidente. Ses rédacteurs n'avaient pris en compte que les aveux. Ils avaient passé sous silence les dénégations et les rétractations, l'attentat perpétré par l'archevêque de Sens comme l'emploi de la torture à ses divers degrés, les sévices de toutes sortes, les menaces, les promesses, le recours à la délation, les pressions des agents de Philippe le Bel et, en tout premier lieu, cette atteinte majeure aux droits de l'Église que constituait l'arrestation des Templiers. Pour les hommes de cette époque, les aveux extorqués par ces moyens ne pouvaient être que l'expression de la vérité. Tous les accusés avaient juré de dire la vérité pleine et entière en posant la main sur les Évangiles. S'ils finissaient par avouer dans les supplices, c'est qu'ils avaient menti, donc qu'ils s'étaient parjurés. Quant à ceux qui se rétractaient, c'est qu'ils retombaient dans les griffes du démon. Les auteurs du résumé étaient de ce fait persuadés d'exprimer la vérité, tout en se conformant aux désirs du pape. Peu leur importait l'engrenage dans lequel les malheureux Templiers étaient tombés ; ils ne méritaient même pas la compassion. Mais, si les Pères conciliaires étaient eux aussi de leur temps, ils savaient parfois lire entre les lignes.

La première session du concile s'ouvrit en définitive le 16 octobre, car il y avait des retardataires. Clément V prononça un noble discours sur le thème : « Les œuvres du Seigneur sont grandes dans l'assemblée des justes. » Peut-être voulait-il s'en persuader lui-même. En tout cas, ses paroles ne produisirent pas l'effet escompté. Il annonça qu'il avait réuni le concile pour trois causes :

– les erreurs énormes imputées aux Templiers ;
– les secours à porter à la Terre sainte ;
– la réformation des mœurs et de l'État ecclésiastiques.

Il était pour le moins contradictoire de prétendre « secourir » la Terre sainte qui n'existait plus, mais dont on projetait toujours la reconquête, et, en même temps, d'envisager la suppression du Temple, c'est-à-dire de la principale force militaire (avec les Hospitaliers) dont l'Église disposât ! Clément V omettait tout simplement d'informer les Pères conciliaires de ses négociations avec les ambassadeurs de Philippe le Bel. Le long marchandage avec Nogaret, Plaisians et les autres conseillers avait en effet abouti à un accord. Les envoyés royaux avaient accepté, au nom de leur maître, de renoncer au procès contre la mémoire de Boniface VIII, toutefois à une double condition. Clément V s'engageait à faire condamner l'Ordre du Temple par le concile général, et à effacer des registres pontificaux les bulles de Boniface VIII fulminées contre le roi de France. Accessoirement, il amnistiait et absolvait les auteurs de l'attentat d'Anagni. Excommunié depuis 1303, Nogaret réintégrait enfin la communauté chrétienne et n'était plus exclu des sacrements de l'Église. C'était sans doute une victoire pour Clément. Il sauvait la mémoire de Boniface et rendait ainsi un grand service à l'Église, car la condamnation de son prédécesseur aurait eu des conséquences désastreuses sur l'opinion. Quant aux Templiers, que le pape crût, ou non, à leurs erreurs, il les sacrifiait à un intérêt supérieur, quand il aurait pu les réformer. En admettant qu'ils aient, en partie, pratiqué le rite présumé sacrilège, ils n'étaient point les seuls dont les mœurs et coutumes appelaient une correction. D'ailleurs, le troisième point de l'ordre du jour portait précisément sur la réformation des mœurs et de l'État ecclésiastiques.

Clément V eut une première déconvenue. Peu après l'ouverture du concile, sept chevaliers du Temple se présentèrent pour défendre l'Ordre, ce qui était logique et même souhaitable si l'on voulait préserver au moins les apparences du droit. Ils annoncèrent, dit-on, que plus d'un millier de leurs frères rassemblés dans la région de Lyon appuyaient leur démarche. Nous sommes assez mal renseignés sur le déroulement et les travaux de ce concile, mais j'incline à croire que cette information était inexacte. En effet, les Templiers absous et réconciliés par les évêques se trouvaient dans l'incapacité légale de défendre l'Ordre, à moins de se rétracter et par conséquent d'être traités en relaps. Quant à ceux qui avaient nié, par quel mystère seraient-ils sortis des prisons où ils croupissaient, certains enchaînés à doubles fers ? Restaient évidemment les frères dont l'innocence avait été reconnue, ou qui n'avaient pas été formellement condamnés. Ils étaient en petit nombre, dispersés en plusieurs pays, et pouvaient à juste raison se demander quelles garanties leur seraient offertes et dans quelle mesure on les laisserait s'exprimer. Il s'en trouva pourtant sept ; il leur fallait une bonne dose d'héroïsme ou d'inconscience pour courir un risque pareil ! Clément V les fit jeter en prison. Puis, il s'empressa d'écrire à Philippe le Bel pour le prévenir de ce regrettable incident et l'inviter à prendre garde à sa personne. Il prétendait avoir fait arrêter les sept Templiers pour assurer sa sécurité personnelle. Ainsi, prenant prétexte d'une rébellion militaire improuvée et impossible, il supprimait les derniers défenseurs de l'Ordre.

Après cet exploit, il posa formellement la question de savoir si le Temple devait être défendu, ou non, avant d'être jugé. Les

Pères conciliaires avaient pris connaissance du dossier et leur opinion était faite. Chacun d'eux fut prié d'émettre son avis. À la stupéfaction de Clément V, une écrasante majorité se prononça pour le oui. Hormis trois Français et un Italien, tous les prélats d'Angleterre, d'Allemagne, d'Italie, d'Écosse, d'Irlande, d'Espagne et de France déclarèrent qu'ils estimaient nécessaire que le Temple fût défendu par ses représentants. Les archevêques de Sens, de Reims et de Rouen partageaient l'avis contraire avec le pape et les cardinaux du Sacré Collège. Ils eurent le front de prétendre que la défense du Temple était matériellement impossible, par la faute des Templiers eux-mêmes. N'avaient-ils pas refusé de constituer des procureurs auprès de la commission pontificale de Paris ? L'archevêque de Sens ne parla point du guet-apens du 12 mai dont il était l'auteur, de la disparition de Pierre de Bologne et de Renaud de Provins. Il oublia de dire que Guillaume de Chamborent et Bertrand de Sartiges avaient été mis dans l'impossibilité de poursuivre la défense de l'Ordre. L'archevêque de Rouen n'était autre, depuis le 13 mai 1311, que Gilles Aycelin : il avait présidé la commission pontificale de Paris ; il n'ignorait donc rien des conditions dans lesquelles les défenseurs du Temple avaient été réduits à l'impuissance. Il s'associa pourtant au vote de ses deux collègues.

Clément V aurait dû se conformer à l'avis des Pères conciliaires et leur proposer les mesures propres à assurer la défense du Temple, ce qui ne posait point de problèmes insurmontables. Il préféra gagner du temps, selon ses habitudes, et surtout écrire à son « cher fils le Roi de France ». Il venait d'essuyer un échec éventuellement lourd de conséquences pour l'un comme pour l'autre. En supposant que le Temple fût défendu, qu'il y eût donc un véritable procès, il apparaissait très douteux que l'Ordre fût condamné par le concile. Il y avait des divergences trop accusées entre les procès-verbaux et, surtout, on manquait de preuves tangibles, indiscutables pour se prononcer sur l'hérésie templière. Les défenseurs potentiels ne se feraient pas faute de dévoiler les dénis de droit et les abus de toutes sortes pour impressionner les Pères. Des groupes se formaient au sein du concile, dont l'hostilité à la suppression du Temple était manifeste. Les esprits libres, les âmes pieuses pouvaient malaisément souscrire aux complaisances du pape envers le roi de France, dont on apercevait qu'il était le vrai promoteur du procès. Le pardon accordé aux auteurs de l'attentat d'Anagni donnait aussi à réfléchir. Malgré les précautions que l'on avait prises, le marchandage au sujet de Boniface VIII avait filtré. Cette collusion du chef de la chrétienté avec un prince temporel, qui avait osé s'en prendre à un pontife jusqu'à tenter de le faire enlever, ne motivait pas en faveur de Clément V. On lui consentait les signes du respect et les convenances voulus par les usages, mais on ne l'estimait pas, ou plutôt on le jugeait à sa valeur. En pratiquant un népotisme éhonté, il s'était donné de solides partisans, mais créé, par son choix souvent douteux, des ennemis irréconciliables. Cependant c'était, par-dessus tout, sa faiblesse qui lui était reprochée. Beaucoup ignoraient qu'il était gravement malade et vivait ses dernières années. On mettait sur le compte de la paresse ses retraites forcées dans son ermitage de Malaucène, alors qu'il essayait de prolonger ses jours.

Philippe le Bel sentit le vent tourner. Il ne voulait pas que le Temple fût défendu, et pour cause ! Il recourut donc, une fois de plus, aux méthodes qui lui étaient chères : les états généraux. Par lettres, datées de Poissy le 30 décembre 1311, il convoqua les représentants du clergé, de la noblesse et du tiers état pour le 10 février 1312, à Lyon. Ce choix n'était pas innocent. Lyon n'est guère éloigné de Vienne. La « nation » allait délibérer dans une ville proche de celle où les Pères conciliaires débattaient. Quel était l'objet de la délibération ? La suppression pure et simple, sans procès, de l'Ordre du Temple. Il va sans dire que les représentants « supplièrent » le roi d'intervenir pour obtenir cette suppression. Il ne s'éleva pas une voix pour défendre les Templiers, ni même pour demander que les formes légales fussent respectées. Plaisians n'avait-il pas déclaré, en 1308 : « C'est conserver les formes juridiques que de ne pas les observer dans un pareil procès » ? Fort de l'approbation des états généraux, Philippe le Bel écrivit à Clément V (le 2 mars 1312) :

« Au Très Saint-Père dans le seigneur Clément, par la divine Providence, souverain pontife de la sacro-sainte Église romaine universelle, Philippe, par la même grâce Roi de France, en baisant ses bienheureux pieds.

Votre Béatitude a su qu'il nous a été donné d'entendre par des personnes dignes de foi qu'il ressort ou qu'il résulte de ce qu'on a trouvé dans les enquêtes faites contre les frères et l'Ordre de la milice du Temple de telles et si grandes hérésies et d'autres crimes si horribles et si détestables commis par eux que, pour ce motif, à juste titre, l'Ordre doit être supprimé. C'est pourquoi, brûlant de zèle pour la foi orthodoxe, et afin qu'une si grande injure faite au Christ ne reste pas impunie, nous supplions affectueusement, dévotement et humblement Votre Sainteté de vouloir bien supprimer l'Ordre susdit et créer un nouvel Ordre militaire et de lui attribuer, avec leurs droits, honneurs et charges, les biens du susdit Ordre, ou les biens qu'il avait et qu'il possédait à l'époque où son Maître, les précepteurs de France, d'outre-mer, de Normandie, de Poitou et d'Aquitaine et beaucoup d'autres frères furent arrêtés et détenus dans notre royaume en grand nombre, c'est-à-dire en l'an du Seigneur mil trois cent sept, ou bien de consentir à les transférer à un autre des anciens Ordres militaires, comme votre sainte circonspection le jugera avantageux à l'honneur de Dieu et au bien de la Terre sainte. Et assurément, Saint-Père, tout ce que vous ordonnerez à ce sujet, nous le tiendrons pour ratifié et agréable ; nous le recevrons et l'observerons dévotement dans notre royaume, et nous voulons, ordonnons et prescrivons que nos successeurs le respectent. Et nous le ferons, comme il nous appartient, observer par nos sujets, de telle sorte cependant que les biens en cause, avec les honneurs, droits et charges y attachés, subsistent intacts pour l'aide à la Terre sainte, conformément à l'ordonnance ci-dessus dite qui doit en être faite [1], les droits quelconques qui, avant l'arrestation , nous appartenaient à nous, aux prélats, aux barons, aux nobles et à tous autres de notre royaume restant saufs. »

Cette lettre, si dévote et respectueuse, avait été convenue. C'était une mise en demeure, mais acceptée par avance. Louis d'Évreux, frère du roi, Enguerrand de Marigny, Nogaret et Plaisians se trouvaient d'ores et déjà à Vienne, afin de veiller à la bonne application des instructions royales. Ils usaient et abusaient de leur influence. Ils se heurtèrent pourtant à un obstacle imprévu. La majorité du concile était défavorable à l'institution du nouvel Ordre militaire préconisée par Philippe le Bel. Malgré les assurances données par les envoyés du roi, peut-être en raison de leur insistance, les Pères se disaient que le « cher fils de France » mettrait la main, directement ou non, sur le nouvel Ordre doté avec les dépouilles du Temple.

L'embarras de Clément V était extrême et son inquiétude croissait de jour en jour. Après la réunion des états généraux, Philippe le Bel n'avait pas quitté Lyon pour regagner Paris. Tout au contraire, il annonçait son arrivée prochaine à Vienne. Il était donc urgent de trouver une solution. Mais laquelle ? Il s'avérait impossible de solliciter le suffrage des Pères quant à la suppression du Temple exigée par le roi et les états généraux, « pour la défense de la foi catholique ». C'était s'exposer à un nouvel échec malgré les manœuvres d'intimidation de Philippe le Bel et les pressions indiscrètes exercées par ses émissaires. Ce fut Guillaume Duranti, évêque de Mende, qui proposa le meilleur expédient : la suppression du Temple sans procès, sans débats, en vertu de la plénitude du pouvoir apostolique. Clément V y

1. C'est-à-dire la bulle pontificale portant suppression du Temple.

avait déjà songé ; d'ailleurs, il n'avait pas le choix. La suppression par voie de provision était la seule échappatoire, en dépit de son caractère injuste et plus encore du jugement qui serait porté par la postérité. Les cardinaux du Sacré Collège se chargèrent de trouver des précédents dans les archives du Saint-Siège. Car ce pape était de nature si mal assurée qu'il avait sans cesse besoin d'être consolé, rasséréné et conforté dans ses décisions. Clément V n'était pas un méchant homme. Son caractère l'inclinait même à la mansuétude. Il ne manquait point de hauteur d'esprit, mais il avait l'âme traversée de mortelles faiblesses. Il avait surtout besoin de calme et de paix. Malade, il avait hâte de se soigner. Il était impatient de se tirer des griffes de Philippe le Bel, tout en préservant les intérêts de l'Église. Ces palabres sans fin l'avaient épuisé. Désormais, le Temple n'était plus qu'une ruine. Quoi que l'on fît, on ne pouvait lui rendre vie, effacer le scandale. Il fallait consentir au sacrifice ultime, avoir le courage d'abolir d'un trait de plume deux siècles de grandeur et d'insigne dévouement. Clément V n'ignorait pas les critiques, souvent justifiées, dont tant d'établissements religieux faisaient l'objet. Le siècle de saint Louis avait jeté ses dernières lueurs ; le monde entrait dans une nouvelle période où la lumière enveloppée de ténèbres ne tarderait pas à s'éteindre, et d'abord dans le noble royaume de France ! Ce ne fut pas « sans amertume et sans douleur intime » (comme il le dit lui-même) que le pape prit sa décision. Il réunit un consistoire secret qui, par quatre voix sur cinq, approuva la cassation du Temple.

III

VOX IN EXCELSO

Philippe le Bel s'était installé dans le faubourg de Vienne appelé Sainte-Colombe et qui se trouvait en terre française. Son escorte ressemblait à une petite armée, périlleux voisinage ! Il s'était fait accompagner de son frère Louis d'Évreux, de ses trois fils (les futurs Louis X le Hutin, Philippe V le Long et Charles IV le Bel : en lesquels les Capétiens directs allaient s'éteindre dans l'espace d'une quinzaine d'années), d'Enguerrand de Marigny et autres conseillers royaux. Clément V n'avait pas d'illusions à se faire : le roi ne lâcherait pas prise avant d'avoir reçu pleine satisfaction ! Quant aux Pères conciliaires, la présence de Philippe le Bel et de ses soldats les mettait mal à l'aise.

Clément V avait décidé d'abolir le Temple de sa propre autorité, le 22 mars 1312. Encore fallait-il officialiser cette décision et surtout l'imposer au concile. Il ne s'agissait pas d'ailleurs de solliciter la participation des Pères, mais d'obtenir leur approbation tacite. La date de la seconde session conciliaire avait été fixée au 3 avril. Philippe le Bel avait été invité à la séance d'ouverture. Le protocole fut réglé avec soin ; il masquait l'odieuse comédie que l'on s'apprêtait à jouer dans la vieille cathédrale. Le pape trônait sur le siège le plus élevé, en face des Pères conciliaires et de la multitude des barons et des chevaliers venus de France. Philippe le Bel prit place à sa droite, mais sur un siège un peu plus bas.

La couronne au front, le manteau fleurdelisé sur les épaules, il regardait cette foule murmurante. Clément V prononça d'abord un discours sur le thème : « *Non resurgunt impii in judicio* » (Les impies ne se relèvent pas en jugement). Puis un clerc se leva et interdit à quiconque de prononcer un seul mot, sous peine d'excommunication. Alors Clément donna lecture de la bulle *Vox in excelso* prononçant la dissolution du Temple.

« ... Considérant la mauvaise réputation des Templiers, les soupçons et les accusations dont ils sont l'objet ; considérant la manière et la façon mystérieuses dont on est reçu dans cet Ordre, la conduite mauvaise et antichrétienne de beaucoup de ses membres ; considérant surtout le serment demandé à chacun d'eux de ne rien révéler sur cette admission et de ne jamais sortir de l'Ordre ; considérant que le scandale donné ne peut être réparé si l'Ordre subsiste ; considérant en outre le péril que courent la foi et les âmes, ainsi que les horribles forfaits d'un très grand nombre de membres de l'Ordre ; considérant enfin que, pour de moindres motifs, l'Église romaine a aboli d'autres Ordres célèbres, nous abolissons, non sans amertume et douleur intimes, non pas en vertu d'une sentence judiciaire, mais par manière de décision ou ordonnance apostolique, le susdit Ordre des Templiers avec toutes ses institutions... » [1]

Le pape évoquait les « forfaits » commis par un très grand nombre de Templiers ; pourtant il reconnaissait indirectement, mais très clairement, qu'il ne prononçait pas l'abolition à la suite d'une sentence judiciaire. Le Temple n'était pas condamné, car il n'y avait pas eu de procès, mais seulement des enquêtes préliminaires. Il était supprimé par voie de provision, sur la seule initiative et par la seule autorité du pape. Le concile général n'était pour rien dans cette décision. Il ne l'avait pas approuvée. La seule approbation que recueillit Clément V fut celle du silence. Il le voulut ainsi, interdisant par avance les protestations. Personne ne fut dupe. De surcroît, la présence de Philippe le Bel et de ses fils achevait de compromettre le pape. On lit sous la plume d'Alberico da Rosate : « Si l'Ordre, disait le pape Clément, ne peut être détruit *per viam justiciæ* (par voie de justice), qu'il le soit *per viam expedientiæ* (par un expédient), pour que notre cher fils le Roi de France ne soit pas scandalisé. »

La terrible partie d'échecs s'achevait donc sur une double victoire, celle du pape qui avait sauvé la mémoire de Boniface VIII et celle de Philippe le Bel qui obtenait enfin cette destruction du Temple qu'il poursuivait depuis si longtemps et qui était devenue pour lui presque une affaire d'honneur. Mais c'était aussi

1. Traduction R. Oursel.

une double défaite pour l'un et l'autre. Philippe le Bel n'avait pas obtenu la fondation d'un nouvel Ordre militaire à la tête duquel il aurait placé l'un de ses fils, pour mieux l'assujettir. Clément V en supprimant le Temple s'était plié à la volonté du roi, mais en même temps il avait préservé les biens des Templiers qui restaient acquis à l'Église. Cependant, il se privait d'une milice religieuse et perdait la face. Philippe venait de porter un coup décisif à la puissance du Saint-Siège. Quel pontife oserait désormais défier le roi de France ? Le rôle temporel de l'Église était anéanti. Philippe le Bel avait réussi là où Frédéric de Hohenstaufen et les autres empereurs allemands avaient successivement échoué. La fin du Temple est pour ainsi dire l'épisode décisif, par personnes interposées, de l'implacable lutte entre Rome et le Saint Empire. L'alliance traditionnelle entre les papes et les rois de France semblait plus étroite que jamais, mais ce n'était plus qu'une complicité douteuse. On comprend le désarroi de certains esprits et leur suspicion à l'égard de ce qui paraissait le plus respectable au monde : le pape et le roi de France. Mais le temps de la loyauté s'en allait...

Clément V se devait de clore la session conciliaire sur une note d'espérance. Il exhorta l'assistance à prendre la croix pour délivrer la Terre sainte, thème devenu classique et d'autant plus fréquent que personne n'avait la moindre envie de partir en croisade : il ne restait que les malheureux Templiers pour y croire, mais ils n'avaient plus d'existence légale, et les Hospitaliers qui venaient de s'installer à Rhodes. Ce fut l'occasion pour Clément d'octroyer à Philippe le Bel un décime pour six ans. Il ne restait plus qu'à régler le sort des biens du Temple et de la personne des Templiers. Par la bulle *Ad providam Christi Vicarii* (6 mai 1312), Clément V attribua les biens du Temple aux Hospitaliers. Il y rappelait qu'il avait dû, « fort à contrecœur et non sans amertume », décider la suppression de la milice du Temple de Jérusalem, non par sentence définitive, faute d'être en mesure juridiquement de la prononcer, mais par voie de provision et « avec l'approbation du Sacré Concile » ! Il interdisait en conséquence à quiconque de porter l'habit de Templier sous peine d'excommunication. Quant aux biens du Temple, pour éviter leur dilapidation alors qu'ils avaient été donnés pour la défense de la Terre sainte, il les octroyait à perpétuité à l'Hôpital de Saint-Jean de Jérusalem, « dont le Maître et les frères, en véritables athlètes de Dieu et au péril de la mort, se dévouent sans relâche à la défense de la foi dans les pays d'outre-mer ». Il chantait ensuite les louanges des Hospitaliers avec des accents qui n'étaient pas sans rappeler l'*Éloge de la nouvelle chevalerie* de saint Bernard, la beauté du style et la force de la pensée en moins :

« Nous donc qui, entre tous les lieux de la terre où l'observance monastique est en vigueur, avouons chérir cet Ordre de l'Hôpital dans la plénitude d'un amour sincère ; nous qui constatons qu'il ne cesse à l'évidence de s'exercer avec vigilance aux œuvres de miséricorde... Nous qui considérons pareillement que, plus s'augmentent la diligence du Maître et des frères de l'Hôpital, la ferveur de leurs âmes et leur vaillance à écarter les injures que reçoit Notre Rédempteur et à écraser les ennemis de Sa foi, plus facilement ils sont à même de supporter les charges d'un tel état... »

Charges qui consistaient à recevoir en pleine et perpétuelle propriété « la Maison chêvetaine de la Milice du Temple, ses commanderies, églises, chapelles, oratoires, cités, châteaux, villes, terres, granges, possessions et juridictions, rentes et droits, biens meubles et immeubles, sis outre-mer et en deçà, dans toutes les parties du monde : tels que l'Ordre du Temple, le Maître et les frères de cette Milice les possédaient au temps de leur arrestation dans le royaume de France, soit au mois d'octobre mil trois cent sept ». Les Hospitaliers bénéficiaient pour ces possessions de l'ensemble des privilèges et exemptions naguère accordés au Temple par l'Église, les princes et les seigneurs. Clément V précisait que cette rétrocession avait obtenu « l'approbation du Sacré Concile ». Les biens des Templiers en Aragon, en Castille, au Portugal et à Majorque avaient été réservés.

Ce même 6 mai 1312, le pape promulgua une autre bulle, *Considerantes dudum*, fixant le sort des ci-devant Templiers. Elle les divisait en deux catégories. Ceux qui avaient avoué et persisté dans leurs aveux seraient pensionnés ; ils pourraient entrer dans un monastère de leur choix ; on leur permettrait éventuellement de résider dans les anciennes maisons de l'Ordre. Les négateurs obstinés et les relaps seraient poursuivis et châtiés avec rigueur. Quant à Jacques de Molay et aux quatre dignitaires du Temple, ils étaient exclus de ces dispositions, le pape s'étant réservé leur jugement. Cette bulle assurait donc un « minimum vital » aux frères dépouillés des biens et des revenus de leur Ordre. Ils avaient perdu leur qualité de soldats du Christ, mais en raison de la profession qu'ils avaient prononcée en devenant Templiers, ils restaient moines aux yeux de l'Église. Il y avait là une contradiction de plus, car, ou bien leur réception avait été réellement sacrilège donc non valable, ou bien elle était valable, donc non sacrilège. Puisque le rite du reniement leur avait été pardonné, c'était donc qu'on ne le considérait pas comme un crime de lèse-majesté divine !

La dévolution des biens du Temple aux Hospitaliers ne dut pas combler les vœux de Philippe le Bel. Cependant, le 24 août 1312, il écrivit cette noble lettre à Clément V :

« Au Très Saint-Père en Notre-Seigneur le seigneur Clément, par la divine Providence souverain pontife de la sacro-sainte Église romaine et universelle, Philippe, par la même grâce Roi de France, en baisant ses bienheureux pieds.

Très Saint-Père, attendu que naguère, au concile général de Vienne, Votre Sainteté a pris soin, à cause des hérésies, des énormités et des crimes découverts chez les frères de l'ancien Ordre de la milice du Temple, d'exclure par une ordonnance et une disposition apostoliques ledit Ordre de la sainte Église de Dieu, comme inutile, odieux et abominable, d'en abolir le statut et le nom, et que nous avons consenti que Votre Béatitude, en transférant les biens de l'ancien Ordre du Temple à un Ordre militaire nouveau ou à un ancien, en dispose selon ce qui paraîtra à Votre Sainteté utile à Dieu et à l'aide de la Terre sainte ; attendu que la décision finale de Votre Sainteté, prise avec notre assentiment, a consisté en ceci, que les biens dudit Ordre, avec les honneurs et les charges y attachés, soient, par une ordonnance apostolique, transférés aux frères et à l'Ordre de Saint-Jean de Jérusalem pour le service de la Terre sainte, à qui ils avaient d'abord été destinés, de même que les biens de l'Ordre de l'Hôpital lui-même ; considérant que ces biens, pour autant qu'ils sont situés dans notre royaume, se trouvent placés sous notre garde et sous notre protection spéciale et que le droit de patronat médiat et immédiat sur eux nous appartient pleinement, comme on le sait ; nous donc, ainsi qu'il nous appartient, nous avons été amené, avec les prélats réunis au concile, à donner notre consentement à votre décision, parce que Votre Sainteté avait disposé et établi que ledit Ordre de l'Hôpital serait régularisé et réformé par le siège apostolique tant dans son chef que dans ses membres et qu'il serait rendu acceptable à Dieu et aux personnes ecclésiastiques et laïques, et non pas dangereux, mais aussi utile que possible à l'aide à la Terre sainte, et qu'on prendrait même, au sujet de tous ces biens, des précautions et des dispositions, après avoir récupéré tous ceux qui, appartenant aux deux Ordres, ont été aliénés, pour que les fruits, produits et revenus des biens de l'un et l'autre de ces Ordres, déduction faite des dépenses nécessaires à leur garde et à leur administration, soient affectés fidèlement et intégralement au service et à l'aide susdits, et ainsi que Votre Sainteté, avec l'approbation du sacré concile, l'a ordonné et en a publié l'ordre au cours de ce concile. Nous acceptons donc la disposition, l'ordonnance et le transfert susdits et nous y donnons notre consentement, sous réserve que tous les droits sur ces biens nous appartenant à nous, aux prélats, aux barons, aux nobles et aux autres personnes quelconques de notre royaume, soient saufs à toujours. »

Cette lettre, pesamment juridique, est importante et pour plusieurs raisons. Philippe le Bel insistait fort sur l'« assentiment » qu'il avait donné au pape relativement à la dévolution des biens de l'ancien Ordre du Temple à un Ordre militaire nouveau, à défaut à l'Ordre de l'Hôpital. On perçoit toutefois qu'il a renoncé de mauvais gré à la fondation du nouvel Ordre militaire, lequel eût, selon lui, absorbé les Hospitaliers. Ce n'est pas ici une vue de l'esprit. Les Hospitaliers étaient suspects aux yeux de Philippe le Bel. Il rappelait clairement à Clément V son engagement de régulariser et de réformer l'Ordre de l'Hôpital « tant dans son chef que dans ses membres », pour le rendre acceptable à Dieu et utile à la Terre sainte. C'est donc qu'il le considérait comme aussi inutile et dangereux que le Temple. Connaissant la mollesse et l'indécision de Clément, il projetait sans doute de se substituer à lui, une seconde fois, pour détruire l'Hôpital. Il savait parfaitement que le pape ajournerait indéfiniment la réforme projetée, qu'il ferait le gros dos et la sourde oreille, multipliant les promesses pour gagner du temps. Cette menace redoutable pesait donc sur les Hospitaliers. Il n'eût pas été difficile d'élaborer contre eux un « questionnaire » analogue à celui des Templiers. Mais la mort du roi les sauva de la déconfiture et de la honte ; ils purent poursuivre l'occupation de Rhodes et la lutte contre les musulmans.

On aura aussi remarqué les expresses réserves que Philippe le Bel renouvelait au sujet des frais de garde et de gestion des possessions templières et sur les droits détenus par lui, par les nobles et bourgeois de son royaume. Eu égard aux imbrications féodales, la succession du Temple promettait d'être compliquée.

Elle le fut ! Les Hospitaliers eurent le plus grand mal à rentrer, partiellement d'ailleurs, en possession des biens du ci-devant Ordre. Le procès ayant duré cinq ans, nombre de princes et de personnes privées avaient mis ces biens au pillage, récupéré d'anciennes donations, usurpé les droits que leurs aïeux avaient concédés aux Templiers. Les rois, quant à eux, avaient assumé « la garde » des biens et leur hypothétique gestion. Ils en percevaient les confortables revenus, à charge pour eux de payer les frais d'emprisonnement et de nourriture des frères détenus : ils s'en acquittèrent avec parcimonie. Le produit de la vente des récoltes et du bétail des templeries agricoles, les rentes, les taxes qui permettaient jadis de financer les opérations en Terre sainte et la défense des châteaux, tombaient dans leurs caisses. Ils avaient plus ou moins revendiqué la possession de ces biens et voyaient d'un très mauvais œil leur transfert aux Hospitaliers. Comme toujours, il y eut des accommodements, c'est-à-dire des partages et des cotes mal taillées. La papauté s'était réservé le droit de disposer de ces biens et, somme toute, c'était à bon droit qu'elle les avait dévolus à l'Hôpital, établissement religieux ; mais les coups de boutoir de Philippe le Bel l'avaient mise à genoux et elle n'était plus capable d'imposer unilatéralement sa volonté. Il lui fallait désormais transiger, et d'autant plus que son absence de Rome ajoutait à son discrédit.

D'ailleurs, comme on pouvait s'y attendre, Clément V donna le mauvais exemple. Il conserva en pleine propriété (pour l'Église) les templeries de l'État pontifical. Il partagea avec Charles II celles qui se trouvaient dans le royaume de Naples, vassal du Saint-Siège. Il consentit des avantages à peu près identiques au roi de Sicile dont il n'était pas suzerain. En Espagne, il se heurtait au refus des rois d'Aragon, de Majorque, de Castille et du Portugal. Les uns et les autres avaient confisqué les forteresses et les domaines templiers ; ils n'acceptaient nullement de s'en dessaisir pour enrichir l'Ordre de l'Hôpital. De plus, il y avait déjà dans leurs royaumes respectifs des Ordres nationaux qui les aidaient à combattre les Maures. Ce n'était pas à la reconquête de la Terre sainte qu'ils pensaient, mais à celle de la péninsule Ibérique. Les négociations traînèrent en longueur, retardées par la mort de Clément V. Elles n'aboutirent à un compromis qu'en 1317, sous le pontificat de son successeur Jean XXII (Jacques Duèse, précédemment évêque d'Avignon). Les biens des Templiers échurent à l'Ordre de Montesa qui venait d'être institué par le roi Jacques d'Aragon ; ceux de Castille, aux ordres de Santiago et de Calatrava, déjà existants ; ceux du Portugal à l'Ordre des Chevaliers du Christ, qui n'était autre que l'ancienne milice du Temple transformée pour la circonstance. On le voit, les positions adoptées par ces différents rois se rapprochaient fort de celles de Philippe le Bel. Deux d'entre eux avaient tout simplement créé des Ordres nouveaux. Tous entendaient disposer à titre personnel d'un Ordre militaire national qu'il leur était aisé de contrôler et dont la puissance ne risquait pas de leur porter ombrage ou d'infléchir leur ligne politique.

Le roi d'Angleterre, duc d'Aquitaine, avait tenté de faire un pas de plus. Puisant dans l'arsenal juridique de la féodalité – qui était commun à toute l'Europe –, arguant du fait que le Temple possédait de nombreuses seigneuries, il prétendit lui appliquer la règle : « Qui confisque les corps confisque les biens. » Le sénéchal d'Aquitaine déclarait en son nom : « Toute confiscation des biens du Temple pour cause d'hérésie, de lèse-majesté et de crime public profite au duc dans son duché. » Mais, étant vassal du roi de France pour l'Aquitaine, Édouard II se devait d'aligner sa position sur celle de Philippe le Bel. Quels que fussent la convoitise et les besoins d'argent de ce dernier, il ne pouvait ni ne voulait mettre la main sur les possessions templières, et cela malgré les conseils de plusieurs de ses légistes. Il tenait en effet, et par-dessus tout, à sauvegarder les apparences du droit ! Après avoir obtenu la destruction du Temple, il avait le ferme espoir de fonder, lui aussi, un Ordre national de moines armés, afin de l'utiliser à son profit. Il eût de la sorte paru irréprochable. Mais la manœuvre avait échoué par la faute du concile général !

Cela dit, et bien qu'il appliquât l'ordonnance de Clément, le roi rentra largement dans ses frais. En 1307, lors de l'arrestation des Templiers, il avait prescrit aux commissaires royaux de faire établir un inventaire des biens meubles et immeubles de chaque commanderie et de confier leur garde et leur gestion à d'honnêtes et riches personnes du pays, à charge pour elles de veiller à ce que les vignes et les terres fussent convenablement cultivées par le personnel domestique maintenu sur place. On peut supposer que, dans cette première phase du procès, il espérait fermement s'emparer des biens de l'Ordre et qu'il lui importait dès lors d'éviter les vols et les gaspillages. En 1308-1309, la situation avait évolué. Ce fut alors que, dans certaines commanderies, on assista à un pillage réglé. Dans la maison de Payns, par exemple, le syndic royal vendit non seulement les récoltes et les tonneaux de vin, mais les coupes de bois, les chevaux, le bétail, le matériel agricole (charrettes, charrues, harnais, petit outillage), les batteries de cuisine, les provisions, la literie, la lingerie et jusqu'aux ornements de la chapelle. Les domestiques, déjà réduits à la portion congrue, furent licenciés. En Cotentin, le moulin templier de Varcanville fut dépouillé de sa grande roue, de ses meules et des tuiles de son toit. La riche templerie de Coulommiers, dans la Brie, fut pareillement ruinée. Les syndics n'agissaient certes pas de leur seule initiative, si tout l'argent tiré de ces ventes ne parvenait pas toujours au roi ! En Languedoc, les terres en paréage étaient réoccupées par les coseigneurs qui s'en adjugeaient ainsi la pleine propriété. Il serait impossible de dénombrer les parcelles, les quartiers de forêts qui furent usurpés ou récupérés par les familles qui les avaient jadis donnés au Temple. Ce furent donc des domaines appauvris et parfois amputés de plusieurs centaines d'arpents, des maisons parfois réduites à l'état de coques vides qui furent remis aux Hospitaliers. Il leur fut nécessaire de racheter des grains, du bétail, du matériel pour remettre les domaines en état. Nécessaire aussi de remeubler les commanderies qu'ils entendaient conserver, car ils furent dans l'obligation d'en supprimer beaucoup. Encore durent-ils plaider pour tenter de recouvrer ce qui avait été usurpé. Ils durent aussi accepter des arrangements et vendre pour acquitter les dettes qu'ils avaient contractées ou qu'on leur réclamait souvent abusivement.

Philippe le Bel conserva le Temple de Paris, avec tout son mobilier. Il en fut de même des objets précieux saisis dans les commanderies, notamment des instruments du culte, vases sacrés, reliquaires, joyaux trouvés dans les chapelles et les oratoires de l'Ordre. Il s'adjugea la grande croix d'or des Templiers, relique insigne, enrichie de pierreries. Il en fut de même du numéraire en pièces d'or ou d'argent. Il perçut pendant cinq années pleines les revenus de toutes les templeries, les cens, les rentes, les tonlieux et autres taxes, outre le produit des ventes. Sans doute croyait-il le Temple beaucoup plus riche qu'il ne l'était en réalité et s'attendait-il à découvrir une énorme fortune. Mais une grande partie de l'argent liquide se trouvait à Chypre. Les traces des emprunts et des avances que le trésorier de Paris lui avait consentis, disparurent. Étant donné que le Trésor royal se trouvait en partie déposé dans la templerie parisienne, il était assez facile de falsifier la comptabilité. Et d'autant que les frères-comptables étaient en prison ou erraient de-ci de-là, absous et réconciliés. Les dettes particulières des princes de la famille royale furent gommées. Quelques-uns d'entre eux se prétendirent même créanciers de l'Ordre et s'employèrent à faire valoir des droits plus que contestables. Il en fut ainsi de Charles de Valois, toujours à court d'argent, toujours prêt à quémander et à procéder.

Philippe le Bel consentit, à regret, à mettre enfin les Hospitaliers en possession des biens du Temple, mais il ne les tint pas quittes. Il leur réclama en effet deux cent mille livres tournois, en dédommagement de ses frais de procès, de garde et de gestion des domaines. C'était une somme considérable. Les Hospitaliers s'engagèrent à la verser en trois fois. Ils ne purent obtenir la déduction des revenus perçus par le roi. Philippe le Bel mourut avant que l'affaire ne fût terminée. Elle rebondit sous les règnes de Louis X le Hutin et de Philippe V le Long, qui extorqua à l'Hôpital un supplément de 60 000 livres. Elle ne trouva sa conclusion que sous Charles IV le Bel, lequel renonça aux droits restant en suspens, moyennant une rente de douze cents livres. Les grands seigneurs, entraînés par Charles de Valois, ne furent pas en reste. Les Hospitaliers durent payer des droits d'amortissement, comme s'ils héritaient du Temple.

Bref, l'Hôpital sortait de cette opération couvert de dettes. Cependant, il ne faut rien exagérer. Une sage administration lui permit d'assainir une situation passablement embrouillée. Les biens qui lui venaient du Temple contribuèrent indubitablement à son essor.

IV

LE SUPPLICE DE JACQUES DE MOLAY

Il restait à régler le sort des quatre dignitaires de l'Ordre : le Maître Jacques de Molay, le Visiteur de France Hugues de Pairaud, Geoffroy de Gonneville, précepteur d'Aquitaine et de Poitou, et Geoffroy de Charnay, précepteur de Normandie. Le pape s'était réservé leur cas. En quoi d'ailleurs la procédure canonique se trouvait une fois de plus déviée. On se rappelle qu'en 1308 ces dignitaires se trouvaient, prétendument malades, retenus à Chinon, cependant que Clément V, désireux de les interroger, séjournait lui-même à Poitiers. Il avait alors délégué ses pouvoirs à trois cardinaux, Bérenger Frédol, Étienne de Suisy et Landolf Brancaccio, les deux premiers étant d'ailleurs des familiers du roi. Ceux-ci se rendirent à Chinon et firent comparaître les quatre dignitaires, toutefois en présence de Nogaret et de Plaisians. Molay et ses compagnons reconnurent pour vraies les accusations imputées au Temple. En foi de quoi, les trois cardinaux les avaient absous et réconciliés, au nom du pape ; à leur demande, ils leur avaient même rendu les sacrements. Depuis cette date, les dignitaires n'avaient en rien rétracté leurs aveux, même devant la commission pontificale, où leur attitude avait été pour le moins décevante. Ils se rangeaient donc, indubitablement, dans la catégorie des absous et réconciliés, dont la bulle du 6 mai 1312 (*Considerantes dudum*) prévoyait qu'ils devaient être traités avec miséricorde, c'est-à-dire se voir infliger des pénitences légères et être pensionnés. On se demande pourquoi le pape excepta les dignitaires de ces mesures. Sans doute pouvait-on considérer que leur responsabilité était plus lourde que celle des simples chevaliers et sergents. Ils auraient pu à ce titre entraver la marche du procès, mais ils s'en étaient prudemment abstenus. Qui plus est, en accumulant les erreurs stratégiques, en s'en tenant à un système de défense inadapté à la situation, ils avaient plutôt coopéré à la perte de l'Ordre qu'à sa sauvegarde. Clément V avait donc toutes les raisons de les épargner. Mais il lui fallait complaire à Philippe le Bel ! Le jugement des dignitaires n'était donc qu'une concession de plus du faible pape à un monarque redouté. En supposant qu'on leur ait rendu la liberté, ils étaient, le Maître comme ses lieutenants, bien incapables d'entreprendre quoi que ce fût pour restaurer le Temple, à Chypre ou ailleurs ! L'eussent-ils voulu qu'ils n'auraient point trouvé d'adhérents. Les réconciliés, trop heureux d'avoir sauvé leur vie et d'être enfin relâchés par les gens du roi, n'étaient guère disposés à courir l'aventure. Les plus valeureux parmi les Templiers étaient morts sur les bûchers ou moisissaient dans des geôles infectes. Les uns comme les autres, du haut en bas de la hiérarchie, avaient été broyés par la machine inquisitoriale.

Molay et ses compagnons se survivaient misérablement, enfermés dans ce silence qu'ils avaient eux-mêmes choisi et qui avait tellement facilité la destruction de leur Ordre. Cependant, ils gardaient, semble-t-il, espoir de s'en tirer à bon compte. Ils ne se souvenaient que trop des promesses de Nogaret et de Plaisians leur garantissant la miséricorde royale. Molay s'obstinait à penser que le pape seul était juge souverain du Temple. Il conservait une confiance aveugle dans Clément V, malgré ses trahisons et ses abandons successifs. Il ne comprenait pas encore que les Templiers avaient servi d'enjeu dans la rude partie qui opposait, depuis Boniface VIII, le Saint-Siège à Philippe le Bel. La haute politique, les notions de raison d'État et d'intérêts supérieurs passaient au-dessus de sa tête de vieux soldat. La suppression du Temple par provision, la dévolution de ses biens à l'Hôpital ne lui avaient même pas ouvert les yeux ! Comme un seigneur féodal, il attendait justice de son suzerain et ne songeait pas à dénoncer son hommage. Tout au contraire, il faisait toujours fond sur sa bienveillance et ne manifestait aucune crainte. Il attendait toutefois impatiemment d'être convoqué par Clément V, de pouvoir enfin lui parler à cœur ouvert, comme s'il s'agissait de plaider la cause du Temple, de rouvrir le dossier du procès !

Il est vrai que le pape aurait dû normalement consentir à l'entendre une dernière fois, seul ou en présence du Sacré Collège. Le Maître avait certainement des révélations capitales à faire. Clément ne voulait pas les connaître, peut-être pour s'éviter des remords. Le cancer qui le rongeait faisait des progrès rapides ; les crises qui le secouaient et l'affaiblissaient de semaine en semaine, étaient de plus en plus fréquentes et aiguës. Il n'aspirait plus qu'au repos. Pour en finir avec les dignitaires du Temple, il nomma, le 22 décembre 1313, une commission de trois cardinaux ; Nicolas de Fréouville, Armand d'Auch et Arnaud Novelli, tous dévoués à Philippe le Bel. Ces trois prélats se rendirent à Paris et s'adjoignirent plusieurs évêques et docteurs en théologie, parmi lesquels Philippe de Marigny. On s'efforçait, comme toujours, de préserver les apparences !

Les quatre prisonniers furent extraits du donjon de Gisors et comparurent devant cette commission. Ils avouèrent « les crimes dont ils étaient chargés » et persévérèrent dans ces aveux sans la moindre réserve (du moins selon la chronique de Guillaume de Nangis). On leur signifia que, le lendemain, ils devraient confirmer solennellement et publiquement « leurs aveux », après quoi, ils connaîtraient la sentence prononcée contre eux au nom de Clément V. Ils crurent naïvement que leur docilité aurait sa récompense et que la peine serait légère : quelque pénitence canonique analogue à celles que l'on infligeait aux réconciliés, par exemple un pèlerinage outre-mer ! Jacques de Molay en était persuadé. Il avait eu rang de prince de l'Église, en tant que Maître souverain du Temple. Il estimait que l'on en tiendrait compte et que l'on n'oserait pas le condamner, oubliant qu'en 1307 on avait « osé » le jeter en prison sans aucun ménagement. Il se disait que les envoyés de Clément V ne pouvaient avoir partie liée avec les gens du roi. Il croyait qu'ils ne lui voulaient aucun mal. De plus, n'avait-il pas accédé à leurs désirs en répétant ses précédents aveux, bien qu'il lui en coûtât ? Jusqu'à son dernier jour, ce malheureux Maître se laissera égarer par sa bonne foi, par sa conception, désormais périmée, de l'honneur.

« Après mûre délibération », la commission pontificale arrêta sa sentence contre les dignitaires – la même pour tous les quatre – et prit ses dispositions pour la cérémonie du lendemain. S'agissant du Maître et de ses lieutenants, il convenait en effet de régler une mise en scène de nature à frapper l'opinion. La condamnation de Jacques de Molay devait être le dernier acte de la tragédie du Temple et de son histoire !

Le peuple de Paris était bon public, et même friand de ces grands spectacles : la déchéance d'un grand personnage, le supplice d'un criminel le consolaient de ses misères. Un échafaud fut dressé sur le parvis de Notre-Dame. On le décora de tentures et d'insignes religieux. On le meubla de sièges et de porte-flambeaux. Les cardinaux espéraient que Jacques de Molay allait se déshonorer une fois encore et, qu'après cette cérémonie expiatoire, le Temple tomberait dans l'oubli. Cet espoir fut déçu et, n'eût été leur présence d'esprit, les choses auraient mal tourné.

Le lendemain, qui était le lundi 18 mars 1314, la foule s'aggloméra dès l'aube autour de l'échafaud ; elle couvrit bientôt l'étendue du parvis. Toutes les fenêtres furent occupées. Des badauds s'étaient, comme à l'habitude, installés sur les toits. Les cardinaux et leurs assistants prirent place. On amena les quatre dignitaires dans leur tunique blanche. Leurs visages amaigris et pâles éveillèrent un mouvement de compassion. On ne pouvait croire que ces nobles hommes étaient coupables des crimes dont on les accusait. Mais enfin, ils allaient parler et l'on ne tarderait pas à connaître la vérité ! Or, Jacques de Molay et ses compagnons débitèrent la leçon bien apprise, dévidèrent leur écheveau d'infamies : hérésie, sodomie, reniement, etc. La pitié se changea soudain en réprobation. C'était donc cela l'Ordre du Temple, la fleur de toute chevalerie, le modèle absolu ? Bien plutôt l'antre de tous les démons, l'Ordre du diable ! Les fiers chevaliers étaient des hérétiques et des débauchés, cachant leurs crimes et leurs vices sous le manteau blanc, insultant la croix qu'ils portaient cousue sur la poitrine ! Leur orgueil insupportable était celui de Satan, leur vrai Maître ! Ils adoraient des idoles comme les païens des anciens temps ! Ils vendaient les chrétiens aux musulmans, comme ils avaient vendu la Terre sainte. Ils avaient trahi le bon saint Louis et livré Saint-Jean-d'Acre à l'ennemi ! Ce n'étaient pas les chevaliers du Christ, mais ses bourreaux.

Un cardinal lisait maintenant la sentence : Molay et les trois autres étaient condamnés à l'emmurement perpétuel. Certains applaudirent. Beaucoup murmurèrent, parce que la prison leur semblait un châtiment trop doux ; ils eussent voté une mort bien horrible, et longue, sous la main d'un bourreau expérimenté !...

On vit soudain Jacques de Molay se redresser. On comprit qu'il voulait à nouveau parler. Il se fit un silence. Une altercation opposait le Maître au légat du pape et à l'archevêque Philippe de Marigny. On entendit la voix tonnante de Molay, sa voix de chef enfin retrouvée ! Il rétractait ses aveux. Il clamait son innocence et celle de l'Ordre :

« ... Les hérésies et les péchés qu'on nous attribue ne sont pas vrais. La Règle du Temple est sainte, juste et catholique. Je suis bien digne de la mort et je m'offre à l'endurer, parce que j'ai fait précédemment des aveux, à cause de la peur des tourments, des cajoleries du Pape et du Roi de France... »

Un clerc, ou un soldat du prévôt, lui mit la main sur la bouche pour étouffer sa voix. Mais Geoffroy de Charnay prit la relève et, lui aussi, hurla que le Temple était innocent des crimes dont on l'accusait, que les aveux avaient été extorqués par la torture ou par les promesses... Les cardinaux étaient ébahis. Ils n'avaient pas prévu ce brutal revirement. La foule, toujours versatile, prenait le parti des Templiers et grondait. Les cardinaux s'empressèrent de disparaître, après avoir remis les quatre dignitaires aux mains du prévôt. Ce dernier emmena les prisonniers dans une chapelle de Notre-Dame, en attendant que la foule se calmât et se dispersât puisqu'il n'y avait plus rien à voir ! Rassérénés, les cardinaux décidèrent de renvoyer au lendemain l'examen des cas de Jacques de Molay et de Geoffroy de Charnay. Quant au Visiteur Hugues de Pairaud et à Geoffroy de Gonneville, la sentence prononcée contre eux avait un caractère définitif, du fait qu'ils n'avaient pas rétracté leurs aveux.

Philippe le Bel se divertissait dans le jardin de son palais, situé à l'autre extrémité de l'île de la Cité. On vint lui rendre compte de l'incident. Il interpréta les protestations du Maître du Temple et de Charnay comme un outrage personnel, comme un crime de lèse-majesté. Il eut, sur-le-champ, l'un de ces accès de colère froide qui terrifiaient ses victimes et le poussaient à agir sans réflexion Il appela ses conseillers laïcs et, après avoir pris leur avis pour la forme, décida que les deux coupables seraient brûlés le soir même comme relaps. Il donna aussitôt ses ordres pour que le bûcher fût préparé. Nul n'osa protester contre cet abus de pouvoir. Pourtant Philippe le Bel violait, une fois de plus, le droit canonique. Il se substituait à nouveau au pape en décrétant la peine de mort contre Molay et Charnay. Dans son impatience, il tenait pour nuls les pouvoirs délégués aux cardinaux. C'était en effet à ceux-ci qu'il appartenait de condamner éventuellement Molay et Charnay comme relaps, puis d'en appeler au bras séculier, en l'espèce le roi, pour l'exécution. Comme en 1307, le bras séculier mettait l'autorité religieuse devant le fait accompli.

Le soir même, Jacques de Molay et Geoffroy de Charnay furent conduits dans une petite île de la Seine proche du palais royal. Geoffroy de Paris, clerc du roi, assista à l'exécution : son témoignage est donc de première main. Il raconte que, devant le bûcher, Jacques de Molay se dépouilla lui-même de ses vêtements et apparut en chemise, le visage serein. On le lia au poteau. Il demanda qu'on le laissât joindre les mains pour faire son oraison. Il voulut aussi qu'on le tournât vers Notre-Dame : « En elle, disait la Règle du Temple, et en son honneur seront, s'il plaît à Dieu, la fin de nos vies et la fin de notre religion, quand il plaira à Dieu que ce soit ». Il plaisait à Dieu que le dernier Maître mourût par le feu ! Geoffroy de Charnay montra la même constance et la même piété. D'après un autre témoignage, le Maître eût crié, alors que les flammes commençaient à l'envelopper :

« Les corps sont au Roi de France, mais les âmes sont à Dieu ! »

Le ronflement du feu étouffa la voix des deux suppliciés. Leurs restes calcinés s'effondrèrent sur les braises. Philippe le Bel, les princes royaux, les conseillers et dignitaires de la couronne regardaient le spectacle. Tard dans la soirée, le feu continuait de rougeoyer, en présence d'une foule comme frappée de stupeur.

Le « véhément soupçon », inventé par Nogaret pour perdre les Templiers, se retourna contre Philippe le Bel et ses légistes. La mort admirable de Jacques de Molay et de Geoffroy de Charnay avait touché tous les cœurs généreux. « Il y avait grande bataille ! » écrit Geoffroy de Paris, ce qui veut dire que l'on disputait fort sur la culpabilité des Templiers. Beaucoup commençaient à se lasser des exactions du pouvoir, des ponctions fiscales répétées et toujours aggravées, des dévaluations, des abus de toutes sortes. Les affaires ne marchaient plus, gelées par le manque d'argent. On n'aimait plus le « biau roi » Philippe, moins encore ses chevaliers ès lois et surtout Enguerrand de Marigny, le premier d'entre eux. Le grand règne s'obscurcissait. Plus d'un flairaient l'orage qui menaçait le royaume. Les dévots interprétaient l'exécution de Molay comme un intersigne. Les intelligents ne croyaient plus aux crimes du Temple, s'ils avaient jamais été dupes des grossières inventions de Nogaret ! La noblesse, humiliée par la déchéance de cet Ordre aristocratique et féodal, s'agitait dangereusement ; elle ne tarderait pas à se liguer contre le pouvoir. Les humbles se souvenaient des cinquante-quatre Templiers brûlés entre la porte Saint-Antoine et le moulin de Paris, et qui, eux aussi, clamaient leur innocence en face du bûcher. À l'étranger, la réprobation fut unanime. Il n'est que de relire Villani, Dino Compagni, Boccace (dont le père se trouvait alors à Paris) et Dante pour s'en convaincre. Geoffroy de Paris écrivait, pour sa part, non sans prudence :

« ... Plusieurs au monde condamnés
Sont là-haut au ciel couronnés...
L'on peut bien décevoir l'Église,

Mais l'on ne peut en nulle guise
Dieu décevoir. Je n'en dis plus,
Qui voudra dire le surplus ? »

Les destructeurs du Temple disparurent dans les mois qui suivirent l'exécution de Jacques de Molay. Le pape Clément V mourut en effet le 20 avril 1314. Philippe le Bel tomba de cheval en chassant dans la forêt de Fontainebleau. La blessure était, semble-t-il, peu grave, mais elle s'infecta et il mourut de la gangrène, le 29 novembre 1314. Clément V avait cinquante ans et souffrait d'un cancer depuis des années. Sa mort n'avait rien que de naturel. Celle de Philippe le Bel ne présentait non plus rien d'exceptionnel : un cavalier vidant les étriers et faisant une mauvaise chute, des médecins incapables de cautériser une plaie banale. N'importe ! On vit un décret de la Providence dans ce double trépas. On prétendit qu'à l'instant d'être consumé par le feu, Jacques de Molay avait assigné le pape et le roi à comparaître devant Dieu dans le délai d'un an. On associa à cette malédiction Nogaret, qui était mort de maladie en avril 1313, et Enguerrand de Marigny qui fut sacrifié à la vindicte des barons et pendu le 30 avril 1315 au gibet de Montfaucon. La prétendue malédiction de Jacques de Molay ne fit que croître et embellir. Elle s'inscrivit dans notre mémoire collective. Elle est désormais indestructible, quoi qu'on puisse dire ; elle fait partie de notre patrimoine ! Michelet, qui fut pourtant un savant médiéviste mais n'était pas insensible aux légendes et aux dictons populaires, s'en fait même l'écho, quand il écrit dans son *Histoire de France* :

« Jacques de Molay les avait, dit-on, ajournés à un an pour comparaître devant Dieu. Clément partit le premier. Il avait peu auparavant vu en songe tout son palais en flammes. « Depuis, dit son biographe, il ne fut plus gai et ne dura guère. » Sept mois après, ce fut le tour de Philippe. Se crut-il secrètement frappé par la malédiction de Boniface ou du Grand Maître ? »

Quelle fut la destinée des Templiers après la mort de Jacques de Molay ? Il est impossible de répondre avec précision à cette question. Les traces qu'ils ont laissées sont rares et fortuites. Ceux qui avaient persévéré dans leurs aveux furent absous et réconciliés en application de la bulle *Considerantes dudum*. Il en fut de même de ceux que les conciles provinciaux reconnurent innocents, principalement à l'étranger. Ils se recasèrent comme ils le purent. Ils avaient d'ailleurs de quoi subsister, puisqu'ils recevaient en principe une pension, laquelle fut cependant diminuée ultérieurement dans certains cas (à partir de 1317). Cette pension était versée par l'Hôpital, qui la prélevait sur les revenus des anciens domaines du Temple. Par exception, certains Templiers furent autorisés à habiter leurs commanderies, comme ceux du Mas-Deu en Roussillon. D'autres retournèrent dans leurs familles, quand elles acceptaient de les héberger. D'autres préférèrent entrer dans l'Ordre de l'Hôpital, dans ceux de Montesa ou du Christ du Portugal. D'autres encore enfouissaient leurs regrets amers dans un monastère, délaissant l'épée pour la prière. D'autres enfin essayaient de trouver un métier, car personne ne voulait s'encombrer de leur personne. Quelques-uns, la tête perdue, rompirent leurs vœux et se marièrent, ou se firent chevaliers errants, soldats de mauvaise fortune, mercenaires anonymes, voire brigands. Et ceux-là, renonçant à ce qu'ils avaient été, ou voulu être, pendant des années, abdiquant la fierté templière, rongés par la colère et le désespoir, périrent obscurément au cours d'une rencontre, ou de misère dans les forêts, ayant pour dernier gîte une tanière abandonnée ou une caverne. Il y en avait qui, dans le secret de leur cœur, reprochaient à Dieu de les avoir abandonnés. Leurs plaintes muettes avaient la violence désespérée du poème *Ira et Dolor.* C'était sur Jérusalem qu'ils pleuraient et sur leurs rêves morts. Mais tous, qu'ils fussent dans une commanderie étrangère sous un nouvel habit, dans un couvent, dans le siècle ou au ban de la société, ne pouvaient s'empêcher de maudire ce roi de France envers lequel ils avaient montré tant de loyauté et ce pape qui les avait trahis.

Quant aux irréductibles, à ceux qui avaient refusé de nier, dépassant les souffrances physiques et morales, ou qui, saisis de honte, avaient rétracté leurs aveux, ils achevaient leurs jours en prison. Relaps, ils avaient échappé au bûcher par la miséricorde d'un évêque. Emmurés perpétuels, ils étaient parfois chargés de chaînes. Le supplice qu'ils subissaient au fil des jours s'avérait finalement plus redoutable que la mort par le feu. On retrouve parfois leurs noms épars dans les archives. Cependant, ici et là, ils ont laissé le témoignage de leur long calvaire. Certains graffiti de la tour du Coudray à Chinon peuvent leur être attribués, dont cette inscription bouleversante : « Je requiers à Dieu pardon ». Plus sûrement encore les graffiti relevés dans la tour de Domme en Périgord et étudiés par le chanoine Tonnelier. Gravés avec des clous pour ciseaux et des cailloux pour marteaux, ils représentent des scènes de la crucifixion, des croix en gloire, des christs en majesté, une épée soutenant la croix, une caricature de Clément V avec cette inscription vengeresse : « *Templi destructor Clemens* » (Clément destructeur du Temple). Ce sont, comme l'écrivit le chanoine Tonnelier, « des archives secrètes, restées secrètes depuis six cent cinquante ans » ! Il y avait encore des Templiers détenus à Domme en 1320. Leur charité chrétienne, leur humilité n'allaient pas jusqu'à pardonner à Clément V. Un à un, ils périrent sous ces voûtes, oubliés du monde, héros et martyrs anonymes.

Il en fut de même de Geoffroy de Gonneville et du Visiteur Hugues de Pairaud. Après la scène du parvis de Notre-Dame, ils disparurent à tout jamais. On ne sait où ni quand ils moururent. Il ne leur servit à rien de se taire après avoir pactisé avec leurs adversaires travestis en juges ecclésiastiques. On les ensevelit vivants au fond de quelque geôle, avec leurs remords.

V

L'ÉTRANGE SURVIE DU TEMPLE

Des cendres brûlantes de Jacques de Molay et de Geoffroy de Charnay le Temple prit un nouvel envol comme l'oiseau Phénix. Les martyrs ont une puissance irrésistible sur les esprits. Le bûcher de Jeanne d'Arc embrasa la France entière, impatiente de se libérer des occupants anglais. L'exécution de Louis XVI pérennisa l'antique lien entre les rois capétiens et leur peuple, au lieu de le trancher. Le bûcher du 18 mars 1314 n'a pas tué l'esprit templier ; il a suscité des milliers de continuateurs, fait l'objet d'hypothèses aussi hasardeuses qu'innombrables.

Il sied d'abord de rechercher quels furent les vrais continuateurs du Temple dans la période suivant la mort de Jacques de Molay. On peut considérer comme tels les Templiers qui s'agrégèrent aux Ordres de l'Hôpital, de Montesa et des Teutoniques. Les Règles auxquelles ils se soumettaient ne différaient pas substantiellement de la Règle templière qui les avait d'ailleurs inspirées. Leurs activités militaires, leurs obligations religieuses restaient identiques. Les plus authentiques continuateurs du Temple furent sans conteste les Chevaliers de la Milice du Christ du Portugal. On a vu plus haut que le roi Denis Ier avait refusé d'arrêter les Templiers. Les prenant résolument sous sa protection, il les maintint dans leurs commanderies et se porta caution de leur innocence. Par la suite, après six ans de négociations ardues, il obtint du pape Jean XXII, successeur de Clément V, l'autorisation de fonder un Ordre national qui reçut le nom de Milice du Christ : il serait plus exact d'écrire qu'il reprit le nom primitif de l'Ordre du Temple. La Règle, la hiérarchie furent maintenues telles quelles. L'habit ne fut même pas modifié, sauf qu'une petite croix blanche surchargea la croix rouge. Cependant, on adjoignit aux serments des nouveaux profès celui de servir fidèlement le roi du Portugal. Désormais soldats de la couronne, les Chevaliers du Christ combattirent vigoureusement les Maures et parvinrent à conquérir de vastes territoires en Afrique du Nord. Puis leur vocation maritime s'affirma. Ce fut sur des nefs aux voiles frappées de la croix templière que Vasco de Gama et d'autres hardis navigateurs portugais partirent à la découverte de l'Inde.

On peut admettre aussi que les Chevaliers du Saint-Sépulcre, dont la fondation précéda celle du Temple, perpétuèrent, dans une certaine mesure, l'esprit templier. À partir de là, on entre dans le domaine conjecturel, où l'on peut tout dire et n'importe quoi. Cependant ce domaine appartient à l'Histoire, celle des faits de société et des idées. La littérature, les sectes, les filiations templières ont connu une étonnante prospérité. Elles accréditèrent, pour le meilleur et pour le pire, le concept d'un mystère du Temple, l'existence d'un Temple secret, voire d'un Temple noir. Faut-il s'en plaindre ? Paradoxalement je répondrais non, puisqu'elles pérennisent à leur manière l'idéal templier et incitent à connaître la véritable histoire de l'Ordre. On a vu de la sorte plusieurs œuvres romanesques, dont certaines étaient très remarquables, donner le goût du Moyen Âge au public, éveiller même de véritables vocations de chercheurs. Il faut convenir que le Temple fait la partie belle à l'imagination. Sa chute retentissante, avec ce qu'elle recèle d'obscurité, a les accents de quelque Crépuscule des Dieux. On ne put jamais admettre qu'il eût cessé d'exister après la mort de Jacques de Molay. Une tradition tenace, et improuvée, veut qu'il eût survécu sous forme de secte ultra-secrète, fondée par des Templiers fugitifs prenant appui sur les anciens frères de métier. D'où les filiations innombrables qui furent établies, avec de pseudo-listes de Grands Maîtres. C'est ainsi que l'on a voulu voir dans les Templiers les prédécesseurs directs des Rosicruciens dont la secte fut fondée au début du XVe siècle par l'Allemand Christian Rosencreutz. Lorsque la franc-maçonnerie de rite écossais fut introduite en France par le chevalier Ramsay, ses adeptes se dotèrent d'une impressionnante généalogie. Selon eux, il avait existé des Templiers de haut rang initiés aux secrets d'Hiram, architecte du Temple de Salomon. Ils citaient en exemple Bertrand de Blanquefort qui eût été à la fois Grand Maître du Temple et de la franc-maçonnerie dans sa forme primitive. Le baron de Hund, haut dignitaire franc-maçon, adoptait une filiation plus modeste dans son essai *Du régime de la stricte observance.* Il prétendait que Jacques de Molay avait, avant d'être conduit au bûcher, désigné comme successeur Pierre d'Aumont, précepteur d'Auvergne. Ce dernier se serait enfui en Écosse, avec deux commandeurs et cinq chevaliers déguisés en ouvriers maçons pour échapper aux poursuites. Ils auraient reconstitué le Temple qui eût dès lors essaimé en Allemagne, en Italie et en Espagne. Le nouveau Grand Maître (Pierre d'Aumont) aurait aidé Robert Bruce à triompher d'Édouard II à Bannockburn. Il aurait fusionné ensuite avec les francs-maçons écossais. Cette romanesque histoire contenait pourtant une parcelle de vérité. Le précepteur d'Auvergne était en 1307 Humbert Blanc ; il avait réussi à s'enfuir en Angleterre, mais pour y subir de rudes interrogatoires et finir emmuré, de surcroît chargé de fers doubles ! D'autres francs-maçons adoptèrent une autre filiation, selon laquelle Jacques de Molay eût transmis ses secrets à un chevalier anglais, John Mark Larmenius. D'autres faisaient remonter la filiation du Temple bien avant 1118 et Hugues de Payns, et lui assignaient pour premier Grand Maître « Frère Jésus » (*sic !*). Pour les uns comme pour les autres, l'existence d'un Temple secret, au sein de l'Ordre légalement reconnu par le Saint-Siège, ne faisait aucun doute. En 1877, l'Allemand Merzdorf publia une brochure intitulée *Die Geheimstatuten des Ordens der Tempelherrn*, dans laquelle, à la suite de la Règle primitive et des Retraits, il produisait des statuts secrets prétendument relevés dans les archives du Vatican. Le professeur Prutz démontra que ces statuts étaient un faux de fabrication maçonnique.

En 1804, le Dr Fabré-Palaprat s'intitula soudain Grand Maître du Temple. Il se réclamait de la filiation Larmenius et excipait d'un testament de la main de Jacques de Molay lui-même, qui était bien entendu un faux. Il montrait la liste complète de ses prédécesseurs comptant plusieurs noms illustres, dont celui de Bertrand du Guesclin. Napoléon Ier fit semblant de croire à cette fable. Il autorisa Fabré-Palaprat à faire célébrer une messe à la mémoire de Jacques de Molay. Le 18 mars 1808, les Parisiens eurent la surprise de voir réapparaître les Templiers avec le nouveau Grand Maître. Ils étaient vêtus à la mode de l'époque, avec des hermines et des toques à aigrettes. Fabré-Palaprat portait gravement un sceptre surmonté d'un globe et de la croix du Temple. Un bataillon d'infanterie rendait les honneurs. Fabré-Palaprat était un commerçant avisé. Marchand de vanités, il vendait – fort cher – des titres ronflants mais imaginaires, de superbes diplômes scellés de son sceau et revêtus de son auguste signature ; il levait des cotisations proportionnées aux grades : les retardataires risquaient de « perdre la maison ». Les choses se gâtèrent un peu sous la Restauration. L'Ordre ne survécut pas à la mort de son fondateur.

Il existe actuellement en France, en Europe et en Amérique de nombreuses sectes néo-templières, généralement sous forme d'associations et, comme telles, ayant une existence parfaitement légale. Elles ont leur Règle, leurs rites, leurs cérémonies. Leurs fondateurs n'ont certes pas la cupidité de Fabré-Palaprat. Ils sont assurément de bonne foi en se réclamant du Temple. Sous la cape blanche à croix rouge, ils croient perpétuer l'esprit templier. Ils se réfèrent à un idéal. Il serait inéquitable de les tourner en dérision, car, en se réunissant de la sorte, ces néo-Templiers rendent indirectement hommage aux vieux chevaliers de Terre sainte et aux infortunés compagnons de Jacques de Molay. Ils maintiennent leur souvenir et contribuent en quelque sorte à réhabiliter le Temple. Certains d'entre eux mènent sans doute une quête intérieure qui mérite le respect. « Le Temple, écrit Albert Ollivier, a laissé un cas, mais non d'hérédité ». Il a toutefois laissé un message : sinon, comment expliquer l'attrait qu'il continue d'exercer ? Il me semble que l'héritage du Temple se trouve intact dans le cœur de ceux qui savent allier l'humilité et la grandeur, l'humanité à la fermeté de leurs convictions, et la courtoisie à la fierté d'être ce qu'ils sont. Ce qui revient à dire que ces « continuateurs » peuvent être nombreux, appartenir aux milieux les plus divers et même tout ignorer de l'histoire du Temple ! Il existe aussi des associations pieuses pratiquant la charité et veillant à promouvoir des valeurs culturelles, sans se référer à une quelconque doctrine ésotérique. Leur titulature de Chevalerie du Temple n'est en somme qu'une révérence envers l'Ordre aboli.

Il me faut bien inscrire dans la survie du Temple, ces sempiternelles courses au trésor qui défraient périodiquement la chronique. Assurés d'un plein succès, les médias ne se font pas faute de les exploiter. Elles répondent à ce goût du merveilleux et du mystère qui est de tous les temps et qui touche parfois les meilleurs esprits. Il suffit de saupoudrer les comptes rendus d'un peu d'ésotérisme, d'exhumer quelques crimes bien noirs, réels ou supposés, quelque récit où l'inexactitude le dispute à l'extravagance, pour combler les plus exigeants. Les malheureux Templiers de 1307 passaient pour beaucoup plus riches en numéraire qu'ils ne l'étaient, et l'on en sait les raisons. Philippe le Bel rêvait sans doute de mettre la main sur une fortune colossale, qui lui eût permis de renflouer son budget. Sa déception fut à la mesure de sa colère et de cette espèce de haine tenace qu'il montra envers les Templiers. Nos modernes chercheurs de trésors sont de nouveaux Philippe le Bel ; ils vont au-devant des mêmes déconvenues. Qui ne se souvient des campagnes de fouilles menées sous le donjon de Gisors ? Elles n'aboutirent à rien, sauf à ébranler l'infrastructure de ce remarquable monument. On se demande par quelle aberration on avait cru découvrir le trésor des Templiers dans le seul endroit où il ne pouvait être. Gisors était en effet une châtellenie royale, gardée par les gens du roi. En supposant que Jacques de Molay eût pressenti l'orage menaçant son Ordre, il n'aurait quand même pas envoyé ses coffres dans un château de Philippe le Bel !

Dans la mentalité collective, l'existence du fabuleux trésor est aussi indéracinable que la malédiction de 1314. La tradition veut que des barils d'or et d'argent eussent été évacués de la templerie-banque de Paris, quelques jours avant l'arrestation, et transportés sous des bottes de foin dans plusieurs grosses charrettes. Seuls divergent les itinéraires et les points d'arrivée : Gisors, La Rochelle, Arginy entre Saône et Beaujolais, etc. À grand renfort d'occultistes, de médiums, de pseudo-historiens, on creuse dans les salles basses, on ébranle les murs, on déblaie des souterrains et des puits, et l'on ne découvre jamais rien qui vaille. On déchiffre des inscriptions sans connaître la paléographie. On repère des signes que l'on qualifie aussitôt de cabalistiques. On ne tient aucun compte de la chronologie et l'on donne pour templières des constructions très postérieures à 1307. Certes, il n'est pas exclu que l'on ne puisse trouver quelques pièces de monnaie, de menus objets, des restes d'armes anciennes, mais les chances sont minimes de faire une vraie découverte. Il ne faut pas oublier que, lors de l'arrestation, les agents de Philippe le Bel dressèrent des inventaires minutieux et confisquèrent tout ce qui présentait une valeur quelconque : les objets précieux, y compris les instruments du culte, les armes en état de servir, l'argent et surtout les chartes. Ce qu'ils avaient oublié ne fut pas perdu pour les gestionnaires des commanderies. Ce furent des maisons vidées de leur contenu qu'ils remirent aux Hospitaliers. Il serait infiniment préférable que les chercheurs de trésors emploient leurs talents à restaurer celles des templeries qui peuvent encore être sauvées.

En Bretagne, berceau des Chevaliers de la Table ronde et terre des légendes, la tradition populaire tient enterrés je ne sais combien de barils d'or à proximité des templeries ! Ces trésors, dont on emplirait une charrette, sont visibles à minuit, mais gardés par des fantômes de Templiers l'épée au poing. Dans une sympathique monographie (sur les Templiers en Bretagne),

Michel Lascaux a recensé ces lieux hantés. Il est singulier que les Bretons de naguère aient associé dans leurs traditions les Templiers et les Hospitaliers sous la dénomination commune de « moines rouges », le rouge étant la couleur de la soubreveste des Chevaliers de Malte. Ces légendes ne sont pas à dédaigner ; elles forment un rameau insolite de l'histoire du Temple. Quelques-unes se fondent, comme il est fréquent, sur un fait historique. Les Bretons ont par exemple gardé mémoire des incidents qui marquèrent en certains endroits l'arrestation des Templiers. Il est parfaitement exact que, le 13 octobre 1307, les Nantais s'opposèrent par la force aux agents du roi confisquant les biens du Temple ; ils estimaient que ces biens revenaient à leur duc et non pas à Philippe le Bel. À Carentoir, on se souvient encore des Templiers massacrés sous un gros chêne, probablement parce qu'ils tentaient de fuir et se regroupèrent sous cet arbre pour résister à leurs poursuivants. Ailleurs, c'est un Templier fugitif et blessé qui s'effondre près d'un pailler et meurt au bout de trois jours sans pousser une plainte ni prononcer un seul mot.

Le plus souvent, c'est un commandeur qui surgit à cheval, brandissant une épée sanglante. L'homme et le cheval ne sont que deux squelettes. Quelquefois ce commandeur implore une messe pour le salut de son âme.

Mais il existe des légendes templières en d'autres provinces. La plus belle est sans doute celle d'un grand fantôme blanc demandant, à chaque anniversaire de la suppression du Temple :

– Qui veut délivrer le Saint-Sépulcre ?

– Personne, répond l'écho. Personne ! Le Temple est détruit.

VI

COUPABLE, NON COUPABLE

L'ultime protestation de Jacques de Molay rouvrait aussi le dossier du procès, en relançant la question : le Temple était-il coupable ou ne l'était-il pas ? Le Maître avait-il voulu laver son honneur de chevalier, se rédimer aux yeux de ses frères et à ses propres yeux, ou lançait-il délibérément, courageusement, un message à la postérité ? Livrait-il enfin la clef de l'énigme ?

Le moine-rédacteur des *Grandes Chroniques de France* n'avait pas d'état d'âme ; il écrivait l'histoire en service commandé. Il n'y avait pas l'ombre d'un doute dans sa studieuse cervelle. Les Templiers avaient été justement condamnés par le Saint-Père et par les juges ecclésiastiques parce qu'ils s'étaient reconnus coupables des crimes suivants :

« – Le premier article est celui du forfait, car ils ne croyaient pas fermement à Dieu. Quand ils faisaient un nouveau Templier, nul ne savait comment ils le recevaient ; on avait seulement vu qu'ils lui donnaient l'habit.

– Le second article : quand ce nouveau Templier avait revêtu l'habit de l'Ordre, il était emmené aussitôt dans une chambre obscure, reniait Dieu pour son malheur, piétinait la croix et sur sa douce figure crachait.

– Le troisième article : après cela, ils allaient tantôt adorer une fausse idole. Il est assuré que cette idole était une vieille peau d'homme embaumée et collée. Les Templiers mettaient en elle leur très laide foi. Elle avait au fond des orbites des escarboucles luisant comme la clarté du ciel. C'était leur dieu souverain. Chacun se fiait à elle de tout son cœur. Cette peau avait moitié de barbe au visage et l'autre au cul, ce qui est vile chose. On tient pour certain que le nouveau Templier devait lui rendre hommage comme à Dieu. Et tout ceci était fait par mépris de Notre-Seigneur Jésus-Christ notre Sauveur.

– Le quatrième article : ils reconnurent avoir trahi saint Louis dans les parties d'outre-mer, quand il fut pris et mis en prison. Ils trahirent aussi Acre, une cité d'outre-mer.

– Le cinquième article : si le peuple chrétien se fût en ce temps rendu outre-mer [1], ils avaient fait telle convention avec le sultan de Babylone que, par méchanceté, ils l'auraient livré.

– Le sixième article : ils reconnurent avoir volé le Roi, chose dommageable au royaume de France.

– Le septième article : ils reconnurent le péché d'hérésie et, dans leur hypocrisie, ils habitaient l'un avec l'autre charnellement. Pourquoi c'était merveille que Dieu souffrît de tels crimes et des félonies aussi détestables ! Mais Dieu souffre qu'ils soient faits.

– Le huitième article : quand un Templier mourait dans une idolâtrie bien confirmée, ils le faisaient brûler. Ils donnaient ses cendres à manger aux nouveaux Templiers. Ainsi tenaient-ils plus fermement leur croyance et leur idolâtrie, en mépris du vrai corps de Notre-Seigneur Jésus-Christ.

– Le neuvième article : quand un Templier avait ceint une courroie, qui était conservée dans leur mahomerie [2], il n'aurait pas abjuré son idolâtrie pour éviter la mort.

– Le dixième article : ils faisaient encore pis. Quand un enfant naissait d'un Templier et d'une pucelle, il était cuit et rôti au feu. Toute la graisse en était ôtée, pour oindre et sacrer leur idole.

– Le onzième article : ils ne peuvent tenir un enfant sur les fonts baptismaux, ni dormir dans la maison d'une femme enceinte, chose détestable à raconter.

Pour ces forfaits, crimes et félonies détestables, ils furent condamnés par le souverain évêque Pape Clément, plusieurs évêques, archevêques et cardinaux. »

Le même historiographe relatait ainsi la mort de Jacques de Molay et de Geoffroy de Charnay :

« En cet an aussi, au mois de mars, en temps de carême, le Maître général du Temple et un autre Grand Maître après lui

1. En croisade.
2. Synonyme de mosquée.

dans l'Ordre, que l'on disait Visiteur, à Paris, en l'île devant les Augustins, furent brûlés et leurs os ramenés en poudre. Mais ils ne reconnurent aucun de leurs forfaits. »

Pas un mot sur la véritable cause de l'exécution, ni sur la protestation de Molay ! Les onze articles repris ci-dessus étaient un condensé des cent vingt-sept articles du questionnaire, toutefois alourdis de ragots infâmes. Telles étaient la version officielle du procès des Templiers, l'image démoniaque que l'on dédiait à la postérité. Il fallait, coûte que coûte, assimiler les Templiers non seulement à des idolâtres, mais à des sorciers : d'où les poudres mêlées aux breuvages ou aux aliments des nouveaux Templiers, ainsi que le sacrifice des nouveau-nés, dont la graisse servait à oindre rituellement l'idole barbue !

L'accusation d'avoir trahi saint Louis pendant la croisade d'Égypte, l'insinuation selon laquelle il eût été capturé par leur faute, apparaît comme monstrueuse, quand on connaît l'hécatombe de Mansourah provoquée par l'impétuosité du comte d'Artois. Il en est de même de la prise de Saint-Jean-d'Acre, où périrent Guillaume de Beaujeu et cinq cents Templiers. L'accusation d'avoir vendu les croisés au sultan est plus sournoise. Elle reprend en quelque sorte les soupçons des croisés nouvellement débarqués en Terre sainte à l'égard des Poulains. Ceux-ci n'étaient pas éloignés de passer pour des traîtres parce qu'ils étaient dans l'obligation de temporiser, de négocier, de contracter des alliances momentanées avec certains de leurs adversaires. Cette accusation rappelait aussi l'humiliation publique, d'ailleurs inopportune, infligée par saint Louis aux Templiers coupables d'avoir traité à son insu avec le sultan de Damas. Au moment de l'arrestation, un bruit circulait dans le menu peuple, selon lequel les Templiers se seraient secrètement convertis à l'islam. La commission pontificale comme les commissions diocésaines abandonnèrent ce grief ne reposant sur rien, hormis des racontars, et contre lequel s'inscrivaient des événements historiques bien connus. Cela n'a pas empêché de brillants essayistes des XIXᵉ et XXᵉ siècles de reprendre et de développer ce thème de l'islamisation des Templiers. Ils tirent argument des rapports de voisinage, inévitables et justifiés, entre les Templiers et les émirs. Ils font des citations (généralement tronquées) de l'*Autobiographie* d'Usama afin de montrer leur tolérance appuyée, donc suspecte, envers les musulmans. Ils soulignent à plaisir de prétendues identités avec la secte des Assassins, ses couleurs et sa hiérarchie, les traités d'amitié avec le Vieux de la Montagne. En réalité, les Templiers faisaient feu de tout bois, de même que les rois de Jérusalem et leurs barons. Certains d'entre eux avaient appris l'arabe. Leurs effectifs étaient complétés par des Turcopoles recrutés en Syrie. Il est évident que les Templiers connaissaient assez bien la civilisation islamique et qu'ils avaient apprécié les avantages d'une bonne entente avec les autochtones : ce qui prouvait simplement leurs facultés d'adaptation et leur habileté, non pas leur collusion avec l'adversaire. Leur réputation de loyauté, de respect de la parole donnée, était telle qu'on les choisissait maintes fois pour arbitres ou comme garants. S'ils s'étaient convertis à l'islam, comment expliquer l'attitude de Saladin, le soir de Hattin, ordonnant de « purger la terre de ces deux Ordres immondes » (les Templiers et les Hospitaliers) ? Les décapitations systématiques après la reddition des villes et des forteresses ? Devenus musulmans, ou sympathisants de l'islam, les Templiers eussent conservé tout ou partie de leurs possessions après la perte de la Terre sainte. Or, ils moururent par milliers pour ne pas abjurer la foi chrétienne et perdirent jusqu'à leur dernier château. Cependant, quand il déposa devant la commission pontificale, Geoffroy de Gonneville déclara que le rite sacrilège des réceptions provenait d'un Maître qui avait été prisonnier du sultan. Ce Maître ne pouvait être que Gérard de Ridefort, capturé à Hattin et épargné par Saladin. On se demande comment Ridefort, au retour de sa captivité, aurait pu imposer le reniement et les crachats sur la croix au couvent : on l'eût immédiatement déposé ! D'ailleurs, il se fit tuer peu après pour sauver son honneur. L'allusion de Geoffroy de Gonneville semait le doute. Un doute qui, je le répète, attendit le XIXe siècle pour être exploité !

La possibilité d'une infiltration cathare retint davantage l'attention des enquêteurs. Ils s'efforcèrent de l'établir en posant des questions indirectes, mais très significatives pour eux. Tel est notamment l'objet du onzième article repris par le rédacteur des *Grandes Chroniques*. Les cathares, affirmant que la terre était le royaume du démon et les hommes d'anciens anges dérobés par lui, haïssaient la procréation, condamnaient le mariage et n'admettaient pas le baptême. Ils révéraient le Christ comme un intercesseur, non comme un rédempteur crucifié. Ils récusaient donc la présence réelle dans l'hostie et tous les sacrements de l'Église catholique. D'où les questions réitérées, insistantes et perfides des enquêteurs sur l'omission des paroles sacramentelles par les chapelains du Temple, sur l'interdiction du parrainage, sur celle d'approcher une femme. Il s'agissait pour eux d'assimiler les Templiers à des cathares et, par là, de prouver leur hérésie.

La Règle primitive énonçait dans son article 70 : « Périlleuse chose est compagnie de femme ; le diable ancien en a déjeté plusieurs du droit sentier du paradis par compagnie de femme. Que nulle dame ne soit reçue dans la maison du Temple. Pour cela, très chers frères, il ne convient pas d'adopter cet usage. Que la fleur de chasteté apparaisse de tout temps en vous. »

Il était strictement interdit de recevoir des sœurs templières : on relève cependant la trace de templières employées à la cuisine ou à l'infirmerie des commanderies, mais elles avaient passé l'âge des amours !

L'article 71 était encore plus net : « Nous croyons être périlleuse chose à toute religion de trop regarder face de femme. Et pour cela que nul d'entre vous n'ose baiser femme, ni veuve, ni pucelle, ni mère, ni sœur, ni tante, ni aucune autre femme. La chevalerie de Jérusalem doit fuir en toutes circonstances baisers de femme, par quoi les hommes se mettent maintes fois en péril, afin qu'ils puissent se conserver et se maintenir perpétuellement en pure conscience et sûre vie devant la face de Dieu. »

L'article 72 interdisait formellement les parrainages : « Nous ordonnons à tous les frères que nul d'entre eux ne soit dorénavant assez hardi de lever enfant des fonts (baptismaux). Qu'il n'ait honte de refuser compères ni commères, car cette honte amène plus de gloire que le péché. »

Les enquêteurs connaissaient la Règle et n'ignoraient pas qu'elle avait été jadis en partie rédigée, en tout cas amendée par saint Bernard, et approuvée par le concile de Troyes. Toutefois, il existait dans la traduction française de la Règle un article (12) qui contredisait la Règle primitive sur un point capital : « Là où vous apprendrez assemblée de chevaliers excommuniés, nous vous commandons d'aller. S'il y en a qui veulent entrer dans l'ordre de chevalerie des parties d'outre-mer, vous devez seulement considérer le profit temporel comme le salut éternel de leur âme. Nous posons comme condition à leur réception qu'ils aillent devant l'évêque de la province et lui fassent connaître leur proposition. Quand l'évêque les aura entendus et absous, qu'il en informe le Maître et les frères du Temple. Si la vie de l'impétrant est honnête et digne de leur compagnie, à ce qu'il semble au Maître et aux frères, qu'il soit miséricordieusement reçu. S'il advenait qu'il mourût entre-temps, que, pour l'angoisse et le mal qu'il a soufferts, lui soit accordé tout le bénéfice de la fraternité d'un des pauvres chevaliers du Temple. »

Article 13 : « En nulle autre manière les frères du Temple ne doivent avoir compagnie, ni recevoir les dons d'un homme manifestement excommunié. Cela, nous le défendons expressément, car il serait à craindre qu'ils soient excommuniés comme lui. Mais s'il lui est seulement interdit d'assister au service de Dieu, on peut le lui permettre par charité, avec la permission du commandeur. »

La Règle primitive ne parlait que de « *milites non excommunicatos* » (chevaliers non excommuniés). Il était donc logique de supposer que des chevaliers cathares, ou réputés tels, aient pu être admis au Temple et contaminer les frères. Toutefois, la Règle avait été établie un siècle avant la terrible croisade contre les Albigeois lancée par Innocent III. Les articles précités ne pouvaient avoir été introduits par des chevaliers hérétiques. De plus, si pendant la guerre des Albigeois il est prouvé que les Hospitaliers accueillirent assez libéralement les faidits [1], il semble que les Templiers du Languedoc, plus engagés dans la lutte contre le catharisme, se fussent montrés moins libéraux. S'ils reçurent quelques faidits, ceux-ci n'avaient pas adhéré à l'hérésie ou l'avaient abjurée et avaient reçu l'absolution des évêques.

Il fut impossible aux enquêteurs de démontrer l'infiltration cathare, en dépit des truquages de Nogaret. Les chapelains n'omettaient nullement les paroles sacramentelles. Les articles touchant aux femmes et à l'interdiction du parrainage s'expliquaient d'eux-mêmes par le souci d'éviter les tentations : il n'était certes pas facile d'imposer une chasteté absolue à tant de jeunes hommes vigoureux et bien nourris ! Il est quasi superflu de préciser que le filon cathare fut exhumé par les essayistes et inspira, surtout à notre époque, de nombreux ouvrages, certains fort brillants, mais nullement convaincants...

Les enquêteurs devaient trouver autre chose. Nogaret avait mis à leur disposition une abondante documentation, réunie, concoctée dans les conditions que l'on sait. On tenta de convaincre les Templiers d'idolâtrie, hérésie majeure et incontestable. Ils étaient censés révérer une idole, tout en affichant par hypocrisie les signes extérieurs du culte catholique. Quand on scrute les procès-verbaux d'interrogatoires, on constate que l'idole change comme à plaisir de forme et de nature. Tantôt c'est un visage cornu et ricanant, tantôt un visage barbu, tantôt une tête à quatre bras. Elle est en or, en argent, recouverte d'une peinture rougeâtre. On l'a vue jusqu'à sept fois, sur un autel, sur un banc. On l'a manipulée. Mais personne n'est capable de la décrire convenablement. Son aspect est si terrible que l'on baisse les yeux pour ne pas la voir. On se refuse en tout cas à l'adorer. On ignore ce qu'elle représente, ce qui est pour le moins surprenant. Un malheureux sergent dit qu'elle se nommait Baphomet, ce qui signifiait Mahomet en langue d'oc. Voici reparti le soupçon de conversion à l'islam ! Pour en avoir le cœur net, les enquêteurs demandent à voir les idoles conservées dans la templerie de Paris. Un fonctionnaire royal leur présente

1. Les seigneurs dépossédés par Simon de Montfort.

un reliquaire d'argent dont on tire le crâne d'une sainte. On dut convenir que les Templiers révéraient non pas des idoles païennes, mais des reliques. Quant à Baphomet, il ne pouvait représenter Mahomet, compte tenu de l'iconoclasme musulman. Il a cependant suscité des études passionnées, car le procès du Temple continue toujours dans le pittoresque affrontement des laudateurs et des contempteurs.

Puisqu'il s'avérait impossible de prouver l'hérésie des Templiers, au moins fallait-il les discréditer aux yeux de l'opinion et se rabattre pour cela sur des points de détail. On tenta d'établir qu'ils étaient perdus de mœurs en les accusant de sodomie généralisée, systématique. Après leur réception, on conseillait aux nouveaux Templiers de s'unir charnellement. On leur disait que le Maître le permettait. Ces étranges conseils étaient précédés de baisers sur la bouche et ailleurs, voire de baisers obscènes. Si une partie des Templiers « reconnut » avoir reçu ou donné ce conseil, tous (à l'exception de deux) protestèrent avec indignation contre l'accusation de sodomie. Il y a là une contradiction flagrante. Quant aux réponses concernant les baisers, elles sont si confuses et divergentes que l'on ne saurait y apporter le moindre crédit. En revanche, le baiser sur les lèvres était, comme on l'a dit, l'un des signes de l'hommage féodal.

Une autre question préoccupa la commission pontificale. Le Maître du Temple s'arrogeait-il le pouvoir d'absoudre les péchés ? En d'autres termes, usurpait-il la qualité de prêtre, alors qu'il n'avait pas été ordonné ? Cette question, visant plus directement la personne de Jacques de Molay, a été examinée plus haut ; je n'y reviendrai donc pas. Force fut pour les enquêteurs d'admettre qu'il s'agissait d'une accusation mensongère.

Les griefs tombaient ainsi un à un. Pourtant les commissaires gardaient en main un atout majeur, qui sera évoqué plus loin. De plus, il y avait tout de même les « confessions » de 1307, innombrables et quasi concordantes. Pour nous autres qui vivons au XXe siècle, elles sont dénuées de valeur. Les aveux des Templiers avaient été d'abord extorqués par les agents du roi, puis confirmés et souvent « améliorés » devant les inquisiteurs. Tous les moyens avaient été mis en œuvre pour les obtenir : les menaces de mort, les promesses, la peur de la torture, les tourments savamment gradués, la soif, la faim, le délabrement physique, la démoralisation, les manœuvres de prison, les fausses cédules, les mots d'ordre, les pressions de Nogaret et de ses comparses. L'engrenage qui avait happé les frères du Temple à l'aube du 13 octobre 1307 était si bien ajusté qu'il ne leur laissait pas d'issue honorable. Qui avait avoué ne pouvait se dédire sous peine de mort par le feu ou de prison à perpétuité. Le comportement de Jacques de Molay et des dignitaires de l'Ordre avait achevé de briser le courage des plus vaillants. En ce sens, la responsabilité du Maître est écrasante et sa mort héroïque ne rachète pas ses mauvais calculs. Mais encore une fois, ces considérations sont de notre temps. Pour les hommes du Moyen Âge, un aveu, qu'il fût spontané ou arraché par la torture, était l'expression même de la vérité. En sorte qu'aux yeux des membres de la commission pontificale, si l'Ordre du Temple paraissait exempt de certains griefs, les Templiers restaient individuellement coupables ou très suspects de l'être.

Entendons-nous bien. Il serait stupide de prétendre qu'au cours de la longue et tumultueuse histoire du Temple et lors de l'arrestation, il n'y ait pas eu de frères à la foi chancelante, hérétiques ou au bord de l'hérésie, influencés par l'islam ou par le catharisme, sodomites ou débauchés. Des frères au caractère indomptable, des rebelles, des hypocrites, de fieffés menteurs, des tyranneaux, et de pieux imbéciles parés du titre de commandeur. Des frères coupables de rébellion, de pugilats, de désertions. Tout cela se lit en filigrane dans la partie jurisprudentielle de la Règle. Si l'on sanctionnait les fautes, c'est donc qu'il y avait des coupables plus ou moins nombreux. Le Temple était une vaste institution de caractère international, rassemblant des éléments de toutes provenances. Les nécessités de la guerre provoquaient inévitablement un laxisme dans les recrutements. Il fallait de plus en plus de combattants pour défendre la Terre sainte et, malgré les recommandations de la Règle, on ne regardait pas de trop près à qui on avait affaire. Par la force des choses, des sujets douteux pouvaient entrer au Temple et méfaire avant d'être exclus. On a vu que Nogaret était parvenu à infiltrer des « taupes » afin d'utiliser ensuite leurs pseudo-témoignages. Assurément, même dans les périodes les plus glorieuses de l'Ordre, tous les Templiers n'étaient pas des saints ni des héros, *a fortiori* en 1307.

Les dépositions suivant l'arrestation, celles des années postérieures devant la commission pontificale et les commissions diocésaines mettent précisément en relief l'extrême diversité du milieu templier. Un abîme sépare les chevaliers et les sergents qui ont combattu en Terre sainte de ceux qui furent laboureurs, éleveurs, vignerons, gestionnaires de biens, percepteurs de tonlieux et autres taxes, ou comptables de la banque-templerie parisienne. Ils n'avaient pas tous la même conception de l'Ordre, le même sens de la hiérarchie, les mêmes qualités humaines et morales, la même ferveur. De nombreux Templiers avouèrent finalement pour tirer leur épingle du jeu ; quelques-uns pour assouvir de vieilles rancunes. On faisait état de racontars de la plus basse espèce, de plaisanteries grossières. Il apparaît aussi que l'idéal templier s'était quelque peu affaissé depuis la perte de Saint-Jean-d'Acre. L'Ordre se sclérosait faute de trouver un emploi correspondant à sa vocation première. Cependant, comme un étendard effrangé et d'autant plus cher, l'honneur d'appartenir à cet Ordre persistait, même chez les plus humbles. Ce n'était guère plus qu'une raison et une façon d'être, toutefois soutenues par l'espérance de reconquérir un jour Jérusalem.

La seule arme qui demeurait aux mains des enquêteurs était donc, en définitive, le reniement et les crachats sur la croix. À première vue, ce rite sacrilège paraissait incroyable. Comment concevoir en effet qu'après avoir imposé les trois vœux aux nouveaux Templiers et les avoir exhortés à se conformer strictement aux rigueurs d'une inflexible Règle, on exigeait d'eux ce reniement et ces crachats monstrueux ? Il y avait là une incompatibilité étonnante. Était-il possible que des fils de grands seigneurs se fussent pliés à ce rite sans alerter ensuite leur famille ? Que des chevaliers et des sergents assez portés vers Dieu pour consacrer leur vie à défendre Jérusalem n'eussent pas regimbé vigoureusement, et ne se fussent pas plaints ? Certes, ils avaient prêté serment d'obéissance et juré le secret. Mais comment se fait-il que rien n'eût transpiré, que les uns et les autres fussent restés murés dans cet incompréhensible silence ? Quelques-uns prétendirent qu'ils s'étaient confessés à des prêtres séculiers ou à des moines mineurs ou prêcheurs. On a peine à croire que ceux-ci, malgré le secret de la confession, n'en aient pas référé à leurs supérieurs. S'ils l'ont fait, on se demande pourquoi les autorités ecclésiastiques n'ont pas réagi. On s'étonne aussi que le Maître du Temple, renseigné par le Visiteur et les précepteurs, n'ait pas interdit ce rite, s'il était réellement pratiqué dans quelques maisons. Il est fort probable qu'il n'en fut informé qu'après son arrestation, ainsi que des autres infamies collectées par Nogaret. Il est non moins symptomatique que tous les Templiers qui ont avoué déclarèrent qu'après avoir opposé plus ou moins de résistance ils avaient renié Dieu ou le Christ « de bouche, non de cœur », et craché à côté de la croix, ce qui minimisait la portée de leur aveu. De même, ceux qui avaient reçu de nouveaux Templiers déclarèrent, pour la plupart, qu'ils procédaient « honnêtement » et n'appliquaient pas le rite. Ce qui donne à penser, sans grand risque d'erreur, qu'un mot d'ordre avait dû circuler, invitant les frères à ne pas récuser ce grief tout en le nuançant afin de préserver leur innocence individuelle. Ceux qui le diffusèrent, probablement par ordre de Jacques de Molay, ne se rendaient pas compte de la gravité de cette accusation. Peut-être d'ailleurs Molay et ses lieutenants tombaient-ils dans un piège ourdi par Nogaret. Par quelle aberration ne comprirent-ils pas que la défense du Temple serait dès lors inopérante ?

Les commissaires tentèrent de découvrir une explication, à défaut d'une justification acceptable. Ils voulurent savoir quand le rite sacrilège avait été institué, en quelles circonstances particulières et pour quel motif continuait-on à le pratiquer, alors que tous les Templiers le condamnaient. Les accusés furent incapables de répondre valablement. Nombre d'entre eux disaient :

– *Per stultitia !* (Par sottise !)

J'ai classé comme suit les autres réponses :

– Ce n'était qu'une farce et l'on n'y attachait pas d'importance.

– C'était une sorte de « bizutage », autrement dit un moment désagréable à passer, mais on ne s'en formalisait pas outre mesure [1].

– C'était ce qu'on appelle aujourd'hui un test pour apprécier la résistance des nouveaux Templiers, déterminer s'ils seraient « de bons champions outre-mer » ; si, capturés par les Sarrasins, ils abjureraient facilement leur foi.

– On éprouvait la docilité des profès qui venaient de jurer d'être « serfs et esclaves de la maison » et d'obéir ponctuellement à leur commandeur, quels que soient les ordres qu'il donnerait.

– C'était une humiliation analogue à la gifle que recevait le chevalier lors de son adoubement.

– On reniait le Christ, comme saint Pierre l'avait lui-même renié trois fois.

Peut-être existait-il un rite symbolique dont on avait perdu le sens profond – et dont les commentateurs de notre temps ont voulu faire un rite initiatique corroborant les thèses plus ou moins fantaisistes qu'ils développent. Il faut aussi tenir compte du fait que les grandes commanderies étaient aussi des casernes où la courtoisie et le langage suave ne régnaient pas nécessairement. On ne peut exclure les plaisanteries de corps de garde, les grossièretés, voire les baisers obscènes pour effaroucher les débutants, ni même, parfois, les incitations à l'homosexualité. Le rite se pratiquait de préférence dans des coins obscurs, le plus souvent dans des salles isolées.

Les versions varient à l'extrême, mais enfin les aveux surabondent. Ils ne laissent pas d'être impressionnants, même s'ils ne convainquent pas. On ne peut cependant oublier les protesta-

---

1. La réception des nouveaux profès donnait lieu chez les Hospitaliers à des réjouissances si burlesques qu'on les interdit.

tions d'une poignée de héros préférant la mort à la honte, ni l'indignation des Templiers rassemblés dans le verger de Notre-Dame et qui se croyaient sauvés. Étrange coïncidence, ces aveux proviennent essentiellement de Templiers français, surtout de ceux qui furent interrogés à Paris, où les bourreaux avaient de l'expérience ! Pour autant, on ne saurait affirmer que tous les aveux soient insincères. Certains détails tendent à prouver que le rite était effectif dans certaines maisons.

Il apparaît donc probable que certains pieux butors de commandeurs, se référant stupidement à une tradition dont ils ignoraient le sens, infligeaient cette épreuve aux nouveaux Templiers. L'application du rite dépendait de leur humeur. Il advenait parfois que de vieux durs-à-cuire, sergents ou autres, y voyaient un divertissement, en rajoutaient un peu, ou faisaient du zèle et proféraient alors de terribles menaces, allant jusqu'à dégainer leurs épées, surtout quand ils avaient affaire à un benêt. Mais il y avait aussi des mauvais sujets qui passaient la mesure. Quelquefois cela tournait mal. L'histoire de Geoffroy le Perdu en est probablement un exemple. Ce n'est pas ici forcément un signe de dégénérescence. Le tort des Templiers – si c'en est un – tenait principalement à leur manie du secret. Non pas le secret des chapitres, qui était et qui reste commun à toutes les congrégations, mais celui des réceptions. Les familles en étaient exclues et attendaient dehors la fin de la cérémonie. Ce goût du mystère éveillait les critiques, suscitait des commentaires, voire des gaillardises, et la malveillance faisait son chemin. Il contribua certainement à la mauvaise réputation des Templiers. De plus, il était inévitable que des profès fissent eux-mêmes des confidences ironiques ou déplacées pour scandaliser leurs auditeurs ou se moquer d'eux. Tous n'étaient pas des anges ! Or ce sont ces propos que Nogaret agença de main de maître, gonfla exagérément et interpréta dans leur sens le plus défavorable. Les juges ecclésiastiques emboîtèrent le pas. Nogaret leur fournissait, à défaut d'autre chose, un prétexte suffisant.

Je ne prétends certes pas imposer mon opinion au lecteur, ayant au contraire pour principe de le laisser juge après avoir exposé les faits et produit les documents utiles. Il me permettra cependant d'exprimer mon avis – en toute objectivité. Il me paraît certain que le Temple était innocent, en tant qu'Ordre et dans la très grande majorité de ses membres. L'enquête, minutieuse, de la commission pontificale montre qu'il n'y avait point de Règle secrète, point de Temple noir, point de collusion avec l'islam ni d'infiltration cathare. Aucune idole, aucun livre suspect ne fut trouvé dans les commanderies ni lors des inventaires de 1307 ni même pendant leur occupation par les gens du roi.

Aucune hérésie ne fut manifeste et prouvée. D'ailleurs, les Templiers n'entendaient strictement rien aux doctrines hérétiques. Ils ne connaissaient que la foi catholique, dans sa forme la plus élémentaire, la plus naïve. Ils remplissaient exactement leurs obligations religieuses. Il n'y avait dans leurs rangs ni penseurs ni philosophes. Ils se méfiaient même, à ce que rapporte l'un d'eux, des frères trop intellectuels. La plupart étaient illettrés, ou peu instruits : ce qui ne les distinguait en rien du milieu dont ils étaient issus ! Moines et soldats, on ne leur demandait que de se battre et de prier. La Règle déterminait leur emploi du temps. Ils n'avaient certes pas le loisir de poursuivre des rêveries métaphysiques ! Chevaliers et sergents, c'étaient finalement des humbles sous la fierté de leur attitude, sous leur orgueil même ! Les interrogatoires font ressortir leur mentalité. On leur imputait des intentions, un « machiavélisme » dont ils étaient incapables. Les procureurs qu'ils élurent pour défendre le Temple étaient lettrés ; pourtant, ils ne brillèrent pas par l'habileté et ne surent pas invoquer les arguments valables : il est vrai que leur situation était périlleuse. Jacques de Molay et les dignitaires, y compris l'énigmatique Visiteur de France, se laissèrent manœuvrer comme des enfants. Nogaret et Plaisians n'eurent pas grand mal à les convaincre d'adopter le plus mauvais système de défense : avouer tout ce qu'on exigeait d'eux, en attendant de plaider l'innocence de l'Ordre devant le pape. Or, comme il était aisé de le prévoir, ils ne purent jamais comparaître personnellement devant Clément V. Les frères, tenus par leur devoir d'obéissance, calquèrent leur attitude sur celle du Maître. L'erreur de Jacques de Molay était presque un crime.

Des accusations formulées contre le Temple et qui s'alourdirent d'infâmes ragots à mesure que le temps passait, que restait-il en définitive ? Ce rite abracadabrant, incompréhensible, incompris par ceux qui l'infligeaient, et par ceux qui s'y soumettaient, appliqué dans quelques maisons, non dans toutes, par des précepteurs un peu trop traditionalistes et sans ouverture d'esprit. Une coutume bizarre, sporadique, ne venant de nulle part et ne débouchant sur rien, n'attestant même pas une déviation quelconque de la foi et d'autant moins qu'il fallait ensuite se plier à de strictes observances religieuses, mener la vie d'un parfait chrétien et mourir éventuellement pour défendre la foi catholique ! Un symbole tombé en désuétude, une épreuve parfois assaisonnée de plaisanteries de corps de garde, voilà quelle était la seule faille du Temple, le défaut de l'armure. C'est là qu'il fut frappé. C'est de cela qu'il périt !

VII

LA VÉRITÉ DU TEMPLE

Aussi paradoxal que cela puisse paraître, la destruction du Temple fut occasionnelle. Philippe le Bel entendait poursuivre la politique amorcée sous le pontificat de Boniface VIII, c'est-à-dire continuer à battre en brèche l'autorité du Saint-Siège et ramener celle-ci au domaine spirituel. Il récusait, comme on a dit, le principe de l'*Imperium mundi*, la doctrine des deux glaives, invoquée par Innocent III et reprise malencontreusement par Boniface VIII. Pour annuler la prétention des papes à imposer leur arbitrage, il fallait leur en enlever les moyens. Ils disposaient, en principe, des Ordres militaires et religieux, représentant une force armée sans doute peu nombreuse, mais disciplinée, expérimentée et rapidement mobilisable. Non point que Philippe le Bel redoutât le moins du monde les Hospitaliers et les Templiers, mais il estimait anormal qu'ils fussent soumis à l'autorité exclusive du Saint-Siège. Préconisant leur fusion, il projetait de les contrôler, de façon ou d'autre. L'échec de ce projet détermina sa décision. Il ne détestait pas moins les Hospitaliers que les Templiers. Le hasard voulut que Floyran de Béziers entrât en contact avec des Templiers indignes, exclus de la maison, et qu'il cherchât à monnayer leurs soi-disant confidences. Il aurait pu tout aussi bien entrer en contact avec des Hospitaliers en rupture de ban : le résultat eût été exactement le même ! Floyran tenta de vendre ses prétendus renseignements au roi Jacques d'Aragon. Sa démarche échoua. Il eut plus de chance avec Nogaret, Méridional comme lui. Nogaret détestait les Templiers, pour des raisons restées obscures. Il saisit l'occasion. Perdre les Templiers, c'était peut-être pour lui assouvir quelque vindicte personnelle ; mais pour Philippe le Bel, c'était un prétexte inespéré pour rabaisser encore un peu plus l'autorité du Saint-Siège. Pourtant, le roi eût manqué son but sans la faiblesse de Clément V et le sombre génie de Nogaret. Ce dernier s'empressa de faire rechercher et interroger des Templiers déchus, des témoins peu recommandables. Il transforma des confessions suspectes en chefs d'accusation. Pris un à un, les griefs sont quasi dérisoires, en tout cas dénués de valeur. Regroupés ou grossis parfois jusqu'au ridicule, ils forment un dossier impressionnant. Ainsi, Nogaret parvint-il à transformer des racontars et des insinuations non fondées en scandale. Un scandale tellement énorme que le Temple ne pourrait jamais s'en relever, que son innocence fût ou non reconnue. Philippe le Bel, qui ne demandait que cela, se laissa convaincre. Le procès fut conduit de telle manière que la vérité, croyait-on, serait occultée à jamais.

L'historien en quête de cette vérité chemine dans l'obscurité. Il ne dispose que de cartes savamment brouillées par Nogaret et Plaisians. Certains aveux le déconcertent ; il doit en déceler la raison, les replacer dans leur contexte exact et surtout écarter les supputations hasardeuses. La vérité, dans toute cette affaire, les contemporains de Philippe le Bel l'avaient entrevue, du moins les plus intelligents d'entre eux. Le cistercien et théologien Jacques de Thérines, qui assista au concile de Vienne, écrivait : « ... Si cela est vrai, et si cela est vrai pour tous, comment se fait-il que, dans les conciles provinciaux de Sens et de Reims, beaucoup de Templiers se soient laissé volontairement brûler, en rétractant leurs premiers aveux, alors qu'ils savaient pouvoir échapper au supplice en renouvelant simplement ces aveux ? Voilà ce qui induit bien des gens, de part et d'autre, à concevoir des doutes... Autre chose : depuis l'ouverture du concile général, les résultats des enquêtes faites en divers royaumes ont été lus publiquement dans la cathédrale de Vienne ; or, sur beaucoup de points, ils sont contradictoires »[1].

C'est effectivement dans cette direction qu'il faut chercher la vérité. Ce qu'était le véritable esprit du Temple, il faut le demander, non pas à ceux qui redoutaient de perdre la vie ou ne pouvaient supporter les tortures, mais aux brûlés de la porte

1. Cité par Alain Demurger (cf. Bibliographie)

Saint-Antoine, de Senlis, de Carcassonne, de la petite île sur la Seine, à ceux qui – plus de cent peut-être – moururent dans les supplices et aux emmurés perpétuels. Leurs protestations, leurs plaintes, le message de leurs graffiti ont infiniment plus de poids que les aveux. Ils rendent un autre son. Ils percent le voile épais sous lequel on voulut ensevelir la vérité.

L'esprit du Temple, intact malgré les revers et l'échec final de Tortose, on le retrouve aussi chez ceux dont l'innocence fut reconnue, en Allemagne, comme en Italie ou en Espagne, partout où la torture ne fut pas appliquée, où les Templiers purent s'exprimer librement. L'interrogatoire des frères du Mas-Deu en atteste. La commanderie du Mas-Deu se trouvait en Roussillon, hors d'atteinte des gens du roi et des évêques à sa dévotion.

Sur le reniement et les crachats, Raymond Sa Guardia, leur commandeur, répondit :

– Tous ces crimes sont et me semblent horribles, extraordinairement affreux et diaboliques !

– Question : « Ne disent-ils pas que le Christ est un faux prophète ? »

– Réponse : « Je ne crois pas pouvoir être sauvé, si ce n'est par Notre-Seigneur Jésus-Christ, qui est le vrai salut de tous les fidèles, qui a souffert la passion pour la rédemption du genre humain et pour nos péchés, et non pas pour les siens, car il n'a jamais péché et sa bouche n'a jamais menti. »

– Question : « Ne font-ils pas cracher sur la croix et ne la foulent-ils pas aux pieds ? »

– Réponse : « Jamais ! C'est pour honorer et glorifier la très sainte croix du Christ et la passion que le Christ a daigné souffrir en son très glorieux corps pour moi et pour tous les fidèles chrétiens, que je porte, ainsi que les autres frères-chevaliers de mon Ordre, un manteau blanc sur lequel est cousue et attachée la vénérable figure d'une croix rouge, en mémoire du sang à jamais sacré que Jésus-Christ a répandu pour ses fidèles et pour nous sur le bois vivifiant de la croix… »

Les autres frères firent la même réponse. Le seul nom de la croix exaltait leur ferveur. Bérenger dez Coll :

– « C'est en l'honneur de Jésus crucifié que les frères de notre Ordre adorent la croix, en toute solennité et révérence, trois fois l'année : le vendredi saint et les jours des fêtes de la Croix en mai et en septembre. Lorsque les Templiers adorent la Croix, le vendredi saint, ils déposent leurs chaussures, leurs épées, les coiffes de lin et tout ce qu'ils portent sur la tête. C'est aussi par respect pour le Seigneur Jésus crucifié que tous les frères du Temple portent la croix sur leur manteau ; et parce que Jésus-Christ a répandu son sang pour nous, nous portons une croix d'étoffe rouge sur nos vêtements, pour répandre notre sang contre les ennemis du Christ, les Sarrasins des pays d'outre-mer et ailleurs contre les ennemis de la foi chrétienne. »

Le frère Jean de Coma ajouta cette note pittoresque mais convaincante :

– « Ils révèrent tant la croix de leur manteau qu'ils enlèvent celui-ci s'ils ont à satisfaire quelque besoin (*Inter honores quos faciunt ipsi cruci, deponunt mantellum ubi est crux, quando vadunt ad naturæ superflua onera deponenda*). »

Sur le péché de sodomie, Raymond Sa Guardia donna ces précisions :

– « Selon les statuts de l'Ordre, celui de nos frères qui commettrait un péché contre nature devrait perdre l'habit ; les fers aux pieds, la chaîne au cou et les menottes aux mains, il serait jeté à perpétuité dans une prison, pour y être nourri du pain de la tristesse et abreuvé de l'eau de la tribulation le reste de sa vie. »

Sur les cordelettes–ceintures et les prétendues idoles, le chapelain Barthélemy de La Tour répondit :

– « Je crois qu'ils la portent et, quant à moi, j'affirme que je porte cette ceinture, parce qu'il est écrit dans l'*Évangile* de Luc : *sint lumbi vestri precinti,* etc. J'ajoute que je l'ai portée, et que je la porte, depuis l'époque de ma réception ; elle est d'observance dans l'Ordre et chacun des frères doit la porter le jour et la nuit, mais elles ne touchent aucune idole. »

Sur l'interdiction prétendument faite aux Templiers de se confesser à d'autres prêtres que leurs chapelains, Barthélemy de La Tour fut encore plus net :

– « Voilà ce que j'ai observé à cet égard. Lorsqu'il y a des frères qui veulent confesser leurs péchés, on leur enjoint de les confesser au frère-chapelain de l'Ordre qu'ils trouveront le plus à propos ; s'il n'y en a pas de présents, on leur donne libre faculté de s'adresser à des frères mineurs ou prêcheurs, ou, à défaut de ceux-ci, à un prêtre séculier du diocèse. Enfin, il est enjoint à ceux qui entrent dans l'Ordre du Temple d'observer les bonnes coutumes de l'Ordre, présentes et futures, de garder les bonnes mœurs et d'écarter les mauvaises. »

Il fit apporter, à l'appui de ses dires, *Le livre de la Règle*, qui était conservé au Mas-Deu.

L'un des juges ecclésiastiques crut pouvoir le désarçonner en rappelant les aveux consentis par Jacques de Molay. Un jeune frère, Pierre Bleda, s'exclama :

– « Il en a menti par sa gueule et en toute fausseté ! »

Puis les frères rappelèrent que plus de vingt mille Templiers étaient morts les armes à la main, en Terre sainte et en Espagne.

Ils parlèrent avec éloquence des aumônes et des charités de l'Ordre. Du sacrifice de tant de leurs frères décapités par les Sarrasins pour avoir refusé d'abjurer. Des prières que l'on récitait chaque jour, même en campagne de guerre, pour les morts et pour les vivants. L'un d'eux ne put s'empêcher de rappeler le miracle du vendredi saint, comme l'avait fait naguère, et presque dans les mêmes termes, Jean de Montréal :

– « La Sainte Épine de la couronne de Notre-Seigneur, s'exclama-t-il, refleurirait-elle pour des renégats, des hérétiques, des adorateurs d'idoles et des sodomites ? »

Cet interrogatoire se déroulait en 1309. Les Templiers du Mas-Deu n'avaient pas été manipulés par les sbires de Nogaret. Ils n'avaient pas été torturés. Ils apparaissent dans leur réalité, celle en effet de Don Quichottes de la foi, déjà anachroniques et hors de leur siècle sans doute, mais animés par les mêmes sentiments, mus par la même ferveur que les premiers compagnons d'Hugues de Payns. Leur témoignage s'ajoute aux protestations d'innocence, spontanées ou tardives, des brûlés et des emmurés. Ils sont l'expression même de la vérité du Temple, de ce qu'il avait été et de ce qu'il était resté. Ils restituent son vrai visage.

Le reste est le triste fruit d'une opération politique, policière et inquisitoriale qui n'avait pas encore eu de précédent. L'arbre ne doit pas cacher la forêt. Les brebis galeuses, les canailles, le troupeau trop nombreux des tremblants ne doivent pas occulter la cohorte des purs. A-t-on jamais vu qu'une institution humaine, même religieuse, fût exempte de critiques ? Sinon, pourquoi les papes eussent-ils périodiquement réformé les congrégations et rappelé à l'ordre le clergé séculier et ses prélats ? C'était assurément une folie sublime que de prétendre assumer à la fois deux vocations, que de vouloir être en même temps soldat et moine et de rester irréprochable. Dès sa fondation, l'Ordre avait été suspect à cause de cela, nonobstant l'approbation de saint Bernard et du concile de Troyes. On admirait les Templiers en raison de leur bravoure exemplaire et constante, mais on doutait un peu de leurs vertus monastiques. D'ailleurs, il en allait de même à l'égard des Hospitaliers et des Teutoniques qu'ils avaient entraînés dans la même contradiction fondamentale : tirer l'épée pour verser le sang et joindre les mains pour prier. Pendant deux siècles, tous ces marginaux du clergé avaient tenu leur inflexible serment. Seuls les Templiers avaient été frappés ; leur sort était certainement injuste sur le plan humain.

Pourtant, si l'on consent à s'élever dans ces sphères vertigineuses où les justices humaines s'abolissent, on peut embrasser d'un regard la longue histoire du Temple, sa naissance, sa croissance, sa floraison et son déclin. La catastrophe de 1307 trouve, alors, une autre explication. Les machinations de Philippe le Bel et de Nogaret semblent fortuites, dérisoires ! La chute du Temple apparaît comme un sacrifice suprême. Son acceptation se trouvait incluse dans l'article 63 de la Règle : « Mais de jour et de nuit qu'il soit net de courage en sa profession, afin qu'il se puisse comparer au plus sage des prophètes, lequel dit : *Calicem salutaris accipiam.* C'est-à-dire : Je prendrai le calice du salut. Ce qui signifie : Je vengerai la mort de Jésus-Christ par ma mort. Car ainsi que Jésus-Christ offrit son corps pour moi, je suis appareillé à offrir mon âme pour mes frères. C'est ici l'offrande convenable, le vif sacrifice, plaisant à Dieu. »

Ce n'était pas assez d'avoir su mourir et prier pendant deux siècles. Pour que s'accomplît enfin le grandiose destin du Temple, il fallait vider le calice, s'abreuver de honte et d'humiliation. Ces âmes de fer avaient encore besoin d'être refondues, débarrassées de leurs scories et reforgées. Trop souvent leur fierté s'était obscurcie d'orgueil, voire de mépris pour ce qui n'était pas Templier. Il leur fallait vider ce calice, puis s'anéantir pour renaître, immaculés. Mais leur devise n'était-elle pas : « *Non nobis, Domine, non nobis, sed tuo nomini da gloriam* » ?

Non pour nous, Seigneur, non pour nous, mais en ton nom donne la gloire…

LA SUPPRESSION DU TEMPLE

« Veggio in Alagna entrar lo fiordiluso,
E nel vicario suo Cristo esser catto.
Veggiolo un'altra volta esser deriso ;
Veggio rinnovellar l'aceto et il fele,
E tre vivi ladroni esser anciso.
Veggio il nuovo Pilato si crudele,
Che cio nol sazia, ma, senza decreto,
Porta nel tempio le cupidd vele.
O Signor mio, quando saro io lieto
A veder la vendetta, che, nossosa,
Fa dolce l'ira tua nel tuo segreto ? »

Dante Alighieri
(*La Divine Comédie*,
« Le Purgatoire », XX).

(Je vois la fleur de lys entrer dans Anagni,
Et le Christ fait prisonnier dans son vicaire.
Je le vois outragé une autre fois ;
Je vois renouveler le vinaigre et le fiel,
Et je le vois mourir entre deux larrons.
Je vois un autre Pilate si cruel,
Que cela ne le rassasie point, et sans décret [1]
Déployer sa cupidité dans le Temple.
Ô mon Seigneur, quand aurai-je le bonheur
De voir la vengeance qui, dans tes pensées secrètes,
[adoucit ta colère ?)

1. Sans décret qui l'y autorise : allusion à l'arrestation des Templiers.

ANNEXES

ORGANIGRAMME SOMMAIRE DE L'ORDRE DU TEMPLE

Le *Maître* (Souverain Maître ou Grand Maître) : il est le chef suprême de l'Ordre. Son autorité s'exerce sur toutes les commanderies d'Orient et d'Occident. Il est assisté de grands officiers, désignés ci-dessous, et du *couvent*, assemblée qui intervient obligatoirement dans toutes les décisions importantes, y compris l'élection du Maître par un collège restreint. Les *Visiteurs* sont les représentants du Maître dans chaque royaume où l'Ordre a des possessions.

I – *Dans le royaume de Jérusalem* (avant la chute de Saint-Jean-d'Acre en 1291) :

– le *sénéchal*, qui est le lieutenant du Maître ;

– le *maréchal*, chef militaire, assisté du *turcoplier* (commandant les troupes auxiliaires), du *gonfanonier* (commandant des écuyers), et du *sous-maréchal* (responsable des frères de métier) ;

– le *commandeur du royaume de Jérusalem*, qui est le *trésorier* suprême de l'Ordre : il a sous ses ordres directs le *drapier* ;

– le *commandeur* de la cité de *Jérusalem* ;

– les *commandeurs* d'Acre, d'Antioche, de Tripoli, etc. ;

– les *commandeurs* des forteresses templières et autres commanderies de moindre importance ;

– les *chevaliers du Temple* ;
– les *sergents* ;
– les *frères de métier* ;
– les *troupes auxiliaires* (turcoples ou turcopoles).

Après 1291, l'état-major se transporta à Chypre et resta à peu près le même, avec un nombre très réduit de *commanderies.* Oselier était maréchal du Temple. Le commandeur de Chypre était Raimbaud de Caron. *Le Grand Maître : Jacques de Molay.*

II – *En Occident* :

Les possessions templières s'étant considérablement accrues, il fallut instituer de vastes circonscriptions administratives analogues aux « langues » des chevaliers de l'Hôpital : en France, en Allemagne, en Angleterre, en Espagne, en Italie, en Hongrie, etc.

Ces circonscriptions se divisaient en provinces, qui se subdivisaient en *baylies* ou *baillies* groupant plusieurs commanderies.

En France, l'organisation était la suivante :

• *Maître en France* (Gérard de Villers, en 1307). Il était bien entendu subordonné directement au Maître suprême de l'Ordre et à son *Visiteur pour la France* (Hugues de Pairaud) ;

• *maîtres* ou *précepteurs des provinces*
(par exemple, Geoffroy de Gonneville, Maître en Aquitaine et Poitou, Geoffroy de Charnay, Maître en Normandie) ;

• *maîtres* ou *précepteurs des baylies ou baillies* ;

• *commandeurs* ou *précepteurs des commanderies*
(qui pouvaient être frères-sergents) ;

• *chevaliers, sergents, frères de métier, serviteurs.*

(Les termes de précepteur, maître, commandeur sont employés indifféremment. Les divisions territoriales subirent de fréquentes modifications. Cet organigramme, nécessairement incomplet, est donné à titre indicatif. Il convient de souligner l'importance exceptionnelle du *Temple de Paris*, banque principale de l'Ordre, dont le trésorier (Jean du Tour en 1307) gérait en partie le Trésor royal.)

Extraits de la Règle du Temple dans sa version française

C'EST SI COME L'ON DOIT FAIRE FRERE ET RECEVOIR AU TEMPLE

Texte original (XIIe siècle)

[657] *Biaus seignors freres, vos veés bien que li plus s'est accordés de faire cestui frere : s'il y avoit nul de vos qui seüst en lui chose por quoi il ne deüst estre freres droiturierement, si le deïst ; car plus bele chose seroit qu'il le deïst avant que puis qu'il sera venus devant nos.* Et se nul ne dit rien, si le doit mander querre et mettre le en une chambre pres de chapistre ; et puis li doit l'en mander deus ou trois des plus anciens de la maison et que miaus li saischent mostrer ce qui li convient.

[658] Et quant il sera devant ces, il li doivent bien dire : *Freres, requerés vos la compaignie de la maison* ? Et il se dit : *Oïl*, il li doivent mostrer les grans durtés de la maison, et les chari[t]ables commandemens qui i sont, et toutes les durtés aussi qui li sauront mostrer. Et se il dit qu'il souffrira volentiers tout por Dieu, et qu'il veaut estre serf et esclaf de la maison a tous jors mais, tous les jors de sa vie, il li doivent demander se il a femme espouse ni fiancée ; ne se il fist onques vou ni promission a autre religion ne se il doit dette a nul homme dou monde qu'il ne puisse paier et se il est sain de son cors, qu'il nait nule maladie reposte, ne se il est serf de nul home...

Adaptation en français moderne
Réception des nouveaux frères

....

657. « Beaux seigneurs frères, vous voyez bien que la majorité s'est accordée pour faire de celui-ci un frère. S'il y avait l'un d'entre vous qui sût en lui une chose l'empêchant d'être un frère selon la Règle, qu'il le dise ; car il serait mieux qu'il le dise avant qu'il vienne devant nous qu'après. » Si personne ne dit rien, on doit l'envoyer chercher et le conduire dans une chambre près du chapitre. Puis l'on doit mander deux prud'hommes ou trois des plus anciens de la maison, et qui sachent le mieux lui dire ce qu'il convient.

658. Et quand il sera devant eux, ils lui doivent bien dire : « Frère, demandez-vous à entrer dans la compagnie de la maison ? » Et, s'il répond « oui », ils lui doivent montrer les grandes duretés de la maison et les commandements de charité qui y sont, ainsi que toutes les duretés. S'il dit qu'« il souffrira volontiers tout pour Dieu, qu'il veut être serf et esclave désormais et pour toujours, et tous les jours de sa vie », ils doivent lui demander s'il est marié ou fiancé ; s'il n'a jamais fait vœu ni promesse dans un autre Ordre ; s'il a une dette envers un homme du siècle qu'il ne puisse rembourser ; s'il est sain de corps et n'a aucune maladie cachée ; s'il n'est serf de personne.

659. Et s'il dit que non, qu'il est bien quitte de ces choses, les frères doivent entrer en chapitre et dire au Maître et à son lieutenant : « Sire, nous avons parlé à ce prud'homme qui est dehors et lui avons montré les rigueurs de la maison comme nous avons pu et su le faire. Il dit qu'il veut être serf et esclave de la maison, et qu'il est quitte et libre de toutes les choses que nous demandâmes, et qu'il n'y a en lui nul empêchement à ce qu'il ne puisse et ne doive être frère, s'il plaît à Dieu, à vous et aux frères. »

660. Le Maître doit dire derechef que, s'il y avait quelqu'un qui sût autre chose sur lui, qu'il le dise, car mieux vaudrait avant qu'après. Et si personne ne dit rien, il doit demander : « Voulez-vous qu'on le fasse venir de par Dieu ? » Les prud'hommes diront : « Faites-le venir de par Dieu. » Alors, ceux qui lui parlèrent doivent retourner vers lui et lui demander : « Êtes-vous encore en votre bonne volonté ? » S'il dit « Oui », ils lui doivent apprendre comment il doit requérir la compagnie de la maison, à savoir se présenter devant le chapitre, s'agenouiller les mains jointes devant celui qui préside et dire : « Sire, je suis venu devant Dieu, devant vous et devant les frères, et vous prie et vous requiers, par Dieu et par Notre-Dame, de m'accueillir en votre compagnie et aux bienfaits de la maison, comme celui qui pour toujours désormais veut être serf et esclave de la maison. »

661. Celui qui tient le chapitre doit lui répondre : « Beau frère, vous requérez bien grande chose, car de notre Ordre vous ne voyez que l'écorce. Car l'écorce est ainsi que vous nous voyez avoir beaux chevaux et beaux harnais, et bien boire et bien manger, et belles robes, et il vous semble que vous y serez bien aise. Mais vous ne savez pas les forts commandements qui sont pardedans : car c'est forte chose que vous, qui êtes Maître de vous-même, vous vous fassiez serf d'autrui. Car à grand-peine ferez-vous jamais ce que vous voudrez : si vous voulez être en la terre deçà la mer, on vous enverra delà ; ou si vous voulez être à Acre, on vous enverra en la terre de Tripoli ou d'Antioche ou d'Arménie, ou l'on vous enverra en Pouille, en Sicile, ou en Lombardie, ou en France, ou en Bourgogne, ou en Angleterre, ou en plusieurs autres terres où nous avons des maisons et des possessions. Et si vous voulez dormir, on vous fera veiller ; et si vous voulez parfois veiller, on vous commandera d'aller au lit vous reposer. »

662. (S'il est frère-sergent et veuille être frère du couvent, on peut lui dire qu'on le mettra sur l'un des métiers les plus vils que nous avons, par aventure au four, ou au moulin, ou à la cuisine, aux chameaux, à la porcherie ou autres offices que nous avons.) – « Et vous recevrez souvent d'autres durs commandements : quand vous serez à table et que vous voudrez manger, on vous commandera d'aller où on en voudra, et vous ne saurez jamais où. Et il vous conviendra de souffrir maintes fois de bien grondeuses paroles. Or regardez, beau frère, si vous pourrez souffrir toutes ces duretés. »

663. S'il dit « Oui, je les souffrirai toutes, s'il plaît à Dieu », le Maître ou celui qui le remplace doit dire : « Beau frère, vous ne devez pas requérir la compagnie de la maison pour avoir seigneuries ni richesses, ni aise de votre corps, ni honneur. Mais vous la devez requérir pour trois choses : l'une pour écarter et délaisser le péché du monde ; l'autre pour faire le service de Notre-Seigneur ; la troisième pour être pauvre, faire pénitence en ce siècle et sauver votre âme. Telle doit être votre intention en la demandant. »

664. Il lui doit demander : « Voulez-vous être, désormais et tous les jours de votre vie, serf et esclave de la maison ? » Il doit dire : « Oui, sire, s'il plaît à Dieu. » – « Voulez-vous renoncer à votre volonté, désormais et tous les jours de votre vie, pour faire ce que votre commandeur ordonnera ? » Il doit dire : « Sire, oui, s'il plaît à Dieu. »

665. Le Maître lui dira : « Or sortez dehors et priez Notre-Seigneur qu'Il vous conseille. » Quand il sera dehors, celui qui tient le chapitre dira : « Beaux seigneurs, vous voyez que ce prud'homme a grand désir de la compagnie de la maison ; il dit qu'il veut être, désormais et tous les jours de sa vie, serf et esclave de la maison. Je vous ai déjà dit que si quelqu'un de vous sût une chose pour laquelle il ne pourrait être frère selon le droit, qu'il le dise, car il serait trop tard après. »

666. Si personne ne dit rien, le Maître dira : « Voulez-vous qu'on le fasse venir de par Dieu ? » Alors les prud'hommes répondront : « Faites-le venir de par Dieu. » Un des prud' hommes qui lui avaient parlé, lui doit apprendre derechef comment il doit requérir la compagnie de la maison, ainsi qu'il l'avait précédemment requise.

667. Quand il sera venu au chapitre, il doit s'agenouiller, les mains jointes et dire : « Sire, je viens devant Dieu, devant vous et devant les frères. Je vous prie et vous requiers, pour Dieu et pour Notre-Dame, de m'accueillir en votre compagnie et aux bienfaits de la maison, spirituellement et temporellement, comme celui qui veut être serf et esclave de la maison, désormais et tous les jours de sa vie. » Celui qui tient le chapitre doit lui demander : « Êtes-vous bien résolu, beau frère, à être serf et esclave de la maison et à abandonner votre volonté pour faire celle d'autrui, désormais et tous les jours de votre vie ? Voulez-vous souffrir toutes les rigueurs qui sont établies dans la maison et obéir à tous les commandements que l'on vous fera ? » Il doit dire : « Sire, oui, s'il plaît à Dieu. »

668. Puis celui qui tient le chapitre doit se lever et dire : « Beaux seigneurs, levez-vous et priez Notre-Seigneur et madame Sainte Marie, pour qu'il fasse bien. » Chacun doit dire une fois le *Pater noster* s'il lui plaît, ensuite les chapelains doivent dire l'oraison du Saint-Esprit. Celui qui tient le chapitre doit prendre les Évangiles et les ouvrir. Celui qui est reçu les doit prendre à deux mains, étant agenouillé. Et celui qui tient le chapitre doit lui dire : « Beau frère, les prud'hommes qui vous ont parlé vous ont demandé ce qu'il convenait. Mais quoi que vous leur ayez répondu, et à nous, ce sont de vaines et futiles paroles. Ni vous ni nous ne pourrions avoir grand dommage de ce que vous avez dit. Mais voici là les saintes paroles de Notre-Seigneur. Dites la vérité sur les choses que nous vous demanderons, car si vous mentiez, vous seriez parjure et pourriez en perdre la maison, Dieu vous en garde. »

669. Premièrement, nous vous demandons si vous êtes marié ou fiancé, car la femme pourrait et devrait vous demander par le droit de la sainte Église : car si vous mentiez et s'il advenait demain ou plus tard qu'elle vînt et pût prouver que vous êtes son baron [1] et vous demanderait par le droit de la sainte Église, on vous ôterait l'habit, on vous mettrait dans les gros fers et on vous ferait travailler avec les esclaves. Quand on vous aurait fait assez de honte, on vous prendrait par le poing, on vous rendrait à la femme et vous auriez désormais perdu la maison pour toujours.

670. Secondement, si vous appartenez à un autre Ordre religieux, ou si vous avez fait vœu et promesse, car si vous l'avez fait et que l'on puisse vous en atteindre, que cet Ordre vous réclame, on vous ôterait l'habit et on vous rendrait à cet Ordre, mais avant on vous ferait assez de honte et vous auriez perdu la maison pour jamais.

671. Troisièmement, si vous avez une dette envers un homme du siècle et que vous ne puissiez l'acquitter, vous-même ou vos amis, sans rien soustraire des aumônes de la maison, on vous ôterait l'habit et on vous rendrait au créancier ; la maison ne serait tenue de rien envers vous ni envers le créancier.

672. Quatrièmement, si vous êtes sain de corps, s'il n'y a en vous nulle maladie cachée hormis ce que nous voyons par dehors ; s'il était prouvé que vous en fussiez atteint avant de devenir notre frère, vous pourriez en perdre la maison, Dieu vous en garde.

1. Son mari.

673. Cinquièmement, si vous avez promis ou donné à un homme du siècle, à un frère du Temple ou à un autre, de l'or, de l'argent ou autre chose qui eût facilité votre entrée en cet Ordre, car ce serait simonie, vous ne vous en pourriez sauver : si vous en étiez atteint et convaincu, vous en perdriez la compagnie de la maison.

Ou si vous étiez serf d'un homme et s'il vous demandait, on vous rendrait à lui et vous auriez perdu la maison. S'il est frère-chevalier, ne lui demandez pas cela, mais s'il est bien fils de chevalier et de dame, que ses pères soient de lignage de chevaliers et s'il est né de loyal mariage.

674. Ensuite on doit lui demander, qu'il soit frère-chevalier ou frère-sergent, s'il est prêtre, diacre ou sous-diacre, car s'il avait l'un de ces ordres et qu'il le dissimulât, il pourrait en perdre la maison. S'il est frère-sergent, on doit lui demander s'il est chevalier [1]. Et demander soit aux frères-chevaliers, soit aux frères-sergents s'ils sont excommuniés [2].

Puis celui qui tient le chapitre peut demander aux anciens de la maison s'il y a une autre question à poser et, s'ils répondent que non, il dira : « Beau frère, regardez bien si vous avez dit la vérité sur tout ce que nous vous avons demandé, car si vous aviez menti sur une de ces choses, vous pourriez en perdre la maison, que Dieu vous en garde. »

675. « Or, beau frère, or entendez bien ce que nous vous dirons : promettez-vous à Dieu et à Notre-Dame que, désormais et tous les jours de votre vie, vous serez obéissant au Maître du Temple et à votre commandeur quel qu'il soit ? » – Il doit répondre : « Oui, sire, s'il plaît à Dieu. »

« Encore promettez-vous à Dieu et à madame Sainte Marie que, désormais et tous les jours de votre vie, vous vivrez chastement de votre corps ? » – Il doit répondre : « Oui, sire, s'il plaît à Dieu. »

« Encore promettez-vous à Dieu et à Notre-Dame Sainte Marie que, désormais et tous les jours de votre vie, vous n'aurez rien à vous ? » – Il doit répondre : « Oui, sire, s'il plaît à Dieu. »

« Encore promettez-vous à Dieu et à madame Sainte Marie que, désormais et tous les jours de votre vie, vous garderez les bons usages et les bonnes coutumes de notre maison, celles qui

---

1. Il arrivait que des chevaliers demandaient leur admission au Temple comme frères-sergents, par humilité.
2. Les excommuniés n'étaient admis qu'à la condition d'avoir été préalablement absous et réconciliés par un évêque, comme il est indiqué plus haut.

y sont et celles que le Maître et les prud'hommes de la maison y mettront ? » Il doit répondre : « Oui, s'il plaît à Dieu, sire. »

676. « Encore promettez-vous à Dieu et à madame Sainte Marie, désormais et tous les jours de votre vie, d'aider à conquérir, à la force et au pouvoir que Dieu vous a donnés, la sainte Terre de Jérusalem et celle que tiennent les chrétiens ? » – Il doit répondre : « Oui, sire, s'il plaît à Dieu. »

« Encore promettez-vous à Dieu et à madame Sainte Marie que jamais vous ne quitterez cet Ordre, pour un Ordre plus fort ou plus faible, ni meilleur ni pire, sauf par congé du Maître et du couvent qui en ont le pouvoir ? » – Il doit répondre : « Oui, sire, s'il plaît à Dieu. »

« Encore promettez-vous à Dieu et à madame Sainte Marie que vous ne serez jamais en lieu ou place où les chrétiens soient dépouillés à tort et à déraison par vous et sur votre conseil ? » – Et il doit dire : « Oui, sire, s'il plaît à Dieu. »

677. « Et nous de par Dieu et de par Notre-Dame Sainte Marie, et de par mon seigneur saint Pierre de Rome, et de par notre père le Pape, et de par tous les frères du Temple, nous vous accueillons à tous les bienfaits de la maison, qui ont été faits depuis le commencement et qui seront faits jusqu'à la fin, vous, vos père et mère et tous ceux que vous voudrez accueillir de votre lignage. Et vous aussi accueillez-nous à tous les bienfaits que vous avez faits et ferez. Et nous vous promettons du pain et de l'eau, la pauvre robe de la maison, de la peine et du travail assez. »

678. Celui qui tient le chapitre doit prendre le manteau [1], lui doit mettre au cou et nouer les lacets. Le frère-chapelain dira le psaume *Ecce quam bonum* et l'oraison du Saint-Esprit, chacun des frères un *Pater noster*. Celui qui le fait frère, doit le relever et le baiser sur la bouche. Il est d'usage que le frère-chapelain le baise aussi.

Puis celui qui l'a fait frère doit le faire asseoir devant lui et lui dire : « Beau frère, Notre-Sire a réalisé vos vœux et vous a conduit dans cette belle compagnie qui est la chevalerie du Temple. C'est pourquoi vous devez prendre grand soin de ne pas la perdre, que Dieu vous en garde. Nous vous dirons ce dont nous nous souviendrons de la perte de la maison et de celle de l'habit. »

---

1. La cape.

679. « Or, beau frère, vous avez bien entendu les choses qui vous feraient perdre la maison et celles de l'habit, non pas toutes : vous les apprendrez et les observerez s'il plaît à Dieu, et vous les devez demander aux frères et vous enquérir. Il y a d'autres choses qui sont établies. Si vous les commettiez, il en serait fait justice. Vous ne devez jamais blesser un chrétien, ni le frapper par colère ou courroux du poing, de la paume ou du pied, ni le tirer par les cheveux, ni le piétiner. Si vous le blessez d'une pierre, d'un bâton ou d'une arme aiguisée et risquez de le tuer ou de le blesser, votre habit serait à la merci des frères qui vous le prendraient ou vous le laisseraient. Vous ne devez jamais jurer par Dieu ou par Notre-Dame, par saint ou sainte. Vous ne devez jamais prendre une femme à votre service, sauf pour maladie, ou par autorisation de votre supérieur. Ne jamais baiser femme, ni mère, ni sœur, ni parente que vous ayez, ni aucune autre femme. Vous ne devez jamais traiter un homme de lépreux, puant ou traître, ou autres vilaines paroles, car toutes les vilaines paroles nous sont défendues et toutes courtoisies et bienfaits nous appartiennent. »

680. « Or nous vous dirons comment vous devez dormir : vous devez toujours dormir en chemise et en braies et en chausses-linges [1], et ceint d'une petite ceinture. Vous devez avoir en votre lit trois draps, c'est assavoir un sac pour mettre la paille et deux linceuls ; au lieu d'un linceul, vous pouvez avoir une étamine si le drapier veut vous la donner ; la carpette est permise si vous trouvez quelqu'un qui vous la donne. Vous ne devez avoir pour vêtement que ce que le drapier vous donnera : si vous l'achetez, il en sera fait justice. »

681. « Or nous vous dirons comment vous devez venir à table et comment vous devez venir aux Heures. Vous devez venir à tous les appels de la cloche. Quand la cloche de manger sonne, vous devez venir à table et attendre les prêtres et les clercs pour la bénédiction. Vous devez regarder s'il y a pain et eau et ce que vous devez boire, faire la bénédiction, vous asseoir et trancher votre pain. Si vous êtes en un lieu où vient un prêtre, vous devez dire un *Pater noster* en paix, avant de vous asseoir et de trancher votre pain. Puis vous devez manger votre pain en paix et en silence, et ce que Dieu vous aura donné. Vous ne devez rien demander sauf le pain et l'eau, car on ne vous promet pas autre chose, mais vous pouvez en demander privément, si les frères mangent autre chose. Si vous mangez de la viande, ou du pois-

1. Draps.

son, et qu'ils soient crus, mauvais, ou trop cuits, vous pouvez demander à en changer, mais c'est plus belle chose que votre compagnon le demande. S'il en a beaucoup, il la changera, ou, s'il n'a de quoi, il vous donnera autre chose ; et vous devrez vous en satisfaire et prendre patience. »

682. « Quand vous aurez mangé, vous devez aller à la chapelle après les prêtres et rendre grâces à Notre-Seigneur en silence. Vous ne devez pas parler, tant que vous n'avez pas dit un *Pater noster*, et que les prêtres n'ont pas dit les grâces. S'il n'y a pas de prêtre dans la place même ou dans la place la plus proche, vous pouvez aller à votre service. Quand vous entendez sonner none, vous devez venir : s'il y a un prêtre, vous devez l'écouter ; s'il n'y a pas de prêtre, vous devez dire quatorze *Pater noster*, sept pour Notre-Dame et sept pour le jour [1]. Vous devez aussi venir aux vêpres ; s'il n'y a ni prêtre ni église, vous devez dire dix-huit *Pater noster*, neuf pour Notre-Dame et neuf pour le jour. Après, vous devrez aller souper. Quand vous entendrez sonner la cloche de complies, vous devez collationner de ce qu'on vous apportera, du vin ou de l'eau à la volonté du Maître, puis vous devez faire ce qu'il vous aura commandé. Vous devez ensuite entendre complies s'il y a un prêtre et, sinon, dire quatorze *Pater noster*, sept pour le jour et sept pour Notre-Dame. Puis vous allez vous coucher. Si vous n'avez rien à commander à vos serviteurs, vous pouvez donner un ordre à l'un d'eux comme il vous plaira. Quand vous serez couché, vous devez dire un *Pater noster*. »

683. « Quand vous entendrez sonner matines, vous devez vous lever et les entendre, s'il y a un prêtre et sinon dire vingt-six *Pater noster*, treize pour Notre-Dame et treize pour le jour. Dire ensuite trente *Pater noster* pour les morts et trente pour les vivants, avant de manger et de boire, si ce n'est de l'eau. Et vous ne pouvez vous en dispenser, si ce n'est pour cause de maladie, car ils sont établis pour nos confrères, nos consœurs, nos bienfaiteurs et bienfaitrices, afin que Notre-Sire les conduise à bonne fin et leur pardonne. Quand vous aurez ouï les matines s'il y a un prêtre, ou que vous les aurez dites s'il n'y en a pas, vous pouvez aller vous coucher. »

684. « Et quand vous entendrez sonner prime et tierce et midi, vous devez les ouïr s'il y a un prêtre et, sinon, dire quatorze *Pater noster*, sept pour Notre-Dame et sept pour le

1. Pour le saint du jour.

jour ; autant pour tierce ; autant pour midi, avant que vous mangiez. »

685. « Toutes les choses que je vous ai dites, vous devez les faire. Mais vous devez dire les Heures de Notre-Dame avant, et celles du jour après, parce que nous fûmes établis en l'honneur de Notre-Dame. Aussi dites les Heures de Notre-Dame debout, et celles du jour assis. Si vous êtes dans une maison du Temple où un frère trépasse, ou que vous soyez l'hôte de cette maison, vous devez dire cent *Pater noster* pour son âme pendant les sept jours suivants, quand vous le pourrez. Et si Dieu fait son commandement au Maître, vous devez dire deux cents *Pater noster* pendant les sept jours. Et vous ne pouvez vous dispenser des *Pater noster* des morts, sauf cas de maladie, comme il est dit ci-dessus. »

686. « Or nous vous avons dit les choses que vous devez faire, celles dont vous devez vous garder et celles qui vous feraient perdre la maison ou l'habit, et les autres justices. Si nous ne vous avons pas tout dit, bien que nous le devrions, vous nous le demanderez. Et Dieu vous laisse bien dire et bien faire... »

L'acceptation du sacrifice

63. Mais de jour et de nuit qu'il soit de net courage en sa profession, afin qu'il se puisse comparer au plus sage des prophètes, lequel dit : *Calicem salutaris accipiam.* C'est-à-dire : Je prendrai le calice du salut. Ce qui signifie : Je vengerai la mort de Jésus-Christ par ma mort. Car ainsi que Jésus-Christ offrit Son corps pour moi, je suis appareillé à offrir mon âme pour mes frères. C'est ici l'offrande convenable, le vif sacrifice, plaisant à Dieu.

Pénalités

417. La première est de perdre la maison pour toujours.

On peut et l'on doit l'infliger à tout frère pour neuf choses, dont la première est la simonie. C'est assavoir quand un frère est entré dans la maison par don ou par promesse faite par lui ou par un autre avec son consentement, ce qui déplaît à Dieu. Celui qui sera entré de cette manière et en sera convaincu perdra la maison. Celui qui lui a donné l'habit perdra le sien et ne pourra jamais commander à nul frère, ni donner l'habit du

Temple. Tous les frères ayant donné leur accord pour que l'habit fût donné de cette manière, s'ils en étaient informés, perdront leur habit et on ne leur demandera jamais de recevoir des frères.

418. La seconde est quand un frère dévoile le secret d'un chapitre à un homme, frère ou autre, qui n'y a pas assisté.

La troisième est quand un frère tue un chrétien ou une chrétienne.

La quatrième est quand un frère est entaché du sale et puant péché de sodomie, si sale et si puant et si horrible qu'il ne doit pas être nommé.

La cinquième est quand un frère fait une cabale contre un autre frère ; et cabale se fait de deux ou plus, car un homme seul ne peut la faire.

419. La sixième est quand un frère fuit du champ de bataille, tant que baussant [1] paraît, et abandonne ainsi le gonfanon. Cela concerne les frères-chevaliers et les frères-sergents quand ils sont armés de fer. S'il s'agit d'un frère-sergent non armé de fer, lequel ne peut aider en conscience, il peut se retirer en arrière sans dommage de la maison, à moins qu'il ait commis une autre faute. Mais un frère-chevalier ne le pourrait pas, qu'il soit armé de fer ou non, car il ne doit abandonner le gonfanon sans congé, ni par blessure ni pour autre chose.

420. Mais si le frère-chevalier, ou le frère-sergent, était blessé de telle manière qu'il ne pût tenir, il demandera ou fera demander la permission de se retirer. Le maréchal ou son lieutenant la lui donnera. Le frère blessé peut alors se retirer sans dommage de la maison. S'il advient que le frère-chevalier et le frère-sergent aussi soient armés sans fer, l'un comme l'autre, ils doivent rester avec le gonfanon tous ensemble et ne doivent le quitter. S'ils le faisaient, ils perdraient la maison, fût-il frère-sergent. Tous en armes doivent prendre ensemble ce que Dieu voudra leur donner.

421. S'il advient qu'en l'absence de baussant il y ait un autre gonfanon chrétien, ils doivent aller à lui, qu'ils soient armés ou non, et spécialement à celui de l'Hôpital. S'il n'y a pas de gonfanon, chacun peut aller où Dieu lui conseillera sans dommage de la maison. Mais c'est belle chose que nos frères se tiennent toujours ensemble s'ils le peuvent, avec ou sans le gonfanon.

1. Ou Beaucent (l'étendard du Temple).

422. La septième est quand un frère est convaincu d'être un mécréant, ce qui veut dire qu'il ne croit pas bien les articles de la foi, tels que l'Église y croit et commande d'y croire.

La huitième est quand un frère laisse la maison et va aux Sarrasins.

423. La neuvième, quand un frère commet un larcin [délit d'une extrême diversité : dissimuler les choses de la maison, sortir de nuit autrement que par la porte ordinaire, s'en aller en emportant des choses interdites et passer deux nuits hors de la maison, gaspiller les aumônes, fuir volontairement de la maison, dérober même par inadvertance ce qui appartient à un autre frère, etc.]

428. Et quand un frère fait une chose qui lui fait perdre la maison pour toujours, avant qu'on lui donne congé, il doit venir torse nu en ses braies, une courroie au cou, devant tous les frères du chapitre. Il doit s'agenouiller devant le Maître et recevoir la discipline. Après, le Maître lui donnera sa charte de congé, pour qu'il aille faire son salut dans un Ordre plus strict.

429. Et disent certains de nos frères qu'il doit entrer dans l'Ordre de Saint-Benoît ou de Saint-Augustin, et dans nul autre. Mais nous ne l'obligeons pas, car en toute religion plus étroite il peut sauver son âme, si les frères de cette religion veulent l'accueillir : sauf la religion de l'Hôpital de Saint-Jean. Un accord fut établi entre les frères du Temple et ceux de l'Hôpital, selon lequel nul frère sorti de l'Hôpital ne vînt au Temple. Nul frère du Temple ne peut entrer dans l'Ordre de Saint-Lazare, sauf s'il devient lépreux...

Sur le secret de la Règle

326. Nul frère ne doit détenir les Retraits ni la Règle sans autorisation du couvent [1] ; car il a été et il reste défendu aux frères de les détenir, parce que les écuyers les trouvèrent parfois

1. Le couvent était le chapitre général tenu dans la Maison chêvetaine de l'Ordre à Jérusalem. C'était l'instance suprême aux décisions de laquelle le Maître lui-même devait se plier.

et les lurent, et nos statuts se découvraient aux gens du siècle, laquelle chose peut être dommageable pour notre religion. Et, pour éviter que cela advienne, le couvent établit que nul frère ne les tînt s'il ne fût bailli, lequel peut les détenir pour l'office de sa baillie [1].

1. Bailli doit être pris dans le sens de précepteur de province. De fait, les commandeurs de maisons assez importantes détenaient les statuts. Cette manie du secret s'avéra finalement très nuisible à la réputation du Temple.

NOTICES BIOGRAPHIQUES

ADOLPHE DE NASSAU, empereur d'Allemagne de 1292 à 1298. Fils du comte Walram de Nassau, il dut son élection à ses talents militaires et aux maladresses de son rival.

ALBERT Ier D'AUTRICHE, empereur d'Allemagne de 1298 à 1308. Fils de l'empereur Rodolphe Ier de Habsbourg, il disputa l'Empire à ADOLPHE DE NASSAU (ci-dessus). Son orgueil et ses injustices provoquèrent de nombreuses révoltes, dont celle des Suisses en 1308. Ce fut au cours de cette sédition qu'il fut assassiné par des conjurés à la tête desquels se trouvait Jean de Souabe, son neveu, qu'il avait d'ailleurs dépouillé de ses biens.

ALLEMAGNE (empereurs d') : Rodolphe Ier de Habsbourg (1273-1291) ; Adolphe de Nassau (1292-1298) ; Albert Ier d'Autriche (1298-1308) ; Henri VII de Luxembourg (1308-1313) ; Louis V de Bavière (1328-1346).

ALPHONSE III LE MAGNIFIQUE, roi d'Aragon de 1285 à 1291. Fils de Pierre III d'Aragon, il s'empara de l'île de Majorque appartenant à son oncle Jacques (ou Jayme) qui était l'allié de la France. Il accorda de larges libertés à son peuple (Privilèges de l'Union en 1287). Il signa le traité de Tarascon qui mettait fin à la « croisade » d'Aragon, traité par lequel Charles de Valois renonçait à l'investiture du royaume d'Aragon que lui avait octroyée le pape, et Charles II d'Anjou à la Sicile.

ALPHONSE XI, roi de Castille de 1312 à 1350. Il est surtout connu par la victoire de Tarifa qu'il remporta sur les Maures en 1340, avec l'aide des Portugais et des Navarrais, et par son inflexible rigueur envers la noblesse et le clergé castillans.

ANGLETERRE (rois d') : Édouard Ier (1272-1307) ; Édouard II (1307-1327).

ANJOU (Maison d'), rois de Naples : Charles Ier (1266-1285) ; Charles II dit « le Boiteux » (1285-1309) ; Robert dit « le Sage » (1309-1343).

ARAGON (rois d') : Pierre III le Grand (1276-1285) ; Alphonse III le Magnifique (1285-1291) ; Jacques II le Juste, ou Jayme (1291-1327).

BAILLEUL, ou BALIOL (Jean de) : choisi parmi les douze prétendants au trône d'Écosse par ÉDOUARD Ier d'Angleterre, il dut prêter hommage à ce roi (1292). Ayant rompu avec Édouard, il s'allia avec PHILIPPE LE BEL. Capturé à Dunbar en 1297, il fut enfermé à la Tour de Londres et contraint à abdiquer.

BENOÎT XI (le Bienheureux), Niccolo Boccasini, né à Trévise en 1240, pape de 1303 à 1304. Dominicain, il devint général de cet Ordre en 1296, cardinal-prêtre en 1298, évêque d'Ostie et de Velletri, il eut le courage de rester près de BONIFACE VIII lors de l'attentat d'Anagni. Il lui succéda en 1303, et s'efforça de rétablir de bons rapports avec la Cour de France, notamment en relevant Philippe le Bel de l'excommunication. Il mourut, dit-on, empoisonné. Il fut béatifié en 1736.

BONIFACE VIII, Benedetto Caetani, né vers 1235, pape de 1294 à 1303. Appartenant à l'illustre famille des Caetani, il fut nommé cardinal en 1281 et élu pape à la suite de l'abdication de CÉLESTIN V. Reprenant les théories de la suprématie du Saint-Siège sur les princes temporels, de même qu'Innocent III l'avait fait, il entra en conflit avec l'empereur d'Allemagne, puis avec Philippe le Bel. Il interdit à ce dernier d'imposer le versement de subsides extraordinaires au clergé gallican (bulle *Claricis laïcos*, 1296) et convoqua un concile à Rome (*Ausculta fili*, 1301). Philippe le Bel réunit les états généraux en 1302, Boniface VIII riposta en affirmant avec vigueur la prééminence des pontifes sur les rois (bulle *Unam Sanctam*). Philippe le Bel décida que Boniface serait jugé et déposé par un concile général. Il envoya Nogaret en Italie, pour se saisir de lui et l'amener captif en France. Nogaret perpétra contre Boniface VIII, avec l'aide des Colonna, le célèbre attentat d'Anagni (7 septembre 1303), mais échoua dans sa mission. Le pape, libéré par une émeute populaire, put rentrer à Rome. Mais, épuisé, humilié, il mourut peu après. Le jugement porté sur lui par les historiens, s'inspirant un peu trop des accusations portées par Philippe le Bel et Nogaret, mérite d'être rectifié. En tout cas, la mort de Boniface VIII marquait la fin des prétentions du Saint-Siège à contrôler les rois.

BRUCE : famille écossaise descendant de Robert de Bruce (ou de Bruis, en Cotentin), compagnon de Guillaume le Conquérant. Par suite du mariage de Robert de Bruce, lord d'Annandale, avec la nièce du roi Guillaume le Lion, cette famille prétendait au trône d'Écosse. Ce fut en vain qu'elle joua la carte anglaise : Édouard Ier choisit en effet Bailleul. Elle accéda pourtant au trône avec ROBERT Ier Bruce (voir ce nom).

CASTILLE (rois de) : Sanche IV (1284-1295) ; Ferdinand IV (1295-1312) ; Alphonse XI (1312-1350).

CÉLESTIN V (saint), Pietro Angelerio da Morrone, né vers 1215, pape en 1294. Bénédictin, il fonda en 1254 la congrégation des Célestins voués exclusivement à la vie contemplative. Très pieux, adonné à la méditation, on lui imposa la tiare quasi de force. Conscient de son inaptitude à gouverner l'Église, il abdiqua au bout de cinq mois et voulut reprendre la vie érémitique. Mais son successeur, Boniface VIII, redoutant qu'on utilisât Célestin, le mit en résidence surveillée. Il mourut en 1296 Célestin V fut canonisé par Clément V en 1313.

CHARLES Ier D'ANJOU, né en 1226, frère cadet de saint Louis. Il fut d'abord comte d'Anjou et du Maine, puis comte de Provence par suite de son mariage avec Béatrice, héritière de ce comté. Ayant accompagné saint Louis en croisade, il fut capturé à Mansourah, suivit le roi en Terre sainte et rentra en France. Il mata durement la rébellion des seigneurs et des villes de Provence. Il entra ensuite au service du pape Clément IV en lutte contre les Hohenstaufen, battit Manfred et Conradin et reçut en récompense le royaume de Naples et de Sicile. Il accompagna saint Louis à Tunis (1270), acheta plus tard le titre de roi de Jérusalem et projeta de rétablir à son profit l'ancien Empire byzantin. Les Vêpres siciliennes (1282) mirent brusquement fin à ses ambitions. Il obtint l'appui du pape et du roi Philippe le Hardi contre l'Aragon, mais sa flotte ayant été détruite (1284) et la « croisade » de Philippe le Hardi ayant misérablement échoué, il ne put chasser les Aragonais de Sicile. Ce fut le début d'une longue lutte entre les Maisons d'Anjou et d'Aragon. Charles Ier mourut en 1285.

CHARLES II D'ANJOU, LE BOITEUX, fils du précédent, né vers 1248, comte de Provence et roi de Naples de 1285 à 1309. Captif des Aragonais à la mort de son père, il n'obtint sa libération qu'en renonçant à la Sicile (1288).

CHARLES DE VALOIS, né vers 1270, mort en 1325, fut « fils de roi, frère de roi et père de roi », sans être lui-même roi, malgré son ambition et ses intrigues. Frère de Philippe le Bel, il fut comte de Valois et d'Alençon, puis comte d'Anjou par son mariage avec Marguerite, fille de Charles II d'Anjou. Il épousa en secondes noces l'héritière de Baudouin II de Constantinople et, à ce titre, postula à l'Empire byzantin. Il fut brièvement au service de Boniface VIII. Il remporta quelques victoires sur les Anglais de Guyenne, qui hâtèrent la conclusion de la paix entre Philippe le Bel et Édouard Ier. Son fils, Philippe VI de Valois, régna après l'extinction des Capétiens directs.

CLÉMENT V : Bertrand de Got, né en 1264, pape de 1305 à 1314. D'une famille noble d'Aquitaine, il eut une promotion rapide grâce à sa parenté et devint archevêque de Bordeaux en 1299. Élu pape quasi fortuitement, en partie avec l'appui de Philippe le Bel, il séjourna à Poitiers et à Bordeaux avant de se fixer à Avignon en 1309. En butte à la tyrannie à peine masquée de Philippe le Bel, il parvint à éviter le procès posthume de Boniface VIII, mais sacrifia l'Ordre des Templiers. Il a laissé des Constitutions, dites Clémentines. Il fut le premier pape d'Avignon.

COLONNA, puissante famille romaine tirant son nom du château Colonna, voisin de Rome, détruit en 1296 et qui assuma un rôle important dans l'histoire de l'Église. Touchant à l'époque de Philippe le Bel, ses principaux membres sont les suivants : EGIDIO COLONNA, né vers 1245, mort en 1316. Célèbre canoniste et théologien, il enseigna à l'Université de Paris. Général des Augustins, il fut aussi précepteur de Philippe le Bel. On le surnommait *doctor fundatissimus, theologorum princeps*. GIACOMO COLONNA, cardinal en 1278, mort en 1318. Ses neveux : le sénateur SCIARRA COLONNA, mort en 1329, et le cardinal PIETRO COLONNA. Ayant combattu l'élection de Boniface VIII, ils furent dépouillés de leurs charges et de leurs biens. Proscrits, ils se réfugièrent en France et aidèrent Philippe le Bel à combattre ce pape. Sciarra Colonna collabora avec Nogaret dans l'affaire d'Anagni. La légende veut qu'il ait souffleté Boniface VIII de son gantelet de fer. Clément V rétablit les Colonna dans leurs dignités, notamment Giacomo, à la demande de Philippe le Bel.

DENIS, né en 1261, roi de Portugal de 1279 à 1325. Fils et successeur d'Alphonse III, surnommé « Père de la Patrie » et « Patron des laboureurs », il encouragea avec la même efficacité le commerce, l'agriculture, les sciences et les lettres. En 1310, il prit vigoureusement la défense des Templiers et fonda pour eux l'Ordre du Christ. Marié à sainte Élisabeth du Portugal, il eut pour fils et successeur Alphonse IV.

ÉCOSSE : voir BAILLEUL et ROBERT BRUCE.

ÉDOUARD Ier PLANTAGENÊT, né en 1239, roi d'Angleterre de 1272 à 1307. Il soutint son père Henri III lors de la rébellion de Leicester (qu'il battit à Evesham). Il participa à la croisade de Tunis. Les importantes réformes qu'il apporta à l'administration et à la justice lui valurent le surnom de Justinien anglais. L'organisation de la Chambre des Communes le fait regarder comme le fondateur du parlementarisme. Il conquit le pays de Galles en 1283. Choisi, fort imprudemment, comme arbitre dans la succession d'Écosse, son choix se porta sur Bailleul. Il tenta de vassaliser celui-ci et déclencha une série de révoltes soutenues par Philippe le Bel. Il devait simultanément s'efforcer de rompre le blocus continental imaginé par ce dernier. Il épousa en secondes noces Marguerite de France, sœur de Philippe le Bel, cependant que le futur Édouard II était fiancé à Isabelle, fille du même roi.

ÉDOUARD II PLANTAGENÊT, fils du précédent, né en 1284, roi d'Angleterre de 1307 à 1327. Peu fait pour régner, faible et corrompu, il indisposa promptement les lords par les faveurs exorbitantes qu'il accorda à son favori, Gaveston. Son cousin Lancastre l'obligea à renvoyer cet aventurier. Édouard II se vengea en le faisant décapiter. Les victoires de l'Écossais Robert Bruce accrurent le mécontentement général. La reine Isabelle parvint à évincer son indigne époux qui fut interné au château de Berkeley, puis exécuté dans des conditions atroces. Elle gouverna l'Angleterre avec son amant Mortimer. Quand il fut majeur, Édouard III fit supplicier Mortimer et relégua sa mère dans une forteresse.

FERDINAND IV L'AJOURNÉ, né en 1285, roi de Castille de 1295 à 1312. Successeur de Sanche IV le Brave, il régna d'abord sous la régence de Marie de Molina, sa mère, qui sut affronter de graves périls tant intérieurs qu'extérieurs. Il s'empara de Gibraltar en 1310.

FLOTE ou FLOTTE (Pierre de), légiste originaire d'Auvergne, il fut Garde des Sceaux en 1295 et prit une part active dans le conflit opposant Boniface VIII et Philippe le Bel. Il contribua aussi à la réussite des états généraux de 1302 et fut tué la même année à la bataille de Courtrai.

FRÉDÉRIC Ier D'ARAGON, roi de Sicile de 1296 à 1337. Chargé de gouverner cette île après l'avènement de Jacques II d'Aragon. Ce dernier ayant rétrocédé la Sicile à Charles II d'Anjou, roi de Naples, les Siciliens refusèrent de se soumettre et élurent Frédéric Ier pour roi. Charles II finit par renoncer à la Sicile à condition que son rival épousât sa fille, Éléonore de Naples.

HENRI VII DE LUXEMBOURG, né vers 1275, empereur d'Allemagne de 1308 à 1313. Comte de Luxembourg, il fut élu empereur et succéda à Albert Ier d'Autriche. Il fit attribuer la couronne de Bohême à son fils, puis il se rendit en Italie, où il tenta de mettre fin à la rivalité entre les guelfes et les gibelins. Il fut couronné à Rome en 1312. Il eut pour successeur Louis IV de Bavière.

HONORIUS IV, Giacomo Savelli, né vers 1200, pape de 1285 à 1287. Il poursuivit la politique de son prédécesseur Martin IV qui avait excommunié le roi d'Aragon après les Vêpres siciliennes et provoqué la « croisade » de Philippe III le Hardi. Il soutint vigoureusement la Maison d'Anjou contre les prétentions de l'Aragon pour la possession de la Sicile. Il protégea les Ordres mendiants.

JACQUES II LE JUSTE, né vers 1260, roi d'Aragon de 1291 à 1327. Roi de Sicile en 1285, il succéda à son frère aîné Alphonse III comme roi d'Aragon. Il épousa en 1295 une fille de Charles II d'Anjou et échangea son titre de roi de Sicile contre la Corse et la Sardaigne. Il scella l'union entre la Catalogne et Valence en 1319 et confirma les privilèges des Aragonais.

MARIGNY (Enguerrand de), né vers 1260, mort en 1315. Issu d'une ancienne famille dont le patronyme était Le Portier, il fit une brillante carrière politique et cumula les charges et les titres : comte de Longueville, chambellan, châtelain du Louvre, Grand Maître de l'Hôtel, garde du Trésor royal et enfin coadjuteur au gouvernement du royaume. Cette extraordinaire fortune s'effondra après la mort de Philippe le Bel. Marigny fut victime de la réaction féodale, accusé de crimes qu'il n'avait pas commis, condamné sans avoir pu se défendre et pendu au gibet de Montfaucon.

NAPLES, voir ARAGON et ANJOU.

NICOLAS IV, Girolamo Moschi, né vers 1230, pape de 1288 à 1292. Général des Franciscains en 1274, cardinal en 1278, puis évêque de Palestrina, il fut le premier pape franciscain. Il couronna Charles II d'Anjou roi de Naples en 1289, en lui imposant toutefois l'hommage de vassalité. Il tenta vainement d'aider les croisés après la chute de Saint-Jean-d'Acre (1291). Il envoya des missionnaires en Chine.

NOGARET (Guillaume de), né vers 1260, mort en 1313. Issu d'une famille cathare du Languedoc, il fut d'abord professeur de droit à Montpellier, puis juge-mage de la sénéchaussée de Beaucaire, avant d'être nommé conseiller au Parlement (1295). Anobli (« chevalier ès lois »), il servit Philippe le Bel avec un zèle hors pair et un total manque de scrupules. Il fut à la fois l'inspirateur et l'exécutant de la politique royale contre Boniface VIII, prononça contre ce pape un réquisitoire d'une rare violence et organisa l'attentat d'Anagni. Il devint ensuite l'instigateur et le principal maître d'œuvre du procès contre les Templiers Excommunié, il fut absous par Clément V en 1311 à condition d'accomplir un pèlerinage dont il se dispensa.

PAPES : Honorius IV (1285-1287) ; Nicolas IV (1288-1292) ; Célestin V (1294) ; Boniface VIII (1294-1303); Benoît XI (1303-1304) ; Clément V, premier pape d'Avignon (1305-1314).

PHILIPPE LE BEL, né en 1268, roi de France de 1285 à 1314. Fils de Philippe III le Hardi et d'Isabelle d'Aragon, il épousa en 1284 Jeanne de Navarre qui lui apporta en dot le comté de Champagne et le royaume de Navarre. Il commença par se tirer habilement de l'imbroglio aragonais où l'avait jeté son père et conclut le traité de Tarascon (1291), laissant le royaume de Naples à la Maison d'Anjou et la Sicile à l'Aragon. Les vastes réformes qu'il édicta, l'autorité qu'il manifesta en toutes circonstances, firent promptement de lui un souverain à part entière et non plus un suzerain selon la conception féodale. La puissance impériale étant affaiblie, il était inévitable que Philippe le Bel, revendiquant l'indépendance de l'État, devînt le champion des princes temporels contre le Saint-Siège. D'où le conflit très grave qui l'opposa à Boniface VIII et dont il sortit vainqueur. Avec l'élection de Clément V, il assujettit l'autorité religieuse. À l'égard du roi d'Angleterre Édouard Ier, il mena une politique indirectement agressive, dans le but de récupérer la Guyenne ; il apporta notamment son aide aux révoltés écossais. Afin d'intervenir en Flandre et d'annexer cette vaste et riche contrée, il soutint le patriciat urbain contre Gui de Dampierre. Ce dernier s'appuyait sur le menu peuple ; il obtint l'alliance d'Édouard Ier. Gui de Dampierre fut attiré dans un piège et emprisonné. Le peuple flamand se souleva (Matines de Bruges, 17 et 18 mai 1302). L'armée française, commandée par Robert d'Artois, fut battue à Courtrai (11 juillet 1302 : « les Éperons d'or »). Philippe le Bel sauva l'honneur à Mons-en-Pévèle (18 août 1305). La paix d'Athis (1305) lui permit d'annexer la Flandre gallicane (Lille, Douai et Béthune). Le procès contre les Templiers occupa les sept dernières années de son règne : il fut la suite et la conséquence du conflit avec Boniface VIII. La chute des Templiers consacra la rupture du spirituel et du temporel marquant la fin de l'idéal chrétien au profit des nationalismes.

PIERRE III LE GRAND, né en 1239, roi d'Aragon de 1276 à 1285 et roi de Sicile de 1282 à 1285. Revendiquant les droits de son épouse Constance de Hohenstaufen, héritière de Manfred (roi de Sicile), il fut l'instigateur des Vêpres siciliennes (1282). Le pape Martin IV l'excommunia, le déposa et suscita contre lui une « croisade » conduite par Philippe le Hardi. La victoire de Pierre III fut complète et consacra la prédominance de l'Aragon en Méditerranée.

PORTUGAL, voir DENIS.

ROBERT D'ANJOU LE SAGE, né vers 1276, duc d'Anjou, comte de Provence et roi de Naples de 1309 à 1343. Chef des guelfes, il défendit le Saint-Siège contre les empereurs allemands, Henri VII et Louis IV de Bavière. Il ne put cependant vaincre les gibelins ni reconquérir la Sicile. Prince lettré, il fut le protecteur de Boccace et de Pétrarque.

ROBERT Ier BRUCE, né en 1274, roi d'Écosse de 1306 à 1329. D'abord lord Carrick, il reconnut la suzeraineté d'Édouard Ier sur l'Écosse. Ayant tué le neveu de Bailleul, John Comyn, il fut décrété hors la loi, devint le champion de l'indépendance écossaise et fut couronné à Scone. Battu à Methven, il se réfugia en Irlande et reparut en 1307 après la mort d'Édouard Ier. Il reconquit l'Écosse et battit Édouard II à Bannockburn (1314). Le traité de Northampton reconnut son titre de roi et l'indépendance de l'Écosse.

RODOLPHE Ier DE HABSBOURG, né en 1218, empereur d'Allemagne de 1273 à 1291. Fils du landgrave d'Alsace, Albert le Sage, il devint par mariage et par héritage l'un des princes germaniques les plus puissants et parvint à se faire élire empereur. Il tenta d'unifier l'Empire, en luttant notamment contre Ottokar II de Bohême. Mais il ne put assurer la succession à son fils. Il fut néanmoins le fondateur de la puissance des Habsbourg. Il introduisit l'usage de la langue allemande dans la rédaction des actes publics.

SAISSET (Bernard), né vers 1232, mort vers 1314. Chanoine de Saint-Augustin, abbé de Saint-Antonin de Pamiers, il devint évêque de cette ville en 1295. Il prit parti pour son protecteur Boniface VIII dans sa lutte contre Philippe le Bel et ourdit un complot contre celui-ci. Il fut arrêté sous l'inculpation de haute trahison, aggravée de simonie, de blasphème et d'hérésie. Relâché sous la pression de Boniface VIII, il se réfugia à Rome, mais récupéra ultérieurement son évêché. Son arrestation détermina la rupture définitive entre le pape et le roi.

SANCHE IV LE BRAVE, né en 1258, roi de Léon et de Castille de 1284 à 1293. Deuxième fils d'Alphonse X le Sage, il évinça les infants de La Cerda (fils de son frère aîné) et se fit reconnaître pour héritier du trône. Il déposa ensuite son père (1282) et fut excommunié. Cependant, il succéda normalement à Alphonse X, mais dut combattre les partisans des infants de La Cerda soutenus par l'Aragon et la France. Il enleva aux Maures la ville de Tarifa en 1292.

SICILE, voir ANJOU et ARAGON.

TEMPLIERS (Maîtres de l'Ordre des) : HUGUES DE PAYNS (1118 ou 1119 à 1136) ; ROBERT DE CRAON (1136 à 1149) ; ÉVRARD DES BARRES (1149 à 1152) ; BERNARD DE TRÉMELAY (1152-1153) ; ANDRÉ DE MONTBAR (1153 à 1156) ; BERTRAND DE BLANQUEFORT (1156 à 1169) ; PHILIPPE DE NAPLOUSE, ou de MILLY (1169 à 1171) ; EUDES ou ODON DE SAINT-AMANT (1171 à 1179) ; ARNAUD DE TORROJA ou de LA TORROGE (1180 à 1184) ; GÉRARD DE RIDEFORT (1185 à 1189) ; ROBERT DE SABLÉ (1191 à 1193) ; GILBERT ERAIL (1194 à 1200) ; PHILIPPE DE PLESSIS (1201 à 1209) ; GUILLAUME DE CHARTRES (1210 à 1219) ; PIERRE DE MONTAIGU ou de MONTAGUT (1219 à 1232) ; ARMAND ou HERMANT DE PÉRIGORD

(1232 à 1244) ; RICHARD DE BURES (1244 à 1247); GUILLAUME DE SONNAC (1247 à 1250); RENAUD DE VICHIERS (1250 à 1256) ; THOMAS BÉRAUT ou BÉRARD (1256 à 1273) ; GUILLAUME DE BEAUJEU (1273 à 1291) ; THIBAUD GAUDIN (1291 à 1293) ; JACQUES DE MOLAY (1294 à 1314).
Sur les vingt-trois Maîtres du Temple, dix-neuf étaient français, bien que l'Ordre fût international.

VALOIS, voir CHARLES DE VALOIS.

VILLARET (Foulques de), Maître des Hospitaliers, il succéda à son oncle Guillaume et poursuivit le projet de celui-ci en s'emparant de l'île de Rhodes (1310). Cependant, malgré les services qu'il avait rendus à son Ordre, il dut se démettre pour éviter d'être déposé, et mourut en Provence en 1327.

BIBLIOGRAPHIE

ALART (B.) – *Suppression de l'Ordre du Temple en Roussillon,* Perpignan, 1867.

ALBON (marquis d') – *Cartulaire général de l'Ordre du Temple,* Paris, 1913-1922 (2 vol.).

ANDRÉ (Abbé René) – *Guillaume de Nogaret,* Collias, 1979.

BAILLET (Adrien) – *Histoire des démêlés du pape Boniface VIII avec Philippe le Bel,* Paris, 1718.

BAILLY (R.) – *Les Templiers, réalité et mythes (Comtat Venaissin, Provence, Languedoc, etc.),* L'Isle-sur-Sorgue, 1987.

BARBER (Malcolm) – *The trial of the Templars,* Cambridge University Press, 1978.

BERTRAND (M.) – « Les Templiers en Normandie », in *Heimdal,* Revue d'art et d'histoire de Normandie, 1978.

BONNIN (Jean-Claude) – *Les Templiers et leurs commanderies en Aunis, Saintonge, Angoumois* (1139-1312), La Rochelle, 1983.

BORDONOVE (Georges) – *Saint Louis, roi éternel* (Les Rois qui ont fait la France), Paris, 1984.

BORDONOVE (Georges) – *Philippe le Bel, roi de fer (Les Rois qui ont fait la France)*, Paris, 1984.

BORDONOVE (Georges) – *Les Croisades* (Les Grandes Heures de l'Histoire de France), Paris, 1992.

BORDONOVE (Georges) – *Les Templiers,* Paris, 1963.

BORDONOVE (Georges) – *La vie quotidienne des Templiers au XIIIe siècle,* Paris, 1975.

BOUTARIC (Œdgar), « Clément V, Philippe le Bel et les Templiers », in *Revue des questions historiques*, T. X et XI, Paris, 1872.

BOUTARIC (Œdgar) – *La France sous Philippe le Bel,* Genève, 1975 (réimpression de l'édition de Paris, 1861).

CARRIÈRE (Victor) – *Histoire et cartulaire des Templiers de Provins,* Paris, 1919.

CHARPENTIER (John) – *L'Ordre du Temple, Paris,* 1944.

COUSIN (Dom Patrice) – *Les débuts de l'Ordre du Temple et saint Bernard,* Dijon, 1953.

CURZON (Henri de) – *La Règle du Temple* (Société de l'Histoire de France), Paris, 1886.

CURZON (Henri de) – *La maison du Temple à Paris, histoire et description,* Paris, 1888.

DAILLIEZ (Laurent) – *Les Templiers et la Règle de l'Ordre du Temple,* Paris, 1972.

DAILLIEZ (Laurent) – *La France des Templiers*, Vervins, 1974.

DAILLIEZ (Laurent) – « Les Templiers dans la péninsule Ibérique », in *Archeologia,* mars-avril 1969.

DARAS (Charles) – « Les commanderies des Templiers dans la région charentaise », in *Archeologia*, Paris, mars-avril 1969.

DELAVILLE-LE ROULX (Joseph) – « La suppression des Templiers », in *Revue des questions historiques*, T. XLVIII, Paris, 1890.

DELISLE (Léon) – « Mémoire sur les opérations financières des Templiers », in *Mémoires de l'Académie des Inscriptions et Belles Lettres*, T. XXXIII, Paris, 1889.

DEMURGER (Alain) – *Vie et mort de l'Ordre du Temple*, Paris, 1989.

DEMURGER (Alain) – « Les Templiers, Matthieu Paris et les sept péchés capitaux », in *I Templari, mito e storia*, Sienne, 1987.

DESSUBRÉ (Marguerite) – *Bibliographie de l'Ordre des Templiers*, Paris, 1972.

DEVIC (Dom Claude) et VAISSETTE (Dom Jean) – *Histoire générale du Languedoc*, édit. par A. Molinier, Toulouse, 1872-1892 (15 vol.).

DIGARD (Georges) – *Philippe le Bel et le Saint-Siège*, de 1285 à 1304, Paris, 1936 (2 vol.).

DUBOIS (Pierre) – *De recuperatione Terræ sanctæ*, édit. par C.V. Langlois, Paris, 1891.

DUPUY (Pierre) – *Histoire du différend entre le pape Boniface VIII et Philippe le Bel, roi de France*, Paris, 1655.

FAVIER (Jean) – *Un conseiller de Philippe le Bel : Enguerrand de Marigny*, Paris, 1963.

FAVIER (Jean) – « Les légistes et le gouvernement de Philippe le Bel », in *Journal des Savants*, Paris, 1969.

FAVIER (Jean) – *Philippe le Bel*, Paris, 1978.

FAVIER (Jean) – *Le temps des principautés*, T. II de l'Histoire de France (dirigée par Jean Favier), Paris, 1984.

FINKE (Heinrich) – *Papsttum und Untergang des Templerordens*, Münster, 1907.

GÉRARD (Pierre) et MAGNOU (Élisabeth) – *Le cartulaire des Templiers de Douzens*, Paris, 1966.

GRANDES CHRONIQUES DE FRANCE (Les), T. VIII, publ. par J. Viard (Philippe III le Hardi, Philippe IV le Bel, Louis X le Hutin, Philippe V le Long), Paris, 1934.

GROUSSET (René) – *Histoire des croisades et du royaume franc de Jérusalem*, Paris, 1939.

GUÉRIFF (F.) – « Les chevaliers templiers et hospitaliers dans l'ancien pays de Guérande », in *Bulletin de la Soc. archéol. et histor.* de Nantes et de Loire-Atlantique, Nantes, 1970.

GUÉRY (Abbé C.) – *La commanderie de Saint-Étienne de Renouville (Eure)*, Évreux, 1896.

GUÉRY (Abbé C.) – *La commanderie de Bourgoult (Eure), Évreux*, 1903.

HAUZEAU (Barthélemy) – *Bernard Délicieux et l'inquisition albigeoise (1300-1321)*, Paris, 1877.

HENRY (Abel) – « Guillaume de Plaisians, ministre de Philippe le Bel », in *Bibliothèque de l'École des Chartes*, Paris, 1892.

HIGOUNET (C.) – « Le cartulaire des Templiers de Montsaunès », in *Bulletin philolog. et histor. du Comité des travaux histor. et scientif.*, Paris, 1957.

HOLTZMANN (Robert) – *Wilhelm von Nogaret Rat und Grossiegelbewahrer Philipps des Schönen von Frankreich*, Fribourg, 1898.

JACQUOT (François) – *Bibliographie des Templiers*, in *Annales du Monde religieux*, T. III et IV, Paris, 1879-1880.

LAMBERT (Élie) – *L'architecture des Templiers*, Paris, 1955.

LANGLOIS (Ch.-V.) – « Le procès des Templiers », in *Revue des Deux Mondes*, Paris, 1891.

LANGLOIS (Ch.-V.) – *Les papiers de Guillaume de Nogaret et de Guillaume de Plaisians*, Paris, 1904.

LANGLOIS (Ch.-V.) – *Saint Louis, Philippe le Bel, les derniers Capétiens directs,* T. III de l'*Histoire de France* de Lavisse, Paris, 1904.

LASCAUX (Michel) – *Les Templiers en Bretagne,* Rennes, 1979.

LAVISSE, voir LANGLOIS.

LEGRAS (A.-M.) – *Les commanderies des Templiers et des Hospitaliers de Saint-Jean de Jérusalem en Aunis et en Saintonge,* Paris, 1983.

LÉONARD (Émile-G.) – *Introduction au cartulaire manuscrit du Temple (1150-1317) constitué par le marquis d'Albon,* Paris, 1930.

LEROY (Stephen) – *Jacques de Molay et les Templiers francs-comtois d'après les actes du procès,* Gray, 1900.

LIZERAND (Georges) – *Clément V et Philippe le Bel,* Paris, 1900.

LIZERAND (Georges) – *Le dossier de l'affaire des Templiers, in Collection des Classiques de l'Histoire de France au Moyen Âge,* Paris, 1923.

LOISNE (Comte de) – *Cartulaire de la commanderie de Sommereux,* Paris, 1924.

MARTIN-CHABOT (Eugène) – « Contribution à l'histoire de la famille Colonna de Rome dans ses rapports avec la France », in *Annuaire-bulletin de la Soc. de l'Histoire de France,* Paris, 1921.

MATTHIEU PARIS – Chronica Majora, édit. par R. Luard, Londres, 1872-1884 (7 vol.).

MELVILLE (Marion) – *La vie des Templiers,* Paris, 1951.

MICHELET (Jules) – *Histoire de France,* T. III, Paris, 1837.

MICHELET (Jules) – *Le procès des Templiers, in Collection des Documents inédits de l'Histoire de France,* Paris, 1841-1851 (2 vol.).

MOLLAT (Guillaume) – « Dispersion définitive des Templiers après leur suppression », in *Comptes rendus des séances* de l'Académie des Inscriptions et Belles Lettres, Paris, 1952.

NEU (Heinrich) – *Bibliographie des Templerordens*, Bonn, 1965.

OLLIVIER (Albert) – *Les Templiers*, Paris, 1958.

OURLIAC (P.) et MAGNOU (A.-M.) – *Le cartulaire de La Selve. La terre, les hommes et le pouvoir en Rouergue au XIIe siècle*, Toulouse, 1985.

OURSEL (Raymond) – *Le procès des Templiers*, traduit, présenté, annoté, Paris, 1955.

OURSEL (Raymond) – « Les églises des Templiers », in *Archeologia*, Paris, mars-avril 1969.

PALADILHE (Dominique) – *Les papes en Avignon*, Paris, 1974.

PARIS, voir MATTHIEU PARIS.

PERNOUD (Régine) – *Les Templiers*, Paris, 1974.

PÉTEL (Abbé) – *Templiers et Hospitaliers dans le diocèse de Troyes : comptes de régie de la commanderie de Payns (1307-1309)*, Troyes, 1909.

PÉTEL (Abbé) – *La templerie de Bonlieu et ses dépendances*, Troyes, 1910.

PICOT (Georges) – *Documents relatifs aux états généraux et assemblées réunis sous Philippe le Bel*, in *Documents inédits de l'Histoire de France*, Paris, 1901.

PIQUET (J.) – *Des banquiers au Moyen Âge : les Templiers, étude de leurs opérations financières*, Paris, 1939.

PRUTZ (Hans) – *Entwicklung und Untergang des Tempelherrenordens*, Berlin, 1888.

RABANIS (J.-F.) – *Clément V et Philippe le Bel*, Paris, 1858.

RAYNOUARD (Just-Marie) – *Monuments relatifs à la condamnation des chevaliers du Temple*, Paris, 1813.

RENAN (Ernest) – *Guillaume de Nogaret*, in *Histoire Littéraire*, Paris, 1880.

RENAN (Ernest) – *Bertrand de Got*, in *Histoire Littéraire*, Paris, 1881.

RICHARD (Jean) – « Les Templiers et les Hospitaliers en Bourgogne et en Champagne du sud (aux XIIe et XIIIe siècles) », in *Die geistlichen Ritterordens Europas*, Sigmaringen, 1982.

ROMAN (Georges) – *Le procès des Templiers*, essai de critique juridique, Montpellier, 1943.

SCHOTTMULLER (Konrad) – *Der Untergang des Templerordens mit uskundlichen und kritischen Beiträgen*, Berlin, 1887.

SÈVE (Roger) et CHAGNY-SÈVE (Anne-Marie) – *Le procès des Templiers d'Auvergne (1309-1311)*, in Collection CTHS, Paris, 1986.

THOMAS (Louis) – *La vie privée de Guillaume de Nogaret*, in *Annales du Midi*, XVI, 1904.

TRUDON DES ORMES (Amédée) – *Liste des maisons et de quelques dignitaires de l'Ordre du Temple en Syrie, en Chypre et en France, d'après les pièces du procès*, Paris, 1900.

TYR (Guillaume de), *Historia rerum in partibus transmarinis gestarum* (et continuation sous le titre d'Estoire d'Eraclès), in *Recueil des Historiens des Croisades*, Paris, 1844-1849 (3 vol.).

VAOURS (Guy de) – « Quelques observations sur la toute primitive observance des Templiers », in *Mélanges de saint Bernard*, Dijon, 1953.

VIAL (P.) – « Les Templiers en Velay aux XIIe et XIIIe siècles », in *Actes* du 90e congrès national des Soc. savantes, Saint-Étienne, 1973.

VIDAL (Jean-Marie), *Bernard Saisset* (1232-1311), Paris, 1926.

TABLE DES MATIÈRES

TROISIEME PARTIE :

CLÉMENT V (1305-1307)

QUATRIEME PARTIE :

LES AVEUX (1307)

CINQUIEME PARTIE :

LA RIPOSTE DE PHILIPPE LE BEL (1308)

SIXIEME PARTIE :

LA DÉFENSE DU TEMPLE (1309-1311)

SEPTIEME PARTIE :

LA SUPPRESSION DU TEMPLE (1312-1314)

ANNEXES :

Achevé d'imprimer en septembre 2008 par N.I.I.A.G. pour le compte de France Loisirs, Paris
Numéro d'éditeur : 53003 - Dépôt légal : septembre 2008 - Imprimé en Italie